झारखंड
सपने और यथार्थ

झारखंड
सपने और यथार्थ

हरिवंश

प्रभात प्रकाशन, दिल्ली
ISO 9001:2008 प्रकाशक

VZ12204617

प्रकाशक • **प्रभात प्रकाशन**
4/19 आसफ अली रोड,
नई दिल्ली–110002

सर्वाधिकार • सुरक्षित

संस्करण • प्रथम, 2012

मूल्य • तीन सौ पचास रुपए

मुद्रक • भानु प्रिंटर्स, दिल्ली

JHARKHAND : SAPNE AUR YATHARTH *by* Harivansh   Rs. 350.00
Published by Prabhat Prakashan, 4/19 Asaf Ali Road, New Delhi-2
e-mail: prabhatbooks@gmail.com   ISBN 978-93-5048-116-5

स्वर्गीय प्रभाष जोशी

एवं

डॉ. कृष्ण बिहारी मिश्र को।

भूमिका

लगभग दो दशकों (1991-2010) के बीच झारखंड राज्य से जुड़े लेखों का दो खंडों में यह संग्रह है। सन् 1991 से 2000 के बीच झारखंड बिहार का हिस्सा था। सन् 2000 (15 नवंबर), में यह अलग राज्य बना। एक तरह से पीछे के दस वर्षों (1991-2000, बिहार) और आगे के दस वर्षों (2000-2010, झारखंड) के प्रशासनिक, आर्थिक, राजनीतिक, सांस्कृतिक, विरोध, संघर्ष और सृजन के क्षेत्रों के दृश्य हैं। उन पर टिप्पणियाँ, विवेचना, हस्तक्षेप, सुझाव और आगाह या सावधान करने की कोशिश है। गुजरे इन दो दशकों के वे प्रासंगिक मुद्दे हैं, जिन्होंने समाज और 'राज्य' नाम की संस्था को गहराई से प्रभावित किया।

चर्चिल का मशहूर वाक्य था—अतीत को जितना पीछे तक देख सकते हैं, देखें। इससे भविष्य की दृष्टि (विजन) मिलेगी। बहुत पीछे तो नहीं, पर बीते बीस वर्षों में उठे सवालों को एक जगह, एक साथ लाने की इस कोशिश के पीछे मकसद है कि झारखंड के लिए एक विजन या दृष्टि विकसित हो। आधुनिक अर्थशास्त्री या नीतिकार मानते हैं कि 'रिसोर्स आर कर्स' (प्राकृतिक संसाधन अभिशाप हैं)। पहले यह दक्षिण अफ्रीका के लिए सच माना जाता था। आज भारत में झारखंड के लिए यह स्थापना सच है। प्राकृतिक संसाधन की दृष्टि से (कोयला, लौह अयस्क, बाक्साइट वगैरह) देश का सबसे धनी राज्य, पर यहाँ देश के सबसे अधिक गरीब रहते हैं। बिहार से अलग होने के लिए यह अंचल (विभाजन पूर्व) इसलिए छटपटा रहा था कि तत्कालीन बिहार की अराजकता, कुशासन और गरीबी से मुक्ति पा सके। पर क्यों, प्राकृतिक संसाधनों से संपन्न और सरप्लस बजट से नई यात्रा शुरू करनेवाला राज्य 'झारखंड' अराजक हाल में पहुँच गया? बँटवारे के समय झारखंड में गीत गाए जाते थे कि बिहार में बाढ़, बालू, आलू और लालू बचे हैं, वह राज्य अपने प्रतिकूल हालात के बावजूद, खनिज संपदा न होने पर भी देश का मानक राज्य बन रहा है! क्या झारखंड की खराब स्थिति के दोष राजनीति में हैं? गवर्नेंस में हैं? समाज में हैं? या झारखंड की सामाजिक संरचना में हैं? या देश की राजनीति के डी.एन.ए.

में हैं? पूरे देश में झारखंड जैसा विभाजित, बँटा, बहुविध कोई दूसरा राज्य नहीं है। आदिवासी, गैर-आदिवासी। आदिवासियों में भी संथाल, हो, मुंडा, उराँव, पहाड़िया वगैरह। बिहारी, बंगाली, मारवाड़ी, हिंदू, मुसलिम, क्रिश्चियन... न जाने कितने तरह का बँटवारा। सदान, महतो, फिर बिहारियों में बँटवारा। अगड़े, पिछड़े। इस बँटवारे की झलक, झारखंड के हर विधानसभा चुनाव में दिखती है। खंड-खंड में बँटी विधानसभा। किसी को भी पूर्ण बहुमत नहीं। परिणाम, राज्य बनने के ग्यारह वर्ष बाद भी स्थायी सरकार का गठन नहीं। समाजशास्त्री या एंथ्रोपोलॉजी की दृष्टि से अत्यंत रोचक राज्य। समाजशास्त्री या एंथ्रोपोलॉजिस्ट जिस क्षेत्र का सदियों से अध्ययन कर रहे हैं। अर्थशास्त्री जिसकी गरीबी का लंबे समय से आकलन कर रहे हैं। जिस अंचल (पलामू) में '42 के बाद का सबसे बड़ा अकाल 1967 में पड़ा। जहाँ अकाल के खिलाफ जयप्रकाश नारायण के नेतृत्व में अंतरराष्ट्रीय असर पैदा करनेवाला अभियान चला। जहाँ की गरीबी से मुक्ति के लिए समाजवादियों ने असरदार अभियान चलाया। इसी अंचल में प्रो. कृष्णनाथ (दार्शनिक, अर्थशास्त्री, यात्री और चिंतक) ने लंबे समय तक रहकर संघर्ष किया। यही इलाका नक्सलियों का गढ़ भी बना। नक्सल आंदोलन की जड़ें आज भी इसी राज्य में गहरी और प्रभावी हैं। इसी तरह यह धरती सामाजिक उथल-पुथल और बदलाव की प्रयोगशाला है।

इस धरती के मौलिक सवाल क्या हैं? यही इस पुस्तक में संकलित है।

पत्रकारिता को इतिहास का पहला ड्राफ्ट कहा जाता है। पर इस पुस्तक में सामाजिक इतिहास बताने या दर्ज करने का मकसद नहीं। पर कौन-सी सामाजिक, आर्थिक, राजनीतिक और सांस्कृतिक धाराएँ-उपधाराएँ इस दौर को प्रभावित कर रही हैं और राज्य व देश की राजनीति को भविष्य में प्रभावित करेंगी, उन्हें रेखांकित और उजागर करने की कोशिश है।

बचपन से ही हम सब पढ़ते आए हैं कि साहित्य समाज का दर्पण होता है। विद्यार्थी जीवन में ही पढ़े चार उपन्यास आज भी स्मृति में हैं। साहित्य का विद्यार्थी नहीं रहा, पर इन पुस्तकों को पढ़ने से बदलते हिंदीपट्टी के समाज को समझने में मदद मिली। शायद किसी समाजशास्त्री ने हिंदीपट्टी के '60 और '70 के दशकों में बदलते समाज का इतना सुंदर, सूक्ष्म, बारीक और विस्तृत वर्णन नहीं किया। न राजनीति पर लिखनेवालों ने। ये उपन्यास थे फणीश्वरनाथ रेणु का 'मैला आँचल', श्रीलाल शुक्ल का 'रागदरबारी', शिवप्रसाद सिंह का 'अलग-अलग वैतरणी' और राही मासूम रजा का 'आधा गाँव'। किशोर उम्र में पढ़े गए इन उपन्यासों ने सामाजिक जटिलताओं, बदलाव, टूटते-बनते-बिखरते सामाजिक ताने-बाने, आदर्श और यथार्थ की स्थिति को साफ किया। तब से यह सवाल मन में उठता रहा कि पत्रकारिता को एक विधा के तौर पर समाज को और

नजदीक और गहराई से समझना–जानना चाहिए। पत्रकारिता को धर्म और काम के अनुसार समाज की प्रयोगशाला बनना चाहिए।

जीवन के निर्णायक मोड़ पर इस मानस ने महत्त्वपूर्ण फैसले के लिए मजबूर किया। जे.पी. आंदोलन का वैचारिक असर अलग था। सन् 1977 में 'टाइम्स ऑफ इंडिया ग्रुप' में प्रशिक्षु पत्रकार के लिए चयनित हुआ। फिर 'धर्मयुग' में अवसर मिला। अपने समय की सर्वाधिक बिकनेवाली साप्ताहिक पत्रिका। इसके बाद आनंद बाजार से प्रकाशित 'रविवार' (कोलकाता) में काम करने का मौका मिला। उन दिनों का अत्यंत चर्चित साप्ताहिक। दोनों देश के सबसे बड़े अखबार घराने। अत्यंत प्रतिष्ठित भी। दोनों प्रकाशन 'धर्मयुग' और 'रविवार' खूब बिकनेवाले और सम्मानित। इन्हें छोड़कर लगभग एक बंद दैनिक 'प्रभात खबर' (राँची) में आने का निर्णय निजी जीवन के लिए अहम फैसला था। उस अपरिचित-अनजान जगह, छोटानागपुर (अब झारखंड) में रहकर काम करने का फैसला। पत्रकारिता, तब ग्लैमर प्रोफेशन में पूरी तरह नहीं आई थी। पत्रकारिता, सत्ता का असंवैधानिक केंद्र भी बनकर नहीं उभरी थी। फिर भी महानगरों में, बड़े घरानों में, शीर्ष सत्ता के आसपास या इर्द-गिर्द (दिल्ली या मुंबई या कोलकाता) रहकर पत्रकारिता का आकर्षण था। यह सब छोड़कर, स्वीकृत मुख्यधारा से हटकर, छोटी जगह से पत्रकारिता करने (जल, जंगल और जमीन जैसे अभियान से जुड़ने) के पीछे एक समझ थी। प्रतिबद्धता थी। पत्रकारिता की प्रयोगशाला में ग्रासरूट से समाज को समझना। आर्थिक, सामाजिक, राजनीतिक सवालों को समझना। सामाजिक बदलाव, प्रतिरोध, संघर्ष, सृजन और बेचैनी की धाराओं-उपधाराओं के असर देखना। नौकरी की निजी असुरक्षा के बीच।

यह वह दौर था, जब देश बदल रहा था। अर्थनीति बदली। एकदलीय राजनीति से बहुदलीय राजनीति हुई। साझा और संविद सरकारों का युग भी शुरू हो गया था। एक तरफ ग्लोबलाइजेशन का दौर था, ग्लोबल गाँवों का उदय हो रहा था तो दूसरी ओर क्षेत्रीयता और लोकलाइजेशन का दौर पनप रहा था। केंद्र में क्षेत्रीय दलों की ताकत और जोर बढ़ रहा था और राज्यों में क्षेत्रीय ताकतें निर्णायक भूमिका में आ रही थीं। उस बदलते दौर को 'ग्रासरूट' से ही समझा-देखा जा सकता था, दिल्ली या शीर्ष से नहीं। इस देश में उलटी परंपरा है। ऊपर से नीचे देखने की। यानी दिल्ली में बैठे लोग ऊपर से ही, शीर्ष से ही सबकुछ आँकने-देखने की कोशिश करते हैं। ठीक इसके उलट सन् 1991 में नीचे से चीजों को देखने, सच के अधिक करीब होने की इच्छा ने इन सवालों (जो पुस्तक में हैं) के करीब खड़ा किया।

सिर्फ राजनीति और अर्थनीति ही सन् 1990-91 में नहीं बदल रही थी। पत्रकारिता में भी बड़ा बदलाव आ रहा था। मूल सवालों से हटकर लाइफस्टाइल, फैशन, मनोरंजन

पत्रकारिता के मूल विषय बन रहे थे। महानगरों-बड़े शहरों में उपभोक्ता वर्ग को प्रश्रय देनेवाली बदलती पत्रकारिता इन मुद्दों को उठाकर राष्ट्रीय पत्रकारिता करने का दंभ भरती थी। क्षेत्रीय पत्रकारिता में भी महानगरों के ये बड़े अखबार और 'लाइफस्टाइल पेज तीन' का प्रोफाइल ही आदर्श थे। गवर्नेंस, भ्रष्टाचार, राजनीति में उपजते अंतर्विरोध-संकट, क्षेत्रीय सवाल, विषमता, रूढ़ सामाजिक हालात अखबारों के विषय नहीं रहे। तब पत्रकारिता के मूल मर्म के तहत समाज को समझने के लिए ग्रासरूट की पत्रकारिता महानगरों की पत्रकारिता से अधिक सही लगी। इसलिए 'प्रभात खबर' में पहला संपादकीय ही हमने 'धारा के विरुद्ध' लिखा। इसका आशय-संदर्भ था कि हमारी पत्रकारिता मूल सवालों से जुड़ी होगी। जल, जंगल और जमीन की होगी। ग्रासरूट पर जो सवाल खड़े हो रहे थे, जिन्हें दिल्ली या दिल्ली की पत्रकारिता अनसुना कर रही थी, वे ही सवाल आज 20 साल बाद देश की राजनीति के मूल सवाल बन गए हैं। पर 'प्रभात खबर' हमेशा इन्हीं बुनियादी या जड़ों के सवालों से जुड़ा रहा। आज देश उन्हीं मूल सवालों की ओर लौट रहा है। इन सवालों में से एक सवाल है—भ्रष्टाचार का।

सन् 1992-93 में 'प्रभात खबर' ने पशुपालन घोटाले का मुद्दा उठाया। तत्कालीन बिहार में 'छोटा अखबार', तब सिर्फ राँची से छपता था। इस आदिवासीबहुल इलाके में यह प्रकरण हो रहा था। पिछले 8-10 सालों से। सबको पता था। पर इसे कोई स्वर देने को तैयार नहीं था। 'प्रभात खबर' ने इसके राष्ट्रीय महत्त्व को समझा, पूरी ताकत से उठाया। इस अंचल का यह मुद्दा भारतीय राजनीति के लिए निर्णायक बना। इसी तरह गुजरे 20 वर्षों में 'प्रभात खबर' ने 20-25 से अधिक राष्ट्रीय महत्त्व के मुद्दों को उठाया, जिनकी सी.बी.आई. जाँच चल रही है, जो राष्ट्रीय राजनीति को प्रभावित करते रहे हैं। इसी में मधु कोड़ा का मामला भी है, जिसने दिल्ली की राजनीति को सांसत में डाला। झारखंड ही एकमात्र राज्य है, जहाँ पूर्व मुख्यमंत्री समेत कई मंत्री आई.ए.एस. जेल में बंद हैं। याद रखिए, न लोकपाल की तब चर्चा थी, न बिहार की तरह भ्रष्टाचार रोकने के लिए विशेष कानून बना था। राज्य में न विजिलेंस का ढाँचा था। तब ऐसी ठोस पत्रकारिता हुई कि अत्यंत ताकतवर लोगों के खिलाफ कार्रवाई (कानूनी) हुई। देश के सबसे ताकतवर सत्ताधारी वर्ग को इन मुद्दों ने बेचैन किया। सांसत में डाला। इसी तरह नदी, पहाड़, जमीन और सरकारी कारखानों के लूट प्रकरण हैं, जिनमें वर्षों से सी.बी.आई. जाँच चल रही है। सरकारी कारखानों के घरों पर 16000 से अधिक सफेदपोशों ने जबरन कब्जा जमाया था, प्रभात खबर के अभियान से ही वे मुक्त हुए। इस तरह ग्रासरूट पर सरकार, गवर्नेंस, न्याय के यथार्थ क्या हैं, यह सब इस पुस्तक में है। अपने समय का दस्तावेज। अकसर 'प्रभात खबर' के साथी-सहकर्मियों से मैं कहता रहा हूँ, यह 'प्रभात खबर' की

ताकत नहीं है, इन मुद्दों की ताकत ने 'प्रभात खबर' को प्रभावी बनाया है। दरअसल, समाज के ये असल मुद्दे हैं, जिन्हें पत्रकारिता ने छोड़ दिया है। 'प्रभात खबर' ने इन्हीं मुद्दों को पकड़ा, इसलिए वह महत्त्वपूर्ण बना। इसलिए स्पष्ट और साफ रहना चाहिए कि ताकत मुद्दों में होती है, अखबार या मीडिया में नहीं। अपने समय के सवालों के साथ आप खड़े नहीं हो सकते तो आप अपनी समय या कालप्रदत्त भूमिका के साथ न्याय नहीं करते। 'प्रभात खबर' संतोष के साथ कह सकता है कि यह अपने समय के सवालों के साथ खड़ा रहा।

ये वे सवाल थे, जिन्होंने राज्य और देश की राजनीति, समाजनीति और अर्थनीति को गहराई से प्रभावित किया।

एक राज्य बनने के अन्य कारण क्या होते हैं, जिन पर मीडिया की नजर नहीं होती। सच में या परदे के पीछे शासन कैसे चलता है? भ्रष्टाचार का असल खेल क्या है? साझा सरकारों का सच क्या है? झारखंड बनने के बाद (15 नवंबर, 2000) हर साल स्थापना दिवस के अवसर पर 'प्रभात खबर' ने ऑडिट अंक निकालना शुरू किया। 100-80-60 पन्नों का अखबार। शोध संस्था इंडिकस के साथ मिलकर अलग से 'झारखंड डेवलपमेंट रिपोर्ट' का प्रकाशन भी शुरू किया। मकसद था कि मूल आर्थिक सवालों को सार्वजनिक जीवन का मूल एजेंडा बनाया जाए। जनता के बीच आर्थिक सवाल बहस और निर्णय के विषय बनें। इन्हीं स्थापना दिवस अंकों में 'भ्रष्टाचार' पर विशेष अध्ययन खंड भी होता है। 16 पेज या 8 पेज में भ्रष्टाचार पर सांगोपांग अध्ययन की परंपरा 'प्रभात खबर' ने ही पत्रकारिता में शुरू की। इसे देखकर वर्षों पहले विख्यात समाजविज्ञानी प्रो. रजनी कोठारी ने फोन कर कहा, 'यह अनूठा काम है। ऐसा कहीं नहीं हो रहा।' धरातल का सच, समाजशास्त्रीय अध्ययन की दृष्टि से आरंभिक दस्तावेज हैं, भविष्य के लिए।

पत्रकारिता में क्षेत्रीय स्तर पर हुए इन नए प्रयोगों का संदर्भ राष्ट्रीय सवालों से जुड़ा था। उन सवालों को समग्रता से समझने में यह संग्रह मददगार होगा। इसे यह स्वरूप देने में हमारे 'प्रभात खबर' के सभी साथियों-सहकर्मियों की बड़ी भूमिका रही है। खासतौर से रवींद्र बाबू, राकेश, निराला, पंकज और युवा पत्रकार संजय की।

झारखंड को समझने और लिखने में 'प्रभात खबर' के सभी साथियों का सबसे बड़ा योगदान रहा है। रोज नए मुद्दे लाना, सवाल उठाना, बहस करना और राजनीति या यथास्थिति में आलोडन पैदा करना, यह सब 'प्रभात खबर' के साथियों के कारण ही संभव हुआ है। 'प्रभात खबर' में छपी सामग्री पर कई पुस्तकें आ चुकी हैं, जिनमें साहित्यकार अशोक प्रियदर्शी, साथी पत्रकार फैसल अनुराग, मनोज प्रसाद, बैजनाथ मिश्र और बलबीर दत्तजी का खास सहयोग रहा है। साहित्यकार रविभूषणजी बार-बार इस संग्रह के लिए

प्रेरित करते रहे हैं । इन सबको धन्यवाद देना औपचारिकता होगी, क्योंकि ये सभी जीवन के हिस्से हैं । इनके अतिरिक्त दो दशकों की यात्रा में अनेक लोगों से पग-पग पर मदद, प्रोत्साहन और उत्साह मिला है । उन सबके प्रति आभार! उन आलोचकों के प्रति भी आभार, जिन्होंने पग-पग पर सावधान-सचेत किया और समग्रता में चीजों को देखने में मदद की ।

अलग राज्य बनने की पृष्ठभूमि में क्या बेचैनी थी ? जब अलग राज्य बन गया तो क्या सवाल खड़े हुए ? विकेंद्रीकरण के सपने यथार्थ में बदले या नहीं बदले ? छोटे राज्यों में राजनीति को किन नई ताकतों ने प्रभावित करना शुरू किया ? दिल्ली में बैठी ताकतों ने किन स्थानीय ताकतों को बल दिया ? छोटे राज्य क्यों सफल या विफल होते हैं ? उनकी चुनौतियाँ व खतरे क्या हैं ? इन सबके मकसद और परिणाम क्या हैं ? ऐसे बहुत सारे सवाल, जो नीचे से देश और दिल्ली को समझने में मदद करते हैं, पढ़ने को मिलेंगे । आज उत्तर प्रदेश को चार राज्यों में बाँटने की बात हो रही है । आंध्र में तेलंगाना जल रहा है । अलग विदर्भ (महाराष्ट्र) का मसला है ? क्या छोटे राज्य विकास के कारक हैं ? या अभिशाप हैं ? आज देश में नए राज्यों का गठन सही है या गलत ? इन माँगों के पीछे विकास की भूख है या सत्ता पाकर लूटने की आदर्शविहीन नीति ? इस संग्रह (दोनों खंडों) से ऐसे अनेक सवालों के उत्तर मिलते हैं ।

अनुक्रमणिका

बड़े बेआबरू होकर तेरे कूचे से निकले हम

पहली बार मुख्यमंत्री मधु कोड़ाजी ने कल मुँह खोला। कांग्रेस संकट पर बोले—''कांग्रेस सच को झूठ साबित करने का प्रयास न करे।'' यह भी जोड़ा कि 'सरकार चलानी है, तो इज्जत से चलाएँ।'

यह बयान पढ़कर लगा कि या तो मुख्यमंत्री कोड़ा नादान हैं या सहज इनसान या घाघ राजनीतिज्ञ। इस पूरी सरकार और इसके मुखिया को बताना चाहिए कि आप खुद अपनी इज्जत का ध्यान रखते हैं? एक पूर्व प्रधानमंत्री ने एक बार कहा था, ''अपनी इज्जत, अपने हाथ।'' क्या यह सरकार अपनी प्रतिष्ठा का ध्यान रखती है? मुख्यमंत्री को यह एहसास है कि इस पद की संवैधानिक गरिमा, महत्त्व और सम्मान क्या है? जो मंत्री हैं, वे अपने पद की प्रतिष्ठा समझते हैं? उस संवैधानिक पद का महत्त्व जानते हैं, जिन पदों पर परिस्थितियों ने इन लोगों को बैठा दिया है? एक इनसान होने के नाते, हर व्यक्ति की अपनी आत्मप्रतिष्ठा है, आत्मसम्मान (सेल्फ रेसपेक्ट) है। हजारों वर्ष पुरानी मान्यता है—जो आत्मसम्मान की रक्षा नहीं कर सकता, वह राज्य, समाज या देश की मर्यादा कैसे बचाएगा? झारखंड सरकार में शामिल लोग, न आत्मसम्मान के लिए कदम उठा रहे हैं, न जिस संवैधानिक पद पर बैठे हैं, उसकी मर्यादा पर गौर कर रहे हैं। ये पदों से चिपके इनसान हैं। पद और पद से मिलनेवाले लाभों के हाथ अपना आत्मसम्मान गिरवी रखनेवाले। इस तरह झारखंडी जनता की रहनुमाई करनेवाली यह संवैधानिक संस्था (राज्य सरकार) 'बड़े बेआबरू होकर' सत्ता गलियारे से धकियाए जाने की प्रतीक्षा में है।

लोकतंत्र गणित और आँकड़ों का खेल है। कांग्रेस अपने स्टैंड पर साफ है। अजय माकन जब से कांग्रेस प्रभारी बने, उन्होंने कांग्रेस की शर्तें साफ कर दीं। दो माह का समय दिया। सरकार के विभिन्न विभागों की रिपोर्ट कांग्रेस ने माँगी—सरकार में सहयोगी दल होने के कारण। रिपोर्ट देखने के बाद राज्य सरकार कांग्रेस की नजर

में 'विफल' रही। कांग्रेस की शब्दावली में कहें, तो रिपोर्ट में सरकार फेल हो गई। अब सरकार की क्या पीड़ा है? सरकार चाहती है कि परीक्षक कांग्रेस, फेल को भी पास या अव्वल घोषित कर दे। जैसे झारखंड में घोर भ्रष्टों के खिलाफ भी कोई कारवाई नहीं होती, उसी तरह माकन फेल सरकार को चलाने में मदद करें। माकन इसके लिए तैयार नहीं हैं। इससे सरकार के लोग कांग्रेस से खफा हो गए हैं। जब कांग्रेस ने उन निर्दलियों को सत्ता सौंपने में कारगर भूमिका निभाई, जिनमें से कुछेक को गंभीर भ्रष्टाचार के कारण जेलों में होना चाहिए, तब कांग्रेस बहुत अच्छी थी। कांग्रेस एक राजनीतिक दल है। किन्हीं खास परिस्थितियों में वह समर्थन दे भी सकती है, वापस ले भी सकती है। यह उसका या किसी राजनीतिक दल का स्वतंत्र निर्णय है और कांग्रेस समर्थन देकर सरकारों को पहले भी अपदस्थ करती रही है। झारखंड के मामले में फर्क यह है कि झारखंड में हो रहे भ्रष्टाचार, लूट और अनियमितताओं की दुर्गंध से अब दिल्ली दूषित हो रही है। दिल्ली में यू.पी.ए. या कांग्रेस या तो इस दुर्गंध में जीना सीखे और खुद आत्मदाह के लिए तैयार रहे या झारखंड सरकार को गिराकर अपना दामन धोने की कोशिश करे। नूरबानो इस दुर्गंध के साथ कांग्रेस को जीना सिखा रही थीं, माकन को यह दुर्गंध असह्य है, यही उनका अपराध है।

झारखंड सरकार के मुख्यमंत्री और मंत्री ने 'इज्जत' शब्द का इस्तेमाल किया है। कांग्रेस ने अपने संकेत साफ कर दिए हैं। वह मुख्यमंत्री या इस सरकार के किसी मंत्री को सिमरिया उपचुनाव में नहीं घुसने का संकेत दे चुकी है। इस तरह कांग्रेस की निगाह में सरकार की क्या इज्जत है, वह डंका पीट-पीटकर महीनों से बता रही है। पर क्या सरकार चलानेवाले यह आवाज सुन रहे हैं? कांग्रेस ने यह भी कहा है कि इस सरकार के कुकर्मों के खिलाफ वह सिमरिया में लड़ रही है। इन कांग्रेसी बयानों से सरकार में बैठे लोगों को क्या यह समझ में नहीं आया कि कांग्रेस का समर्थन न रहने से वे अल्पमत में आ गए हैं? अगर निजी जीवन में इस सरकार के लोगों को 'आत्मसम्मान' या इज्जत की चिंता होती, तो वे गद्दी छोड़ चुके होते। संवैधानिक मर्यादा का तकाजा है कि कोई समर्थक घटक दल, समर्थन वापस लेने का सार्वजनिक संकेत दे, तो सरकार का मुखिया स्वत: इस्तीफा दे दे। यह संवैधानिक, नैतिक और स्वस्थ लोकतांत्रिक परंपरा है, पर झारखंड की सरकारें तो अनैतिकता और अलोकतांत्रिक परंपराओं का इतिहास लिखने के लिए ही जनमी हैं।

यह सामान्य आदमी समझ रहा है कि कांग्रेस, इस सरकार की सार्वजनिक फजीहत कराकर शेर की सवारी कर चुकी है। अगर कांग्रेस इस मामले में अब जरा भी कमजोर दिखाई दी, तो झारखंड से वह साफ हो जाएगी। इसलिए वह अपने

अस्तित्व के लिए इस शेर (सरकार) की बलि लेगी ही। और इस बलि में कांग्रेस को अपना भविष्य दिखाई देता है। फर्ज करिए, राज्य सरकार को गिरवाकर, कांग्रेस भ्रष्ट निर्दल मंत्रियों के कारनामों की जाँच की पहल भर कर दे, तो क्या राजनीतिक दृश्य होगा? लोकसभा चुनावों में कांग्रेस झारखंड में एक ताकतवर उपस्थिति के साथ चुनाव मैदान में होगी।

(23-01-2008)

□

कांग्रेस के संकेत साफ हैं

राजनीति संभावनाओं का खेल है; और कांग्रेस संभावनाएँ तलाश रही है। इस नई संभावना की प्रयोगस्थली बन रहा है झारखंड। फिलहाल कांग्रेस के लिए झारखंड का महत्त्व कम, झारखंड में कांग्रेस द्वारा नई राजनीतिक संभावनाओं की तलाश का महत्त्व अधिक है। जो कांग्रेस की परंपरा, कार्य-संस्कृति और संगठन से वाकिफ हैं, वे जानते हैं कि आलाकमान की आज्ञा के बिना कांग्रेसी साँस भी नहीं लेते। वे झारखंड के स्वच्छंद और मुक्त निर्दलों की तरह नहीं हैं। कहीं भी, कुछ भी बोलने-करने के लिए स्वतंत्र। वह भी एक केंद्रीय मंत्री और ऊपर से झारखंड राज्य कांग्रेस प्रभारी, अपने मन और स्तर से कोई बड़ा फैसला नहीं कर सकता। कांग्रेस में संगठन या आलाकमान की सीमा से बाहर गए कि छुट्टी। पिछले दो महीने से अजय माकन साफ-साफ एक ही भाषा और बात बोल रहे हैं। राजनीति की मामूली समझ रखनेवालों को भी यह स्पष्ट है कि आलाकमान की सहमति के बिना अजय माकन यह 'स्टैंड' ले ही नहीं सकते। पर झारखंड के नादान राजनीतिज्ञ यही मान रहे हैं कि आलाकमान से बात कर वे अजय माकन को प्रभारी पद से मुक्त करा देंगे! विनाश काले विपरीत बुद्धि, यही है।

माकन से मिलना नहीं हुआ है। वैसे भी राजनेताओं से परहेज है, पर माकन के बयानों से स्पष्ट है, वह सिस्टेमैटिक, सीजंड और मैच्योर्ड (सुव्यवस्थित, अनुभवी और परिपक्व) हैं। ठेका, पट्टा और बिचौलियों का धंधा न करते हैं, न प्रश्रय देते हैं। यह धारणा कैसे बनी? बिना मिले और जाने? झारखंड की राजनीति में बिचौलिए, दलाल और ठेकेदार अहम रोल में हैं। झारखंड का माखन डकार रहे इस लुटेरे वर्ग को जरा भी लगता कि माकन मैनेज हो सकते हैं, तो माकन इस स्टैंड तक और इतनी दूर तक आए ही नहीं होते। अब वह सिस्टेमैटिक और मैच्योर्ड हैं, तो उन्हें मैनेज करनेवाला भी उसी स्तर का चाहिए। पर इधर कौन है? कुछेक मंत्रियों को छोड़ दें, तो अधिसंख्य अपनी बात तक नहीं रख सकते। ये घिरे हैं अपराधीनुमा निजी सचिवों से, दलालों से। अब इस जमात की संस्कृति है कानूनन न चलना, मन की इच्छा को कानून मानना, दलालों से घिरे रहना। अब इस समूह और माकन के बीच संवाद का माध्यम या सेतु क्या हो

सकता है? यह मामूली बात भी सरकार चलानेवाले नहीं समझ रहे? यह बेमेल संबंध टूटना ही था।

सत्ता-वासना भयंकर रोग है। झारखंड सरकार इस रोग की शिकार है। खासतौर से निर्दलीय यह बात न पचा पा रहे हैं और न देख पा रहे हैं कि सत्ता उनके हाथों से फिसल रही है। निर्दल अनाथ राजनीतिक प्राणी होते हैं। झारखंड में चल रहे राजनीतिक द्वंद्व से यह पुन: साबित हो रहा है। क्या लालू प्रसाद जैसा मँजा हुआ राजनीतिक खिलाड़ी, एक सीमा के बाद इन निर्दलों के साथ खड़ा होगा? या कांग्रेस के साथ? इस सरकार से सर्वाधिक लाभ पानेवालों में से गुरुजी शिबू सोरेन हैं। कांग्रेस का स्पष्ट रुख जानकर वह भी मौन साध लेंगे?

झामुमो को भी संसद् पहुँचने या विधायक बढ़ाने के लिए आज कांग्रेस की उतनी ही जरूरत है, जितनी कांग्रेस को झामुमो की। झारखंड सरकार के निर्दलों के कारनामे देश में गूँज रहे हैं। सूचना है कि माकन व कांग्रेस के पास सबूत हैं। जब गुरुजी सरकार बचाव का प्रस्ताव लेकर कांग्रेस के पास जाएँगे, तो इन आरोपों के क्या उत्तर देंगे? हाल की दिल्ली यात्रा में मुख्यमंत्री मधु कोड़ा ने सोनिया गांधी से मिलने की पुरजोर कोशिश की, पर उन्हें समय नहीं मिला। क्या यह संकेत साफ व स्पष्ट नहीं है?

माकन ने 19 जनवरी को राँची में जो बयान दिये, वे गौर करने लायक हैं। उन्होंने कहा, ''सिमरिया में हमारा नारा होगा—भ्रष्टाचार मिटाना है, विकास लाना है, कांग्रेस ने ठाना है। अगर हम सरकार को कठघरे में खड़ा नहीं करेंगे, तो लोग कैसे उम्मीद करेंगे कि हम एक स्वच्छ शासन देंगे।''

माकन यहीं नहीं रुके, फरमाया, मैं स्पष्ट कर देना चाहता हूँ कि मुख्यमंत्री मधु कोड़ा और सरकार के अन्य मंत्री कांग्रेस के पक्ष में चुनाव प्रचार करने सिमरिया नहीं जाएँ। कांग्रेस को उनकी मदद नहीं चाहिए।

ऐसे अनेक साफ और स्पष्ट बयानों के बाद भी झारखंड सरकार अपनी स्थिति समझने के लिए तैयार नहीं है।

माकन का राँची में उसी दिन दिया गया एक और बयान अर्थपूर्ण है। उन्होंने कहा, ''सिमरिया हिंदीबेल्ट के लिए टर्निंग प्वाइंट है। यहीं से पार्टी बिहार-यूपी में इतिहास की ओर लौटेगी।''

इस कथन के महत्त्व को जानने के लिए अतीत में जाना जरूरी है। 1990 के बाद जिस तेजी से क्षेत्रीय दलों का उदय हुआ, राष्ट्रीय दल, खासतौर से कांग्रेस इतिहास बनने लगी। कांग्रेस का एक वर्ग, जो अब तक प्रभावी था, वह सत्ता बिना रह नहीं सकता था। सिद्धांत, आचरण सब छोड़कर। यही तबका दो दशकों से कांग्रेस में हावी रहा, पर मिली सूचनाओं से लगता है, कांग्रेस में हवा बदल रही है। कांग्रेस का दूसरा

वर्ग मानता है कि यूपी और बिहार में कांग्रेस ने क्षेत्रीय दलों से गठबंधन कर अपना अस्तित्व मिटा डाला। अब उसे अलग और स्वतंत्र पहचान की राजनीति करनी चाहिए। राजनीति में मुद्दों की ओर लौटना चाहिए, भले ही पार्टी को वर्षों अकेले चलना पड़े। गुजरात और हिमाचल के चुनावों में मिली पराजय ने कांग्रेस में मंथन तेज किया है। अलग पहचान और सैद्धांतिक राजनीति की बात करनेवाले, लगता है, कांग्रेस में फिलहाल प्रभावी हैं; और यही संभावना कांग्रेस झारखंड में तलाश रही है। यह प्रयोग वह उत्तर प्रदेश और बिहार तक ले जाना चाहती है। यही माकन के बयान का अर्थ है। इसी कारण कांग्रेस अब निर्दलों के बोझ से मुक्ति चाहती है। वैसे भी अगले साल के आरंभ तक कमोबेश 10 राज्यों में चुनाव होने हैं, झारखंड एक और हो जाएगा। पर निर्दलियों की सरकार से मुक्ति पाकर कांग्रेस की कोशिश होगी कि वह लोकसभा चुनावों में बेहतर परफॉर्म करे। फिलहाल झारखंड के कांग्रेसी सांसद मानते हैं कि इस सरकार की छत्रछाया में चुनाव लड़कर वे लोकसभा नहीं पहुँच पाएँगे।

कांग्रेस ने राजद से जुड़े रहे योगेंद्र बैठा को सिमरिया में टिकट देकर अपनी भावी रणनीति का संकेत दे दिया है। वह लालू प्रसादजी की इच्छानुसार राज्य में कांग्रेस को नहीं चलानेवाली। राज्य सरकार की भावी स्थिति समझने के लिए क्या ये संकेत पर्याप्त नहीं हैं?

(24-01-2008)

□

माकन-हीरो हैं या विलेन

झारखंड की राजनीति के जमे जल को झकझोरनेवाले कांग्रेस प्रभारी अजय माकन 'हीरो' हैं या 'विलेन'? झामुमो, राजद और सरकार के पाए निर्दलियों की निगाह में वे 'विलेन' हैं। खुले रूप में भले कोई न बोले, पर दबी जुबान और निजी बातचीत में इनका यही कहना है। सूचना है कि शिबू सोरेन ने सोनियाजी से माकन की शिकायत भी की है। इस पक्ष का माकन ने कांग्रेसी चतुराई से उत्तर भी दिया—जिसके पेट पर चोट होगी, वह चिल्लाएगा ही। माकन के संस्कार कांग्रेसी हैं, इसलिए वह नपे-तुले शब्दों में गहरी चोट करते हैं।

पर माकन क्या हैं? यह सुनने को मिला, घोर उग्रवाद के इलाके में एक मास्टर से। सिमरिया उपचुनाव के क्रम में पत्थलगड्डा में। यहाँ माकन ने दो दिन पहले सभा की थी। अच्छी भीड़ आई थी। मास्टर साहब ने कहा, माकनजी सही बात कर रहे हैं। दो मुद्दे उन्होंने उठाए हैं—विकास और भ्रष्टाचार के। क्या झारखंड के लिए इससे महत्त्वपूर्ण मुद्दे हैं? वही मास्टरजी बताते हैं, जिस कांग्रेस का कोई नामलेवा यहाँ नहीं था, उसकी सभा में भीड़ का जुटना, कांग्रेस का इस उपचुनाव में लड़ाई में शामिल होना, क्या बताते हैं? यही न कि माकन के सवाल सही हैं। लोग उन पर गौर कर रहे हैं।

स्पष्ट है कि माकन शासकों की निगाह में विलेन हैं, पर जनता उनके उठाए सवालों को सही मान रही है। लोगों का यही कयास है कि कांग्रेस लगातार मुद्दों के प्रति यही प्रतिबद्धता साबित करती रही और अपनी बातों पर दृढ़ रही, तो देर-सबेर वह, खोई जमीन पाएगी। सिमरिया में जीत या हार के बाद अगर कांग्रेस अपनी उठाई बातों के प्रति ढुलमुल होती है, तो वह खत्म होगी, यह भी कहना है माकन को वाच करनेवालों का। इन्हीं लोगों के अनुसार माकन ने सही मुद्दों को उठाकर, सरकार को सांसत में डालकर, कांग्रेस को शेर पर सवार करा दिया है, या तो शेर रहेगा या कांग्रेस। यह एक तरह का जोखिम भी है, पर बिना जोखिम, सफलता कहाँ? आर-पार की लड़ाई से ही नियति बनती है।

यह सही है कि यू.पी.ए.-एन.डी.ए. या भाजपा, झामुमो या राजद की चर्चा में झारखंड में कांग्रेस खो गई थी। पहले कांग्रेस प्रभारी आते थे, तो एयरपोर्ट पर स्वागत में धक्का-

मुक्की करने, एक-दूसरे की धोती खोलने, प्लेट तोड़ने-फोड़ने, गले से माला उतारने या छीनने या कांग्रेस भवन में आपसी स्पर्द्धा दिखाने में कांग्रेसी अखबार की सुर्खियाँ बनते थे। जितने नाम, उतने गुट या सब गुट। वहाँ सब नेता थे। कोई कार्यकर्ता नहीं था। यू.पी.ए. सरकार बनने पर जैसे अन्य समर्थक घटक लाभ की नदी में डुबकी लगा रहे हैं, वैसे ही कांग्रेसी भी कर रहे थे। यू.पी.ए. के घटक दल इतने निडर और लोकलाज से परे चले गए कि दिन में सरकार को गाली, रात में उसी सरकार से 10 लाभ के काम। यह एक तरह की ब्लैकमेलिंग की सरस्वती-धारा है। जैसे प्रयाग के संगम में गंगा और यमुना साफ हैं, पर सरस्वती विलुप्त हैं, उसी तरह यू.पी.ए. घटक दलों की पहचान तो थी, पर अंदर-अंदर लाभ कमानेवाली सरस्वती-धारा जनता की नजरों से ओझल है।

माकन ने कांग्रेस का प्रभार सँभालते ही यह गणित बदलने की कोशिश की। वही प्राणशून्य, लुंजपुंज और ढीली-ढाली कांग्रेस आज एकजुट है। चुनाव जीतना या हारना अलग प्रसंग है, पर कांग्रेस संगठन में जान डाल देना, वही पुरानी कांग्रेस, वही लोग, पर तत्पर, एकजुट और अपने लक्ष्यों के प्रति साफ। शायद लीडरशिप की यही परिभाषा है। वही टीम, वही लोग, जिन्हें आपसी गुटबाजी में स्वर्गिक आनंद मिलता था, आज एकजुट और अपने संगठन की चर्चा-चिंता पहले। इस बात का श्रेय अकेले अजय माकन को है कि लगभग आपसी युद्ध या गुटबाजी में व्यस्त झारखंड के कांग्रेसियों को उन्होंने एक ताकत के रूप में खड़ा कर दिया है। ये सभी कांग्रेसी गुट या उपधाराएँ सिमरिया उपचुनाव में जगह-जगह सक्रिय थीं। कांग्रेस कार्यकर्ताओं को जमीन से जोड़ना कठिन काम था। सत्ता से लगातार दूर होते-होते कांग्रेसी जनता और जमीन से खिसक रहे थे।

माकन का एक अचर्चित पहलू है—झारखंड की राजनीति को मुद्दों से जोड़ना। विकास और भ्रष्टाचार के सवाल उठाना। मुद्दाविहीन राजनीति से दिशाहीन सरकारें या राजनीति जनमती है। झारखंड का एक बड़ा दुर्भाग्य रहा, झारखंड बनने के बाद से ही यहाँ कारगर विपक्ष नहीं रहा। जब यू.पी.ए. विपक्ष में था, तब नाकारा और प्राणशून्य। आज एन.डी.ए. विपक्ष में है। संयोग से यू.पी.ए. सरकार ने अपने करतब से जो मौके दिए, वे लोकतंत्र में कहीं-कहीं सौभाग्य से विपक्ष को मिलते हैं, पर यू.पी.ए. राज में विपक्ष की भूमिका में एन.डी.ए. भी कारगर साबित नहीं हुआ। इसकी बुनियादी वजह थी कि किसी भी दल या समूह ने राज्य की राजनीति को मुद्दों से नहीं जोड़ा। विकास की महज हवाई या शाब्दिक चर्चा की।

पर मुद्दों से राजनीति को जोड़कर माकन ने झारखंड की राजनीति में पहल की है। अगर सभी दल (सत्ता या विपक्ष दोनों) मुद्दों पर राजनीति की शुरुआत करते हैं, तो झारखंड में एक स्वस्थ राजनीतिक प्रक्रिया जनमेगी। (04-02-2008)

◻

बचाव पक्ष मैदान से गायब

संदर्भ : सिमरिया उपचुनाव

सिमरिया उपचुनाव में इटखोरी प्रखंड की भूमिका निर्णायक है। ग्रासरूट वर्कर कहते हैं, इटखोरी जिस करवट, विजय पताका उसी दिशा। फिलहाल इटखोरी से एकमुश्त समर्थन को लेकर सबका दावा बराबर है। कांग्रेस, भाजपा, जे.वी.एम. का खासतौर से। भाकपा का आधार अन्य प्रखंडों में पुख्ता है। भारत के राजनीतिज्ञों से आशावान इस नक्षत्र में कोई दूसरा जीव नहीं है। हार रहे होते हैं, फिर भी चुनाव परिणाम आने तक सबसे आगे होने का दावा करते हैं। और हारते ही तर्कसिद्ध वकीलों की तरह हार के कारण भी गिना देते हैं। बहरहाल, सभी प्रमुख दावेदारों का दावा है, इटखोरी हमारे पक्ष में है।

इस निर्णायक इटखोरी का अतीत जानने की कोशिश करता हूँ। चतरा कॉलेज के प्राचार्य डॉ. इफ्तेखार आलम से मुलाकात होती है। अद्‌भुत ज्ञानसंपन्न। इतिहास, दर्शन के जानकार। उनकी बातें सुनकर लगता है, झारखंड में कब ऐसा समय आएगा कि जंगल, झाड़-झंखाड़ से अनूठी प्रतिभाओं को ढूँढ़कर विश्वविद्यालयों में हम लाएँगे। पैरवी-पहुँच से तबादले और महत्त्वपूर्ण पोस्टिंग बंद होंगे। मालवीयजी ने देश-दुनिया से ज्ञान के कोहिनूर ढूँढ़-ढूँढ़कर अपने विश्वविद्यालय में बुलाए थे, आग्रह और सम्मान से। तब उनके जीते-जी बी.एच.यू. विद्यापीठ बना। मशहूर ज्ञानकेंद्र।

बहरहाल, डॉ. आलम इटखोरी के बारे में बताते हैं—लोकोक्ति और लोक धारणा के अनुसार। इटखोरी यानी इति+खोयी। यहीं सबकुछ खो गया। मान्यता है कि सिद्धार्थ जब घर से निकल आए, तो बोधगया के पहले जगह-जगह घूमे। साधना की। इटखोरी मंदिर के पास भी वह रहे। साधना में लीन। आज भी यहाँ जंगल है, तब घोर जंगल था। बुद्ध के परिवारवालों को पता चला। उनकी मौसी यहाँ आईं। सिद्धार्थ को मनाने-लौटाने। पर सिद्धार्थ बुद्धत्त्व के रास्ते थे। परिवार, रिश्ते, नाते की दुनिया छोड़कर। जब बुद्ध नहीं लौटे, तो उनकी मौसी ने टिप्पणी की—यहीं सबकुछ खो गया। सिद्धार्थ खो गया। इसी इति+खोयी से इटखोरी का नाम निकला।

कड़ाके की ठंड है, पर पार्टियों के कार्यकर्ता डटे हैं। सुबह-सुबह इटखोरी मंदिर में पूजा। फिर चुनावी जंग में शिरकत। जिस इटखोरी में सिद्धार्थ ने इस भौतिक लालसा को खोया, उसी जगह भौतिक कामना की याचना के साथ चुनावी जंग की शुरुआत, पर यह चुनाव दिलचस्प है। अब मतदाता मन नहीं खोलते। कहते हैं, लड़ाई में चार मुख्य दावेदार हैं—भाकपा, जे.वी.एम., भाजपा और कांग्रेस। इस उपचुनाव का महत्त्व माना जा रहा है कि इसके परिणाम से कोड़ा सरकार का भविष्य प्रभावित होगा। इस चुनाव में अगर बाबूलालजी जीतते हैं, तो भाजपा के भविष्य पर ग्रहण लगेगा। भाजपा जीतती है, तो बाबूलालजी के क्षेत्रीय मंसूबे पस्त होंगे। भाकपा जीतती है, तो यू.पी.ए. का अंदरूनी खटराग, किस दिशा में जाएगा, कहना मुश्किल है। हाँ, लालूजी इस उपचुनाव का महत्त्व समझते हैं, सो आए। बिहार में भी उन्हें भाकपा को साथ रखना है। झारखंड में भी उसकी मदद लेनी है। कांग्रेस जीतती है, तो वह यू.पी.ए. घटकों से अपने संबंधों को पुनर्परिभाषित करेगी। ये सभी दाँव इस उपचुनाव के परिणाम से ही तय होंगे।

पर इस चुनाव की सबसे दिलचस्प बात है झारखंड सरकार की जन मैदान से अनुपस्थिति। लोकतंत्र में लोक (जनता) ही प्राण भरता है तंत्र (सरकार) में। शायद ही देश में कहीं ऐसा उपचुनाव हुआ हो, जिसमें संबंधित राज्य की सरकार अनुपस्थित रही हो या मूकदर्शक हो। जिस सरकार की कार्यशैली, मंत्रियों-मुख्यमंत्री के कामकाज पर गंभीर प्रहार हों, वे जन अदालत से अनुपस्थित? चुनाव निरपेक्ष सरकार लोकतंत्र में हो सकती है क्या, यह सजग मतदाता पूछते हैं। सरकार को डिफेंड करनेवाला कोई नहीं। इस झारखंडी लोकतंत्र के नए रूप पर जनता चर्चा करती है। जनता यह भी कहती है, कांग्रेस ने मुद्दा उठाया, सरकार मैदान से नदारद। राजद या भाकपा के लोग भी सरकार के पक्ष में बात करने से बचते हैं। लालू प्रसाद ने सरकार टिके रहने की बात की, पर जनसभाओं में वह रेल विभाग की उपलब्धियों पर बोले या फिर आडवाणी को निशाना बनाया। इस चुनाव में सरकार की अनुपस्थिति पर एक ने कहा, निर्दलियों की सरकार है, इनका कोई पक्ष नहीं है, इसलिए ये प्रचार में न बुलाए गए, न आए।

स्थानीय मुद्दे तो शायद ही किसी दल ने उठाए। बिजली की यहाँ गंभीर समस्या है। सिंचाई नहीं होती। न सरकारी व्यवस्था है, न बिजली रहती है। सड़कें खराब हैं या कच्ची हैं। उग्रवाद आज भी गंभीर चुनौती और समस्या है। टमाटर और मिर्च का यहाँ क्वालिटी उत्पादन होता है। उत्तर भारत की मंडियों में यहाँ से टमाटर-मिर्च, ट्रकों से भेजे जाते हैं। फसल के दौरान टमाटर का भाव पचास पैसे/एक रुपए किलो हो जाता है। इस तरह किसानों को भाव की समस्या है। इसी इलाके में पहले अफीम की खेती होती थी, अब प्रशासन की चौकसी से पाबंदी है। चोरी-छुपे कुछेक करते हैं। स्वास्थ्य का मुद्दा है। प्रखंडों में अच्छे अस्पताल नहीं हैं।

एक और महत्त्वपूर्ण अनुभव है। सड़क किनारे ही पार्टियाँ प्रचार करती हैं। कच्ची सड़क या पुलिस मुहावरे में 'सुपर सेंसिटिव जोन' में कोई नहीं जाता। कच्ची सड़कें हैं। लैंडमाइंस बिछी होने की शंका रहती है, पर चाहे लावालौंग का इलाका हो या पत्थलगड्डा, बेचैन मौन या सुनसान से साबका होता है। फिलहाल चुनाव के दिनों में कहीं-कहीं पुलिस के जवान दिखते हैं। मुस्तैद। तैनात, समूह में। जैसे युद्ध के मैदान में हों, उसी तरह चौकस। लावालौंग, टी.पी.सी. का इलाका है। पत्थलगड्डा एम.सी.सी. का क्षेत्र। इन क्षेत्रों के लोगों के अलग-अलग दु:ख हैं। सरकारी मदद न मिलने, भ्रष्टाचार, पीने का पानी न होने, स्वास्थ्य केंद्रों के प्रभावी न होने की जन शिकायतों की फेहरिस्त लंबी है, पर सुननेवालों की कमी। शायद इस कारण दो ऐसे भी प्रत्याशी चुनाव मैदान में हैं, जो टी.पी.सी. या एम.सी.सी. से परोक्ष या अपरोक्ष रूप से जुड़े हैं या पहले जुड़े थे। ये स्वतंत्र प्रत्याशी हैं।

इन घोर जंगली इलाकों में घूमते हुए ही एक मतदाता ने कहा—चुनाव न जाने कब से देख रहे हैं। हर चुनाव में नेता जीतते हैं, जनता हारती है। यह वाक्य सिमरिया के गाँवों में घूमते हुए खटकता रहा। क्या लोकतंत्र की ताकत से सर्वेसर्वा बननेवाले इस निराश लोकभाव को समझेंगे?

(04-02-2008)

□

सिमरिया का संदेश

सिमरिया विधानसभा उपचुनाव का, झारखंड की राजनीति के लिए क्या साफ और स्पष्ट संदेश है ? पहला—अच्छे और संघर्षशील प्रत्याशी का चयन। भाकपा प्रत्याशी रामचंद्र राम साफ-सुथरे छविवाले प्रत्याशी थे। लंबे समय से संघर्षशील। 1985 में पहली बार यहाँ से चुनाव लड़े। तीसरे स्थान पर रहे। फिर 90 के चुनाव में दूसरे स्थान पर। 2000 के चुनाव में तीसरे स्थान पर। 2005 में दूसरे स्थान पर। लगातार पराजयों के बाद भी न हताश हुए, न मैदान छोड़ा, न निराश होकर चुप बैठे। जनता के सवालों पर जनता के बीच रहे। यह एक इनसान के लगातार संघर्ष को मिला जनविश्वास है। बार-बार पराजय के बाद भी रामचंद्र राम के अपराजेय संकल्प को जनता ने 2008 के चुनावों में जीत का तोहफा दिया है। हम अखबारनवीश चालू राजनीतिक समीकरण के तहत लिख रहे थे कि इटखोरी में अगड़ी जाति के मतदाता हैं, वे समर्थन भाकपा को नहीं देंगे, पर मतदाताओं ने हम विश्लेषकों को झूठा साबित किया है। भाकपा प्रत्याशी को हर जगह समर्थन मिला है। यानी अच्छे प्रत्याशी को जाति, धर्म, क्षेत्र वगैरह के बंधनों से ऊपर उठकर लोगों ने जिताया है। वैसे भी बार-बार हारने के कारण भाकपा प्रत्याशी का इस बार नारा भी था, वोट नहीं तो कफन। उनकी पत्नी का संदेश था, राम का वनवास भी 14 वर्ष बाद खत्म हुआ। 25 साल से रामचंद्र राम संघर्ष कर रहे हैं, अब मतदाता उनका वनवास खत्म करे। सिमरिया की जनता ने न सिर्फ रामचंद्र राम का वनवास खत्म किया, बल्कि भाकपा को भी विधानसभा पहुँचा दिया। जिस तरह रामगढ़ में भेड़ा सिंह अनथक 1977 से संघर्ष कर रहे थे और मामूली वोटों से पराजित होते थे, फिर 2000 में जीते, कुछ उसी तरह सिमरिया में भाकपा ने रामगढ़ का अतीत दोहराया है।

बाबूलाल मरांडी की पार्टी का दूसरे नंबर पर होना झारखंड की भावी राजनीति का महत्त्वपूर्ण संकेत है। कोडरमा में अपना चुनाव जीतने के बाद डालटेनगंज लोकसभा और जमशेदपुर लोकसभा चुनावों ने बाबूलालजी की पार्टी को निराश किया था, पर सिमरिया ने अलग संकेत दिए हैं। राज्य की राजनीति में क्षेत्रीय आवाज के रूप में बाबूलाल को जनमान्यता मिल रही है। उनके बारे में लोकधारणा है कि वह खुद साफ-सुथरे हैं, पर कुछेक

गलत लोगों से भी घिरे हैं। लोग याद करते हैं कि उनके कार्यकाल में सड़कें बनी थीं। भ्रष्टाचार का यह रूप नहीं था। बाबूलालजी का प्रत्याशी भी युवा और साफ–सुथरी छवि का था। उन्हें भी हर जगह समर्थन मिला। खासतौर से नक्सल प्रभावित लावालौंग में उन्हें व्यापक समर्थन मिलने का कारण नक्सल मुद्दे पर उनका साफ स्टैंड है। इन इलाकों में घूमने पर लगा कि नक्सली लोगों को अब पहले जैसा जन समर्थन नहीं है। इसलिए नक्सल विरोधी मतदाताओं ने बाबूलालजी की पार्टी को समर्थन दिया। क्षेत्रीय पहचान, भ्रष्टाचारमुक्त शासन और नक्सल आंदोलन जैसे मुद्दों को लेकर बाबूलाल और उनकी पार्टी सक्रिय है, यही संदेश और मुद्दे लेकर वह झारखंड की राजनीति में अपनी स्थिति मजबूत करेंगे। बाबूलालजी ने सफल रैली कर गाँवों तक अपना संदेश पहुँचा दिया है। जिस तरह अकेले उन्होंने ऐसी सुव्यवस्थित रैली आयोजित की, उससे स्पष्ट है कि झारखंड की भावी राजनीति में उनका सार्थक हस्तक्षेप होगा। इस सफल रैली से उन्होंने यह स्पष्ट कर दिया है कि राज्य में कारगर विपक्ष की भूमिका में वही हैं। बाबूलालजी की रैली का संकेत विपक्षियों को समझना चाहिए। उनकी रैली में भारी संख्या में लोग आए, पर न उन्होंने उपद्रव किया, न अराजकता फैलाई। न दुकानें बंद कराईं। न अपनी उद्दंडता से समाज को भयभीत किया। स्पष्ट है कि इस रैली में पेशेवर रैली अटेंड करनेवाले नहीं थे। ये शांत और सुनने आए हुए लोग थे, जो उनकी बातों को गाँवों तक पहुँचाएँगे। इससे उनका अभियान ग्रासरूट तक पहुँचेगा। यह राजनीतिक कामयाबी है और यही रास्ता किसी दल या विचार को कारगर विपक्ष या सरकार तक पहुँचाता है। बाबूलालजी का यह मूव प्रतिपक्षी दलों के लिए अर्थपूर्ण संकेतों से भरा है।

इस चुनाव में सबसे अधिक चौंकाया है कांग्रेस ने। वह हार कर भी जीत की खुशी में होगी। पिछले चुनाव में उसके प्रत्याशी को महज 5010 मत मिले थे। इस बार के चुनाव में 19700 वोट। लगभग चार गुना अधिक। वर्ष 2000 में कांग्रेस को महज 2018 वोट मिले थे। उस मुकाबले 10 गुना वोट बढ़ा है। क्यों? कांग्रेस की पिछले दो माह की राजनीति का यह अर्जित पुण्य है। इसने झारखंड में विकास और भ्रष्टाचार के दो मुद्दे उठाए। पार्टी एकजुट हुई। इस जीत ने कांग्रेस को दोराहे पर खड़ा कर दिया है। अगर वह विकास और भ्रष्टाचार के मुद्दों पर भावी राजनीति करती है, भविष्य में इन्हीं सवालों पर आगे बढ़ती है, तो झारखंड की राजनीति में वह निर्णायक ताकत बनकर उभरेगी। मौन हो जाती है, तो जन आकांक्षाओं का शेर उसे खा जाएगा। वह फिर 'निर्बल के बल राम' की स्थिति में पहुँच जाएगी। इसलिए सिमरिया उपचुनाव ने कांग्रेस को बड़ा साफ और स्पष्ट संदेश दे दिया है, सुधरो या मिटो।

सबसे दुःखद हाल भाजपा का। सहानुभूति का सहारा भी नहीं मिला, जमानत नहीं बची। भाजपाई इस शर्मनाक पराजय को समझने के लिए तैयार नहीं लगते, पर जन निगाह बड़ी धैर्यवान और अचूक है। इतने दिनों तक सत्ता में रहकर भाजपा/एन.डी.ए. ने झारखंड

को कहाँ पहुँचाया है ? आज जो भ्रष्टाचार विषबेल बन गया है, उसकी रोपाई और खेती तो एन.डी.ए. शासनकाल में ही हुई। भाजपाई आपस में ही युद्धरत हैं। आपसी संघर्ष ने कांग्रेस को कहाँ पहुँचा दिया, यह भी सीखने को तैयार नहीं हैं। इनके बड़े राज्यस्तरीय नेता आपस में ही एक-दूसरे को काटने में लगे हैं। इस पार्टी के एक विधायक अपनी पत्नी को टिकट दिलाना चाहते थे, वे कार्यकर्ताओं से कह चुके थे। क्षेत्र में लोगों ने बताया, वह प्रचार भी शुरू कर चुके थे। जब उनकी पत्नी को टिकट नहीं मिला, तो वे पार्टी की जड़ खोदने में लग गए। भाजपा ने जिन लोगों को प्रखंड प्रभारी बनाया था, उन पर भाजपा शासन के दौरान गंभीर भ्रष्टाचार-लूट के आरोप हैं। विरोध पक्ष के रूप में राज्य भाजपा की जो अकर्मण्य भूमिका रही है, उसे भी जनता देख-परख रही है। इन सभी कारणों से भाजपा की यह दुर्गति हुई है। एक बड़ा झटका तो बाबूलालजी का पार्टी से जाना भी है। भाजपा कोडरमा, डालटेनगंज, जमशेदपुर संसदीय उपचुनावों में हारी ही, अब सिमरिया पराजय ने उसे गहरा सदमा दिया है। आगामी चुनावों में यह पार्टी नहीं सुधरी, तो साफ होगी। संगठन के स्तर पर इतनी अराजकता भाजपा में दिखाई दे रही है कि उसका भविष्य साफ दिखाई दे रहा है, पर भाजपाई नेता उसे देखने को तैयार नहीं हैं। इनके यहाँ न प्लानिंग दिखती है, न संगठन के स्तर पर ऊपर से नीचे तक चुस्त तैयारी और न भावी राजनीति की स्पष्ट परिकल्पना या मुद्दे। तीन बार यह पार्टी रैली आयोजित करने की तिथि तय कर उन्हें बदल चुकी है। यह सांगठनिक अराजकता भाजपा को आनेवाले चुनावों तक मुख्यधारा से झारखंड में किनारे कर देगी।

भाजपा की इस बुरी पराजय से सबसे अधिक उत्साहित कांग्रेस होगी। वह एकला चलो रे के रास्ते पर जा सकती है। सांप्रदायिकता का मुद्दा उठाकर यू.पी.ए. के अन्य घटक अब कांग्रेस को बेमन से यू.पी.ए. में रहने के लिए बाध्य नहीं कर सकते। फर्ज करिए, कांग्रेस अपने मुद्दे पर कायम रहती है और राज्य में नई व्यवस्था कायम करा कर अपने दोनों उठाए मुद्दों पर आगे बढ़ती है, तो क्या होगा ? अगर भ्रष्टाचार और विकास पर कांग्रेस आगामी छह महीनों में नए सिरे से काम करती है, नई व्यवस्था के तहत, तो भाजपा की स्थिति दयनीय हो जाएगी।

इस उपचुनाव का एक और साफ संदेश है सत्तारूढ़ लोगों के लिए। अच्छी छविवाले प्रत्याशी ही जन समर्थन पा रहे हैं। या जो संगठन या पार्टी, साफ-सुथरी छविवाले लोगों को प्रत्याशी बना रही है, लोग उन्हें चुन रहे हैं या जो संगठन मुद्दों की राजनीति कर रहे हैं, वे जनता का विश्वास अर्जित कर रहे हैं। धन-बल या भ्रष्ट छवि को जनता प्रश्रय देने के मूड में नहीं है, यह भी सिमरिया उपचुनाव का अघोषित संदेश है।

(08-02-2008)

□

दर्शक सरकार, झगड़ते अफसर

झारखंड तो गिनीज बुक में रिकॉर्ड बनानेवाला राज्य है। सो झगड़ते अफसर भी देश में नई लकीर खींच देना चाहते हैं। कार्यपालिका की प्रमुख यानी सरकार का दायित्व है नौकरशाही को उसकी सीमा में रखना। संवैधानिक व्यवस्था के तहत नौकरशाही का ढाँचा है। यह राजनीतिक दल नहीं है, जहाँ 'फ्री फॉर ऑल' है।

अगर झारखंड में नौकरशाही की यह स्थिति है, तो इसकी सीधी और स्पष्ट जिम्मेदारी सरकार की है। कमजोर सरकार, बेलगाम नौकरशाही।

राज्य की दो ताजा घटनाएँ गौर करने लायक हैं—

(1) राज्य के मुख्य सचिव और आई.जी. के बीच आरोप-प्रत्यारोप।

(2) राज्य के एक वरिष्ठ आई.एफ.एस. (वन सेवा) ने पी.सी.सी.एफ. से राज्य के वन पर्यावरण सचिव के खिलाफ एफ.आई.आर. की अनुमति माँगी है।

ऐसे विवादों की फेहरिस्त लंबी है, पर अन्य मामलों को छोड़ भी दें, तो ये दो प्रकरण यह बताने के लिए पर्याप्त हैं कि नौकरशाही को 'स्टेट पावर' (राज्य) का भय नहीं है। सरकार का इकबाल अगर नौकरशाहों पर नहीं रहा, तो जनता राज्य को 'लॉ लैस' (कानून विहीन) बनाएगी ही! क्या सरकार के सौजन्य से नौकरशाही असेंबली में तब्दील हो गई है? ऐसे मामलों में 'स्टेट मस्ट एक्ट' (सरकार का हस्तक्षेप होना ही चाहिए)। वरना संविधान, संघीय ढाँचा सब तहस-नहस हो जाएगा।

सरकार कैसे हस्तक्षेप करे?

जो गंभीर विवाद के विषय हैं, या तो उन्हें 'समयबद्ध' सी.बी.आई. जाँच के लिए भेजा जाए या बाहर के राज्य के किसी हाइकोर्ट जज से 15 दिनों के अंदर जाँच कराकर रिपोर्ट सरकार माँगे।

रिपोर्ट मिलने तक संबंधित लोगों को सरकार अवकाश पर भेज दे। चर्चा हो रही है कि इन विवादों को 'लीक' किसने किया, उसपर काररवाई हो? क्या 'लीक होना' इतना महत्त्वपूर्ण प्रसंग है? हाँ, यह ठीक है कि अफसरों के 'कोड ऑफ कंडक्ट' या 'सर्विस रूल्स' वगैरह के अनुसार यह गंभीर बात है, पर इससे भी गंभीर है दोनों पक्षों

के दस्तावेजी आरोप या खंडन के कंटेंट (विषयवस्तु)। राष्ट्र, संविधान, समाज और व्यवस्था की दृष्टि से। एक का कहना है कि दूसरे के खिलाफ गंभीर आरोप हैं। दूसरे का प्रतिवाद है कि मेरे खिलाफ कोई मामला ही नहीं है। स्पष्ट है कि कोई एक गलत है।

सार्वजनिक और महत्त्वपूर्ण सरकारी ओहदों पर बैठे लोग नियमत: ऐसे आचरण नहीं कर सकते। कौन गलत है, इसकी जाँच और दोषी पर काररवाई सरकार का फर्ज है। जिन्होंने भी नियम भंग किया है, उन्हें सजा मिलनी ही चाहिए; और यह सजा देना सरकार की ड्यूटी है। सरकार रेफरी नहीं है, न ही मूकदर्शक पात्र! किसी अन्य राज्य में यह हाल नहीं है।

(22-02-2008)

□

हम शर्मिंदा हैं कि आप विधायक हैं!

झारखंड की विधायिका (संस्था) के प्रति पूरे सम्मान-आदर के साथ, विधायकों की भूमिका पर सवाल! हाल में लोकसभा के अध्यक्ष सोमनाथजी ने सांसदों पर एक सटीक टिप्पणी की। कहा—आप सब जम कर ओवरटाइम कर रहे हैं कि लोकतंत्र ही आपके कामकाज, आचरण-भूमिका से अविश्वसनीय बन जाए। खत्म हो जाए।

झारखंड में लोकतंत्र अविश्वसनीय बन जाए, इसके लिए हमारे विधायक खूब खट रहे हैं। कुछेक अपवाद और अच्छे विधायक हैं। इधर (पक्ष) भी, उधर (विपक्ष) भी, पर विधानसभा में पक्ष-विपक्ष दोनों की भूमिका देखकर शर्म आती है कि हम कहाँ पहुँच गए हैं? विधायकों की भूमिकाएँ शर्मिंदा करती हैं। चल रही विधानसभा में बहस का जो एप्रोच है, स्तर है, अगंभीरता है, निजी स्वार्थ से प्रेरित आचरण है, क्या समाज इसे समझ नहीं रहा?

विधायिका ही लोकतंत्र को विश्वसनीय बनाती है। अगर लोकतंत्र में लोक आस्था नहीं रही, तो नक्सली आएँगे या अराजकतावादी या तानाशाह? यह अचानक नहीं होता। वर्षों-वर्षों के अपने आचरण से विधायिका जब यह पुष्ट कर देती है कि वह लोकतंत्र की साख नहीं बचा पाएगी, तो जनता स्वतः पूरी व्यवस्था से नफरत करने लगती है। झारखंड में 'नफरत का यह स्टेज' सीमा न पार करे, विधायक यह समझें, तो बेहतर।

इसी विधानसभा सत्र में डालटेनगंज के शिक्षा अधिकारी सत्यनारायण उराँव का मामला उठा। संयोग से वह आदिवासी अधिकारी हैं। राजद के कुछेक विधायकों को निजी एजेंडा लगा यह मामला। राजद ने सरकार को विवश कर दिया कि काररवाई की जाए। सरकार लाचार और बेबस। कहावत है, एक तो नीम, ऊपर से करेला चढ़ा? विपक्ष भी उसी भाषा, शैली और तेवर में। विपक्ष द्वारा विधानसभा में कहा गया, आदिवासी अफसर पर जुल्म। यह बहस पढ़कर लगा मछली बाजार या शेयर बाजार की बात, पढ़ या सुन रहे हैं।

यह प्रकरण एक सिंबल है—विधानसभा, सरकार और विपक्ष की कार्यशैली का।

इसलिए यह जानना चाहिए। आरंभिक सूचना है कि सत्यनारायण उराँव, जिला शिक्षा अधीक्षक, डालटेनगंज को किसी माननीय विधायक ने कहा—हाथ, गोड़ तोड़ देंगे। इस तरह की भाषा और 'सुंदर' विशेषण सुनाए गए। कोई इनसान, आत्मस्वाभिमान या जमीर बेचकर नौकरी करने नहीं आता। और सरकार किसी की जमींदारी भी नहीं है। फिर भी ऐसे आप्त वचन सुनकर उक्त अफसर ने विनती की कि मारपीट की बात या ऐसी भाषा न बोलें। यह भी सूचना है कि माननीय विधायक चाहते थे कि पारा शिक्षकों की नियुक्ति उनकी इच्छानुसार हो। उक्त अफसर का अनुरोध था कि स्थानीय शिक्षा समिति पारा शिक्षकों की नियुक्ति करती है। अधिकारी का तर्क था, कानूनी प्रावधान के अनुसार यह अधिकार उस समिति के पास रहने दिया जाए। यह भी पता चला है कि पारा शिक्षकों की नियुक्तियाँ हुई हैं विधायकों के दबाव में। समिति की नियुक्ति के रजिस्टर पर विधायक के भी दस्तखत हैं। नियमत: यह गलत है।

यह मान लिया जाए कि ये सूचनाएँ गलत हैं, पर जब यह प्रसंग उठा, तो लोकतंत्र के मंदिर (विधायिका), पुजारियों (विधायक), बड़े महंत (सरकार), छोटे महंत (विपक्ष) की क्या सार्थक भूमिका होती?

विधायिका की पुरानी परंपरा है। अफसर का नाम लेकर चर्चा नहीं होती। इसके पीछे मर्म या मूल भावना है कि जो खुद को डिफेंड करने के लिए सदन में मौजूद नहीं है, प्राकृतिक न्याय के तहत उसका नाम न लिया जाए। हाँ, गड़बड़ कामों (जो गैर-संवैधानिक, कानून के विपरीत है) पर चर्चा हो। सिस्टम फेल होने या प्रोसिजर लागू न होने की बात उठे। समयबद्ध जाँच हो, फिर दोषियों पर न्यायपूर्ण कारवाई? पर हुआ क्या? बिना जाँच काररवाई? क्या विधायकों-सांसदों को सरकारी अफसरों को निलंबित करने का अधिकार है? कल से कौन-सा ईमानदार अफसर कानून के रास्ते चलने की बात इन 'माननीयों' (विधायक-सांसद) से करेगा? क्या हम कानून पालन करनेवालों या ईमानदार लोगों की प्रजाति का बंध्याकरण कर देना चाहते हैं? याद रखिए, सच को प्रतिष्ठित करने के लिए ही विधायिकाओं का गठन हुआ है। अगर विधायिका ही सच तलाशने, न्याय दिलाने के रास्ते में दीवार बनी, तो क्या होगा?

विपक्ष की बुद्धि की बलिहारी या बुद्धि, दारिद्र्य या विवेक अकाल? विपक्ष ने 'सिस्टम, प्रोसिज्यूर' की बात न कर, 'आदिवासी प्रताड़ित' का नारा लगाया। क्या ईमानदारी, बेईमानी में भी जातिगत या धर्मगत तत्त्व हैं? क्या बेईमानों या ईमानदारों की अलग जाति या धर्म है? वोट और गद्दी के लिए कहाँ तक बाँट देंगे, ये वोट के ठेकेदार? क्या देश जातियों, समुदायों, धर्मों, गोत्रों में बँटेगा? क्या आज की दुनिया में कोई खास बिरादरी, धर्म, जाति या समुदाय के आधिपत्य में समाज-देश एक रह पाएगा? अन्याय चाहे दलित के साथ हो या पिछड़ों या अगड़ों या आदिवासियों या गैर आदिवासियों

के साथ, वह अन्याय है। यही 'स्प्रिट' (भावना) समाज को कायम रख सकती है। हालाँकि सभी धर्म और सभी जातियों के लोग अब नेताओं की यह बहुरूपिया शक्ल पहचानने लगे हैं। नफरत भी कर रहे हैं। यह दुःखद है, क्योंकि इससे राजनीति, राजनेता और लोकतंत्र अविश्वसनीय हो रहे हैं। अति दुःखद इसलिए क्योंकि राजनीति, राजनेता और लोकतंत्र ही समतापूर्ण, सुंदर और विकसित राज्य बना सकते हैं। विधायक और विधायिका ही सही नेतृत्व कर सकते हैं।

यह प्रकरण एक झलक है। इसी सत्र में एक विधायक ने स्पीकर से सीधा सवाल किया। 37 कमेटियाँ क्यों बनीं? स्पीकर महोदय ने भी कहा, इतनी जाँच कमेटियाँ बनीं, नतीजा क्या निकला?

एक-एक जाँच कमेटी के गठन, पृष्ठभूमि, कामकाज, रिपोर्ट तक का अध्ययन करिए, समझ जाएँगे कि लोकतंत्र को अविश्वसनीय बनाने में कैसे लगे हैं ये 'माननीय' चेहरे? कैसे ये लोग ओवरटाइम काम कर रहे हैं, लोकतंत्र की आस्था-मर्म को मणिकर्णिका (शवदाह स्थल) पहुँचाने के लिए? शुक्र करिए, अंदर की बातें बाहर नहीं आ रहीं, वरना अंदर की बातें लेकर हम लोकतंत्र का कौन-सा चेहरा दिखाएँगे? स्पीकर महोदय और विधायकों की एक बड़ी सेवा हो सकती है झारखंड के प्रति और देश के प्रति।

क्या और कैसे? जाने-माने सांसदों की एक समयबद्ध टीम झारखंड विधानसभा का आरंभ से अध्ययन करती। जाँच कमेटियों के कामकाज-कार्यशैली पर। इनकी रिपोर्टों पर। हुई फालोअप कारवाई पर। इन समितियों पर हुए खर्च पर। इनसे निकले रिजल्ट पर। तब पता चलता कि माल मियाँ (जनता) का, मौज किसका? विधायिका-विधायकों की एकाउंटबिलिटी का। और पारदर्शी बनने की इच्छा विधायकों की है, तो विधानसभा में हुई नियुक्तियों, प्रोमोशन वगैरह भी मामले की जाँच के तहत आ सकते हैं।

वर्षों-वर्षों के गंभीर मामले, जिनका हल सरकार नहीं कर रही, अगर उनके जवाब, विधानसभा में भी न दिए जाएँ, तो लोग कहाँ जाएँगे? कैसे इस व्यवस्था को आप जायज ठहरा सकते हैं? प्रमाणित तथ्य है कि शराब के राजस्व से सरकार को अरबों का नुकसान हुआ है, हो रहा है? कौन जवाबदेह है इसका? तुरिया मुंडा को नरेगा में मजदूरी नहीं मिली, वह पत्नी का श्राद्ध नहीं कर सका। आत्महत्या कर ली उसने। कौन दोषी है इस प्रकरण में? कौन बी.डी.ओ. को बचा रहा है? नरेगा कमिश्नर की रिपोर्ट पर कारवाई क्यों नहीं हुई? अंततः ऐसे सवालों के जवाब विधानसभा में भी नहीं मिलेंगे, तो नक्सलियों को पनपने-फैलने से कौन रोक पाएगा? गरीब की आह में बड़ी ताकत होती है। देर-सबेर आह की यह आग व्यवस्था को झुलसा देगी।

इसी तरह विधानसभा में किसी इंजीनियर का सवाल उठा। इंजीनियर के खिलाफ विजिलेंस रिपोर्ट है। इंजीनियर पर रिवाल्वर दिखाने, डराने वगैरह के आरोप हैं। यह

सच भी हो सकता है, गलत भी। सूचना है कि दो साल से मंत्री इसको दबाए बैठे हैं। अगर इंजीनियर निर्दोष है, तो मंत्री कहें, या गलत है, तो काररवाई करें। फाइल दबाकर रखने का औचित्य क्या है? फिर भी सरकार जवाब न दे, तो विधानसभा की क्या भूमिका होनी चाहिए? विधानसभा के इसी सत्र में किसी मामले पर बहस चल रही थी, तो किसी माननीय विधायक ने कहा, मामला अदालत में है। हालाँकि वह मामला अदालत में स्वीकृत नहीं है। अगर स्वीकृत भी होता, तब भी विधानसभा को ऐसे प्रसंगों में बहस का अधिकार है। विधायिका की स्वायत्तता अलग है। ऐसा नहीं है कि यह न्यूनतम जानकारी विधायकों को नहीं है। सत्ता पक्ष के समर्थक कुछेक विधायक ऐसे हैं, जो सरकार की ओर से आश्वासन देते नजर आते हैं। मंत्रियों की भूमिका में। क्या यह अधिकार सरकार समर्थक विधायकों को है? उसी तरह कुछेक विधायक स्पीकर की भूमिका में दिखाई देने लगते हैं, फलाँ विधायक को मार्शल आउट कर दे (वे भूल जाते हैं कि कल जब वे विपक्ष में होंगे, सवालों के जवाब सरकार से नहीं मिलेंगे), तब उनकी भूमिका क्या होगी।

(14-03-2008)

□

नमस्कार!

मैं हूँ 'झारखंड', बेजुबान, पर पीड़ा से कराहती धरती!
पल भर मेरी आत्मपीड़ा भी जान और सुन लीजिए।

मैं, झारखंड, रत्नगर्भा धरती हूँ। लोग कहते भी हैं, 'रूर ऑफ इंडिया' (जर्मनी का संपन्न इलाका) बनने की क्षमता-संभावना मुझमें है। मेरे गर्भ में क्या नहीं है—सोना, लोहा, कोयला, अभ्रक, यूरेनियम, बॉक्साइट''विशेषज्ञ मेरी क्षमता आँकते हैं, कहते हैं मेरी खनिज संपदा भारत को संपन्नता की अगली कतार में पहुँचा सकती है। यह भी फब्ती कसी जाती है कि मेरे बेटे-बेटियाँ (झारखंडी निवासी) प्राकृतिक संपदा से प्रचुर धरती के सबसे गरीब लोग हैं। बहुत कुछ सुनती-सहती हूँ, पर धरती हूँ, सुनना-सहना-झेलना मेरी नियति है, चुपचाप। कलियुग के पाप भी भोग रही हूँ। नियति मान कर। बिना कराहे, बिना उफ किए।

बहुत अतीत में नहीं लौटती। पर, महज 100-150 साल पीछे नजर डालती हूँ, तो फख्र होता है। जब देश के अन्य हिस्सों में फिरंगियों के आतंक के सामने लोग झुक रहे थे, समर्पण कर रहे थे, तब सिद्धू-कान्हू, बिरसा, हो पुत्रों, ठाकुर विश्वनाथ शाहदेव, शेख भिखारी—मेरे ऐसे बेटों के अनगिनत नाम हैं, ने मेरा सिर गौरव से ऊपर उठाया। मुझे उस अतीत को याद करते हुए फख्र होता है। मेरे कद्दावर बेटे! न झुके, न बिके, न डिगे। फाँसी चढ़े, पर आँसू नहीं ढरके। मेरे बेटों के इस बलिदान ने मुझे किंचित अभिमानी भी बनाया।

फिर अगली पीढ़ी के मेरे बेटे-बेटियों ने मुझे अलग पहचान देने की लड़ाई लड़ी। लंबी कुरबानी दी।

मैं कह नहीं सकती, मेरे अंग-कोख से जनमे मेरे ही बेटे-बेटियों के खून से न जाने कितनी बार मैं रक्तरंजित हुई। फिर भी मैंने उफ तक नहीं की, सब सहा। अपने ही लोगों के खून से नहाई, लाल हुई, न जाने कितने गोलीकांड हुए। तब मुझे 15 नवंबर, 2000 को अलग पहचान मिली झारखंड राज्य के रूप में। इस बीच नरसिंह राव सरकार में मेरे सिर वह कलंक लगा, जो अभी धुला नहीं। 'सांसद रिश्वतकांड'। पूरे देश-दुनिया

में जब भी वह चर्चा उभरती है, मैं चेहरा छुपा कर सिसकती हूँ। क्या नहीं दिया मैंने अपने गर्भ से? बेशकीमती रत्न, खनिज भंडार! मेरे बेटे-बेटियो समझो, तुम दुनिया खरीद सकते हो। तुम्हारी संपदा, ऐश्वर्य की रौनक में इंद्र का राज-दरबार फीका हो जाए। मेरे बेटो, सिर्फ तुम्हें काम करना है, ईमानदार राजनीति करनी है, मेरे गर्भ में तो वह है कि तुम्हारे श्रम, ईमानदार प्रयास और मेरी खनिज संपदा से दुनिया तुम्हारे कदमों में शीश झुकाए! कोई भूखा नहीं मरेगा। कोई धरती पुत्र पलायन नहीं करेगा। पर तुमने मुझे क्या शोहरत दी? मेरे बेटे बिकाऊ हैं? मेरी धरती बिकाऊ है? मेरी खनिज संपदा बिकाऊ है? मुझे क्या शोहरत दी मेरे बेटो! तुमने?

मुझे अलग पहचान तो दिला दी, मेरे बेटो, पर लगभग पिछले आठ सालों से मुझे बदशक्ल बनाने पर तुले हो। अब सार्वजनिक रूप से जलील करने पर भी उतारू हो? गुजरे वर्षों में एन.डी.ए., यू.पी.ए. की सरकारें बनने में किच-किच हुई। हमारे विधायक ढोए गए। कभी राजस्थान, कभी दिल्ली। कभी केरल, कभी गोवा, कभी हरियाणा। हमारी इज्जत का परचम फहराते, मेरे ही विधायक, देश भर में बता आए—'हॉर्स ट्रेडिंग' हमारी नसों में है। हमारी कीमत है। अपमान खरीदना हमारी रगों में है। अपनी धरती को सरेआम नीलाम करना हमारी फितरत है। हमारी धरती (झारखंड में) पर जो रोज जुल्म-पाप हो रहे हैं, उन्हें तो नियति मान कर झेल ही रही हूँ।

पर बाहर, सरेआम मुझे नीलाम न करो बेटो? चार्टर्ड प्लेन से आकर थैलीशाह मुझे देश में बिकाऊ माल न बनाएँ, कम-से-कम यह तो सोचो। मेरे कुछेक बेटे ऐसे भी हैं, जो झारखंड नामधारी हैं। खतियानी रैली करते हैं, 1932 की बात करते हैं। धरतीपुत्र की बात करते हैं। लोकल होने का स्वाँग करते हैं। बाहरी-भीतरी आवाज उठाते हैं। आदिवासी नाम पर घड़ियाली आँसू बहाते हैं। पर राजा दरभंगा, मीनू मसानी, आर.के. आनंद संसद् को भेजते हैं। इस देश में एक नई परंपरा चल पड़ी है। जो मुकदमा लड़े, वकील बने, उसे राज्यसभा पहुँचाओ। आर.के. आनंद, राम जेठमलानी, कपिल सिब्बल··· पर धरती पुत्रों का झूठा नारा लगानेवाले मेरे बेटो, तुम अपनी धरती के 'लालों' पर नजर डालो! डॉ. रामदयाल मुंडा, डॉ. वी.पी. केसरी, के.सी. हेंब्रम, गिरधारी राम गौंझू, प्रभाकर तिर्की···अनेक हैं, जिन्होंने मुझे अलग पहचान (झारखंड) दिलाने में अपना जीवन झोंक दिया। दर-दर भटके, ठोकरें खाईं, अपमानित हुए, पर न झुके, न बिके, न पीछे हटे।

सत्ता पा गए मेरे लोभी बेटो (विधायक), याद रखो झारखंड की कुरबानी जिन लोगों ने दी, वे सत्ता परिधि से बाहर मेरी दुर्दशा देख सिसक रहे हैं। मेरे लोभी विधायक पुत्रो, कम-से-कम इन धरतीपुत्रों को राज्यसभा भेजते, तो उनकी ईमानदार आवाज, न बिकनेवाले व्यक्तित्व, राज्यसभा में उम्दा बौद्धिक बहस से मुझे फख्र होता।

देश में जो कलंक, गलत ख्याति, बिकाऊ होने का खिताब मुझे मिलता रहा है, राज्यसभा में इन प्रतिभाशाली देशज पुत्रों के तेजस्वी व्यक्तित्व (रामदयाल मुंडा, डॉ. केसरी वगैरह) देख, मेरी छवि निखरती।

दुनिया की परंपरा है, अपने ही छलते हैं। जलील करते हैं। अलग पहचान पाकर मेरी ख्याति क्या हो गई है? मेरी छवि बिकाऊ माल की बन गई है। खुलेआम बोली-नीलामी। मेरी 'डील' हो रही है। मेरा एक-एक विधायक, राज्यसभा के दो-दो उम्मीदवारों का प्रस्तावक बन रहा है। बाप रे! बाप! कलियुग में भी इस घोर अनर्थ-पाप की कल्पना नहीं थी। बच्चा-बच्चा जान रहा है, जो दलों से जुड़े प्रत्याशी नहीं हैं, उनके प्रस्तावक बनने के पहले कौन-सा कैप्सूल काम कर रहा है? पर याद रखो, मेरे विधायक बेटो, सांसद रिश्वतकांड में क्या हुआ? सी.बी.आई., आयकर है न! इससे भी बड़ी जलालत?

मैं झारखंड की धरती हूँ। इस विशाल धरती माँ का एक टुकड़ा। हमने युग देखे हैं, तुम सदियों की बात भी नहीं कर सकते, हमने तो युग देखे हैं। लाखों-करोड़ों-अरबों वर्ष के झोंके सहे हैं। क्या-क्या नहीं भोगा है? सहा है? देखा है? मेरी यह बात भी गाँठ बाँध लो।

> जुल्म किए तीनों गए
> धन, धर्म और वंश
> यकीन न हो तो देख लो
> रावण, कौरव और कंस।

(16-03-2008)

□

घृणा करिए ऐसे विधायकों से

वैसे भी अधिसंख्य झारखंडी विधायकों से मुलाकात या परिचय का सौभाग्य नहीं है। मीडिया माध्यम से ही दरस-परस है, पर राजद विधायक अन्नपूर्णा देवी के रोने की खबर पढ़कर मन में उनके प्रति आदर उपजा। खबर है, राज्यसभा चुनाव में हो रही सौदेबाजी को देखकर वह रो पड़ीं। कहा भी कि झारखंड में सब सौदे का खेल हो रहा है। उनके आँसू पश्चात्ताप और आत्मशर्म के आँसू थे। ये उनके निजी आँसू नहीं, हरेक ईमानदार झारखंडी के आँसू हैं—पश्चात्ताप के, शर्म के; पर साथ ही आक्रोश और उबलते गुस्से के आँसू भी। वैसे भी स्त्री पुरुषों के मुकाबले अधिक निश्छल होती हैं। आमतौर पर षड्यंत्र, सौदेबाजी और तिकड़म का हिस्सा नहीं होतीं। यह मानना चाहिए कि अन्नपूर्णा देवी के ईमानदार आँसूओं का मर्म उनके साथी विधायक भी समझेंगे। ये एक दल के विधायक के आँसु नहीं, दलों के बाड़े से उठकर एक ईमानदार झारखंडी की बेचैनी, असहाय-बोध और पश्चात्ताप के आँसू हैं।

दो दिन पहले 'प्रभात खबर' में 'आप विधायक हैं, हम शर्मिंदा हैं' टिप्पणी छपी थी। महज दो दिनों के अंदर झारखंड के कुछेक स्वनामधारी नेताओं और विधायकों ने जो हालात पैदा कर दिए हैं, उन्हें देखकर विधायकों (जो ऐसा काम कर रहे हैं) से घृणा हो रही है। राज्यसभा चुनाव में प्रस्तावक बनकर जो नामांकन कराए हैं हमारे विधायकों ने, उनसे संदेश गया कि 'झारखंड बिकाऊ है', 'झारखंड के विधायक मैनेजेबुल हैं', 'यहाँ की राजनीति में बोली लगती है'। यहाँ जुबान की, राजनीतिक प्रतिबद्धता की कोई कीमत नहीं है। यह सब देखकर एक झारखंडी मित्र (जो झारखंड के लिए लड़े थे) ने कहा, 'पहले यात्रा करते समय ट्रेनों में 'बिहारी' कहने पर शर्म महसूस होती थी, अब 'झारखंडी' कहने पर मुँह छिपाना पड़ेगा।'

यह स्थिति महसूस करके ही अन्नपूर्णाजी के आँसू निकले होंगे, यह मानना चाहिए। यह भी सूचना है कि अन्नपूर्णाजी गौतमसागर राणा को प्रत्याशी बनाना चाहती थीं, पर उनके साथी राजद विधायक प्रकाश राम, उदयशंकर सिंह, रामचंद्र चंद्रवंशी, रामचंद्र सिंह, विदेश सिंह पहले ही आर.के. आनंद के प्रस्तावक बन चुके थे। क्या कारण है कि गौतमसागर

राणा जैसा समर्पित, समझदार और बेदाग कार्यकर्ता राज्यसभा का उम्मीदवार नहीं बन पाता? और पूँजी संपन्न बाहरी ताकतें अचानक उदय होकर उम्मीदवार बन जाती हैं? झारखंड की राजनीति के पतन का, बिकाऊ होने का, विधानसभा को मंडी बनाने की (आप विधायकगण माफ करिएगा, यह शब्द कहने का परिणाम हमें मालूम है, यह शब्द लिखने के लिए आप हमें जेल भेज सकते हैं) गुत्थी का रहस्य इसी सवाल में छिपा है।

झारखंड राज्यसभा चुनावों के पहले राउंड में झारखंडी जनता हार गई है। झारखंड की राजनीति मंडी के रूप में बदनाम हो गई है। एन.डी.ए. ने स्वागतयोग्य पहल की है। राज्य भाजपा ने केंद्रीय भाजपा द्वारा बाहरी प्रत्याशियों को थोपने का विरोध किया। एक जमीनी कार्यकर्ता को टिकट दिलाया झारखंडी भाजपाई को। क्या यू.पी.ए. किसी एक नाम पर सहमति देकर विधायकों को बिकाऊ बनने से रोक नहीं सकता?

आश्चर्य है कि गौतमसागर राणा को अंतिम क्षण तक समर्थन नहीं मिलता, पर झारखंड राज्यसभा चुनाव को भारत में चर्चित बना देनेवाले परिमल नाथवाणी को सबसे पहले प्रस्तावक मिल जाते हैं। गौतमसागर राणा तीन-चार दशकों (बिहार में भी) से ईमानदार समाजवादी राजनीति करते रहे हैं, पर दशकों पुराने अपने उल्लेखनीय राजनीतिक काम और पहचान के बावजूद उन्हें प्रस्तावक नहीं मिलते और करोड़ों के मालिक परिमल नाथवाणी अचानक झारखंड की धरती पर अवतरित होते हैं, राज्यसभा के उम्मीदवार बन जाते हैं। फिर कहते हैं, मैं झारखंड में घटिया राजनीति करने नहीं आया हूँ।

हमारे विधायकों में हया है, तो उनसे पूछना चाहिए कि आपने झारखंड को ही चुनाव लड़ने के लिए क्यों चुना? क्या अन्य राज्यों में ऐसा संदेश है कि यहाँ के विधायक मैनेजेबुल हैं? आपको झारखंड में कोई जानता नहीं था, आप अचानक राज्यसभा प्रत्याशी के रूप में कैसे अवतरित हो गए? कौन विधायक आपको जानता था? किसने गुरुजी से आपको मिलाया? कैसे आपने अपनी उम्मीदवारी मैनेज की है?

नाथवाणीजी कॉरपोरेट वर्ल्ड के सफल इनसान हैं। यह उनके बायोडाटा में संपत्ति विवरण से पता चलता है। गुजरात में नाथवाणीजी ने बड़ा काम किया है। फिर गुजरात में कांग्रेस या भाजपा ने उनकी योग्यता देखकर वहाँ से राज्यसभा क्यों नहीं भेजा? अगर गुजरात को नाथवाणी भाई ने मॉडल स्टेट बनाया है, तो राज्यसभा चुनाव झारखंड से क्यों? नाथवाणी भाई मैनेजमेंट पृष्ठभूमि के हैं। 'मैनेज' करने की कला या हुनर उनकी योग्यता है। मैनेज करना ही प्रतिभा है और झारखंड के बदनाम विधायक, आत्मसम्मान गिरवी रखनेवाले विधायक उनकी इस 'मैनेज प्रतिभा' को यहाँ भी सफल बनाएँगे?

पहले परंपरा थी—अपनी राजनीतिक प्रतिबद्धता, विचार, पारदर्शी जीवन संघर्ष, ईमानदार विरासत लेकर कोई राजनीतिज्ञ कहीं से उम्मीदवार बनता था। विधायकों/ मतदाताओं की अंतरात्मा को अपील करता था। अशोक मेहता, पीलू मोदी वगैरह अनेक

नाम हैं, जो देश में अन्य राज्यों से चुने गए, पर ऐसी कोई राजनीतिक या वैचारिक विरासत तो नाथवाणी भाई के पास है नहीं?

आर.के. आनंद कहते हैं, इलेक्शन इज ए गेम। आनंद जैसे प्रोफेशनल्स के लिए चुनाव गेम हो सकता है। राजनीति एक गंभीर विधा है। समाज, देश और करोड़ों की नियति तय करनेवाला मंच। गेम का संबंध तिजारत से होता है। आनंद जैसे लोगों का झारखंड में क्या स्टेक है? वह पहले भी झारखंड से राज्यसभा में रह चुके हैं। क्या कमाल दिखाया है? क्यों झारखंड से ही वह जाने को लालायित हैं? वह दिल्ली में रहते हैं। कांग्रेसी राज वहाँ है। अगर उनकी प्रतिभा की कांग्रेस को इतनी ही जरूरत है, तो उन्हें दिल्ली से धूमधाम से राज्यसभा भेजा जाए। किशोर लालजी भी अचानक अवतरित प्राणी हैं। वह क्या झारखंड का कल्याण करेंगे? क्या झामुमो के पास उम्मीदवार नहीं थे? गुरुजी धनई किस्कू को नहीं भूले होंगे? जिस धनकटनी आंदोलन ने शिबू सोरेन को गुरुजी बना दिया, उस आंदोलन के उनके साथी। बाद में वह नहीं रहे। उनके छोटे भाई बाबूराम किस्कू ने नौकरी छोड़ी, समर्पित और समझदार हैं, पर दर-दर भटक रहे हैं। झामुमो में भी किस्कू जैसे अनेक समर्पित कार्यकर्ता हैं। झामुमो के शीर्ष नेतृत्व को अपने दल को बताना ही पड़ेगा कि किन कारणों से किशोर लाल उम्मीदवार बने? अन्यथा दल अंदर-अंदर बिखरेगा।

झारखंड की राजनीति में दलालों की बाढ़ आ गई है। पावर ब्रोकर्स, लॉबिस्ट, मिडिलमैन। क्रूर राजनीति के जन्मदाता। पाँच सितारा होटलों में डील राजनीति में माहिर यह ताकत, झारखंड को चरागाह बनाना चाहती है। झारखंड के जो अनुभवहीन और बिकाऊ विधायक हैं, वे मानते हैं 'अभी नहीं, तो कभी नहीं?' इसी नीलाम या बोली बाजार में अधिक-से-अधिक हथिया लेने का मौका है, पर वे भूलते हैं, देर-सबेर कानून नहीं बख्शता। सांसद रिश्वतकांड के भुक्तभोगी प्रमाण हैं। इस कांड से जुड़े लोगों को जनता ने भी लंबे समय तक ठुकराया। कुछ आज तक राजनीतिक वनवास भोग रहे हैं। कानून का कहर अलग था। जिस बिहार में, पहले लगता था गलत करनेवालों का बाल बाँका नहीं होगा, अब वे कहाँ हैं? जेलों में। सींखचों के पीछे आँसू बहा रहे हैं। झारखंड को मंडी बनानेवालों का यही हाल जनता करेगी। वरना, अब भी रास्ता है। अनेक राज्यों में चुनाव की जरूरत ही नहीं पड़ी है, पड़ोसी बिहार में भी। जैसे एन.डी.ए. ने एक प्रत्याशी बनाया, वैसे यू.पी.ए. भी एक पर सहमत हो जाए। और झारखंड के विधायकों को मंडी में नीलाम न होने दे।

(17-03-2008)

□

बाजार न बने विधानसभा
संदर्भ : राज्यसभा चुनाव

अभी मौका है। विकल्प नंबर एक—यू.पी.ए. के सभी विधायक एकमत होकर किसी एक प्रत्याशी को अधिकृत बना लें। तीन प्रत्याशी हैं—परिमल नाथवाणी, आर.के. आनंद और किशोर लाल। इन तीनों के प्रस्तावक यू.पी.ए. घटक दल के लोग हैं। इसलिए अब इनका दायित्व है कि ये एक नाम पर सहमत हों, दो को बैठा लें। फिर अपने नेताओं के साथ (शिबू सोरेन और मुख्यमंत्री मधु कोड़ा वगैरह) बिरसा मुंडा के नाम सौगंध लें कि वे झारखंड में 'हॉर्स ट्रेडिंग' (चुनाव में खरीद-फरोख्त) नहीं चलने देंगे। विकल्प नंबर दो—प्रत्याशी जिस पर सहमति हो, टेढ़ा सवाल है। अगर आपस में यू.पी.ए. विधायक इसे नहीं सुलझा सकते, तो शिबू सोरेन, लालू प्रसाद व सोनिया गांधी को एक प्रत्याशी चुन लेने का अधिकार सौंप दें। यू.पी.ए. से एक प्रत्याशी अधिकृत होते ही दृश्य बदल जाएगा। इस निर्णय के बाद तुरंत अनधिकृत प्रत्याशियों को नाम-वापसी के लिए बाध्य किया जाए।

झारखंड विधानसभा के विधायक यह हल क्यों नहीं खोजते? शिबू सोरेन ने कह दिया कि 'सभी विधायक बिकाऊ हैं, इन्हें डंडे से ठीक करो' या दुर्गा सोरेन का कथन कि झारखंड के सब एम.एल.ए. बिकाऊ हैं या 'प्रभात खबर' में छपे लेख 'घृणा करिए ऐसे विधायकों से' पर विवाद, बहिष्कार, आरोप-प्रत्यारोप, लांछन-प्रतिलांछन या विधानसभा में प्रिवलेज लाने का मामला बाद में हल कर लें। एक दिन बाद भी विधानसभा इस पर बहस कर ले, पर इस समस्या को सुलझा लेने का समय सिर्फ आज तक है, कल नहीं। फिलहाल झारखंड की प्रतिष्ठा दाँव पर है। इस चुनाव से देश जानेगा कि झारखंड में बिकाऊ विधायक हैं या झारखंडी स्वाभिमान के विधायक? पहले हम सब झारखंडी हैं, फिर अलग दल, विचार, गुट या खेमा या वर्ग के। देश इस झारखंडी स्वाभिमान को पहचाने, जाने और माने, यह प्रमाणित करने का यह मौका है। 'सांसद रिश्वत कांड' के दाग से मुक्त होने का अवसर। यू.पी.ए. या एन.डी.ए. द्वारा सरकार बनाने के लिए

राजस्थान, दिल्ली, केरल वगैरह से जिस तरह विधायक ढोए गए और इससे 'बिकाऊ राजनीति' या 'हॉर्स ट्रेडिंग की राजनीति' का जो संदेश गया, उससे मुक्त होने का क्षण। अपना पाप धोने या अतीत के बदनुमा दाग धोने का अवसर प्रकृति कभी-कभी ही देती है, और झारखंड के विधायकों को यह मौका मिला है। इस अवसर का हम लाभ लें, इस पर विधानसभा एकमत से क्यों नहीं गौर करती? इस 'ब्लेम गेम' (दोषारोपण) से देश में खोयी प्रतिष्ठा वापस नहीं होने वाली। हम इस तर्क-बहस में न जाएँ कि कपड़े के नीचे हम क्या हैं? हम सब में कोई-न-कोई अवगुण है, अपूर्णता है, तभी इनसान हैं, पर बुद्ध भी कह गए हैं 'संघे शक्ति कलियुगे'। एकजुटता में, टीम में, एकता में ताकत है। 'झारखंडी स्वाभिमान' के सवाल पर तो सभी विधायक एकमत हों। हर दल में ईमानदार विधायक हैं। महेंद्र सिंह की परंपरा में आज भी विनोद सिंह जैसे विधायक हैं। अपनी ईमानदारी, प्रतिबद्धता और पारदर्शिता की मिसाल! सत्ता पक्ष-विपक्ष में अनेक अच्छे और सम्मानित नाम हैं, पर 'झारखंडी स्वाभिमान' से सौदेबाजी करनेवालों के कारण यह स्थिति बन गई है।

इस स्थिति से निबटने का सीधा और आसान रास्ता है। जैसा बिहार ने किया। अन्य आठ राज्यों ने भी। चुनाव की नौबत ही नहीं आई। क्या बिहार में सत्ता पक्ष या विपक्ष में झारखंड से कम मतभेद या दूरी या टकराव है? पर क्यों बिहार में परिमल नाथवाणी भाई या आर.के. आनंद या किशोर लाल जैसे पात्र उम्मीदवार नहीं बन सके? क्योंकि ऐसे लोगों को प्रस्तावक ही नहीं मिले।

दरअसल व्यवसायी विधायकों या नेताओं का गणित साफ है। वे चाहते हैं कि चुनाव हो। चार प्रत्याशी रहें। इससे प्रत्याशियों में होड़ बढ़ेगी। जो जितना खर्च करेगा, आगे जाएगा। इससे व्यवसायी विधायकों को सर्वश्रेष्ठ कीमत मिलेगी। बाजार का नियम है—स्पर्धा में ही ऊँची कीमत मिलती है। झारखंड को बदनाम करनेवाले विधायक यही स्पर्धा चाहते हैं। आज भर समय है, यू.पी.ए. नेतृत्व इस स्पर्धा को ही खत्म कर दे। आज शाम तक नाम वापस लेने का अवसर है। इस लक्ष्मण-सीमा के अंदर ही यू.पी.ए. चाहे तो झारखंड विधानसभा को बाजार न बनने देने का स्पष्ट संदेश दे सकता है।

(19-03-2008)

□

कीमत चुकाएगी कांग्रेस

कांग्रेस की मौन या मूक सहमति ने झारखंड विधायकों की साख को दाँव पर लगा दिया है। राज्यसभा प्रत्याशियों के चयन मामले में कांग्रेस की स्थिति क्यों अस्पष्ट है? क्या कांग्रेस चाहती है कि विधायकों की बोली लगे? कांग्रेस चाहती, तो यू.पी.ए. का एक अधिकृत उम्मीदवार मैदान में होता। पर, मौन भूमिका या विधायकों को बाजार में खड़ा करने की कीमत तो पूरे देश में कांग्रेस को ही चुकानी है। कांग्रेस भूले नहीं, जून 1963 में कांग्रेस-झारखंड पार्टी में विलय हुआ। जयपाल सिंह मुंडा कांग्रेस में गए। तब से झारखंडी कहते हैं, कांग्रेस झारखंड की पहचान और मान-सम्मान मिटाना चाहती है। याद करिए वह नारा, जो जयपाल सिंह के कांग्रेस में जाने पर लगा। जयपाल, बोदरा, बागे, मुरगा लेकर भागे। फिर इंदिरा कांग्रेस-शिबू सोरेन तालमेल हुआ और झामुमो पर फिसलने के गंभीर आरोप लगे। इसके बाद 90 के दशक में नरसिंह राव ने 'सांसद रिश्वत प्रकरण' में झारखंड की टोपी ही पूरे देश में उछाल दी। इस बार भी यू.पी.ए. का एक अधिकृत प्रत्याशी नहीं बना। तो मान लीजिए, राज्यसभा चुनावों में धन-बल ही निर्णायक होगा और खलनायक होगी कांग्रेस। आज भी आम झारखंडी यही मानते हैं कि जयपाल सिंह, गुरुजी शिबू सोरेन या झारखंडी नेता कम दोषी हैं, असल दोष तो कांग्रेस का है। इस बार भी झारखंड राज्यसभा चुनावों में पैसे का जोर चला, तो यह धारणा और पुष्ट होगी कि इस खेल की सूत्रधार तो कांग्रेस है। गली-गली लोग पूछेंगे कि जब झारखंडी राजनीति में मोल-भाव चल रहा था, देश में झारखंड की राजनीतिक इज्जत नीलाम हो रही थी, तब आप कांग्रेसी केंद्र में भी सत्ता में थे और झारखंड में भी आपकी सरकार थी, आपने क्या किया? खरबूजा चाकू पर या चाकू खरबूजे पर। कटना तो खरबूजे को ही है। यह तो कांग्रेस जानती ही है।

कांग्रेस प्रभारी अजय माकन ने तो राज्य के अंदर भ्रष्टाचार मिटाओ का सपना दिखाया था, पर अब? झारखंड की राजनीति का मोलभाव, देश की राजनीति में हो रहा है और देश में राज करनेवाली कांग्रेस, इस खरीद-बेच संस्कृति को बढ़ावा देती नजर आ रही है।

यू.पी.ए. या खासतौर से झामुमो या राजद के एक गुट द्वारा तीन प्रत्याशी मैदान में उतारे गए हैं। एक भाजपाई विधायक भी इसमें शामिल है। यू.पी.ए. की ओर से तीन हैं, परिमल नाथवाणी, आर.के. आनंद और किशोर लाल। अब इन तीनों में से ही किसी एक को चुनना यू.पी.ए. की विवशता है। वह जिसे चाहे, चुन ले। परिमल नाथवाणी के प्रति यू.पी.ए. विधायकों का झुकाव है, तो यू.पी.ए. को खुला समर्थन घोषित करना चाहिए।

एक समय में स्वतंत्र पार्टी थी। वह उद्यमियों–उद्योगपतियों को ही चुनाव मैदान में उतारती थी। उस पार्टी का 'राजनीतिक दर्शन' स्पष्ट था। उद्योग या पूँजी मॉडल से ही विकास या कायाकल्प संभव है। यह राजनीतिक लुका-छिपी या पाखंड क्यों? अगर परिमल नाथवाणी पर यू.पी.ए. सहमत नहीं है, तो आर.के. आनंद या किशोर लाल हैं। आर.के. आनंद एक बार झारखंड से राज्यसभा सांसद रह चुके हैं, वह कौन-सा चमत्कार करेंगे? फिर भी यू.पी.ए. विधायकों को लगता है कि वही 'आनंद' के स्रोत हो सकते हैं, तो उन्हें बेहिचक प्रत्याशी बना लें। अगर दोनों पर सहमति नहीं है, तो अचानक अवतरित किशोर लाल हैं ही। लेकिन यू.पी.ए. साफ-साफ जान ले, इन तीनों में से किसी एक का भी वरण राजनीतिक नफे-नुकसान की दृष्टि से यू.पी.ए. के लिए घाटे का सौदा है। लेकिन अब पछताए होत का, जब चिड़िया चुग गई खेत। चुनाव पूर्व स्थिति स्पष्ट न करना और विधायकों को बाजार में ठेल देने की कीमत तो दिवालिया बनना है। अब यू.पी.ए. तय करे कि न्यूनतम घाटे का सौदा लाभदायक है या दिवालिया होने की सौगात? उसके पास तीसरा विकल्प नहीं है।

(21-03-2008)

❑

झारखंड के स्वाभिमान के लिए
एक कदम!

झारखंड की राजनीतिक स्थिति को लेकर राज्य का नागरिक समूह बेचैन है। नागरिक ताकत (जिसे अब पश्चिमी मुहावरे में 'सिटीजन पावर' कहते हैं) वह स्रोत या उद्गम है, जो लोकतंत्र को अंकुश में रखता है। पवित्र, एकाउंटेबुल और प्रो-पीपुल बनाता है। जहाँ लोक मरा, वहाँ तंत्र भी मर जाता है। झारखंड में लोक ताकत की परंपरा पुरानी है। वही लोक ताकत, राज्यसभा चुनावों में धन-बल की बढ़ती भूमिका से बेचैन है। यह लोक समूह चाहता है कि झारखंड 'बिकाऊ' राज्य के रूप में न जाना जाए, इसलिए आज यह समूह सड़क पर उतर रहा है। शाम तीन बजे (सैनिक बाजार से) पैदल मार्च कर (जुलूस की शक्ल में) गवर्नर हाउस जाएगा। यह ढोए लोगों का जुलूस नहीं होगा। घर से निकल कर स्वत: आए लोगों की भीड़ है यह। इनकी महज एक चिंता है, राज्य के विधायक, सिद्धांत, दल और विचारों से चलें। धन-बल के कारण पलटी न मारें। यह कैसे संभव है? पूछने पर इस नागरिक मंच के एक सदस्य नुस्खा बताते हैं। (1) यू.पी.ए. अपने प्रत्याशी का नाम घोषित कर दे। फिर विशेष हालात देखते हुए (2) स्पीकर व्यवस्था कराएँ कि कौन विधायक कहाँ मत देता है, यह पोलिंग एजेंट के माध्यम से सार्वजनिक हो। (3) कांग्रेस अलग से बताए कि वह कहाँ खड़ी है? प्रथम वरीयता का वोट वह किसे देगी और दूसरी वरीयता में वह किस प्रत्याशी को पसंद करती है? (4) सिर्फ राजद नेता गिरिनाथ सिंह ने चुनाव आयोग को पत्र लिखकर राज्यसभा चुनावों की गंभीर स्थिति बताई है। इस तरह उनकी चिंता स्पष्ट है, पर उनका दल भी लालू प्रसाद से बात कर अपना स्टैंड क्लीयर करे। (5) तीन उम्मीदवारों को मैदान में उतारने में सबसे सक्रिय भूमिका रही है झामुमो की। तीनों उम्मीदवार शिबू सोरेन का हवाला दे रहे हैं। इस तरह शिबू सोरेन ही धुंध हटाने में मुख्य भूमिका निभा सकते हैं। वह और उनका दल स्पष्ट करे कि उनका अधिकृत प्रत्याशी कौन है? (6) अब बचे निर्दलीय। चूँकि यू.पी.ए. के

नेतृत्व में चल रही सरकार में निर्दलीय हैं, इसलिए यू.पी.ए. गठबंधन की जिम्मेवारी है कि वह निर्दलियों की स्थिति भी स्पष्ट करे। (7) बचे बाबूलाल मरांडी गुट के बागी विधायक। चूँकि बाबूलाल भ्रष्टाचारमुक्त झारखंड की बात करते हैं, इसलिए उन्हें आगे बढ़ना होगा। उनके विधायकों को लेकर राजनीतिक गलियारे में खूब चर्चाएँ हैं। ऐसी स्थिति में एक कदम आगे जाकर बाबूलालजी अपनी स्थिति स्पष्ट करें। भ्रष्टाचार के खिलाफ मुहिम की बात करनेवाले दल जे.वी.एम. की भूमिका उस समय क्या है, जब 'झारखंड बिकाऊ' बनने-न-बनने देने की कशमकश चल रही है? बेहतर तो यह होता कि पारदर्शिता बनाते हुए बाबूलालजी पहले ही अपना स्टैंड और राज्यसभा चुनावों में प्रत्याशियों की पसंद स्पष्ट कर देते। (8) एन.डी.ए. खेमे का एक विधायक तो अपना कमाल दिखा चुका है, झामुमो विधायकों के साथ प्रस्तावक बनकर। चर्चा है कि कई और विधायक बाजार में अपनी स्थिति आँक रहे हैं, टोह ले रहे हैं। इस तरह एन.डी.ए. साफ-साफ अपनी बात कहे, वह कैसे वोट करने जा रहा है? कौन एन.डी.ए. विधायक कहाँ वोट डाल रहा है, यह कैसे सार्वजनिक होगा? एन.डी.ए. समूह द्वितीय पसंद का वोट डालेगा या नहीं? (9) एन.डी.ए. घटक जे.डी.यू. को लेकर भी संशय फैला है। जे.डी.यू. को भी अपना पक्ष साफ करना चाहिए कि उसके विधायक अपना मत कैसे और किसे देने जा रहे हैं?

नागरिक समूह के लोग मानते हैं कि इन सवालों पर हर दल, समूह, पक्ष-विपक्ष अपना स्टैंड क्लीयर कर दें, तो झारखंड बदनाम होने से बच जाएगा। इस समूह का यकीन है कि 60–70 फीसदी लोग महज ड्राइंग रूम में बैठकर क्रांति या बदलाव पर बहस करते हैं, इसलिए यह स्थिति है। घर बैठे बेहतर समाज चाहनेवाले, जब सड़क पर उतरने लगेंगे, तो हालात बदलेंगे, क्योंकि लोकमत ही जनतंत्र में सबसे बड़ी ताकत है। अमेरिका में वियतनाम युद्ध के खिलाफ जब एक छोटा गुट सक्रिय हुआ, तो उसका नारा था, 'फ्रॉम योर माउथ टू गॉड्स इयर' (अपने मुँह से सच कहें, वह ईश्वर के कान में सुनाई देगा)। इस समूह का भी मानना है कि हम सच के साथ हैं। सही बातें उठा रहे हैं। इसलिए जरूर घर बैठे, अपनी दुनिया में लीन लोगों के कानों तक ये बातें पहुँचेंगी। फिर मुँहामुँही घर-घर, गाँव-देहात-पहाड़-जंगल सब जगह ये बातें ध्वनित होंगी। इस तरह जो लोग बेहतर समाज-व्यवस्था चाहते हैं, अमर कवि मुक्तिबोध के शब्दों में,

> जो है उससे बेहतर चाहिए,
> दुनिया को साफ करने के लिए मेहतर चाहिए।

इस भूमिका में उतरना होगा। एक नागरिक या झारखंडी की यह सफाई भूमिका

क्यों जरूरी है ? क्योंकि राजनीति करनेवाले पहले भिन्न थे, आज अलग हैं। एक कवि की मानें, तो इन नेताओं-विधायकों (अपवाद विधायकों को छोड़कर) का चरित्र समझ सकते हैं।

मर मिटे थे वो (पुराने नेता) वतन पे।
ये (नए नेता) मिटा देंगे वतन को।

इस नागरिक समूह की बात मानें तो छात्र संघों से जुड़े युवा और कॉलेज-विश्वविद्यालय के प्राध्यापक भी इस सफाई अभियान से जुड़े हैं। आजादी की लड़ाई में निर्णायक काम करनेवाला वकील समूह भी सक्रिय है। झारखंड में हो रहे स्थानीय निकायों के चुनावों में खड़े प्रत्याशी भी इस मुहिम को समर्थन दे रहे हैं। इस समूह का मकसद भारी भीड़ जुटाना नहीं है, बल्कि कवि रमानाथ अवस्थी के शब्दों में—

कोई न हो साथ तो
एकांत को आवाज दो।

यह समूह अनुशासित जुलूस निकालना चाहता है। कोई हंगामा नहीं, न ट्रैफिक जाम, न उद्दंडता, न दूसरों को अव्यवस्थित करने की कोशिश। क्योंकि इन्हें विश्वास है कि 'राजनीतिक सफाई' की इनकी बातें, 'झारखंड के बिकाऊ न होने देने की कोशिश' झारखंड में घर-घर तक पहुँचेगी। इस तरह गलत करनेवाले विधायकों के क्षेत्र में घर-घर उनके कारनामों की खबर पहुँचेगी। उनके साथी कार्यकर्ता, मतदाता भी ऐसे विधायकों से हिसाब लेंगे। यह समूह इसलिए सक्रिय हुआ है, ताकि ऐसे सवाल जनता सीधे अपने विधायकों से पूछे। अपने किए काम का हिसाब हर विधायक जनता को दे। यह अवसर नक्सली समूहों के हाथ गया, तब भी लोकतंत्र कमजोर होगा। आमतौर से 'बिकाऊ राजनीति' या 'बिकाऊ विधायकों' पर सवाल उठाकर, पोस्टर साटकर या जन अदालत लगाकर नक्सली ऐसी बिकाऊ राजनीति से ऊबे लोगों का समर्थन और सहानुभूति पाने की कोशिश करते हैं। अगर विधायकों से यही सवाल या हिसाब-किताब जनता ही लोकतांत्रिक ढंग से माँगे, तो यह लोकतंत्र के हित में होगा।

यह समूह मानता है कि झारखंडी विधायक खुद आत्मनिरीक्षण भी करेंगे। (1) क्या सिर्फ पैसे पाकर वे लोकतंत्र में राजनीति कर पाएँगे ? (2) राज्य की प्रतिष्ठा और निजी स्वाभिमान बड़ा है या पैसा, (3) किसी-न-किसी तरह गलत करनेवाले पकड़े जाएँगे ही, तब वे समाज, कानून, आयकर वगैरह को क्या जवाब देंगे ? क्षेत्र और राज्य की जनता को कौन-सा चेहरा दिखाएँगे ? अपने परिवार या स्वजनों को कैसे फेस करेंगे ?

यह समूह यह भी मानता है कि अधिसंख्य विधायक झारखंड के स्वाभिमान के साथ खड़े हैं। थोड़े-बहुत भटके विधायकों के कारण आज झारखंड बदनाम हो रहा है, तो इनके खिलाफ हर दल, पक्ष-विपक्ष के सही विधायक, हर पार्टी के नेता और जागरूक लोग माहौल बनाएँगे।

झारखंड के नागरिक इस सवाल से भी व्यथित हैं कि यहाँ सरकार बननी होती है, तो चार्टर्ड हवाई जहाजों से 'पॉलिटिकल लाइजनर' मनी बैग के साथ अवतरित हो जाते हैं। चार्टर्ड जहाजों से विधायक ढोए जाते हैं। पाँच सितारा बड़े होटलों में रखे जाते हैं। इसके पीछे किसका पैसा होता है? इसी तरह राज्यसभा चुनावों में दनादन बाहरी प्रत्याशी चार्टर्ड जहाजों से झारखंड में आ धमकते हैं। क्या झारखंड बिकाऊ है? यह स्थिति किसी और राज्य में क्यों नहीं है? पूछते हैं नागरिक मंच के सदस्य।

(24-03-2008)

□

वोट डालिए, हालात बदलिए

संदर्भ : निकाय चुनाव

अपने आसपास की स्थिति से क्षुब्ध हैं, बेहतर जीवन स्तर चाहते हैं, नागरिक सेवाओं में सुधार की आकांक्षा है, झारखंड को भी देश के विकसित राज्यों की कड़ी में देखना चाहते हैं, तो झारखंड में हो रहे निकाय चुनावों में जरूर मत डालें। 22 वर्ष बाद यह अवसर आया है। यह चुनाव राजधानी राँची की सत्ता को राज्य के अन्य शहरों तक पहुँचाएगा। सत्ता विकेंद्रीकरण का अनुष्ठान है यह चुनाव। अपने शहर, गली-मोहल्लों और आसपास के इलाकों को सुंदर, साफ-सुथरा और स्तरीय बनाने का अधिकार और अवसर यही चुनाव देगा। इसलिए इस चुनाव का सीधा रिश्ता आपके जीवन से है। आपकी भावी पीढ़ियों से है। इस चुनाव से तटस्थ, निरपेक्ष या उदासीन होने का अर्थ है—अपनी, अपने परिवार और अपने समाज की कब्र खोदना! चुनाव से कैसे हालात बदल सकते हैं, यह आजमाना हो, तो यह मौका है।

पर वोट डालते समय 'श्मशान वैराग्य' भाव से मुक्त रहें। यह 'श्मशान वैराग्य' क्या है? हम श्मशान जाते हैं शव जलाने। वहाँ जीवन को लेकर तरह-तरह के सवाल उठते हैं मन में। वैराग्य बोध होता है, पर श्मशान से घर या समाज में लौटते ही वह 'श्मशान वैराग्य' गायब हो जाता है। फिर जीवन के वही खटराग, दाँव-पेच और एकरसता, पर माना जाता है, यह श्मशान वैराग्य भाव ठहर जाए, तो जीवन बदल जाए। इसी तरह मतदाताओं के हाथ मतपत्र मिलते ही जाति, धर्म, समुदाय, फेवर, संबंध, अपना-पराया वगैरह के बोध पैदा हो जाते हैं।

मतदान स्थल जाते ही समाज की समस्याएँ, मोहल्ले की बदतर स्थिति, कुशासन, भ्रष्टाचार, व्यवस्था के प्रति आक्रोश 'श्मशान वैराग्य' की तरह गायब हो जाते हैं; और छोटी-छोटी चीजों, स्वार्थ और संकीर्ण मन:स्थिति के तहत हम वोट डालते हैं। फिर निकलकर पछताते हैं। शहर बजबजा रहा है। पानी नहीं मिल रहा। बेहतर चिकित्सा सुविधाएँ नहीं मिलतीं। दर-दर भटकना पड़ता है। बिजली संकट है। अच्छे स्कूल नहीं हैं; और हमारे इन कुकर्मों की कीमत कौन चुकाता है? हमारी अपनी ही भावी पीढ़ी।

बच्चे, वे बेहतर माहौल नहीं पाते। अच्छी शिक्षा नहीं मिलती। बेरोजगारों की फौज खड़ी होती है। देश के दूसरे हिस्सों में रोजगार पाने जाते हैं, अपमानित होते हैं, मारे जाते हैं। अगर इन चीजों से मुक्त होना है, बेहतर भविष्य बनाना है, तो जात-पाँत, धर्म, बाहरी-भीतरी वगैरह संकीर्ण भावों से ऊपर उठकर मत डालना होगा। काम करनेवालों को चुनना होगा।

फर्क करिए। इन चुनावों में तरह-तरह के प्रत्याशी हैं। एक अनुभवी आदमी की टिप्पणी थी। इन निकाय चुनावों के प्रचार के दौरान अपराध के ग्राफ पर नजर डालिए, अपराध घट गए हैं। यानी अपराध की दुनिया के शागिर्द, नौसिखिए सभी भाग्य आजमा रहे हैं। यही लोग भविष्य के संभावित विधायक, सांसद और राजनीतिज्ञ भी हैं। राज्य का भविष्य गढ़नेवाले, भूमि व्यवसाय करनेवाले भी मैदान में हैं। राशन दुकान की कालाबाजारी में माहिर लोग भी शहर का शासन अपने हाथ में लेना चाहते हैं। इन प्रत्याशियों के प्रोफाइल देखें, तो डर भी लगता है कि ऐसे पात्र जीत गए, तो शहर, समाज और राज्य को नरक बनाने का काम मिनटों में करेंगे! ऐसे लोगों की निगाहें कहीं और हैं, निशाना कहीं और। 'जवाहरलाल नेहरू राष्ट्रीय अरबन रिनुअल मिशन' के तहत राँची को 5500 करोड़, धनबाद को 3000 करोड़ मिलने हैं। जमशेदपुर को भी 3680 करोड़ मिलेंगे। इसी तरह अन्य शहरों में भी योजनाएँ चलेंगी।

इन चुनावों में खड़े अधिसंख्य प्रत्याशियों की निगाह इन पैसों पर है। अधिसंख्य प्रत्याशी 'मिनी विधायक-मिनी सांसद' बनकर मौज करना चाहते हैं। आपके भविष्य की कीमत पर; आपकी चुप्पी, तटस्थता या उदासीनता के कारण। इसलिए सावधानी से वोट दें और दिलाएँ। जात-पाँत, धर्म, क्षेत्रीयता, मजहब से ऊपर उठकर। अनेक अच्छे लोग भी चुनाव मैदान में हैं। इन्हें मौका मिले, तो हालात जरूर बदलेंगे।

(25-03-2008)

□

बिकेंगे या बचेंगे?

संदर्भ : राज्यसभा चुनाव

झारखंड के कुछेक भ्रष्ट विधायक (पक्ष-विपक्ष दोनों के) झारखंड को बेचेंगे या झारखंड की प्रतिष्ठा बचा लेंगे, यह आज स्पष्ट हो जाएगा। एक साफ और ईमानदार स्टैंड विनोद सिंह जैसे विधायकों का है, हम बहिष्कार करेंगे। लोहियावादी परंपरा के तहत जे.डी.यू. के विधायकों ने पारदर्शी और 'प्रो-पीपुल स्टैंड' अपनाया, वोट दिखाकर दो। बाद में एन.डी.ए. ने अपने बचाव में यह सूत्र ही अपना लिया। बिक्री मंडी में भाजपा के कुछेक विधायकों के नाम भी उछल रहे थे। बाबूलाल मरांडी समर्थक विधायकों की भूमिका से उनके दल का असली चेहरा उजागर होगा। वैसे भी श्री मरांडी कुछेक दिनों पहले ही झारखंड के विधायकों को नसीहत दे चुके हैं कि वे मीर जाफर और जयचंद की परंपरा अपनाएँगे या झारखंड का स्वाभिमान बचाएँगे, यह उनकी भूमिका से स्पष्ट हो जाएगा। बाबूलालजी के इस कथन को सबसे पहले सच या झूठ उनके ही दल के विधायक साबित करेंगे। यही संकट यू.पी.ए. घटक दलों के सामने है। अगर यह शासक पक्ष एक नाम पर सहमत नहीं होता है तो यू.पी.ए. में फूट का संदेश जाएगा ही। यह भी प्रमाणित होगा कि यू.पी.ए. के स्टैंड ने राज्यसभा चुनावों में खरीद-फरोख्त को आमंत्रित किया, उसे बढ़ावा दिया और देश में झारखंड को बदनाम किया। जब लोकसभा चुनाव हवा में हों, तब यह संदेश शासक गठबंधन के लिए आत्मघाती होगा। अब यू.पी.ए. के पास भी विकल्प नहीं है। यू.पी.ए. को एक शासक समूह के रूप में अपने चुनाव एजेंट द्वारा या विभिन्न घटक दलों (कांग्रेस, झामुमो, राजद व निर्दलीय) को अपने-अपने चुनाव एजेंटों के माध्यम से जानना ही होगा कि कौन विधायक कहाँ वोट डाल रहा है! इसे इन दलों को सार्वजनिक भी करना होगा कि उनके किस विधायक ने कहाँ और किसे मत दिया है! पूरे राज्य में जो संशय और अविश्वास का माहौल है, उसमें एक-एक विधायक को पारदर्शी बनना ही पड़ेगा। वरना चोरी-छुपे काम करनेवाले विधायकों को तत्काल जो भौतिक सुख मिलेगा, उससे वे क्षणिक ढंग से पुलकित होंगे। लेकिन बिके वोट के बदले मिले लाभ से उनके राजनीतिक जीवन पर जो

ग्रहण लगेगा, वह उन्हें ले डूबेगा।

यह संशय और अविश्वास क्यों? सिर्फ एक वजह से। अपने अधिकृत प्रत्याशी घोषित न करने या विलंबित निर्णय के कारण। इसके लिए यू.पी.ए. घटक दल का राज्य-नेतृत्व और केंद्रीय नेतृत्व दोनों दोषी हैं। इस विलंब ने (जानबूझकर) झारखंड को चुनाव मंडी बनाया है। फर्ज करिए, नाथवाणी या आर.के. आनंद या किशोर लाल को वोट देने वाले विधायक या दल या गुट अपना-अपना स्टैंड पहले ही क्लीयर कर चुके होते, तो यह सस्पेंस पैदा ही नहीं होता; और सस्पेंस, अनिश्चितता, संशय के माहौल में ही बाजार भाव बढ़ता है। यह इन माहिर खिलाड़ियों को मालूम है। ये रात के अँधेरे में सौदेबाजी करते हैं। दिन के उजाले में अपनी आस्था, सिद्धांत या आदर्श के आत्मविश्वास से वोट नहीं माँगते। फर्ज करिए, नाथवाणी के समर्थक दल या विधायक ताल ठोककर कहते, 'हाँ हमने नाथवाणी को प्रत्याशी बनाया है। उनके उसूल और हमारे दल के उसूल मिलते-जुलते हैं। नाथवाणी का विकास मॉडल ही झारखंड को समृद्ध बना सकता है,' फिर यह 'हाइप क्रिएट' ही नहीं होता। हाँ, उस दल पर प्रखर वैचारिक हमले होते, पर यहाँ तो चीजें, विचार या आस्था से नहीं, सौदेबाजी से तय हो रही हैं। इस कारण ये हालात हैं।

एक और गंभीर अनदेखा पहलू! सूचना है कि नाथवाणीजी जहाँ नौकरी करते हैं, वहाँ से इस्तीफा नहीं दिया है। वह दुनिया में भारतीय पहचान बनानेवाली एक अत्यंत प्रतिष्ठित कंपनी या समूह से जुड़े हैं। वह जहाँ जाते हैं, उस प्रतिष्ठित कंपनी का परिचय देते हैं। अगर यही नाथवाणीजी सरकारी कंपनी के मुलाजिम होते, तो उन्हें इस्तीफा देकर चुनाव लड़ना पड़ता, पर निजी क्षेत्र में होने के कारण उन्होंने खुद अपने लिए एक नया संकट खड़ा कर लिया है। वह एक निजी विश्वस्तरीय कंपनी के मुलाजिम के रूप में चुनाव लड़ रहे हैं या इस्तीफा देकर निर्दलीय रूप में? यह अस्पष्ट, पर गंभीर सवाल है। क्या झारखंड के विधायक इस कंपनी के प्रेसिडेंट नाथवाणीजी को वोट देंगे या निर्दलीय राजनीतिज्ञ या झारखंड के एंबेसेडर बनने को आतुर नाथवाणीजी को? शायद यही कारण है कि कोई दल या समूह खुलेआम नाथवाणीजी के समर्थन में नहीं आ रहा। कंपनी और राजनीतिक दल दोनों दो चीजें हैं। लोकतंत्र में राजनीतिक दल चुनाव लड़ते हैं या निर्दलीय प्रत्याशी? किसी कंपनी के कार्यरत मुलाजिम को विधायक किस वैचारिक या सैद्धांतिक आधार पर वोट देंगे और सार्वजनिक रूप से कैसे जस्टिफाई करेंगे?

(26-03-2008) □

'मुझे भुला न पाओगे!'

झारखंड राज्यसभा चुनावों के परिणाम आते ही एक मित्र ने कहा—यह राज्यसभा चुनाव, अगर इनसान होता, तो झारखंड राज्य और यहाँ के निवासियों से कहता 'तुम मुझे भुला न पाओगे।'

क्यों?

इसलिए कि इस चुनाव में परदे के पीछे के चेहरे परदाविहीन हो गए। असली चेहरा सामने आया, नकली चेहरा हट गया। झामुमो का घोषित प्रत्याशी कोई और, लेकिन वोट किसी और को। इस चुनाव की दूसरी यादगार बात—यू.पी.ए. घटक दल के दो मुख्य दल, झामुमो और कांग्रेस के अधिकृत प्रत्याशी थे किशोर लाल और आर.के. आनंद। शिबू सोरेन ने तो किशोर लाल को ही अधिकृत प्रत्याशी घोषित किया था, पर न झामुमो प्रत्याशी जीता, न कांग्रेस प्रत्याशी। जीता निर्दल प्रत्याशी। वह भी यू.पी.ए. के सहयोग से और बाबूलाल मरांडी समर्थक विधायकों की भूमिका से। यह इतिहास बनाया झारखंड ने, यू.पी.ए. के राज में। केंद्र में यू.पी.ए. सरकार, राज्य में यू.पी.ए. सरकार, पर यू.पी.ए. प्रत्याशी अपदस्थ। वह भी धरती पुत्रों की बात करनेवाले लोगों के शासन में।

दिल्ली से अचानक धमके किशोर लाल को आठ मत मिले, यानी झामुमो के आठ विधायकों ने ही अपने दल के अधिकृत प्रत्याशी को वोट दिए। झामुमो के नौ विधायकों के वोट कहाँ गए, किसे मिले, अब यह आईने की तरह साफ है, यानी नाथवाणीजी की झोली में झामुमो के आठ वोट (प्रथम वरीयता) गए। झारखंड के एंबेसेडर बनने आए नाथवाणीजी को प्रथम वरीयता के आठ और वोट मिले हैं। स्पष्ट है, राजद, निर्दल मंत्री और कांग्रेस के बीच से ही ये वोट गए हैं।

बाबूलाल मरांडी भ्रष्टाचारमुक्त व्यवस्था का अभियान चला रहे थे। मूल्य आधारित राजनीति की बात करते थकते न थे। जहाँ वह और उनके लोग वीर घोषणाएँ करते घूमते थे, राजनीतिक दलों को नैतिक पाठ पढ़ाते अघाते न थे, वहीं उनके लोगों ने

सोची-समझी रणनीति के तहत अपना असली रूप दिखा दिया। बाबूलालजी ने एक सप्ताह पहले बयान जारी किया था, झारखंड के विधायक जयचंद और मीरजाफर न बनें। अब यही सवाल लोग उनसे करेंगे, पहले आप बताएँ, आपके साथ झारखंड के कौन-कौन जयचंद और मीरजाफर हैं? यह भी सवाल उठेगा कि झारखंड के नेताओं की कथनी-करनी में कोई एका है? बाबूलाल समर्थक एक विधायक ने प्रथम वरीयता वोट नाथवाणीजी को दिया है, चार विधायकों ने द्वितीय प्राथमिकता का वोट। और इसी गणित/वोट ने पासा पलट दिया। दिन के एक बजे के बाद एन.डी.ए. प्रत्याशी को वोट देनेवाले बाबूलालजी के समर्थक जानते थे कि एन.डी.ए. को दिए गए उनके प्रथम वरीयता वोट का अब कोई अर्थ नहीं है, क्योंकि तब तक एन.डी.ए. प्रत्याशी जीत चुका था। इसलिए इन विधायकों का द्वितीय वरीयता का वोट, प्रथम वरीयता का वोट बन गया। दरअसल, यह सब काम बड़ी सोची-समझी रणनीति और गणित के तहत हो रहा था। इन सबका सूत्रधार नेपथ्य में था; और इसी सूत्रधार ने एक निर्दल को जिताने में झामुमो, निर्दल मंत्रियों, राजद, कांग्रेस और बाबूलाल खेमे के विधायकों को एक मंच पर एकजुट कर दिया। अब बाबूलाल के दल का चेहरा अलग कहाँ और कैसे है?

यह सब करके बाबूलाल के विधायकों का तुर्रा यह कि हम यू.पी.ए. व एन.डी.ए. दोनों से दूर रहना चाहते थे। यह साबित करने के लिए निर्दल को वोट दिया, यानी यह करतब करके भी सिद्धांत का आवरण। इनसे कोई पूछे कि साम्यवादी विचारधारा के दो विधायकों ने 'न एन.डी.ए., न यू.पी.ए.' का नारा देकर साफ रास्ता अपनाया। वोट ही नहीं डाला, पर आप यही नारा लगाते हुए किन कारणों से परदाविहीन हो गए? क्या झारखंडी इतने नासमझ हैं कि वे उन कारणों को नहीं जानते, जिनकी वजह से इन विधायकों की भूमिका बदल गई? आरंभ में जो सूचनाएँ मिली थीं, उनके अनुसार झारखंड की राजनीति में ये हालात पैदा करने के लिए जो लोग या दल मुख्य रूप से जिम्मेदार थे, उनमें एक मुख्य नाम बाबूलाल गुट का आ रहा था। बाबूलालजी के समर्थक विधायकों ने अपनी भूमिका और काम से इस चर्चा को सच साबित कर दिया। अब बाबूलालजी से लोग पूछेंगे, कैसे आप और आपका दल निर्दल मंत्रियों या इस सरकार पर हमला करता है? दरअसल एन.डी.ए. को रणनीति के तहत प्रथम वरीयता का वोट देना बाबूलालजी के समर्थकों की मजबूरी थी, पर उधर द्वितीय वरीयता का मत देना कमजोरी थी। इस मजबूरी और कमजोरी का रिश्ता बाबूलालजी ही स्पष्ट कर सकते हैं।

ऐसे लोगों ने इस चुनाव में अहम भूमिका निभाई, जो राज्य बनते ही बाबूलाल किचेन-दरबार में भ्रष्टाचार स्कूल के विद्यार्थी थे, अब दक्ष प्राचार्य हैं, जो तब संतों से भी जायज काम के लिए पैसे लेते थे।

हालात ऐसे बन गए कि इस चुनाव में मुख्यमंत्री ने वोट नहीं डाला। झारखंड की यह घटना भी यादगार है।

एन.डी.ए. ने खुला वोट देकर इस चुनाव को चर्चित बना दिया। दरअसल इसका श्रेय विधायक राधाकृष्ण किशोर को मिलना चाहिए। 'खुला मतदान हो' का पहला बयान उनका ही आया था और इस खुले मतदान ने दलों के, विधायकों के, मंत्रियों के चेहरे साफ कर दिए हैं। झारखंड और झारखंडी यह सब देख रहे हैं।

मेरे मित्र ने यह सब सुनाने के बाद कहा—राज्यसभा चुनाव, इनसान होता तो अंत में झारखंड राज्य और हर झारखंडी से यही निवेदन करता—

'परदा ना उठाओ, कि परदा जो उठ गया, तो भेद खुल जाएगा?'

तो अब सब भेद खुल गए हैं। परदे उठ गए हैं। नकाब उतर गए हैं। पहचान लीजिए। जान लीजिए। यह भी जान लीजिए कि वह रसायन, फॉर्मूला और गणित क्या है कि निर्दल जीतते हैं, शासक दल के अधिकृत प्रत्याशी हार जाते हैं। प्रस्तावक कोई कहीं बनता है, पर वोट कहीं डालता है। कहीं पर निगाहें, कहीं पर निशाना।

(27-03-2008)

□

राजसत्ता (स्टेट पावर) की विदाई के दृश्य

अँगरेजी में इस लेख का सटीक शीर्षक होता, 'द स्टेट बिगिंस टू डिसइंटीग्रेट'। अगर भारत की मौजूदा स्थिति के बारे में एक पंक्ति में बयान देना होता, तो कोई समझदार व्यक्ति यही कहता।

जैसे झारखंड की सेहत पर एक लाइन में कोई जवाब माँगे, तो एक संवेदनशील दर्शक क्या कहेगा? 'द स्टेट इज नो मोर'।

पर पहले देश की कुछ महत्त्वपूर्ण खबरों पर एक नजर।

- भारत के राष्ट्रीय सुरक्षा सलाहकार एम.के. नारायणन ने 16 मई को भारत सरकार के मंत्रिमंडल को आतंकवाद की डरावनी स्थिति का ब्योरा दिया। कहा, नौकरशाही के आलस्य, कामचोरी और काम में एकाउंटेबिलिटी के अभाव ने मनहूस स्थिति पैदा कर दी है।
- भारत के गृहमंत्री कह रहे हैं कि अफजल मामले में सरकार इसलिए कारखाई नहीं कर रही है, ताकि पाकिस्तान से चल रही शांति वार्त्ता में गतिरोध पैदा न हो।
- प्रधानमंत्री कार्यालय को सप्रमाण खबरें दी गईं कि यातायात और परिवहन मंत्री टी.आर. बालू ने अपने पद का इस्तेमाल उस कंपनी को काम दिलाने के लिए किया, जिसके मालिक उनके दो बेटे हैं। श्री बालू ने डी.एम.के. सुप्रीमो करुणानिधि के परिवार के सदस्यों की कंपनियों को भी मदद पहुँचाई है। झारखंड की भाषा में कहें, तो जैसे मंत्री एनोस एक्का अपनी पत्नी की कंपनी को अपने ही विभाग से काम देते हैं। वैसी ही स्थिति। इस प्रकरण के बाद लोग कह सकते हैं कि देश झारखंड बन रहा है।
- एक अन्य मंत्री हैं रामदास। स्वास्थ्य विभाग के मुखिया। उन्होंने एक निदेशक (एम्स) को हटवाने के लिए ही कानून बनवा दिया। ऐसा पहले कभी नहीं हुआ। हाल ही में सुप्रीम कोर्ट ने इस कदम को गैर-कानूनी बता दिया, पर फिलहाल वह चर्चा में हैं कि सार्वजनिक क्षेत्र की तीन इकाइयों में टीके बनाने के काम को रुकवा दिया; और निजी कंपनियों को ये काम दिए गए।

- हाल ही में खबर आई कि राष्ट्रपति की हाल की लैटिन अमेरिकी देशों की यात्रा में उनके पुत्र भी साथ गए। वह बिजनेस टूर पर राष्ट्रपति की सरकारी यात्रा में गए। उल्लेखनीय है कि राष्ट्रपति या प्रधानमंत्री के विशेष सरकारी विमान में सरकारी कामकाज से ही यात्रा होती है। आमतौर पर परिवार के सदस्य यात्रा नहीं करते।

- अभी दो दिन पहले की खबर है। जर्मनी सरकार ने भारत को ऑफर (प्रस्ताव) दिया है कि भारत के जिन लोगों ने लिचेस्टेंसटीन के एल.टी.जी. बैंक में काला धन रखा है, उनकी सूची भारत चाहे, तो जर्मनी दे सकता है। दुनिया के अन्य देश अपनी पहल पर अपने देश के ऐसे लोगों की सूची पहले ही जर्मनी से ले चुके हैं। भारत मौन है।

ये छह खबरें बताती हैं कि भारत में संविधान, कानून, मर्यादा, बड़े पदों पर बैठे लोगों के कामकाज की क्या स्थिति है? राष्ट्रीय सुरक्षा सलाहकार केंद्रीय मंत्रिमंडल के सामने अशासन, कुशासन और अराजक स्थिति के कारण बताए और देश खामोश होकर सुने और भूल जाए?

बेंगलुरु, काशी, हैदराबाद, मुंबई, जयपुर वगैरह में आतंकवाद का रूप देखने के बाद भी भारत की सुरक्षा एजेंसियाँ आतंकवादियों का कोई सूत्र नहीं जानतीं। आज तक एक आतंकवादी न पकड़ा गया, न सजा हुई। आतंकवादी ही विस्फोट के बाद जो सूचना देते हैं, उन पर ही हमारी खुफिया एजेंसियाँ काम करती हैं। यह है हमारी खुफिया एजेंसियों की 'इफीशियंसी और कैपेबिलिटी' (कौशल और सामर्थ्य)? इनके भरोसे है यह देश? इस खुफिया व्यवस्था पर न जाने कितने अरब खर्च हो रहे हैं।

भारत के गृहमंत्री की मानें, तो पाकिस्तान के मूड के अनुसार हमें देश को चलाना चाहिए। एक नैतिक और साहसी सरकार अफजल इश्यू पर साफ स्टैंड लेती। अगर फाँसी की सजा नहीं देनी है, तो उसके सैद्धांतिक आधार को साफ-साफ देश को बताती, पर अब तक के इतिहास में शायद ही किसी गृहमंत्री ने ऐसा कहा हो, जिसका अर्थ निकले कि पड़ोसी देश की इच्छानुसार हमारे फैसले होंगे!

भारत सरकार के मंत्री अपनी ही कंपनियों को काम दें, यह अब तक अनसुना-अनजाना था। एक दूसरे मंत्री सार्वजनिक उपक्रमों में टीकों का काम बंद करा कर निजी कंपनी को देते हैं। इस मंत्री के एक काम (एक निदेशक को हटाने के लिए कानून) से पूरी सरकार की पहले ही जगहँसाई हो चुकी है। फिर भी इन मंत्रियों के खिलाफ प्रधानमंत्री कुछ नहीं कर पाते? क्या प्रधानमंत्री की निजी ईमानदारी ही पर्याप्त है? या उनके सहयोगियों को जो अधिकार, मर्यादा और बंधन की सीमा, संविधान से मिली है, वे इस सीमा के बाहर रहेंगे? निरंकुश और उन्मुक्त?

राष्ट्रपति या प्रधानमंत्री देश की सर्वोच्च सत्ता हैं। लोकतंत्र के सबसे ताकतवर पद, 'भारत संघ' की ताकत के प्रतीक, पर इन पदों में मर्यादा और नैतिक आभा से ही लोक आस्था बनती है। राष्ट्रपति के 'स्टेट टूर' (सरकारी दौरे) में उनके बेटे बिजनेस टूर पर जाएँ, तो क्या संकेत मिलेंगे? नीचे के लोग क्या अनुकरण करेंगे?

इसी तरह भ्रष्टाचार पर सरकारों का दोहरा चेहरा देखिए? सत्ता के बाहर नेता कहते हैं कि विदेश में जमा काला धन वापस लाओ। अब एक देश की सरकार प्रस्ताव दे रही है कि जिन भारतीयों के काला धन (विदेशी मुद्रा में) लिचेस्टेंसटीन में जमा है, उनकी सूची मेरे (जर्मनी) पास है, ले जाइए। पर भारत का शासक वर्ग यह सूची नहीं चाहता। नौ मई को दुनिया के जानेमाने प्रबंधन गुरु सी.के. प्रह्लाद ने दिल्ली में एक व्याख्यान दिया 'india@75'। कहा, भारत सिर्फ अपना भ्रष्टाचार कम कर ले, महज अमेरिका के बराबर, तब भी भारत का जी.डी.पी. सन 2020 तक बढ़कर 28.2 ट्रिलियन हो जाएगा।

ऐसे 'चैलेंजिंग इश्यूज' (चुनौतीपूर्ण मामले) पर नेतृत्व या राजनीति या सरकारें प्रभावी कदम न उठाएँ, तो स्टेट पावर (राजसत्ता) की विदाई की आशंका साफ दिखाई देती है। नोबेल पुरस्कार विजेता अर्थशास्त्री प्रो. गुन्नार मिर्डल के मुहावरे में कहें, तो 'फंक्शनल एनार्की' (अराजकता) की स्थिति। भारत फिलहाल इसी दौर से गुजर रहा है। नेता या राजकाज चलानेवाले अपनी ही दुनिया में मुग्ध हैं और जनता आत्मकेंद्रित। भला ऐसे समाज और देश कैसा भविष्य गढ़ेंगे?

(25-05-2008)

□

मुख्यमंत्रीजी! कब तक! किस हद तक!!

मुख्यमंत्री, झारखंड, मधु कोड़ाजी! 25 मई को अगर आप राँची रहे होंगे और 'प्रभात खबर' पर नजर डाली होगी, तो सबसे ऊपर एक तसवीर पर नजर गई होगी। तसवीर (पहले पेज पर) है, बैडमिंटन खेलते आपके सहयोगी मंत्री हरिनारायण राय की।

यह चित्र देखकर, हरिनारायण राय की एक और छवि याद आ गई। वह विधायक बनकर राँची आए थे। किसी मामूली होटल में ठहरे थे। रात को अचानक कांग्रेस और भाजपा के लोगों ने उनके होटल में धावा बोल दिया। समर्थन माँगने के लिए। उस वक्त की उनकी तसवीर अगले दिन अखबारों में छपी। उस वक्त चेहरा पहली बार देखा। तसवीर से ही हाव-भाव और लिफाफे का मजमून समझ में आ गया। तब नहीं जानता था कि वह बैडमिंटन भी खेलते रहे हैं।

बहरहाल, पैसा और पावर आदमी को बदलता है। उसकी बॉडी लैंग्वेज, हाव-भाव और मन बदलते हैं। कल्चर बदलता है। गाँव-देहात की हवा खाए आदमी को शहर की हवा, सुख सुविधा, ऊपर से राजशाही ठाट-बाट बदलते हैं। वह कबड्डी, फुटबॉल वगैरह को गँवई मान कर गोल्फ खेलने लगता है। लाखों का सनग्लास (धूप चश्मा) पहनता है। शायद अपने 'कलिग्स' (सहयोगी मंत्रियों) में आए इन बदलावों को आप मुझसे ज्यादा जानते-महसूस करते हैं, पर विषय से भटक गया। आप अपने कलिग्स में आए बदलावों के बारे में कितना जानते-समझते हैं, यह प्रसंग उठाना मकसद नहीं है।

सूचना है कि आपने अपने सहयोगी मंत्री हरिनारायण राय को परामर्श के लिए बुलाया था। उन्होंने आपको सूचना दी कि वह अस्वस्थ हैं, पर उस दिन वह अस्वस्थ होते हुए भी अपने घर पर बैडमिंटन खेल रहे थे। कितना अच्छा होता, आपके और आपके ऐसे मंत्रीजी के इस राज (शासन) में, झारखंड का हर बीमार आदमी बैडमिंटन खेलता, पर हमारा कंसर्न (चिंता) यह भी नहीं है।

गंभीर चिंता का विषय है मुख्यमंत्री पद, उसकी गरिमा, मर्यादा, महत्त्व और प्रतिष्ठा! यह भी सूचना है कि 21 मई की कैबिनेट बैठक आपको अंतिम क्षण कैंसिल

करनी पड़ी, क्योंकि कोई मंत्री नहीं आया! मेरी स्मृति में देश में शायद ही कहीं ऐसा हुआ हो कि मुख्यमंत्री ने कैबिनेट की बैठक बुलाई और उसमें मंत्री नहीं आए और बैठक स्थगित करनी पड़े।

यह अपुष्ट सूचना है कि आपके एक सहयोगी मंत्री चाहते हैं कि तत्काल आप उनके सचिव बदल दें। उक्त सचिव को रिटायर होने में दो-एक महीने हैं। चर्चा है कि आप हिचकिचा रहे हैं। इसलिए कैबिनेट बहिष्कार या आपकी बैठक में न जाने का अघोषित अभियान चल रहा है। मंत्री, यूनियन की तरह गोलबंद हैं या हो रहे हैं।

आपके राजनीतिक सलाहकार आपको बताते होंगे कि चिंता न करें, सब लाइन पर आ जाएँगे। आपको 'निर्दल मुख्यमंत्री' का ऐतिहासिक रिकॉर्ड बनाना है। 'लिम्का बुक' में अपना ही रिकॉर्ड तोड़ना है। शायद आपके राजनीतिक सलाहकारों को मुख्यमंत्री पद की संवैधानिक और पारंपरिक मर्यादा की न जानकारी है, न वे जानना-समझना चाहते होंगे। वे तो आपके पद की आभा में जगमगा रहे हैं और उस जगमगाहट-सुख-शानोशौकत को स्थायी बनाने की जुगत में हैं। अपनी योग्यता और क्षमता से तो आपके राजनीतिक सलाहकार अपने बूते वहाँ कभी नहीं पहुँचेंगे, जहाँ आज हैं। इसलिए वे अपना पद और अवसर खोने के भय से आपको सच और साफ सुझाव नहीं देते।

अगर आप इसी तरह समर्पण करते रहेंगे, साथियों के सहयोगी दलों के आगे घुटने टेकते रहेंगे, तो आप कैसे याद किए जाएँगे? कोई लिम्का बुक या निर्दल मुख्यमंत्री का रिकॉर्ड, कोट नहीं करेगा। आप यह भी याद कर लीजिए कि आपका कोई सहयोगी दल भी आपकी सरकार नहीं गिराता, तो भी आपकी सरकार की उम्र और एक साल नौ महीने 10 दिन होगी। यह तो आप भी मानेंगे कि आप आजीवन इस पद पर नहीं रहनेवाले, पर आप और आपकी सरकार, देश में सबसे अशासित, अराजक और संवैधानिक मर्यादा के भंजक के रूप में याद किए जाएँगे। आप और आपकी सरकार जीते-जी 'विशेषण' में तब्दील हो जाएँगे। मंत्रिमंडल की बैठक का बहिष्कार! मुख्यमंत्री की बैठक का मंत्री द्वारा बहिष्कार! किस 'राजनीतिक संस्कृति' की बुनियाद डाल रहे हैं आप? कर्नाटक का चुनाव रिजल्ट शायद आपने देखा हो। भाजपा को वहाँ यह 'विजयश्री' कतई नहीं मिली होती, यदि कांग्रेस ने पहले गठबंधन कर धरम सिंह को मुख्यमंत्री न बनाया होता। धरम सिंह हार भी गए। जनता दल (देवगौड़ा) को कांग्रेस ने सत्ता स्वाद दिलाया, फिर जनता दल (देवगौड़ा) ने भाजपा के साथ राज किया। पुनः भाजपा को दगा दिया। सहानुभूति भाजपा के साथ हो गई और कर्नाटक में यू.पी.ए. का 'रेनबो कोलिशन' भहरा गया।

झारखंड में भी लगभग साफ हो चुकी और विश्वसनीयता खो चुकी भाजपा को आपकी सरकार अपनी ऐसी ही कार्य-संस्कृति और कामों से जीवनदान दे रही है।

क्या मुख्यमंत्री रहते हुए, इस पद की गरिमा बचाने के लिए आप कोई कदम नहीं

उठा सकते? कब तक और किस हद तक मुख्यमंत्री पद के सम्मान के साथ समझौता होगा? आप कौन-सी परंपरा डाल रहे हैं?

आपने दबाव में जमशेदपुर के डी.सी. का आधी रात में तबादला किया, तो आपको मंत्री की इच्छानुसार सचिव को भी बदलना ही होगा। भले ही सचिव के रिटायर होने में एक दिन हो या दो महीने। आपने अपने ऐसे ही घुटने टेक समझौतों से राज्य में अन्य 11 सुपर मुख्यमंत्री तैयार कर लिए हैं। आपके मंत्री अब मंत्री नहीं रह गए हैं, वे खुद को सुपर मुख्यमंत्री मानते हैं। आप इसलिए भी याद किए जाएँगे।

क्या आपको और आपके मंत्रियों को भान है कि राज्य कहाँ पहुँच गया है? दिन में, सबसे व्यस्त सड़क से पाँच करोड़ और सोने की ईंट लूट ली जाए और आपकी सरकार पता न लगा सके? आपकी सरकार के एक मंत्री के सचिव पर आरोप है कि उन्होंने एक अपराधी को रिम्स में सुविधाएँ दिलाईं, फिर अपराधी फरार हो गया। आपकी सरकार पर आरोप है कि उसके कार्यकाल में पिछले डेढ़ साल में 28 अपराधियों को फरार कराया गया या वे हो गए? आपकी सरकार पर ताजा आरोप नरेगा जैसे गरीबों के कार्यक्रम में घोटाले और अव्यवस्था का है। ज्याँद्रेज और उनकी टीम ने यह अव्यवस्था पकड़ी है, जिन पर कोई सवाल ही खड़ा नहीं कर सकता। झारखंड में ईमानदार ललित मेहता की हत्या यही बताती है कि ईमानदारी को हमने राज्य के सामाजिक जीवन से विदा कर दिया है।

कभी आपके मंत्री, आपको कहते हैं कि इस अराजक स्थिति पर कैबिनेट बैठक हो? विचार हो और कदम उठाए जाएँ? क्या पाँच करोड़ की इस लूट या रिम्स से अपराधी के निकल भागने का दायित्व आप और आपकी सरकार पर नहीं है? आप भूल जाएँ विपक्ष को? आलोचकों को? आप इन सवालों के जवाब कभी अकेले में अपनी अंतरात्मा से पूछें, आपको सही जवाब मिलेंगे। आपकी टीम खुद से यह भी सवाल करे कि उसकी सुख-सुविधा और सुरक्षा पर जो करोड़ों-अरबों खर्च हो रहे हैं, उसके बदले आप सब राज्य की जनता को क्या दे रहे हैं? यदि इन सवालों के जवाब ईमानदारी से आप सब मिलकर ढूँढ़ते हैं, तो मामूली विवादों से उठकर आप और आपकी टीम राज्य के हित में बहुत कुछ कर सकते हैं। कम-से-कम संविधान में तय मर्यादा के अनुसार सरकार चला सकते हैं। मुख्यमंत्री पद का आदर बढ़ा सकते हैं और झारखंड में आनेवाली सरकारों के लिए एक बेहतर नजीर बन सकते हैं।

(26-05-2008)

□

महामहिम कुछ करिए

करिश्माई कामों का राज्य बन गया है झारखंड; और यह करिश्मा ताजा है। राज्य से बाहर था, इसलिए झारखंड सूचना आयुक्त बन रहे (राज्यपाल की मुहर के बाद बन जाएँगे) लोगों को बधाई न दे सका। उनकी निजी मनोकामना-साध पूरी हुई, सो सार्वजनिक बधाई!

सूचनाधिकार आंदोलन से पुराना रिश्ता रहा है; आंदोलन के जनम से। शुरू के दिनों में इसके प्रचार-प्रसार से भी जुड़ा रहा। झारखंड में अरुणा राय, प्रभाष जोशी, अजीत भट्टाचार्य और जस्टिस पी.बी. सावंत को 'प्रभात खबर' ने न्योता इसी मुद्दे पर। ये आंदोलन के अगुआ थे। जब सरकारें सूचना देने के लिए राजी नहीं थीं, तब देशव्यापी संघर्ष के सूत्रधार। धरना, प्रदर्शन, जेल और संघर्ष के नायक। शुरुआती दौर में ही, दिल्ली, हैदराबाद और राजस्थान व मध्य प्रदेश के अनेक शहरों में जाना-आना हुआ। तब आंदोलन का फेज था। सूचनाधिकार को कानूनी मान्यता दिलाने के लिए।

कानून बना। तब इसके प्रचार-प्रसार से 'प्रभात खबर' जुड़ा। अशोक भगत ने कई बड़े कार्यक्रम किए। गरीबों—गाँववालों को न्योता। प्रभात कुमारजी (झारखंड के पहले राज्यपाल व एन.डी.ए. राज में इस कानून का ड्राफ्ट करनेवाले) दो-दो बार आए। 'प्रभात खबर' भी साथ रहा। 'घूस को घूँसा' राष्ट्रीय अभियान से भी जुड़ाव हुआ। सूचनाधिकार को गाँव-गाँव और घर-घर पहुँचाने के लिए अनेक प्रयास हुए, 'प्रभात खबर' द्वारा कैंप भी लगाए गए।

पर इस कानून का यह हश्र झारखंड में होगा, यह इस अभियान में दशकों से जुड़े होने के बाद भी कभी नहीं लगा। लेकिन, झारखंड तो अजूबे कामों का राज्य बन गया है। डॉक्टर लोहिया कहा करते थे—संघर्ष का दौर, तप और त्याग का दौर होता है। सत्ता का दौर, भोग का दौर। झारखंड सूचना आयोग को झारखंड सरकार 'भोगवादी' संस्था बना चुकी है। इस संवैधानिक संस्था में हो रही गुटबाजी, सिरफुटव्वल और असूचना प्रधान कामों के विवरण पहले ही आ रहे थे, इन तीन नई नियुक्तियों के बाद यह संस्था संवैधानिक अराजकता का प्रतीक बनेगी।

सबसे पहले सूचना आयुक्तों की नियुक्ति के बारे में कानून क्या कहता है, यह जान लीजिए।

15 (5) Of the RTI Act Says that the State Chief Information Commissioner and State Information Commissioners shall be persons of Eminence, in public life with wide knowledge and experience in Law, Science & Technology, Social Service, Management, Journalism, Mass Media or Administration and Governance.

अब नई नियुक्तियों को इस कानूनी कसौटी पर कसिए?

(1) नए बन रहे सूचना आयुक्तों में से एक हैं संदीप वर्मा। क्या संदीप (पत्रकार) को पत्रकारिता का विशद ज्ञान है? क्या उन्हें व्यापक अनुभव प्राप्त है? क्या वह अपने पेशे के माध्यम से जनता में प्रख्यात या ख्यातिलब्ध हैं?

कानून के अनुसार इनमें से कोई 'विशेषण' उनके साथ होता, तो वह योग्य माने जाते, पर ऐसा है नहीं, तब इन्हें किस आधार पर नियुक्त किया गया? क्योंकि वह मुख्यमंत्री के प्रेस सलाहकार थे। प्रेस सलाहकार होने की क्या योग्यता है? निजी संबंध। यानी एक निजी संबंध को संवैधानिक रूप। राजतंत्र में पहले क्या होता था? राजा का नौकर, चाकर, चापलूस, दरबारी, ढिंढोरची, कहीं भी कुछ हो सकते थे। न योग्यता की कदर थी, न चरित्र की, न अनुभव की, न सामाजिक स्वीकार्यता की चिंता थी। राजतंत्र के खिलाफ जनता ने क्यों विद्रोह किया? क्योंकि उसमें प्रतिभा को कोई सम्मान नहीं था। योग्यता की पूछ नहीं थी।

संबंध, तिकड़म, दरबारगिरी का दौर था। क्या यह झारखंड सरकार, लोकतंत्र के रास्ते आई है या राजतंत्र के गर्भ से? इन नियुक्तियों में संविधान के 'मूल स्प्रिट' को अनदेखा कर झारखंड सरकार ने बता दिया है कि वह फैसले करने में, काम करने में, चाल और चरित्र में राजशाही प्रवृत्ति की है। देहात में एक कहावत सुनी थी, 'आग में मूतने की'। आशय है कि कुछ लोग ऐसे होते हैं, जिनके अच्छे दिन आते हैं, तो वे हरसंभव अनाचार–दुराचार करते हैं। मदांध हो जाते हैं। झारखंड की सत्ता में बैठे लोग, लगता है, अपना विवेक भूल गए हैं। वे संविधान और कानून के साथ जो कुछ कर रहे हैं, उसकी कीमत यह राज्य और यहाँ के नागरिक चुकाएँगे!

दूसरे सूचना आयुक्त बन रहे हैं आनंद भूषणजी। आर.टी.आई. एक्ट में शिक्षा क्षेत्र का उल्लेख है ही नहीं। वह विधि विशेषज्ञ हैं नहीं। विज्ञान, प्रौद्योगिकी से भी उनका रिश्ता नहीं है। है, तो केवल इतना ही कि वह वनस्पतिशास्त्र के प्राध्यापक हैं। पत्रकारिता या मास मीडिया में भी वह नहीं हैं, तो क्या उन्हें 'एडमिनिस्ट्रेशन व गवर्नेंस' कोटे से लिया गया है? अगर हाँ, तो क्या इस क्षेत्र की प्रख्यात हस्ती हैं वह?

आर.टी.आई. एक्ट में Eminence, Wide Knowledge और Experience परिभाषित (Codified) हैं, नहीं। इसलिए सूचना आयुक्तों के मनोनयन या चयन के लिए बननेवाली कमेटियाँ, उन्हें भी प्रख्यात, अनुभवी व विद्वान मान लेती हैं, जो उनके करीबी, और चहेते होते हैं। इसी कारण आदर्श लोकतंत्र की स्थापना से प्रेरित यह कानून झारखंड में विफल हो रहा है। भारत के संसद् द्वारा पारित इस कानून का यह हश्र? इस कानून का उद्देश्य प्रशासन में पारदर्शिता लाना, उसे जवाबदेह बनाना और भ्रष्टाचार पर अंकुश लगाना है। गांधीजी 'साधन और साध्य' की बात कह गए। पवित्र साधन से ही अच्छे साध्यों (उद्देश्य) की प्राप्ति होती है। क्या संबंधों के आधार पर चुने गए लोग अच्छे साध्यों के लिए काम करेंगे? जब सूचना आयुक्तों की चयन प्रक्रिया ही पारदर्शी और कानूनसम्मत नहीं होगी, ईमानदार, विद्वान, प्रख्यात और जिम्मेवार लोग आयोग में नहीं आएँगे, तो यह कानून भी बेअसर हो जाएगा। अंततः हमारे ऐसे कामों से क्या परिणाम निकलेगा? लोग लोकतंत्र से ही नफरत करने लगेंगे। आज एक प्रतिभाशाली छात्र पत्र लिखकर अखबार के माध्यम से समाज और सरकार से सवाल करता है कि जब संबंधों के आधार पर ही पद भरे जाएँगे, तो मैं नक्सली क्यों न बनूँ? हथियार क्यों न उठाऊँ? झारखंड की सरकार ऐसे सवालों के जवाब कैसे देना चाहती है, यह साफ है। यह सरकार चाहती है कि लोगों का विश्वास सरकार से, व्यवस्था से, संविधान से, कानून से उठ जाए। नक्सली भी यही चाहते हैं। क्या झारखंड की सरकार और नक्सलियों के बीच साँठगाँठ है? सरकार अपने हर ऐसे कार्य से नक्सलियों के फैलने-पसरने का रास्ता साफ कर रही है।

झारखंड में पहले भी ऐसा ही हुआ। अर्जुन मुंडा ने भी अपने अयोग्य चहेतों को सूचना आयुक्त बनवा दिया। तब भी ऐसे लोग सूचना आयुक्त बनाए गए, जो एक पेज शुद्ध हिंदी या अँगरेजी नहीं लिख सकते हैं। अब मधु कोड़ाजी की टीम में भी ऐसी 'प्रतिभा' है। अयोग्य व्यक्ति इसलिए सूचना आयुक्त बने, क्योंकि चयन करनेवाली कमेटी में उनका रिश्तेदार है? यह भी झारखंड में हुआ है। आदमी अपनी गलतियों से सीखता है। इसलिए उम्मीद थी कि अर्जुन मुंडा भी सीखे होंगे। मुख्यमंत्री की भूल, वह विपक्ष के नेता के रूप में नहीं दोहराएँगे। वह चयन समिति में थे। अगर 'डिसेंट' (विरोध) नोट देकर वह बैठक से निकल जाते, तो लगता कि झारखंड के साथ हो रहे मजाक में वह शरीक नहीं हैं।

क्या झारखंड में नौ सूचना आयुक्तों की जरूरत है?

आर.टी.आई. एक्ट क्या कहता है?

The State Information Commission shall consist of the State Chief Information Commissioner and such numbers of state information commissioners not exceeding Ten as may be deemed necessary.

क्या झारखंड जैसे छोटे राज्य (81 विधायक) में नौ सूचना आयुक्त चाहिए? झारखंड के साथ बने उत्तराखंड में एक सूचना आयुक्त हैं। छत्तीसगढ़ में भी एक। गुजरात, मध्य प्रदेश, पश्चिम बंगाल में भी एक-एक। असम, गोवा, हरियाणा, हिमाचल, ओड़िशा, तमिलनाडु और त्रिपुरा में दो-दो। बिहार, कर्नाटक में तीन-तीन। केंद्रीय सूचना आयोग (दिल्ली) में कुल पाँच।

तब झारखंड में क्यों नौ सूचना आयुक्त होने चाहिए? सिर्फ यूपी में 10 सूचना आयुक्त हैं, जबकि वहाँ की आबादी 16.60 करोड़ है। झारखंड की कुल आबादी है 2.60 करोड़। झारखंड के सूचना आयुक्तों के पास कितना काम है? दिन भर बैठने और लालबत्ती में घूमने के लिए उन्हें राजकोष से वेतन-सुविधाएँ मिलें? बिहार की आबादी है 8.30 करोड़। वहाँ तीन सूचना आयुक्त हैं। वहाँ अब तक कुल 1600 मामले आए और 1558 निष्पादित हो गए। यहाँ की स्थिति? ईश्वर जानें। झारखंड में वर्ष 2007-2008 में झारखंड सूचना आयोग के ऑफिस संचालन मद में 33 लाख रुपए खर्च हुए हैं। एक-एक सूचना आयुक्त के वेतन पर लगभग 7.25 लाख सालाना खर्च है। लाल बत्ती गाड़ी, पेट्रोल, यात्रा मद, मोबाइल, टेलीफोन (कोई सीमा नहीं) पर खर्च अलग। राज्य का करोड़ों-करोड़ों का बजट इस आयोग पर खर्च हो रहा है। बदले में इसका काम?

आयोग के सदस्य को चीफ सेक्रेटरी के बराबर वेतन मिलता है। आई.ए.एस. कैडर में क्या कोई भी चीफ सेक्रेटरी हो सकता है? ब्यूरोक्रेसी में आए हर पतन के बावजूद आज भी चीफ सेक्रेटरी बनने के लिए कई सीढ़ियों से गुजरना होता है। कामकाज की परख होती है। इफीशिएंसी, निष्ठा, चरित्र सब देखा जाता है, पर 'चीफ सेक्रेटरी रैंक' पर जानेवाले इन आयुक्तों की क्या परख होती है? जब राज्य बना, तो झारखंड का बजट 'सरप्लस' था। आज भयावह घाटे का है। कैसे? क्योंकि अयोग्य राजनेता झारखंड की जनता की गाढ़ी कमाई ऐसे ही फिजूलखर्ची में लुटा रहे हैं। आर्थिक मैनेजमेंट के इस दौर में हर राज्य न्यूनतम खर्चे में बेहतर रिजल्ट चाहता है। गुजरात जैसे समृद्ध राज्य में एक सूचना आयुक्त है, वहाँ जनसंख्या अधिक, विधायक अधिक, मामले अधिक। पर कंगाल झारखंड में? अब नौ आयुक्त होंगे?

कोड़ाजी को चाहिए कि वह 11 पद भर दें। यूपी से एक अधिक, ताकि भारत में सबसे अधिक आयुक्तोंवाली यह संस्था हो जाए। इसका नाम भी गिनीज बुक में जाए। इस काम के पक्ष में एक तर्क कोड़ा सरकार यह दे सकती है कि झारखंड से ज्यादा भ्रष्टाचार देश के किसी राज्य में नहीं है, इसलिए छोटा राज्य होते हुए भी यहाँ 11 आयुक्तों को रखना जरूरी है।

महामहिम से

आप कानून-संविधान के प्रहरी हैं। जरूर आप झारखंड में हो रही ऐसी चीजों पर गौर कर रहे होंगे। आपसे एक फरियाद है। कानूनन यह संभव नहीं है, पर आप अनुरोध करेंगे, तो नैतिक दबाव से यह संभव है।

झारखंड के सभी सूचना आयुक्तों (कुछेक अपवाद हैं, योग्य भी, वे क्षमा करेंगे) को कहें कि वे किसी विषय पर एक ड्राफ्ट बनाकर आपके पास दाखिल करें। शर्त यह है कि ड्राफ्ट तैयार करते समय तीन घंटे वे निगरानी में एक ही कमरे में बैठें। परीक्षा की तरह। फिर इनके ड्राफ्ट की जाँच किसी निष्पक्ष आदमी से करा लें। स्वयं देख लें। अगर ये उपयुक्त पात्र हैं, तो सूचना आयुक्त रहें। नहीं, तो आप रास्ता निकालें, वरना संविधान और कानून से लोगों का भरोसा उठ जाएगा।

(28-06-2008)

□

हे, भगवान्! अब तो अवतार लीजिए

- भगवान् भी इस देश को नहीं बचा सकता।
  (केंद्र और राज्य सरकारों से नाराज सुप्रीम कोर्ट ने कहा। 5 अगस्त, 2008)
- केंद्र और राज्य सरकारों में हिम्मत नहीं कि वे अवैध कब्जावालों के खिलाफ काररवाई कर सकें। (सुप्रीम कोर्ट; 5 अगस्त, 2008)
- सरकार के छोटे-छोटे काम के लिए कोर्ट को आदेश पारित करना पड़ता है।
  (जनहित याचिका पर झारखंड हाईकोर्ट की टिप्पणी। 6 अगस्त, 2008)
- नामकुम (राँची) ब्रिज नहीं बनना शर्मनाक।
  (केंद्र और राज्य सरकारों के कामकाज पर झारखंड हाईकोर्ट की टिप्पणी। 7 अगस्त, 2008)
- इस देश में आप (अफसरगण) काम करें, इसके लिए आप को कोड़े (फ्लागिंग) की जरूरत पड़ती है। क्या यह राम राज्य है? क्या स्वराज्य का यही तात्पर्य है?
  (न्यायमूर्ति बी.एन. अग्रवाल : सुप्रीम कोर्ट। 8 अगस्त, 2008)

आशय है कि भारत की नौकरशाही तभी काम करती है, जब उस पर कोड़े (फटकार, डाँट, मानहानि, अवमानना वगैरह) फटकारे जाते हैं।

पिछले तीन-चार दिनों में ऊपर छपी टिप्पणियाँ पढ़ने को मिलीं। इन्हें पढ़ते हुए एक रूसी पत्रकार का कथन याद आया। इसे किसी वरिष्ठ साथी से सुना था, वर्षों पहले। सत्तर के दशक में कोई रूसी पत्रकार भारत देखने आए। वह रूसी कम्युनिस्ट थे। अनिश्वरवादी। घोर मार्क्ससिस्ट। भारत घूमे। हर जगह अराजकता देखी। लौटते वक्त दिल्ली में रुके। भारत के वरिष्ठ पत्रकारों, नेताओं से मिले। लोगों ने पूछा—कैसा लगा भारत? कहा—भारत को देखकर ईश्वर पर यकीन हो गया। इतनी अराजकता, इतनी अव्यवस्था, फिर भी लोग रह रहे हैं। सह रहे हैं। और व्यवस्था चल रही है। यही तो ईश्वर का चमत्कार है।

आज के भारत पर यह टिप्पणी और सटीक है। भारत के संविधान में यह कल्पना है कि कार्यपालिका, विधायिका और न्यायपालिका तीनों मिलकर एक बेहतर व्यवस्था

देंगे, जहाँ सामान्य नागरिक को सुरक्षा मिलेगी। रोजगार के अवसर मिलेंगे। विषमता नहीं होगी, पर केंद्र और राज्य सरकारों के कामकाज को देखकर तो यही लगता है कि केंद्र सरकारों ने और कुछेक जगह की राज्य सरकारों (जिनमें झारखंड शामिल है) ने अपना मूल दायित्व छोड़ दिया है। शासन करना सरकारों का मूल धर्म है, पर इस मुल्क में अशासन की स्थिति और अराजकता पैदा करना शासकों का नया धर्म बन गया है।

यह अशासन की स्थिति क्यों? इसलिए कि शासकों का इकबाल, प्रताप और यश खत्म हो गया है। धंधेबाज, बिचौलिए और दलाल, गाँव से लेकर दिल्ली तक सामाजिक और राजनीतिक जीवन में निर्णायक भूमिका में हैं। अगर शासक वर्ग अपनी नैतिकता, विश्वसनीयता और आभा खो दे, तो उसमें क्या रह जाता है? वह चरित्रहीन सौदागर बन जाता है, जो सिर्फ तिजारत करता है। देश से, समाज से और अपनी धरती से। इतिहास पलटिए, यह काम करनेवाले शासक पात्र मिल जाएँगे। राजा जयचंद, मीर जाफर...वगैरह। विवेकानंद ने आगाह किया था, "आजादी तो मिलनी ही है, पर वह चरित्र कहाँ है, जो इस आजादी को सँभालेगा?"

ध्यान दीजिए। आज न्यायपालिका जो कुछ कह रही है, टिप्पणी कर रही है, उसके गहरे अर्थ हैं।

विधायिका और कार्यपालिका ने अपना दायित्व छोड़ दिया है, इसलिए अराजकता की स्थिति बन गई है। 70 के दशक में ही नोबेल पुरस्कार विजेता अर्थशास्त्री प्रो. गुन्नार मिर्डल ने चेताया था अपनी चर्चित पुस्तक 'एशियन ड्रामा' में—भारत 'सॉफ्ट स्टेट' (लुंजपुंज राज) बनता जा रहा है।

यही संकेत 200 वर्षों तक राज करनेवाले अँगरेजों ने भी दिया था। भारत के आजाद होने के समय विंस्टन चर्चिल ने कहा था—भारत के तपे नेताओं की पीढ़ी खत्म हो जाएगी। इसके बाद अराजकता और अशासन की स्थिति पैदा हो जाएगी। छुटभैए और अराजक तत्त्व सत्ता में आएँगे। इतना ही नहीं, चर्चिल ने यह भी कहा था कि भारतीय शासन करने की योग्यता-क्षमता नहीं रखते। चर्चिल ने ही भविष्यवाणी की थी कि भारत मध्ययुगीन बर्बरता और अशासन की स्थिति में लौट जाएगा।

इससे भी पहले 1891 (नवंबर) में रूडयार्ड किपलिंग ने भारत के बारे में टिप्पणी की थी—भारतीय जरूर 4000 वर्ष पुराने हैं, पर उन्हें बहुत कुछ सीखना है। कानून-व्यवस्था चलाना भी।

एक अँगरेज क्रिकेटर ने टिप्पणी की—भारतीय नेता शासन चलाने में या स्टेट्समैन बनने में अभी भी शिशु हैं और इनके कथित नेता अत्यंत खराब।

ऐसे अनेक अँगरेज थे, जिनकी ऐसी टिप्पणियों को तब भारत ने 'फ्रस्ट्रेटेड स्टेटमेंट्स' (निराशा के बयान) कहा, पर आज भारत के समझदार नेता और चिंतक बार-बार यह

बता रहे हैं कि हम कहाँ जा रहे हैं। यह हाल महाभारत में वेदव्यास का एक प्रसंग याद दिलाता है। उन्होंने एक जगह कहा है कि हाथ उठा-उठाकर, चीख-चीखकर कह रहा हूँ कि हम महाविनाश की ओर जा रहे हैं, पर कोई सुनता नहीं।

सुप्रीम कोर्ट या हाईकोर्ट की गंभीर टिप्पणियों को हमारे शासक, कार्यपालिका या विधायिका भले ही खारिज कर दें, अहंकार में इन पर गौर न करें, पर भारत किधर जा रहा है, यह तो अब अंधे को भी दिखाई देने लगा है।

लगातार आतंकवादी हमले और एक भी गिरफ्तारी नहीं? इंडिया टुडे (11 अगस्त, 2008) ने भारत की अशासित स्थिति, अराजक या रुग्ण कार्य-संस्कृति को फोकस करते हुए यह अंक निकाला है, 'इंपोटेंट इंडिया' (नपुंसक भारत)।

भारत की इस स्थिति पर, भारत के अध्येता और विद्वान् क्या कहते हैं? प्रो. आशीष नंदी ने एक जगह टिप्पणी की है—भारत में अराजकता और स्थायित्व के बीच चुनाव नहीं है, बल्कि मैनेजेबुल और अनमैनेजेबुल अराजकता के बीच, मानवीय और अमानवीय अव्यवस्था के बीच, सहनीय और असहनीय उपद्रव के बीच चुनाव करना है।

जाने-माने राजनीतिक टीकाकार प्रताप भानु मेहता ने कहा है—भ्रष्टाचार, सामान्य योग्यता, अनुशासनहीनता, घूसखोरी और अनैतिक होना भारतीय राजनीतिक वर्ग की पहचान है। भारतीय राज (स्टेट पावर) की क्या स्थिति है? इस पर प्रताप भानु मेहता कहते हैं—कानून और अपराध, व्यवस्था और अव्यवस्था, स्टेट और अपराध के बीच दूरी मिटती गई है।

ऐसी अनेक तीखी टिप्पणियाँ भारत के अनेक समझदार लोगों ने की है। पुराने गांधीवादी नेताओं ने भी देश में नैतिक पतन होते देख अनेक गंभीर बातें कही हैं। खुद डॉ. अंबेडकर ने नेताओं के चाल-चलन, उग्र बयानों को देखकर, भारत के भविष्य पर गंभीर टिप्पणी की।

इन सारी स्थितियों के बीच लगता है कि न्यायपालिका की गंभीर टिप्पणियाँ महर्षि व्यास की चेतावनी की तरह हैं। अनुसनी, पर सब देख रहे हैं, हम कहाँ जा रहे हैं?

यह स्थिति कैसे बनी? क्या इसमें सुधार संभव है?

दरअसल, आजादी के बाद भारत चला तो सही राह पर। पुरानी पीढ़ी के आई.ए.एस. अफसर वीबी लालजी (जो अवकाश ग्रहण कर चुके हैं) ने एक प्रसंग सुनाया। 1966 के आसपास आई.ए.एस. अफसरों का नया बैच प्रशिक्षण ग्रहण कर रहा था मसूरी में। आई.सी.एस. पिंपुटकर मसूरी आई.ए.एस. अकादमी के डायरेक्टर थे। भारत दर्शन पर अनेक बैच अलग-अलग निकले। एक बैच घूमघाम कर मध्य भारत पहुँचा, नागपुर। इस बैच में गोवा के एक युवा प्रशिक्षार्थी थे गवेरा आई.ए.एस.। शरारत में गवेरा ने तीन युवा आई.ए.एस. साथियों के पिता के नाम टेलीग्राम भेजा। लिखा, आपके पुत्र नहीं रहे।

आकर शव ले जाएँ। कोहराम मचा। अंतत: पता चला, सब झूठ है। डायरेक्टर पिंपुटकर खुद नागपुर पहुँचे। सब पता कर लिया। जाँच में फिर एक-एक आई.ए.एस. प्रशिक्षणार्थी से भी पूछा। अंतत: प्रमाणित हो गया कि यह गवेरा की शरारत है। फिर गवेरा को बुलाकर पूछताछ की। गलती स्वीकारने का मौका दिया, पर गवेरा इनकार करते रहे। कुछ दिनों बाद मसूरी में फिर 'सेल्फ कनफेशन' का मौका दिया। गवेरा नहीं माने। उन्हें अकाट्य सबूत दिखाया गया। वह निरुत्तर हो गए। दो घंटे के अंदर उन्हें मसूरी आई.ए.एस. अकादमी छोड़ना पड़ा। यह अनुशासन और चरित्र ही शासन करता है। और पिंपुटकर कौन थे? महाराष्ट्र के एक सामान्य परिवार के आई.सी.एस.। वे कहीं कलक्टर थे। उनकी पत्नी कार चला रही थी। कहीं मामूली टक्कर हुई। खुद चालान किया। दरअसल इस चरित्र, स्व-अनुशासन, ईमानदारी और प्रतिबद्धता से शासन चलता है। इन तत्त्वों से राज का प्रताप और इकबाल बनता है। जब पिंपुटकर जैसे लोग कमांड में होंगे, तो उनके प्रशिक्षण में जो अफसर निकलेंगे, उनमें बेहतर और स्वच्छ शासन का माद्दा होगा। इसलिए पुरानी पीढ़ी के आई.ए.एस. को देखें। अधिकतर पर आप फख्र करेंगे।

इस अराजकता के बीच भी बिहार में हो रहे काम उम्मीद पैदा करते हैं। इस माहौल में डी.एन. गौतम को पुलिस महानिदेशक बनाना असाधारण साहस है। गौतमजी पिंपुटकर की श्रेणी के अफसर हैं। 1980 के आसपास 'धर्मयुग' की रिपोर्टिंग के लिए मुंबई से यूपी-बिहार आया था। पत्रकारिता के आरंभ के दिन थे। जगजीवन बाबू के क्षेत्र सासाराम भी गया। वहाँ पहली बार डी.एन. गौतम का नाम सुना। गरीबों से और सामान्य लोगों से। आदर और आस्था से। संभवतया गिरीश मिश्रा जिला कांग्रेस अध्यक्ष होते थे। अपराध के लिए मशहूर रहा है रोहतास। लोगों से सुना, एस.पी. (गौतमजी) ने अपराध को प्रोत्साहित करने और संरक्षण देने के आरोप में पहले जिन सफेदपोश लोगों पर हाथ डाला, उनमें गिरीश मिश्रा भी थे। हंगामा हो गया पटना में। छपरा में भी उल्लेखनीय काम किया। भ्रष्ट सत्ताधीशों को नहीं छोड़ा। तब डॉ. जगन्नाथ मिश्रा की सरकार ने उन्हें प्रताड़ित किया। मुंगेर में भी गौतमजी ने अपने ढंग से काम किया। मुख्यमंत्री बिंदेश्वरी दुबे को नहीं सुहाए। इसके बाद आठवें और नौवें दशक में हर सरकार ने गौतमजी को महत्त्वहीन बनाने की कोशिश की।

ऐसे साफ-सुधरे और प्रतिबद्ध अफसर को कमान सौंपने से ही कानून का राज चलेगा। भारत की हर समस्या की जड़ है कानून का राज न होना। बिहार के मुख्यमंत्री नीतीश कुमार ने अपने इस कदम से भी साख अर्जित की है। पूरे समाज और देश को साफ संकेत भी दिया है ऐसे अफसरों को आगे लाकर। वह बिहार को किस रास्ते ले जाना चाहते हैं। आज जो राजनीतिक माहौल है, उसमें गौतमजी जैसे लोग सत्ता से दूर रखे जाते हैं। खुद जनता दल (यू) के काफी लोग नीतीश सरकार के इस कदम से

नाखुश होंगे। अंदर-अंदर उबल रहे होंगे, पर स्टेट्समैन वह नेता होता है, जो जनता का मूड देखकर नहीं, परिस्थितियाँ देखकर फैसला करता है। अपराधी राजनेता जेलों में सजा भुगत रहे हैं और एक ईमानदार इनसान डी.जी.पी. बन रहा है। यह संकेत है कि मुख्यमंत्री बिहार को कहाँ और किधर ले जाना चाहते हैं।

ईमानदार अफसरों का इकबाल कैसे बोलता है? यह देखें।

झारखंड की घटना है, 2005 के आसपास की। पूर्व मंत्री माधवलाल सिंह ने सुनाया। रामगढ़ के एक सज्जन गलत धंधा करते थे। कोयला माफिया के रूप में पहचान थी। डी.आई.जी. अनिल पालटा थे। उक्त माफिया सज्जन को पुलिस के एक इंस्पेक्टर ने रात में पकड़ा। पुराना गंभीर मामला था। वारंट भी था। पहले तो इंस्पेक्टर को बड़े-बड़े प्रलोभन दिए गए। इंस्पेक्टर ने कहा, पालटाजी मेरी वरदी उतरवा देंगे। मैं कोई मदद नहीं कर सकता। गिरफ्तार सज्जन तत्कालीन सरकार के अति ताकतवर मंत्री के रिश्तेदार होते थे। डी.आई.जी. पालटा भी उनके मातहत थे, पर मंत्री महोदय को साहस नहीं हुआ कि वे पालटा को फोन करें। तत्कालीन मुख्यमंत्री के यहाँ मंत्री का फोन गया। मुख्यमंत्री ने सीधे बात नहीं की। अपने एक सहायक को कहा। सहायक ने पालटा को फोन किया। डी.आई.जी. पालटा ने कहा, सी.एम. क्या चाहते हैं? हजारों माताएँ-बहनें विधवा बनती रहें? अवैध कोयला खान में जानें जाती रहें? गलत धंधा होता रहे? अगर हाँ, तो मुझे सीधे निर्देश दें, मैं छोड़ दूँगा। फिर पालटाजी के यहाँ फोन नहीं गया। और वह माफिया सज्जन जेल गए।

यह चरित्र चाहिए अफसरों का, पर हमारे शासक कैसे अफसर चाहते हैं? चारण, चापलूस और भ्रष्ट। ऐसे ही अफसर, मंत्रियों की मुरादें पूरी करते हैं। यह असल संकट है। भारत का ईमानदार अफसर महत्त्वहीन जगहों पर। चारण-चापलूस ड्राइविंग सीट पर। झारखंड का ताजा उदाहरण है। एक सज्जन, जो महीने भर के अंदर रिटायर हो रहे हैं, उन्हें प्रोन्नत कर कमिश्नर बनाया गया। दो-दो जिलों का प्रभार दिया गया। यह बेशर्मी शायद ही कहीं मिले। एक-एक भ्रष्ट अफसर के पास कई-कई पद। पर कार्यकुशल शिवेंदु और मृदुला सिन्हा पोस्टिंग के लिए भटकें या महत्त्वहीन पदों पर रहें? झारखंड ने एक और परंपरा विकसित की है। विवशता में ईमानदार अफसर को कहीं-कहीं महत्त्वपूर्ण पद दे दो, पर हाथ-पाँव बाँध दो। मसलन झारखंड के डी.जी.पी. या मुख्यमंत्री के प्रधान सचिव। क्या ये लोग अपनी इच्छा से आज टीम बना सकते हैं? ट्रांसफर—पोस्टिंग कर सकते हैं? महत्त्वपूर्ण फैसले ले सकते हैं?

तो कैसे सुशासन होगा या भ्रष्टाचार मिटेगा? सुप्रीम कोर्ट या हाईकोर्ट के फैसलों में भी अब निराशा ध्वनित होती है, क्योंकि राजनीति ने, शासन ने इस हद तक चीजों को तहस-नहस कर दिया है कि पुनर्निर्माण असंभव दिखता है। इसलिए अदालत भी ईश्वर

का उल्लेख कर रही है। चीजें इतनी खराब हो गई हैं कि सर्वोच्च अदालत की नजर में ईश्वर भी अवतार लेकर ठीक नहीं कर सकते।

ऐसी स्थिति में एक सामान्य नागरिक की क्या प्रार्थना हो सकती है, गीता की पंक्तियाँ ही न!"यदा, यदाहि धर्मस्य, ग्लानिर भवति भारत"अब इससे अधिक क्या पतन, अराजकता और कुशासन होगा? जिस न्यायपालिका के न्याय पर अंतिम भरोसा है, वह भी लाचार दिख रही है। तो हे ईश्वर, अब तो आप अवतार लें!

(10-08-2008)

□

सोरेन होंगे मुख्यमंत्री या राष्ट्रपति शासन?

संदर्भ : झारखंड की राजनीति किधर—एक

बाबा बैद्यनाथ और बाबा विश्वनाथ (काशी) की पूजा-अर्चना से भी मधु कोड़ाजी अपनी गद्दी बचाते नहीं दिखाई दे रहे। 2005 में हुए चुनावों के बाद झारखंड में सत्ता परिवर्तन का यह तीसरा चक्र होगा। 'प्रभात खबर' में कुछेक माह पहले छपा था, 'बड़े बेआबरू होकर…'। यह कोड़ाजी को संबोधित टिप्पणी थी। कोड़ाजी को यह बताने की कोशिश कि वह राजनीतिक संकेत समझें। जिस गद्दी पर हैं, उसकी गरिमा और महिमा के लिए भी कोशिश करें। आत्मसम्मान गिरवी रखकर हास्यास्पद न बनें। पर लगता है, कोड़ाजी निर्दलीय रहने का 'लिम्का रिकॉर्ड' बनाकर ही संतुष्ट नहीं हैं, वह 'बड़े बेआबरू होकर' मुख्यमंत्री की गद्दी से जाने के लिए डटे हैं, कैसे ?

पहली चीज—सरकार बनाना गणित का खेल है। और इसी रास्ते निर्दल कोड़ाजी मुख्यमंत्री बन बैठे। यू.पी.ए. के छाते में बहुमत जुटाकर। पहला तथ्य यह है कि अब यह बहुमत माननीय कोड़ाजी के साथ नहीं है। झामुमो के 17 विधायक अब उनके साथ नहीं हैं। यह सब टेक्निकल तथ्य हैं कि अभी लिखित रूप से समर्थन वापस नहीं लिया, पर खुले रूप से सार्वजनिक स्टैंड देश को बता दिया है उन्हें सी.एम. बनानेवाले समर्थक दलों ने। कांग्रेस प्रभारी अजय माकन का ऑफिशियल बयान है कि कांग्रेस शिबू सरकार को समर्थन देगी। यही बात झारखंड से केंद्र में मंत्री बने सुबोधकांत सहाय ने कही है। वह तो यह भी बताना नहीं भूले कि कांग्रेस ने मधु कोड़ा को इस्तीफा देने को कह दिया है। अगर वह इस्तीफा नहीं देते हैं, तो कांग्रेस समर्थन वापस ले लेगी। इस तरह कांग्रेस के भी नौ विधायक कोड़ाजी के साथ नहीं हैं। 17+9 = 26 विधायकों का कोड़ा सरकार को सार्वजनिक रूप से समर्थन नहीं रहा। अब बचे राजद के सात विधायक और मुख्यमंत्री समेत नौ निर्दल। यानी ये सब एकजुट हैं, यह मान लिया जाए। (हालाँकि बंधु तिर्की छिटक गए हैं), तब भी यह संख्या (7+9=16) है, कुल सोलह ? अब 81 विधायकों

(एक रिक्त) की विधानसभा में 16 विधायकों के समर्थन से सरकार चलाएँगे कोड़ाजी? सरकार चलाने के लिए न्यूनतम 41 विधायक चाहिए। इस तरह सरकार चलाने का गणित कोड़ा सरकार के खिलाफ चला गया है। क्या यह दृश्य कोड़ाजी नहीं देख रहे?

जब भी किसी राज्य में ऐसा राजनीतिक संकट आता है, बहुमत के संकेत समझकर खुद मुख्यमंत्री इस्तीफा देते हैं; और अपने उत्तराधिकारी (जिन्हें पार्टियाँ या गुट मिलकर तय करते हैं) के नाम की घोषणा करते हैं। अब तक यह मान्य परंपरा रही है, पर झारखंड तो रिकॉर्ड बनानेवाला राज्य है, इसलिए हर मान्य राजनीतिक परंपरा तो यहाँ भंग होनी ही है।

दूसरा तथ्य, जो कोड़ाजी और उनके समर्थक समझकर भी मानने को तैयार नहीं। झामुमो ने झारखंड की राजनीति का पेच पकड़ लिया है। 'मत चूको चौहान' की स्थिति है। झामुमो या शिबू सोरेन को लग गया है कि 'अभी नहीं, तो कभी नहीं'। कांग्रेस या राजद के लिए यू.पी.ए. की केंद्र सरकार अधिक महत्त्वपूर्ण है, झारखंड की सरकार नहीं। दिल्ली में उसे समर्थन देकर, अब झामुमो, झारखंड की गद्दी की कीमत माँग रहा है। दिखावे के लिए ही सही, पर कांग्रेस या राजद यही कहने को मजबूर हैं, हम गुरुजी को समर्थन देंगे। झामुमो का तर्क है कि यू.पी.ए. में सबसे अधिक विधायक हमारे हैं, इसलिए मुख्यमंत्री हमारा होना चाहिए। दिल्ली में कांग्रेस ने इसी लॉजिक पर झामुमो से मदद ली है, तो उसे झारखंड में यही मदद झामुमो को देनी पड़ेगी। दूसरा पहलू है कि झामुमो अपने स्टैंड पर इतनी दूर जा चुका है कि वह पीछे नहीं लौट सकता। यू.पी.ए. के शीर्ष नेताओं को झामुमो बता चुका है कि या तो हमें समर्थन दें या हमारा समर्थन वापस। यू.पी.ए. के शीर्ष नेता अब दबाव में हैं, या तो झारखंड में वे यू.पी.ए. सरकार लूज करेंगे या गुरुजी को मुख्यमंत्री बनाएँगे। गुरुजी यू.पी.ए. की नब्ज पकड़ चुके हैं कि मुख्यमंत्री बनने का इससे बेहतर मौका नहीं मिलनेवाला। लोकसभा चुनाव भी कुछ ही महीनों में होंगे और फिलहाल भारत की राजनीति क्षेत्रीय दलों के इशारे पर नाच रही है। इस चुनाव में यू.पी.ए., झामुमो को ही साथ रखना चाहेगा, भ्रष्टाचार के गंभीर आरोपों से घिरे निर्दलियों को नहीं। इस तरह यू.पी.ए. की मजबूरी है कि वह झामुमो को साथ रखे; और यह तथ्य झामुमो समझ रहा है। इसलिए पहली बार झामुमो दबाव की राजनीति में है। एक और महत्त्वपूर्ण पहलू है। लोकतंत्र में अंतत: पार्टियों (चाहे वे अच्छी हों या बुरी) की ताकत और पहचान होती है, बिना पेंदी के निर्दलियों की नहीं और झारखंड में निर्दलियों ने अपनी पहचान कैसी बनाई है? क्या इसकी पहचान और करनी की पूँजी से यू.पी.ए. का बेड़ा लोकसभा चुनावों में किनारे लगेगा? क्या निर्दलीय अपनी यह राजनीतिक कमजोरी नहीं समझ रहे? जैसे-जैसे लोकसभा चुनाव नजदीक आ रहे हैं, मजबूरन निर्दलियों की पूछ यू.पी.ए. में घटनी ही है। हवा का यह रुख,

झामुमो ने भाँप लिया है। इस तरह कह सकते हैं, झामुमो ने सही समय पर सही तरीके से चोट की है। यू.पी.ए. बाध्य है झारखंड में राजनीतिक बदलाव के लिए।

झामुमो का मास्टर स्ट्रोक क्या है? झामुमो समझ रहा है निर्दलियों की ताकत और कीमत। एक बार कांग्रेस और राजद ने झामुमो को समर्थन दे दिया, तो निर्दलियों के पास क्या 'ऑप्शन' (विकल्प) है? भाजपा सरकार बनाने की स्थिति में नहीं है या वह बनाने की भूल नहीं करना चाहती। वह चुप और तटस्थ है। निर्दलीय, बिना गद्दी रह नहीं सकते, यह उनकी कीमत है। क्या इनके कोई सिद्धांत हैं? राजनीतिक प्रतिबद्धता है? उसूल हैं? इनका एक नारा है और एक ही दर्शन, गद्दी। मंत्री का पद। तामझाम। रोब-रुआब, यह सब छोड़कर ये सड़क पर पैदल होना चाहेंगे? कतई नहीं। यह कमजोरी झामुमो समझ गया है। एक बार झामुमो की सरकार बनी, तो निर्दल बाध्य हैं समर्थन के लिए। याद करिए, क्या नाज-नखरे थे स्टीफन मरांडी के, जब कोड़ा सरकार बनी थी। फलाँ विभाग चाहिए। फलाँ शर्त माननी होगी। अंतत: मधु कोड़ा की शर्तों पर मंत्री बने। बाबूलाल मरांडी को छोड़ दिया। यह देखना रोचक है कि आज उसी शिबू सोरेन के खिलाफ कमान सँभाले हुए हैं स्टीफन, पर शिबू की सरकार बनी, तो यह भी महत्त्वपूर्ण विभाग पाकर वहाँ शोभा बढ़ाएँगे? खुद कोड़ाजी? मध्य प्रदेश के पूर्व मुख्यमंत्री बाबूलाल गौड़ की तरह यह भी शिबू सोरेन सरकार में मंत्री पद पाने के लिए बेचैन होंगे। यह आकलन किस आधार पर? क्योंकि ये लोग किसी दल या विचारधारा से नहीं हैं, इनका एकमात्र दर्शन है, किसी तरह गद्दी पाना या हथियाना।

अगर किसी भी तरह, कहीं कोई व्यवधान पैदा हुआ, तो राष्ट्रपति शासन झारखंड में तय है। एक चर्चा यह भी है कि हजारों बार यह बयान देनेवाले मधु कोड़ा कि 'शिबू सोरेन के लिए गद्दी छोड़ देंगे', अब इस बात के लिए डटे हैं कि वे शिबू सोरेन को मुख्यमंत्री नहीं बनने देंगे, किसी भी कीमत पर। कोड़ाजी के इस आत्मविश्वास का राज क्या है? लालू प्रसाद का आशीर्वाद। अब तक कोड़ाजी लालूजी के ही आशीर्वाद से चल रहे थे, पर जब समर्थन वापसी की धौंस झामुमो ने दिल्ली में दे दी है, तो दिल्ली के यू.पी.ए. नेता भी दबाव में होंगे और यू.पी.ए. के ये शीर्ष नेता लालू प्रसाद पर भी दबाव डालेंगे कि वे अपना स्टैंड बदलें। कारण सिर्फ झारखंड नहीं है। 22 जुलाई को यू.पी.ए. ने लोकसभा में 275 सांसदों का बहुमत हासिल किया। इसमें झामुमो के पाँच हैं। अगर ये हट गए, तो यू.पी.ए. की संख्या बचेगी 270। लोकसभा में बहुमत की सीमा है 272। फिर एक नया विवाद दिल्ली में शुरू होगा। क्या अनेक संकटों से घिरा यू.पी.ए. दिल्ली में कोई नया संकट उधार लेने की स्थिति में है? वह भी झारखंड और कोड़ाजी के लिए?

(13-08-2008)

□

संभावनाएँ शिबू सोरेन के पक्ष में

संदर्भ : झारखंड की राजनीति के दाँवपेच—दो

राजनीति संभावनाओं का खेल है, ऐसा कहा जाता है। जो हालात हैं, उनके तहत झामुमो अगर 17 अगस्त को कोड़ा सरकार से समर्थन वापस ले लेता है, तो झारखंड की राजनीति में क्या-क्या संभावनाएँ बनती हैं?

जिस दिन शिबू सोरेन राजभवन गए और समर्थन वापसी का पत्र सौंपा, कोड़ा सरकार का भाग्य सीलबंद हो जाएगा। राज्यपाल कहेंगे, कोड़ा सरकार बहुमत साबित करे, एक निश्चित अवधि के तहत। जैसे ही समर्थन वापस होगा, कोड़ा सरकार की वापसी असंभव हो जाएगी। तुरंत कांग्रेस और राजद कोड़ा सरकार से तोबा कर लेंगे। कारण (1) कोड़ाजी के भाग्य का यह चमत्कार अब दोबारा नामुमकिन है। इसलिए डूबती नाव पर सवार विधायक कूद भागेंगे। कोड़ाजी के साथ न कोई विधायक डूबेगा, न सती होगा? (2) कोड़ाजी किसी ताकतवर क्षेत्रीय दल के नेता रहते, तब कांग्रेस या राजद उनके आगे-पीछे करती, पर वह अकेले हैं। (3) जिस दिन कोड़ाजी मुख्यमंत्री नहीं रहेंगे, उनके निर्दल साथी एक-एक कर उन्हें छोड़ देंगे और सुरक्षित आशियाने में जाएँगे। वे इसलिए भी भागेंगे कि 17 विधायकों (झामुमो) का विकल्प कोड़ा सरकार कहाँ से ढूँढ़ेगी? एक-दो विधायकों का मामला नहीं है कि मैनेज कर या एबसेंट (अनुपस्थित) करा कर या जोड़-तोड़कर कोड़ा सरकार बच सकती है। (4) शिबू सोरेन के पक्ष में एक सबसे बड़ा कारण परिस्थितिजन्य है। भाजपा आज सरकार बनाने की दौड़ में नहीं है। और न भाजपा इस दौड़ में शामिल होती दिख रही है। इसके दो प्रभाव हैं। पहला, निर्दलियों के भाव-पूछ में कमी। दूसरा, भाजपा की अनुपस्थिति में 'हार्स ट्रेडिंग' (विधायकों की खरीद-फरोख्त) का भी आरोप नहीं लगेगा और न राष्ट्रपति शासन की माँग होगी। तब शिबू सोरेन (कोड़ा सरकार गिराने के बाद) मुख्यमंत्री बनने का दावा पेश करेंगे। उनके दावा पेश करते ही कांग्रेस और राजद को उन्हें समर्थन देना पड़ेगा। न चाहते हुए भी यह समर्थन देना पड़ेगा। लोक-लाज के लिए, क्योंकि 22 जुलाई को यू.पी.ए. सरकार को समर्थन देकर झामुमो ने कांग्रेस और राजद को कर्जदार बना दिया है। वह कांग्रेस व राजद को

यह भी याद दिलाएगा कि जुलाई में विश्वास मत के दौरान, एन.डी.ए. ने शिबू सोरेन को झारखंड का मुख्यमंत्री बनाने का प्रस्ताव दिया था, पर वह यू.पी.ए. के साथ ही रहे। इस लोक–लाज से भी कांग्रेस व राजद शिबू सोरेन को मदद देंगे। शिबू सोरेन लालू प्रसाद को अतीत भी याद करा रहे हैं कि उन्होंने दो बार उन्हें बिहार में मुख्यमंत्री बनने में मदद की, इसलिए कोड़ा सरकार के पतन के बाद ये दोनों दल (राजद और कांग्रेस) शिबू सोरेन के साथ होंगे, शिबू को सी.एम. बनाने के लिए। चूँकि 2005 और 2008 में अंतर है। 2008 में भाजपा सरकार गठन खेल से गैरहाजिर है, इसलिए निर्दलीय कहाँ जाएँगे? इनके पास कोई विकल्प नहीं होगा, शिबू सरकार को मदद करने के अलावा।

समर्थन वापस होते ही मुख्यमंत्री मधु कोड़ा के पास दो विकल्प हैं : (1) वह विधानसभा फेस करें, और विधानसभा में सरकार गिरने दें। (2) विधानसभा फेस किए बगैर इस्तीफा दें। कम चांस है कि मधु कोड़ा विधानसभा फेस करें, क्योंकि अविश्वास प्रस्ताव में भाजपा, जदयू, माकपा, माले, जे.वी.एम. के तीखे आरोप ही नहीं होंगे, झामुमो विरोध में होगा। कांग्रेस तटस्थ या चुप रह सकती है। तब अपने नए आशियाने की खोज में लगे निर्दलीय किस हद तक कोड़ाजी के साथ खड़े रहेंगे? राजद भी चुप्पी की भूमिका में होगा। तब बचाव के लिए न झामुमो होगा, न कांग्रेस और न राजद। कई निर्दलीय भी चुप्पी साध लेंगे। तो क्या विधानसभा में यह 'वार' अकेले कोड़ाजी झेलेंगे? उनके पुराने ट्रैक रिकॉर्ड से यह नहीं लगता।

कोड़ाजी के हटते ही, शिबू दावा पेश करेंगे, सरकार बनाने के लिए। वहाँ कोई और दावेदार नहीं होगा। कांग्रेस और राजद के समर्थन पत्र भी होंगे। कुछ निर्दलीय लोगों के भी आसार झामुमो के पक्ष में लगते हैं।

राष्ट्रपति शासन की संभावना तब बनेगी जब (1) निर्दलीय मंत्री एकजुट होकर गवर्नर के पास जाएँ और लिखित दें कि वे सोरेन सरकार को समर्थन नहीं देंगे या (2) भाजपा दावा करने लगे कि वह सरकार बनाएगी।

पहली संभावना : निर्दलियों को चुनना है कि राष्ट्रपति शासन या बचे डेढ़ साल तक मंत्री पद का सुख, रुतबा। अब तक निर्दलियों का जो चरित्र रहा है, उसके आधार पर यही कहा जा सकता है कि वे पद के भूखे हैं और उधर शिबू सोरेन पद बाँटने के लिए तैयार हैं। पद के लेनदार-देनदार दोनों हैं।

दूसरी संभावना : भाजपा न सरकार बनाने की स्थिति में है, न दावा करने जा रही है। भाजपा दूरगामी खेल खेलना चाहती है। वह चाहती है कि शिबू के नेतृत्व में यू.पी.ए. सरकार बने, ताकि जनता इस सरकार को भी परखे। फिर आगामी चुनावों में फैसला हो।

दो दिनों में एक और फर्क आया है। शिबू गुट अब तक दिल्ली में सक्रिय था, पर शिबू सोरेन और हेमलाल के राँची आते ही यह दल अपना दबाव बढ़ाएगा। कैसे?

निर्दलियों से संवाद कर, मंत्रणा कर, उन्हें पटा कर। अब तक तो कोड़ा गुट ही सक्रिय था। स्टीफन मरांडी कमान सँभाले हुए थे। एकपक्षीय सक्रियता थी। दूसरा पक्ष झारखंड से अधिक दिल्ली मैनेज करने में लगा था।

क्यों और कैसे?

दिल्ली में झारखंड को लेकर हुए घमासान में पहला राउंड झारखंड मुक्ति मोरचा ने जीता। किस तरह? तीन दिन पहले दिल्ली में झारखंड के जो 11 सांसद मिले, उनमें से एक-एक की यह आम आवाज थी कि कोड़ा सरकार बोझ बन गई है। और इस राज्य सरकार का बोझ उठाकर यू.पी.ए. लोकसभा चुनावों की वैतरणी नहीं पार कर पाएगा। वहाँ उपस्थित लोगों ने कहा, शिबू सोरेन मुख्यमंत्री पद के उम्मीदवार बनते हैं, तो उन्हें समर्थन मिलेगा। इस बैठक में झामुमो, कांग्रेस और राजद के सांसद थे। केंद्रीय मंत्री भी थे। वहीं से शिबू सोरेन का बयान जारी हुआ कि कोड़ा को यू.पी.ए. नेतृत्व ने इस्तीफा देने के संकेत दे दिए हैं, पर कोड़ा का जवाब था, इस्तीफा नहीं दूँगा। लेकिन उल्लेखनीय सच यह भी है कि शिबू सोरेन के बयान का खंडन किसी वरिष्ठ यू.पी.ए. नेता ने नहीं किया है।

कोड़ा के इस आत्मविश्वास की जड़ें कहाँ हैं? उनके पास न दल है, न कोई उनका अनुयायी विधायक है। स्पष्ट है कि यू.पी.ए. के कुछ बड़े नेता उन्हें ऑक्सीजन या उम्मीद दे रहे हैं, पर याद रखिए, कोड़ा को यह ऑक्सीजन चोरी-छुपे और नेपथ्य से मिल रहा है। लेकिन यही ऑक्सीजन देनेवाले सार्वजनिक रूप से शिबू सोरेन को समर्थन देने की बात कहने के लिए बाध्य हैं। इस तरह शिबू सोरेन गुट की दिल्ली लॉबिंग ने कांग्रेस और राजद को सार्वजनिक रूप से समर्थन देने की बात कहने के लिए बाध्य कर दिया। कांग्रेस समर्थन की बात साफ-साफ कह रही है, राजद या लालू प्रसाद इस चेतावनी के साथ कि कहीं लेने के देने न पड़ें, इसलिए गुरुजी निर्दलियों को राजी करें। दिखावे के लिए ही सही, पर राजद और कांग्रेस से सार्वजनिक समर्थन पाकर कौन मजबूत हुआ है, शिबू सोरेन या कोड़ा?

कोड़ा के लिए सबसे चिंताजनक पहलू क्या है? झामुमो ने समर्थन वापस लेने की बात खुलेआम दिल्ली को बता दी है। अगर कांग्रेस या राजद कोड़ा सरकार बचाने के लिए तत्पर होते, तो बिना समय खोए यू.पी.ए. के वरिष्ठ नेता सोरेन को मनाते-पटाते। बातचीत करते या सार्वजनिक रूप से शिबू सोरेन को समर्थन देने की बात न करते। कोड़ा के समर्थन में यू.पी.ए. के एक भी बड़े नेता का सार्वजनिक बयान न आना क्या संकेत करता है?

गुरुजी या झामुमो के बार-बार आ रहे बयानों से साफ है कि 17 की बैठक में

झामुमो समर्थन वापस ले रहा है। यह समर्थन वापसी बार-बार घोषणा कर और सार्वजनिक चर्चा कर होनेवाली है। सीताराम केसरी कांग्रेस अध्यक्ष थे। और वह तत्कालीन केंद्र सरकार से समर्थन वापसी का पत्र गुपचुप राष्ट्रपति को सौंप आए थे। झामुमो समर्थन वापसी की यह गोपनीय शैली नहीं अपना रहा। इसके पीछे की राजनीति? यू.पी.ए. नेताओं को पर्याप्त समय देना कि वे झामुमो के नेतृत्व को स्वीकार करने का माहौल बनाएँ। वरना सरकार का अंत! यू.पी.ए. के सभी वरिष्ठ नेता कोड़ा सरकार पर मँडरा रहे खतरों को समझ रहे हैं, पर कोई भी कोड़ा सरकार को बचाने के लिए न सार्वजनिक पहल कर रहा है, न कोड़ा के पक्ष में बयान दे रहा है। इसका क्या संकेत है?

(15-08-2008)

☐

फाइनल राउंड में

संदर्भ : झारखंड की राजनीति किधर—तीन

शिबू सोरेन और झामुमो ने हर कयास को गलत साबित करते हुए समर्थन वापसी का फैसला कर लिया। शिबू सोरेन के आलोचक यह कह रहे थे कि वे अंत समय तक अपना रुख बदल लेंगे। ऐसा वह पहले भी करते रहे हैं। कोड़ा खेमा तो आश्वस्त था कि समर्थन वापसी नहीं होगी। यही लोग झामुमो में आंतरिक मतभेद की बात फैला रहे थे। एक चैनल तो शुरू से ही यह घोषित कर चुका था कि झामुमो में मतभेद हो गया है। यह सारा प्रचार या तो प्लांटेड था या सरकार बचाने के स्वार्थ से प्रेरित? यह प्रचार करने और फैलानेवाले राजनीति का मामूली सच भूल गए कि झामुमो और शिबू सोरेन के क्या रिश्ते हैं? झामुमो शिबू सोरेन के कारण है। शिबू सोरेन झामुमो के कारण नहीं हैं। इस दल से अनेक प्रमुख लोग अलग हुए, पर वोटरों ने शिबू सोरेन को ही झामुमो माना। दूसरा महत्त्वपूर्ण कारण, भाजपा या कांग्रेस में, संगठन के कारण, विचारधारा के कारण, उनके लोग चुनाव जीतते हैं। जैसे राजद में लालू प्रसाद के कारण लोग चुनाव जीतते हैं, उसी तरह झामुमो में शिबू सोरेन के कारण। जल्द ही लोकसभा, फिर डेढ़ साल बाद झारखंड विधानसभा के चुनाव होने हैं और झामुमो के सांसद-विधायक शिबू सोरेन के कंधों पर ही विजयश्री पाएँगे, इसलिए यह आकलन ही गलत था।

समर्थन वापस लेकर शिबू सोरेन ने पहला राउंड जीत लिया है। अंत-अंत तक स्पष्ट हो गया कि कोड़ा सरकार को बनाए रखने के पीछे कौन थे? लालू प्रसाद का अभयदान ही कोड़ाजी की ताकत है। 16 अगस्त की शाम लालू प्रसाद का बयान आया कि शिबू सोरेन राज्य को राष्ट्रपति शासन की ओर ठेल रहे हैं। फिर रविवार 17 अगस्त को लालू प्रसाद का बयान आया कि हमने झामुमो से कोई वायदा नहीं किया है। 16 अगस्त से पहले लालू प्रसाद का कोई ऐसा सार्वजनिक बयान नहीं आया था। लालू प्रसाद चतुर और अनुभवी नेता हैं। उनके इन दोनों बयानों के मकसद, संकेत और लक्ष्य साफ थे। ठीक झामुमो की 'क्रुसियल बैठक' (निर्णायक बैठक) के पहले आए लालूजी

के ये दोनों बयान, झारखंड में सरकार बचाने और गिराने के प्रसंग पर झामुमो में भ्रम पैदा करना था। इन दोनों बयानों को मुख्यमंत्री खेमे के प्रचार से जोड़ कर देखने से स्थिति साफ हो जाएगी। मुख्यमंत्री खेमा यही कह रहा था कि कोड़ा के समर्थन के सवाल पर झामुमो में मतभेद हो जाएगा और गुरुजी चुप हो जाएँगे। इस तरह समर्थन वापसी का फैसला लटक जाएगा।

पर झामुमो ने एक स्वर में, एकमत से समर्थन वापसी का फैसला कर पार्टी की एकजुटता और शिबू सोरेन की पकड़ का एहसास करा दिया। इस तरह शिबू पहले राउंड में भारी पड़े हैं।

कोड़ा को त्यागपत्र देना ही पड़ेगा 'प्रभात खबर' ने चार दिन पहले ही लिखा था। झामुमो की समर्थन वापसी के बाद मधु कोड़ा के पास कोई विकल्प नहीं है। वह आत्मसम्मान और निजी मर्यादा चाहेंगे, तो उन्हें त्यागपत्र ही देना पड़ेगा। कोई दूसरा विकल्प नहीं है। वह त्यागपत्र नहीं देने पर डटे रहते हैं, तो अपना, कांग्रेस और राजद का भारी नुकसान करेंगे। वह किसके बूते विधानसभा में विश्वास मत फेस करेंगे? किसके साथ चौतरफा प्रहार और गंभीर आरोप झेलेंगे? संभव है कि दिल्ली से लेकर उनके साथी निर्दलीय मंत्री भी कोड़ाजी को अब यही सलाह-सुझाव दें कि सम्मानपूर्वक जल्द गद्दी छोड़ दें।

अब इस क्रम का अगला राउंड होगा निर्दलियों का रोल। निर्दलियों के रोल पर ही राष्ट्रपति शासन निर्भर करता है। अब तक निर्दलीय विधायकों को भरोसा था कि दिल्ली के ताकतवर लोग झामुमो को समर्थन वापसी की स्थिति में नहीं जाने देंगे। कोड़ा सरकार बच जाएगी, पर अब झामुमो ने समर्थन वापस ले लिया है। 17 विधायकों के समर्थन वापस का कोई विकल्प नहीं है कोड़ाजी के पास। इसलिए यू.पी.ए. की सरकार बचनी है, तो निर्दलियों को अब शिबू सोरेन के साथ जाना पड़ेगा। जो निर्दलीय दिल्ली की ओर ताक रहे थे या 'कोड़ा चमत्कार' में यकीन कर रहे थे, वह स्थिति अब खत्म हुई। धुंध छँट गई। और अब झारखंड का राजनीतिक आसमान एकदम साफ है। निर्दलियों को भी सत्ता में रहना है, राज्य में राष्ट्रपति शासन पसंद नहीं है, तो उन्हें झामुमो के साथ जाना पड़ेगा। हालाँकि समर्थन वापसी के बाद शिबू सोरेन ने यह भी साफ कर दिया कि वह चुनाव मैदान में जाने के लिए तैयार हैं। वह सरकार बनाने के लिए दरवाजे-दरवाजे न भटकेंगे और न सौदेबाजी करेंगे। उन्होंने यह भी कहा कि सरकार की विफलता के कारण उन्होंने समर्थन वापस लिया है, पर इस पूरे राजनीतिक घटनाक्रम में एक सवाल बार-बार उठता रहा है—

शिबू सोरेन क्यों बेचैन दिखाई देते हैं? या जल्दी में लग रहे हैं?

इसके दो कारण हैं—(1) राजनीतिक और (2) निजी।

राजनीतिक कारण शायद सबसे महत्त्वपूर्ण कारण है। झारखंड मुक्ति मोरचा के सबसे अधिक विधायक हैं,17। यू.पी.ए. के अन्य घटक दलों की क्या स्थिति है? कांग्रेस नौ। राजद सात, निर्दलीय कुल नौ (मुख्यमंत्री समेत, जो सरकार में हैं)। अब जिसके 17 विधायक हैं, उस सबसे बड़े घटक दल झामुमो का नेता मुख्यमंत्री नहीं है! यह दृश्य देश के किसी और हिस्से में नहीं है। उस दल ने लगभग दो साल तक एक निर्दलीय को शासन करने दिया। अब केंद्र के यू.पी.ए. गठबंधन को देखें। वहाँ सबसे बड़ा दल है कांग्रेस। वह भी अकेले बहुमत में नहीं है। जिस हाल में झारखंड में विधानसभा में झामुमो है (यू.पी.ए. का सबसे बड़ा घटक दल), उसी रूप में लोकसभा में कांग्रेस, यू.पी.ए. का सबसे बड़ा घटक दल है। झारखंड में अकेले न झामुमो बहुमत की स्थिति में है, न केंद्र में अकेले कांग्रेस के बूते सरकार चल रही है।

पर केंद्र में सरकार चलाने के लिए क्या फॉर्मूला है? सबसे बड़े दल का व्यक्ति यू.पी.ए. का नेता और प्रधानमंत्री बना तो यही फॉर्मूला झारखंड में क्यों नहीं? यह एक गंभीर राजनीतिक सवाल है और झामुमो या गुरुजी के अंदर इस सवाल को लेकर बेचैनी आसानी से समझी जा सकती है। देश के किसी और कोने में ऐसा फॉर्मूला नहीं, जो झारखंड में चल रहा है।

इसी से जुड़ा एक और पहलू है। देहातों में एक कहावत है, 'खेत खाए गदहा, मार खाए जोलहा।' इस सरकार से सर्वाधिक लाभ कौन कमा रहा है? राजनीतिक और आर्थिक? एक शब्द में इसका उत्तर है, निर्दलीय, पर इस सरकार की सफलता और विफलता की कीमत कौन चुकाएगा? सरकार सफल होगी, तो श्रेय निर्दलियों को मिलेगा, पर विफल होगी (जो हो रही है), तो सबसे अधिक कीमत झामुमो चुकाएगा। बाद में कांग्रेस या राजद, क्योंकि यू.पी.ए. घटक दलों में झारखंड में सबसे बड़ा आधार तो झामुमो का ही है। इस तरह मजा निर्दलीय लें और राजनीतिक कीमत झामुमो चुकाए? यह बात अब झामुमो की समझ में आ गई है। झारखंड की राजनीतिक चरागाह में, खेत कोई और खा रहा है और नुकसान उठाता झामुमो दिख रहा है। कोड़ा सरकार के पापों का ठीकरा सबसे अधिक झामुमो के सर फूटनेवाला है, फिर कांग्रेस और राजद के सिर। वैसे भी कांग्रेस के लिए केंद्र की सरकार प्राथमिकता है, झारखंड नहीं। और राजद का गढ़ बिहार है। बिहार में राजद की मजबूती या कमजोरी से ही राजद का राजनीतिक भविष्य बनने या बिगड़नेवाला है। उसी तरह झारखंड में झामुमो की कमजोरी या मजबूती से ही झामुमो का भविष्य रहनेवाला है। झामुमो के नेता अब यह गेम समझ चुके हैं, इसलिए कोड़ा सरकार से वे मुक्ति चाहते हैं।

राजनीति में 'अवसर' का बड़ा महत्त्व होता है। झामुमो या शिबू सोरेन यह समझ रहे हैं कि यह माहौल उनके लिए अनुकूल अवसर है। कैसे? लोकसभा चुनाव कुछ ही

महीनों बाद होंगे। पस्त कांग्रेस को, क्षेत्रीय दलों की मदद चाहिए ही। जैसे कांग्रेस को बिहार में राजद का संग चाहिए, वैसे ही झारखंड में झामुमो का। झामुमो, समझ रहा है कि कांग्रेस को आगे क्या जरूरत है? इसलिए झामुमो चाहता है कि राजनीति का जो सामान्य खेल है, 'गिव और टेक' (लेना-देना), वह दोनों तरफ से हो। लोकसभा चुनावों में झारखंड कांग्रेस को 'गिव' (देना) की स्थिति में है, तो राज्य में कांग्रेस से वह समर्थन 'टेक' (लेने) की आशा करता है।

झामुमो के अंदर यह भी मंथन चल रहा होगा कि केंद्र में यू.पी.ए. सरकार को मदद और झारखंड में कोड़ा सरकार को मदद के बाद झामुमो को मिला क्या? केंद्र में जिन छोटे दलों के चार सांसद हैं, और किसी राज्य में ऐसे दलों का, झामुमो जैसा जन आधार भी नहीं है, फिर भी वे केंद्र सरकार में ज्यादा पावरफुल हैं। उन्हें केंद्र सरकार में महत्त्वपूर्ण पद प्राप्त हैं। झारखंड में झामुमो के महज तीन मंत्री हैं। झामुमो जैसी मजबूत स्थिति, यू.पी.ए. के किसी अन्य समर्थक दल की होती, तो वह राज्य की बागडोर लेता और दिल्ली में केंद्र सरकार में महत्त्वपूर्ण हिस्सा। डेढ़ साल बाद झारखंड में चुनाव होंगे और छह-सात महीनों में लोकसभा चुनाव संपन्न होंगे। झामुमो नेताओं को समझ में आने लगा है कि कोड़ा सरकार के भरोसे हम अपना राजनीतिक आधार कैसे पुख्ता रख पाएँगे?

झामुमो के फेवर में सबसे अनुकूल फैक्टर है—एन.डी.ए. का पूरे दृश्य से गायब होना। अर्जुन मुंडा निजी कारणों से विदेश चले गए। भाजपा के वरिष्ठ नेता कई बार साफ-साफ दोहरा चुके हैं कि हम सरकार बनाने के खेल में हैं ही नहीं। ऐसा मौका झामुमो को पुनः नहीं मिलनेवाला।

निजी कारण : यह एक तथ्य है कि शिबू सोरेन जैसे बड़े कद का दूसरा आदिवासी नेता नहीं है, देश में भी। झारखंड गठन में उनकी महत्त्वपूर्ण भूमिका रही है। आज भी झारखंड के किसी भी राजनीतिक दल में शिबू सोरेन के कद का कोई नेता नहीं है, पर वह झारखंड के मुख्यमंत्री नहीं बन सके हैं। उनके दल ने बिहार में लालू प्रसाद को दो-दो बार मदद की, सत्ता में रहने के लिए। केंद्र सरकार को भी 'क्रिटिकल सिचुएशन' (नाजुक घड़ी) में बचाया, पर खुद वह कहाँ हैं? यह सवाल निश्चित रूप से उन्हें मथता होगा। यह राजनीतिक मलाल, कहीं-न-कहीं उन्हें ठगे जाने का एहसास करा रहा है।

कोड़ा खेमे का दाँव : राज्य सरकार ने 19 सितंबर से 26 सितंबर तक विधानसभा सत्र बुलाया है। यह सूचना 16 अगस्त को सार्वजनिक की गई। कोड़ा खेमे की मानें, तो यह एक सुनिश्चित रणनीति के तहत किया गया फैसला है, पर उनके रणनीतिकार भूल गए कि 17 अगस्त को झामुमो समर्थन वापसी का पत्र सौंप देगा, तो दृश्य बदल जाएगा।

सरकार में हिस्सेदार या समर्थक दलों के बीच सबसे अधिक संख्या 17, झामुमो विधायकों की है। समर्थन वापसी के तत्काल बाद, यह अल्पमत की सरकार हो जाएगी। झामुमो समर्थन वापसी के साथ ही राज्यपाल से गुजारिश करेगा कि अल्पमत सरकार को जल्द-से-जल्द बरखास्त करें या तुरंत विश्वासमत पाने का आदेश दें। निश्चित तौर पर राज्यपाल इस पर विचार करेंगे।

याद करिए, अर्जुन मुंडा सरकार गठन के समय का दृश्य। शिबू सोरेन को 13 दिनों का समय मिला था, विश्वासमत सिद्ध करने के लिए। उसे सुप्रीम कोर्ट ने घटाने का निर्देश दिया, पर इन लीगल बातों या तर्कों से अधिक, यह राजनीतिक मुद्दा है। एक निर्दलीय के नेतृत्व की सरकार से 17 विधायकों के अलग होते ही, उस अल्पमत की सरकार को एक माह से अधिक समय 'विश्वास मत' सिद्ध करने के लिए मिलेगा? यह देशव्यापी मुद्दा बन जाएगा, जिसका नुकसान कांग्रेस और राजद को होगा। सिर्फ झारखंड में ही नहीं, बाहर भी। क्या बहुमत सिद्ध करने के लिए कोड़ा सरकार को लंबा समय देकर विपक्ष में भाजपा, जे.वी.एम. वगैरह को नया मुद्दा देना चाहेगा यू.पी.ए.?

(18-08-2008)

☐

'सारा खेला हाउस में होगा'

संदर्भ : झारखंड की राजनीति किधर—चार

औ र मुख्यमंत्री मधुजी के मधुर स्वर में निकला 'सारा खेला हाउस में होगा'। इस बयान को दुनिया ने टी.वी. पर भी देखा। पढ़कर लगा कि कोड़ाजी नहीं माननेवाले। जाते-जाते वे कई रिकॉर्ड बनाना चाहते हैं। योग विद्या में एक हठयोग है। हठयोगी प्रकृति के खिलाफ हठ कर प्रकृति को बस में करना चाहते हैं। कोड़ाजी, लगता है, राजनीति में हठ अवतार हैं। वह अपने हठ पर डटे हैं। एक लोकतांत्रिक और पारदर्शी मुख्यमंत्री के रूप में उन्हें बताना चाहिए कि वह कैसे 17 विधायकों का जुगाड़ करेंगे? उल्लेखनीय है कि झामुमो के 17 विधायकों ने समर्थन वापस ले लिया है।

सृष्टि के बारे में चर्चा और मान्यता है कि ब्रह्मा ने इसे रचा, पर कहावत है कि विश्वामित्र भी ब्रह्मा के समानांतर सृष्टि बसाना चाहते थे, लेकिन नहीं कर सके। क्या कोड़ाजी ने लगभग दो वर्षों की मुख्यमंत्री गद्दी से 'समानांतर 17 विधायकों' के गढ़ने की विधा सिद्ध कर ली है?

या जब तक हो, सी.एम. कुरसी पर कब्जा रहे, यह सिद्धांत वह मान रहे हैं? राजनीति में कुरसी को लेकर तरह-तरह की बातें कही जाती हैं। मसलन लालूजी पहले बिहार की जनसभाओं में मजाकिया तौर पर कहते रहे हैं, कुरसी बाँध कर रखो। अन्यथा दूसरा कब्जियाएगा? खाली ही नहीं करेंगे, तो बैठेगा कौन? भारतीय राजनीति में एक अनोखे चरित्र हुए। समाजवादी राजनारायणजी। वह अपने तप, त्याग और संघर्षशील व्यक्तित्व के कारण कम जाने गए। अपनी अन्य हरकतों के कारण अधिक। जब वह सत्याग्रह, धरना या आंदोलन में होते थे, तो उनकी गिरफ्तारी का आदेश होता था। गिरफ्तार होते समय वह कुरसी में पैर फँसा देते थे। उनसे कुरसी छुड़ाना कठिन था। पुरानी बात है। ऐसे ही यूपी में एक मंत्री हुए। उनके बारे में अब भी लोग चर्चा करते हैं। वह जिस कुरसी पर बैठते थे, चाहते थे कि घर लौटें, तो कुरसी भी साथ जाए। सुबह दफ्तर आएँ, तो कुरसी भी साथ आए। इसलिए कुरसी प्रेम पुरानी परंपरा और प्रक्रिया है। महाभारत के भीष्म अमर पात्र हैं! ऐसे महापुरुष क्षमा करेंगे, हम घोर कलियुगी और

पापी लोग भी उनका नाम घसीट रहे हैं, पर वे मानते थे कि उनकी निष्ठा हस्तिनापुर गद्दी से बँधी है। संभव है, उसी परंपरा में कोड़ाजी झारखंड के मुख्यमंत्री पद की गद्दी से बँधे महसूस करते हों। इसलिए वे झारखंड के प्रति गद्दी निष्ठा के कारण गद्दीमुक्त नहीं होने के लिए चमत्कार करना चाहते हैं।

कोड़ाजी कुरसी पर बैठे हैं। लेकिन शिबू सोरेन की चेतावनी की अनदेखी कर रहे हैं। शिबू सोरेन ने उनकी स्थिति इन शब्दों में बता दी है—

साँपेर आगे बेंगा नाचे
तार पीछोने केऊ गुनी आछे

इसका अर्थ है कि साँप के आगे बेंग नाच रहा है। पीछे गुनी ओझा है। वे गुनी या ओझा क्या चमत्कार करेंगे कि बेंग बच जाएगा या कुरसी बच जाएगी? किस भरोसे कोड़ाजी यह खेला करेंगे? उनके किस चमत्कार को झारखंड की जनता नमस्कार करेगी? क्योंकि भारतीय संविधान में चमत्कार का स्कोप है ही नहीं।

संविधान कहता है, विधानसभा में बहुमत प्राप्त घटक, समूह या दल का नेता ही मुख्यमंत्री होगा। झामुमो की समर्थन वापसी के बाद क्या परिदृश्य बनता है?

गणित खिलाफ है

झारखंड विधानसभा में 81 विधायक हैं। एक नॉमिनेटेड एंग्लो-इंडियन हैं। एन.डी.ए. के साथ 34 लोग हैं। भाजपा के 30 और जदयू के 4। इसी तरह यू.पी.ए. के 42 विधायक हैं। जे.एम.एम. के 17, कांग्रेस के 9, आर.जे.डी. के 7, निर्दल 9। इन दोनों खेमों से अलग हैं—भाकपा के रामचंद्र राम। भाकपा माले के विनोद सिंह। इंदर सिंह नामधारीजी। सुदेश महतो और अपर्णा सेन, फारवर्ड ब्लॉक की। नामधारीजी और सुदेश महतो एन.डी.ए. के करीबी कहे जा सकते हैं। अपर्णा सेन यू.पी.ए. सरकार की समर्थक हैं। आज की तारीख में कोड़ाजी के खिलाफ घोषित कितने विधायक हैं? एन.डी.ए. के 34, झामुमो के 17 और अपर्णा को छोड़कर चार अन्य विधायक (भाकपा, भाकपा माले, इंदरसिंह नामधारी और सुदेश महतो)। इस तरह 81 विधायकों वाली इस विधानसभा में 55 विधायक घोषित रूप से कोड़ाजी के खिलाफ हैं। मान लिया जाए कि कांग्रेस और राजद अब भी कोड़ाजी के साथ हैं, तब भी उनके कुल 25 (कांग्रेस 9 + राजद 7 + निर्दल 9) विधायक हैं। कहाँ 25 और कहाँ 55! कोड़ाजी कैसे 20 विधायकों को गढ़ेंगे? पर कांग्रेस कोड़ा सरकार के खिलाफ मत डालेगी। ऐसी स्थिति में कोड़ा के साथ कुल 16 लोग बचेंगे। जो हालात हैं, उनके अनुसार राजद भी साथ छोड़ सकता है। तो क्या एक तरफ 9 निर्दल होंगे और दूसरी तरफ 72 विधायक, जो सरकार के खिलाफ

खड़े होंगे ? सरकार के पराजित होने का नया रिकॉर्ड भी कोड़ाजी बना लेंगे।

कैसे यह सरकार बहुमत साबित करेगी ? कोड़ाजी के शब्दों में कहें, तो यह खेला हाउस में होगा, पर कैसे ? यह चमत्कार तीन रास्ते संभव है। पहला, कोड़ा सरकार के उच्च विचार, आदर्श और लक्ष्य। शायद इससे प्रेरित होकर झारखंड के विभिन्न दलों के विधायक अपने-अपने दलों से विद्रोह कर कोड़ाजी के साथ हो जाएँ। दूसरा, ऐसे व्यक्तित्व या जननेता का उभार, जो दलों और विचारों की सीमा तोड़कर विधायकों को, अपने निजी चुंबकीय व्यक्तित्व से अपनी ओर खींच ले।

कोड़ाजी निर्दल हैं। उनका कोई दल ही नहीं है, तो उनके दल, विचार और आदर्श के बारे में बात ही नहीं हो सकती। वह भले इनसान हो सकते हैं, पर उनका व्यक्तित्व भी इतना बड़ा नहीं हुआ कि वह सबको अपनी ओर खींच लें। फिर खेला कैसे होगा ? एक ही रास्ता बचता है, तीसरा, मैनेज करने की कला। इसी क्षेत्र में उन्होंने महारत हासिल की है। उनका यह हुनर लिम्का बुक ऑफ वर्ल्ड रिकॉर्ड बन गया है। राजनीति में मैनेज करने की यह कला कैसे संभव है ? पैसा+अमर सिंहों की फौज। इसी संस्कृति और कला में महारत हासिल है कोड़ाजी को। नहीं तो एक निर्दलीय, जिसके खिलाफ आज की तारीख में घोषित रूप से 55 विधायक हैं, वह कहाँ से खेला करेगा ? इसका अर्थ यह हुआ कि विधानसभा में खेला करने का काम पैसों, दलालों और अनीति के बल पर होगा ? कहाँ पहुँचा दिया राजनीति को कोड़ाजी ने ? झारखंड की यह परंपरा तो एक अंधकारमय भविष्य की नींव डाल ही चुकी है। क्या राजनीति में नीति-अनीति, मूल्य-पाखंड, खरीद-फरोख्त में कोई अंतर नहीं बचा है ? क्या झारखंड यही संदेश देश को देगा ? कोड़ाजी के एक निर्दल मंत्री फरमाते हैं, अंतरात्मा की आवाज पर हम वोट माँगेंगे। जिस ढर्रे पर झारखंड के नेता राजनीति कर रहे हैं, क्या उनमें आत्मा भी है ? अच्छे और बुरे के बीच भेद करने की क्षमता है ? आत्मा, विवेक, समाज, स्वस्थ परंपरा इनके शरीर में हैं ? जो आत्माएँ निरंतर अनीति के भँवर में फँसी हैं, उनकी अंतरात्मा से उठी आवाज पर झारखंड के विधायकों का मानस बदल जाएगा ? ये विचार, सिद्धांत, दल, निष्ठा सब छोड़कर कोड़ाजी के समर्थक बन जाएँगे और इस तरह सारा खेला हो जाएगा ?

कोड़ाजी और उनके हमसफर बार-बार कह रहे हैं, यू.पी.ए. का कोई बड़ा नेता कहे, हम इस्तीफा दे देंगे। यू.पी.ए. बड़ा है या संविधान ? संविधान के नियमों के तहत कोड़ाजी मुख्यमंत्री हैं। संविधान कहता है, विधायकों के बहुमत से ही मुख्यमंत्री होगा या रहेगा। आज विधायकों का बहुमत कोड़ाजी के पास नहीं है। वह बुरी तरह अल्पमत में हैं। जिस संविधान के तहत वे मुख्यमंत्री हैं, उसके प्रति उनकी आंशिक निष्ठा होती, तो वह संविधान की भावना का आदर करते। क्योंकि बहुमत का गणित उनके खिलाफ

चला गया है। फिर यू.पी.ए. कोई दल नहीं है। यू.पी.ए. एक समूह है, जहाँ हरेक मुक्त है, अपने आचरण और निर्णय के लिए। अब तो कांग्रेस ने भी संकेत दे दिया है कि वह झामुमो के साथ है। इसके पीछे दो महत्त्वपूर्ण कारण हैं। पहला, केंद्र में यू.पी.ए. को झामुमो का समर्थन चाहिए। केंद्र सरकार को 275 सांसदों का समर्थन मिला था। आज गुरुजी अलग हो जाते हैं, तो केंद्र में यू.पी.ए. की फजीहत शुरू होगी। लोकसभा का सत्रावसान अभी नहीं हुआ है। जल्द ही लोकसभा की बैठक की संभावना है। उधर न्यूक्लीयर डील पर बात हो रही है। ऐसे माहौल में कांग्रेस झामुमो के पाँच सांसदों को लूज नहीं कर सकती, कोड़ा सरकार की बलि देकर भी। दूसरा कारण है, आगामी लोकसभा चुनाव। आगामी लोकसभा चुनाव में कांग्रेस को झामुमो का संग चाहिए, निर्दलियों का बोझ नहीं। कांग्रेस के ऊपर एक पुराना बोझ भी है, जिसके तहत झारखंड कांग्रेस का दम घुट रहा है, वह है झारखंड के प्रभारी अजय माकन का झारखंड कांग्रेसियों से किया गया वादा। वह और उनकी पार्टी 90 दिनों में यह सरकार गिरानेवाले थे, पर कांग्रेस यह काम नहीं कर सकी और झामुमो ने कर दिखाया। अब कांग्रेस झामुमो के नाम पर गंगा नहाएगी। यू.पी.ए. के तीन महत्त्वपूर्ण नेता हैं, सोनियाजी, लालूजी और शिबू सोरेन। कोड़ाजी इन्हीं तीनों के नाम भजते थे। वह यह भी कहते थे कि गुरुजी जब चाहें, उनके लिए गद्दी खाली कर दूँगा। इस तरह वह 'आधुनिक भरत' बनने की घोषणा भी करते रहते थे। अब यू.पी.ए. के इन तीन बड़े नेताओं में से शिबूजी पहले ही इस्तीफा माँग चुके हैं। कांग्रेस के समर्थन वापस का संकेत मिल चुका है। सोनियाजी या उनके किसी प्रतिनिधि ने सार्वजनिक रूप से इसका खंडन भी नहीं किया है। इस तरह यू.पी.ए. के दो वरिष्ठ समूहों के विचार स्पष्ट हैं। लालूजी ने सार्वजनिक रूप से कोड़ाजी के बने रहने का बयान कहीं दिया नहीं है। हालाँकि पूरा देश झारखंड सरकार का यह संकट देख रहा है। अब कोड़ाजी कैसा संकेत चाहते हैं, जिससे लगे कि यू.पी.ए. के वरिष्ठ नेता उन्हें ही मुख्यमंत्री पद पर चाहते हैं। कहावत है, समझदार को इशारा काफी, पर दो वर्षों तक मुख्यमंत्री की गद्दी सँभालनेवाले 'समझदार कोड़ाजी' शायद यह दृश्य नहीं समझ पा रहे हैं।

एक ही चमत्कार बाकी है। गिरिनाथ सिंह ने एक अर्थपूर्ण बयान दिया है, लालूजी के हवाले से। उनके अनुसार दिल्ली में गुरुजी के लिए तीन पद प्रतीक्षा कर रहे हैं। इस अर्थपूर्ण बयान के संकेत साफ हैं। गुरुजी और उनकी टीम दिल्ली, केंद्र सरकार में शरीक हो जाएँ और झारखंड का संकट टल जाए, पर वह भूल गए कि गुरुजी ने इस बार सही समय पर सही कदम उठाया है। इस बार वह चूके, तो फिर झारखंड उनके हाथ से निकल जाएगा। झामुमो का आधार कम होगा। वह केंद्र छोड़कर झारखंड में अपनी पार्टी का आधार मजबूत करना चाहते हैं। इसलिए अब वह किसी ऐसे प्रस्ताव पर

नहीं लौटेंगे, जो उनके लिए आत्मघाती होगा। गुरुजी के दोनों हाथों में लड्डू है। अगर वह सरकार नहीं बना सके, तो आंदोलन पर उतरेंगे। जनता को यह मैसेज देंगे कि मेरे साथ अन्याय हुआ है। उनकी पार्टी को प्रभावी चुनावी मुद्दा मिलेगा। वह सवाल उठाएँगे कि सात निर्दलों को हम 17 लोगों ने दो वर्ष ढोया, पर ये सात, डेढ़ वर्ष के लिए भी मुझे अवसर देना नहीं चाहते? इससे जो उन्हें, उनके समर्थकों और लोगों की सहानुभूति मिलेगी, उससे झामुमो मजबूत बनकर उभरेगा। अगर उन्हें सत्ता मिल गई, तो वह अपने ढंग से झामुमो को मजबूत करेंगे और इस बार कांग्रेस को समर्थन देना उनकी मजबूरी है, यह वह बखूबी समझ रहे हैं। इसलिए अपने खूँटे पर दम-खम से कायम हैं। इस तरह उनके हाथ में परिस्थितियों ने दोनों हाथों में लड्डू दे दिया है।

दिल्ली में जो कोड़ाजी के समर्थक हैं, वे एक और दाँव या चाल चलेंगे। वे हर निर्दलीय के मन में भरोसा देंगे कि वे उसे ही मुख्यमंत्री बना देंगे। वे कोड़ाजी के साथ डटे रहें। इसके पीछे की रणनीति होगी कि निर्दलीय झामुमो के साथ न जाएँ। और यह कहा जाएगा कि गुरुजी या झामुमो कोई और नया नेता चुन ले, हम उसको समर्थन देंगे, पर गुरुजी को नहीं। लेकिन गुरुजी इतनी दूर निकल आए हैं कि पीछे के सारे दरवाजे उन्होंने बंद कर लिए हैं, ताकि झामुमो का किला या दुर्ग मजबूत हो सके। सत्ता या राष्ट्रपति शासन, यह वह घोषित कर चुके हैं।

(20-08-2008)

□

कोड़ा कला!

ऐसा कम होता है, पर घटता है, जब संज्ञा, जीते-जी विशेषण बन जाए। मसलन, झारखंड के मुख्यमंत्री मधु कोड़ा। अब वह व्यक्ति (संज्ञा) नहीं रहे। विशेषण बन गए हैं। भारत में सामयिक सवालों पर शोध कम होता है, पर होना चाहिए। राजनीति में कोड़ा पर अध्ययन होना चाहिए। जैसे आप पाक कला जानते हैं, भोग कला जानते हैं, संगीत कला जानते हैं, उसी परंपरा में राजनीति में शोध अध्ययन होना चाहिए 'कोड़ा कला' पर। जैसे विज्ञान वगैरह में 'रमन इफेक्ट' पर अध्ययन होता है। उसी परंपरा में भारतीय राजनीति को पतन के पाताल में पहुँचाने के लिए 'कोड़ा कला' पर विचार होना चाहिए।

'कोड़ा कला' क्या बला है? इसकी सुगंध-दुर्गंध क्या हैं? इसकी पहचान क्या है? इसके विशेषण और लक्षण क्या हैं?

शर्म की विदाई : सार्वजनिक जीवन से शर्म-हया की विदाई! इतनी निर्लज्ज सरकार देश में इसके पहले नहीं रही। निर्लज्जता का रिकॉर्ड तोड़नेवाली सरकार। झामुमो ने समर्थन वापस लिया। इसके बाद कोई राजनीतिक दल मंत्रिमंडल में नहीं रहा। यह सरकार सिर्फ निर्दलियों की, निर्दलियों द्वारा और निर्दलियों के लिए रह गई है। लोकतांत्रिक ढाँचे में एक निर्दल समूह ने पूरी व्यवस्था को 'हाइजैक' (अगवा) कर लिया है। देश में इसका भी दूसरा उदाहरण नहीं है।

अल्पमत में आई सरकार बेशर्मी से नीतिगत फैसले कर रही है। बड़े पैमाने पर ट्रांसफर-पोस्टिंग की योजना बना रही है। मंत्रिमंडल की बैठकें कर रही है।

बैकडेट में माइंस एलॉट करने या किसी बिजनेस हाउस के पक्ष में अनुशंसा करने के आरोप भी लग रहे हैं। यह जगजाहिर है कि ये काम किस मकसद और लाभ के लिए किए जा रहे हैं? एक समझदार नागरिक की टिप्पणी थी कि लाश बन चुकी सरकार, अपने कफन के लिए भी सौदेबाजी कर रही है। नए अनुमंडल, नए जिले वगैरह बनाने में हाईकोर्ट से मशविरा करना पड़ता है, पर इस सरकार को किसी पद्धति, नियम, कानून या प्रक्रिया की चिंता नहीं। कहीं किसी से भय नहीं।

राज्यपाल ने उच्चतम न्यायालय के पूर्व फैसलों के आलोक में इस सरकार को 25 अगस्त तक बहुमत साबित करने का समय दिया। गौर करिए, कोड़ाजी 19 सितंबर तक समय चाहते थे। शायद 'कोड़ा कला' को और धारदार करने के लिए, माँजने के लिए, पर कैबिनेट फैसले में जो कार्य निर्दलियों ने किए हैं, उनसे लगता है, इस सरकार को सात मिनट भी सत्ता में नहीं रहना चाहिए। इनके कामकाज देखकर लगता है कि ये साबित करने पर तुले हैं कि 'निर्दल शाप हैं' व्यवस्था के लिए, लोकतंत्र के लिए, समाज के लिए, झारखंड के लिए। कोड़ाजी अब तक यही अलाप रहे थे कि मुझे यू.पी.ए. का निर्देश नहीं मिला। 20 अगस्त को कांग्रेस प्रवक्ता का आधिकारिक बयान आया। कांग्रेस कोड़ा सरकार के खिलाफ वोट करेगी। इसके बाद क्या बचा? झामुमो का समर्थन वापस हो चुका है। कांग्रेस अपना स्टैंड साफ कर चुकी है। फिर भी यू.पी.ए. के आदेश की रट लगाना निर्लज्जता की पराकाष्ठा है। देर रात गए झारखंड कांग्रेस के सह प्रभारी अब्दुल मन्नान ने मुख्यमंत्री से इस्तीफा भी माँग लिया है।

संविधान विरोधी : आप कल्पना कर सकते हैं कि संविधान के तहत बनी सरकार, संविधान, कानून को अलिखित रूप से खारिज कर दे? अगर यह जानना चाहते हैं, तो कोड़ा सरकार के कामकाज की तह में जाना होगा। इस सरकार ने सरकार और मंत्रियों की 'सामूहिक जिम्मेवारी' की बुनियादी अवधारणा को ही पहले विदा किया। हर निर्दल मंत्री अपने विभाग का मुख्यमंत्री बन गया। संविधान कहता है, राज्य में एक मुख्यमंत्री होगा, पर कोड़ा सरकार अनेक मुख्यमंत्रियों का जमावड़ा थी।

निडर-निर्भय : देश में शायद ही कहीं, इतनी निर्भयता से सरकार ने 'भ्रष्टाचार' को संस्थागत बनाया हो। न्यायपालिका, आयकर, विजिलेंस, सी.बी.आई. वगैरह किसी की परवाह नहीं है इस सरकार को। ऐसे अनंत साक्ष्य हैं, पर एक ही पर्याप्त है, हाँड़ी के चावल को परखने-समझने के लिए। एक घोटाले के आरोप में फरार अफसर पर मुख्यमंत्री छह माह पहले काररवाई का आदेश देते हैं। गिरफ्तारी का भी, वीडियो कॉन्फ्रेंसिंग में सार्वजनिक तौर से। फिर वह मैनेज हो जाते हैं। एक मुख्यमंत्री जहाँ, ऐसा सार्वजनिक आचरण करे, वहाँ किस व्यवस्था या सरकार पर भरोसा कर सकते हैं आप? पूरी व्यवस्था और सरकार को पूर्ण अविश्वसनीय बना देने के लिए 'कोड़ा सरकार' यादगार अध्याय रहेगा। निडर और निर्भय होकर भ्रष्टाचार में लीन होना, डूबना-उतराना। अल्पमत में आने पर भी यही काम।

लोकतंत्र को अविश्वसनीय बना देना : 'कोड़ा मैजिक' ने लोकतांत्रिक व्यवस्था को ही अविश्वसनीय बनाने में ऐतिहासिक काम किया है। लोकतंत्र के आलोचक कहते रहे हैं, लोकतंत्र की सबसे बड़ी कमजोरी है कि 51 चोर मिलकर 49 साधुओं को भगा देंगे। यहाँ सारे निर्दलों ने 'दलवालों' को सरकार से चलता कर दिया है।

इस सरकार के काम का सांगोपांग अध्ययन हो, तो पता चलेगा कि लोकतंत्र की जड़ें कैसे कटी हैं इस राज्य में?

इसी तरह कोड़ा कला के अनंत पहलू और चरित्र हैं। इस पर सांगोपांग अध्ययन के लिए सिविल सोसाइटी को आगे आना होगा। अदालतों की मदद लेनी होगी। इनके कामकाज की जाँच सरकारी एजेंसियों से करानी होगी, तब 'कोड़ा कला' से परदा उठेगा।

(21-08-2008)

□

शुरुआत की सीढ़ियाँ

साढ़े तीन वर्षों में यह चौथी सरकार है। अच्छा मानें या बुरा, पर शिबू सोरेन देश के बड़े आदिवासी नेता हैं। अब तक झारखंड में जो भी मुख्यमंत्री हुए, उनमें से किसी एक के पास शिबू सोरेन जैसा जनाधार नहीं रहा। शिबू सोरेन के कारण झामुमो जनमा, झामुमो के कारण शिबू सोरेन नहीं हुए। अलग झारखंड के लिए लड़नेवालों में भी शिबू सोरेन का रिकॉर्ड, अन्य पूर्व मुख्यमंत्रियों के मुकाबले पुराना है। वह ऐसे क्षेत्रीय दल से हैं, जिसके सुप्रीमो भी वे खुद हैं। उनके ऊपर आलाकमान नहीं है। उन्हें दिल्ली दरबार की रोज पूजा या आरती नहीं करनी पड़ेगी। बाबूलालजी भाजपा के नुमाइंदे थे। पहले मुख्यमंत्री के रूप में। फिर अर्जुन मुंडा बने, वह भी भाजपा से संचालित थे। कोड़ाजी निर्दल थे, भाग्य की देन, पर उन्होंने अद्भुत संतुलन बना लिया था। राजनीति में संतुलन समीकरण उनकी देन है। उन्होंने अपने पास खान, बिजली और रोड जैसे विभाग रखे। उनके अन्य सहयोगी मंत्री अपने-अपने विभागों के स्वायत्त जागीरदार थे। कोड़ाजी अपने सहयोगी मंत्रियों के कामकाज को मुख्यमंत्री की हैसियत से न रिव्यू करने की स्थिति में थे, न उनके गलत फैसलों पर पुनर्विचार करने की स्थिति में? यह संतुलन ही उनकी 23 माह की सरकारी आयु का राज है। मंत्रिमंडल बैठकों में मुख्यमंत्री पर मंत्री हावी रहते थे। इन बैठकों में मुख्यमंत्री पद की गरिमा के साथ, न चर्चा होती थी, न उस पद को महत्त्व मिलता था। स्तरहीन बहसें और विवाद के अप्रिय प्रसंग भी सुनाई देते थे। मंत्रिमंडल की बैठकों में मुख्यमंत्री कई-कई घंटे मंत्रियों का इंतजार करते थे। इसलिए मुख्यमंत्री शिबू सोरेन की पहली प्राथमिकता हो सकती है मुख्यमंत्री पद, मंत्रिमंडल के कामकाज की गरिमा लौटाना।

यह वह तभी कर सकते हैं, जब वह एक अच्छी टीम बनाएँ। दो स्तर पर। मुख्यमंत्री सचिवालय में और निजी सहायकों की टीम। ये दो टीमें बेहतर लोगों की बनीं, तो मुख्यमंत्री का काम आसान होगा।

अच्छे लोग शिबू सोरेन की टीम में होंगे, तो अपने आप यह मैसेज चला जाएगा कि सरकार क्या चाहती है?

सत्ता गुड़ है, वहाँ चीटियाँ और चीटें पहले पहुँचेंगे। इसलिए सबसे पहले वे पहुँचेंगे, जो चारण, चापलूस और दलाल हैं। दरअसल ये स्थायी राजा हैं। चाहे राजकाज किसी का हो। किसी भी सत्ताधीश के लिए इन्हें इनकी सीमा में रखना पहली प्राथमिकता होनी चाहिए। मीडिया में भी कुछ ऐसे लोग हैं। बाबूलालजी पहले मुख्यमंत्री बने। वे उनके विश्वस्त हो गए। ईमानदार अफसरों के ट्रांसफर कराने लगे। ठेका, पट्टा और तबादला का व्यवसाय शुरू कर लिया। सरकार के सहयोग से। फिर अर्जुन मुंडा का राज आया। उनके भी प्रियपात्र बन बैठे। फिर रातों-रात पाला मार कर कोड़ाजी की गोद में जा बैठे। उनकी बैठकों के साथी बन गए। उनके चर्चित दरबारियों के चहेते। फिर ट्रांसफर-पोस्टिंग का धंधा। सरकार कोड़ाजी की जा रही थी, पर साँस ऐसे लोगों की अटक रही थी। अब ढोल-मजीरा लेकर यही लोग मुख्यमंत्री शिबू सोरेन के यहाँ पहुँचेंगे। कोड़ाजी अकेले दिन काटेंगे। देश और समाज के ये घुन हैं। इनसे मुक्त होना, सरकार और मंत्रियों के हित में है, क्योंकि घुन नींव खाते हैं और जड़ें खोखली करते हैं। इस तरह चारण, चापलूस और दलालों का वर्ग, काम अपना करता है और बदनाम नेता और सरकार होते हैं।

खराब शासन के कारण मधु कोड़ा कार्यकाल में कई गरीबों को जान गँवानी पड़ी। नरेगा जैसे कार्यक्रमों में बेईमानी के कारण। कोडरमा में महेंद्र तुरी मरे। हजारीबाग (चुरचू प्रखंड) में तापस सोरेन ने खुद को आग लगा ली। गिरिडीह (देवरी) में कामेश्वर यादव मारे गए। नरेगा में भ्रष्टाचार की जाँच के क्रम में पलामू (छतरपुर) के ललित मेहता की हत्या हुई। बुंडू (गीतलडीह) में तुरिया मुंडा ने आत्महत्या की। नरेगा मजदूरी न मिलने के कारण पलामू (मनातू) में शिवशंकर साहू ने भी आत्महत्या की।

गांधीजी ने सत्ता में बैठे लोगों के लिए तावीज मंत्र दिया था। सबसे गरीब की स्थिति देखो। जो समाज के सबसे गरीब हैं, उनको सरकारी भ्रष्टाचार के कारण आत्महत्या करने की स्थिति से न गुजरना पड़े। यह सुनिश्चित करना, सरकार का मुख्य दायित्व होना चाहिए। शिबू सोरेन की राजनीति जल, जंगल और जमीन के इर्द-गिर्द घूमती रही है। नरेगा जमीन का कार्यक्रम है। इस कार्यक्रम के तय मापदंडों को तोड़नेवाले, भुनानेवाले, इससे दगा करनेवालों के खिलाफ सरकार सख्त कदम उठाए। दोषी अफसरों को न छोड़े। इसका मैसेज गाँव-गाँव तक जाएगा।

झारखंड में अनेक महत्त्वपूर्ण केंद्रीय संस्थान हैं। मसलन पलांडू स्थित बागबानी और कृषि शोध संस्थान, तसर इंस्टीट्यूट, बिरसा कृषि विश्वविद्यालय, रामकृष्ण मिशन कृषि विश्वविद्यालय वगैरह। इन संस्थानों में प्रतिभाशाली वैज्ञानिक हैं, प्रतिबद्ध लोग हैं। ये खुशामद करते घूमनेवाले लोग नहीं हैं। इन्हें ससम्मान साथ जोड़ना होगा। अनेक जाने-माने एन.जी.ओ. हैं। इनको अवसर और सहयोग मिले, तो ये झारखंड के ग्रामीण

इलाकों का नक्शा बदल देंगे। राज्य सरकार इनके साथ कदमताल मिलाकर काम करे, तो ग्रामीण हालात बदलेंगे। पलायन कम होगा।

गवर्नेंस, भ्रष्टाचार पर नियंत्रण जैसे गंभीर सवाल अत्यंत महत्त्व के हैं। शिबू सोरेन खुद मानते हैं कि कानून व्यवस्था की स्थिति खराब है। झारखंड में गवर्नेंस पुअर है, इसे ठीक करने की गंभीर कोशिश होनी चाहिए। दरबार लगाने और चाटुकारिता फन में माहिर नौकरशाहों से सजग होना सरकार के हित में है। भारत का प्राचीन मानस यह मानता था कि 'निंदक नियरे राखिए'। निंदक से तात्पर्य है, शासकों तक सही-सही बात पहुँचानेवाले लोग।

हम झारखंडी इतराते हैं कि यह राज्य प्राकृतिक संसाधनों की दृष्टि से सबसे संपन्न है, पर मानते हैं कि यह भारत का सबसे गरीब राज्य भी है। ऐसा भी नहीं है कि खनिज संपदा का यह भंडार, झारखंड में सुरक्षित खजाना है, अक्षुण्ण रहनेवाला है। मनुष्य, समाज या राज्य विपत्ति में सुरक्षित खजाने पर भरोसा करते हैं। भविष्य की थाती नहीं है यह, पर यह अनमोल खजाना तो रोज बाहर जा रहा है। बड़े पैमाने पर आयरन ओर की तस्करी हो रही है। चीन भी भेजा जा रहा है, जो प्रतिबंधित है। इसी तरह कोयला वगैरह खनिज संपदा है, जो लगातार झारखंड से बाहर जा रहा है। कोडरमा से अबरख खत्म हो गया। इस तरह यह खजाना खाली हो रहा है, पर इस संपदा का उपयोग झारखंड के लिए नहीं हो रहा है, इस संपदा से झारखंड समृद्ध नहीं हुआ। झारखंड में रोजगार नहीं बढ़ रहा। झारखंड के निवासी समृद्ध नहीं हो रहे हैं।

किसी भी समझदार झारखंड सरकार के लिए यह सबसे बड़ी चुनौती है कि वह इस प्राकृतिक संपदा का उपयोग झारखंड की समृद्धि के लिए सुनिश्चित करे। संभवतया एन.डी.ए. सरकार में यह नीति बनी कि जो झारखंड में उद्योग लगाएँगे, माइंस उनको ही मिलेगा। पर झारखंड में जिनके उद्योग हैं ही नहीं, जिनके बाहर स्थित कल-कारखानों से झारखंड के लोगों को रोजी-रोटी या नौकरी नहीं मिल रही है, उन्हें खनिज संपदा का भंडार क्यों? खनिज संपदा बाहर बेचकर अरबपति, खरबपति बनने का लाइसेंस सरकार ने कैसे दिया? शिबू सरकार चाहे तो यह जाँच करा सकती है कि कितने ऐसे लोगों को माइंस एलॉट हुए हैं, जिनका राज्य में कोई कल-कारखाना या उद्योग है ही नहीं?

प्राकृतिक संपदा झारखंड के लिए अब तक अभिशाप सिद्ध हुई है। अर्थशास्त्री और शासन विशेषज्ञ एक शब्द इस्तेमाल करते हैं, 'रिसोर्स कर्स' (प्राकृतिक संपदा का अभिशाप)। झारखंड के संदर्भ में भी यह अवधारणा सही है। दुनिया के जो मुल्क प्राकृतिक संपदा की दृष्टि से सबसे संपन्न हैं, वे भी अपनी इस संपदा का इस्तेमाल अपने लिए नहीं कर पाते। दुनिया के दूसरे देश, मुल्क या राज्य उनकी संपदा से अपना जीवन स्तर समृद्ध कर रहे हैं। नाइजीरिया आज दुनिया में दूसरे नंबर का तेल उत्पादक

देश है, पर वहाँ की गरीबी और अराजकता देखिए। जिम्बाब्वे भी प्राकृतिक संपदा की दृष्टि से दुनिया के संपन्नतम देशों में से एक है, पर वहाँ महँगाई सभी सीमाओं के पार चली गई है। इस तरह अन्य देश भी हैं।

दूसरी तरफ दुनिया में ऐसे देश भी हैं, जिनके पास नगण्य प्राकृतिक संपदा है, पर वे दुनिया के सबसे समृद्ध देश बन गए। अपने श्रम से, अनुशासन से, कौशल से और कर्मठता से। मसलन जापान, कोरिया, सिंगापुर वगैरह। खुद भारत में गुजरात को देखिए। वहाँ प्राकृतिक संपदा नहीं है, पर वह देश के समृद्ध राज्यों में से एक है। यह द्वंद्व झारखंड को सुलझाना ही पड़ेगा। अपनी अपार प्राकृतिक संपदा के साथ यह राज्य देश का सबसे गरीब राज्य बना रहना चाहता है या अपनी प्राकृतिक संपदा के बल वह समृद्ध बनना चाहता है? इस राज्य की प्राकृतिक संपदा से अन्य राज्य समृद्ध होते रहेंगे और झारखंड पिछड़ता रहेगा? यह चुनाव झारखंड की सरकार को देर-सबेर करना ही होगा।

नैनो प्रकरण पर शिबू सोरेन का बयान महत्त्वपूर्ण है। आज देश के हर आगे बढ़ते राज्य ने टाटा को अपने यहाँ आमंत्रित किया है। क्यों? दो वजहों से—टाटा घराने की अपनी विश्वसनीयता और औद्योगिकीकरण की मजबूरी। कृषि और उद्योग के संतुलित विकास से ही झारखंड का नया भविष्य बनेगा। इस दृष्टि से गुरुजी का यह कहना कि टाटा कंपनी झारखंड की मिट्टी से जुड़ी है, वह चाहे तो झारखंड भी आ सकती है, अर्थपूर्ण है। इस तरह राज्य के शिक्षा, सड़कों, अस्पताल, यातायात, शहरों के विकास के बारे में नई पहल होनी चाहिए। खासतौर से गाँवों, बागबानी और कृषि सिंचाई के लिए। इन क्षेत्रों में अगर नई सरकार सार्थक कदम उठाए, तो न सिर्फ झारखंड का भविष्य सुधरेगा, बल्कि झामुमो का भविष्य भी मजबूत होगा। वरना निराशा का एक और दौर!

(30-08-2008)

□

सरकार से और विधायकों से!
जाँच ही रास्ता है

अखबार राजनीति नहीं है। हम संस्था के तौर पर विधानसभा की कद्र करते हैं। यह लोकतंत्र का मंदिर है। यहीं से राज्य का भाग्य तय होनेवाला है।

झारखंड की लूट कथा पर लगातार मीडिया में रपटें आती रही हैं। 'प्रभात खबर' ने, बिना किसी भेदभाव के पिछले आठ वर्षों में, सत्ता के इस दुरुपयोग को उजागर किया है। हमारे पास इसके ब्योरे हैं। और इसकी कीमत जो हमने चुकाई है, वह न हमने राजनीतिज्ञों को बताया, न राज्य को, न समाज को, क्योंकि हम मानते हैं कि हमारा धर्म है, व्यवस्था की सफाई के लिए जनता के पक्ष में खड़ा होना और हम यही कर रहे हैं। पिछले आठ वर्षों में झारखंड की लूट बढ़ी। कानून और संस्थाओं की खिल्ली उड़ाई गई और मीडिया में ऐसी रपटें भी बढ़ीं। इसी क्रम में ताजा प्रकरण है—झारखंड के एक ऐसे व्यक्ति का 17 सितंबर को मुंबई कस्टम द्वारा गैर-कानूनी पैसे ढोने पर डिटेंशन। क्या यह मीडिया ने किया था? उस दिन झारखंड के अखबार बंद थे। देश के दर्जनों बड़े अखबारों में यह खबर आई कि यह व्यक्ति झारखंड के किस ताकतवर व्यक्ति से जुड़ा है? इसके बाद लगातार इस घटना के संबंध में दस्तावेज छप रहे हैं। हम महसूस करते हैं कि अखबार की भूमिका या अखबार का काम है, सच की तह तक पहुँचने के लिए समाज, राजनीतिक दलों, जनमत, विधायिका, सरकार, नौकरशाही, जाँच एजेंसियों को मदद करना। अगर अखबारों में छप रही बातें गलत हैं, तो इसका एक बड़ा साधारण और सामान्य समाधान है, जाँच करा देना।

अगर माननीय विधायकों को 'प्रभात खबर' से शिकायत है, तो वे 'प्रभात खबर' में एक-एक तथ्य-विवरण का जवाब दें। हम सम्मान के साथ उनका पक्ष छापना चाहेंगे। हम ऐसा करना, अपना धर्म समझते हैं। हम इस सूक्त वाक्य में विश्वास करते हैं कि आपकी बातों या आपके मत से बिलकुल असहमत हैं, पर आपके इस अधिकार की रक्षा के लिए हम हमेशा सचेष्ट रहेंगे। नेहरूजी को यह वाक्य प्रिय था कि उन्होंने इसको संसद् में खुदवाया। झारखंड की विधायिका संभवतया, नेहरूजी के इस वाक्य

को भूल गई। जीवन और कर्म, दोनों से।

हम सारे तथ्यों से यही सवाल उठा रहे हैं कि जाँच हो। अगर कोई निष्पक्ष है, तो वह जाँच से क्यों भाग रहा है? क्या चोर की दाढ़ी में तिनकावाली कहावत सही है? जो विधायक अखबार के गलत तथ्यों की बात करते हैं, हमारा उनसे आग्रह है कि वे लिखित रूप से कहें। सदन के बाहर कहें। उनके इस बयान पर हम अपनी ओर से न्यायपालिका में जाकर आग्रह करेंगे कि हमारे खिलाफ के आरोपों की जाँच हो। हम जाँच के लिए तैयार हैं। सिर्फ एक मामूली शर्त है, हम 'प्रभात खबर' पर आरोप लगानेवाले के गलत कामों की सूची भी सार्वजनिक करेंगे और उसे भी इस जाँच के लिए तैयार होना होगा। मीडिया का यह अभियान है, झारखंड की राजनीति को शुद्ध बनाने का। झारखंड विधानसभा या सरकार चाहे, तो एक ऐतिहासिक निर्णय ले और इसकी जाँच करा ले। स्पष्ट हो जाएगा कि मीडिया गलत है या राजनीति करनेवाले?

जहाँ तक 'प्रभात खबर' की बात है, अकसर कुछेक लोग यह आरोप लगाते हैं कि विधानसभा में चर्चित होने के लिए अखबार सवाल उठाता है। हम स्पष्ट करना चाहेंगे कि 'प्रभात खबर' ने काफी पहले यह तय कर लिया था कि वह विधानसभा में 'प्रभात खबर' को लहराते तसवीर नहीं छापेगा। खबर भी नहीं छापेगा। न हम छापते हैं। 'पीके इंपैक्ट' (यानी 'प्रभात खबर' की खबरों का असर) यहाँ नहीं छपता, ताकि समाज को हम अपना महत्त्व बताएँ। पहले कभी-कभार ऐसा होता था, पर समाज की आलोचना को हमने सही पाया और तय किया कि अपनी खबरों को हम आत्मप्रचार के लिए नहीं छापेंगे। झारखंड बनने के बाद से ही लगभग हर असेंबली में न चाहते हुए भी 'प्रभात खबर' चर्चा में आता है। बहस का विषय बनता है। खासतौर से पिछले दो-तीन वर्षों से कुछ अधिक ही, या रोज ही। या हर सत्र में हर दिन। जो लोग समझते हैं कि यह 'प्रभात खबर' की ताकत है, वे भ्रम में हैं। इस नश्वर संसार में 'प्रभात खबर' जैसे लाखों मंच हैं, जो इतिहास में डूबते-उतराते हैं। ताकत 'प्रभात खबर' की नहीं, मुद्दों की है। झारखंड के गंभीर सवालों की यह ताकत है। जनसमस्याओं की यह ताकत है कि वे खुद गूँज रहे हैं। यह उस मंच (मीडिया या 'प्रभात खबर') की खासियत नहीं है कि वह चर्चा में होता है। ये जनता के सवाल हैं, इसलिए ये बार-बार उठेंगे, चाहे अखबार उठाएँ या न उठाएँ। इस अर्थ में हम गांधी के अनुयायी हैं। काम खुद बोलता है, प्रचार नहीं (वर्क स्पीक्स लाउडर दैन वॉयस)। इसलिए हम यह प्रचार नहीं करते कि हमारे उठाए गए सवाल विधानसभा में गूँजते हैं। दरअसल ये सवाल विधायकों के हैं, विधायिका का है। उनका फर्ज है कि वे ऐसे सवाल उठाएँ। हम उनकी बातों को छापें, पर वे अपनी भूमिका से भटक गए हैं। समाज की समस्याएँ

उठाना विधायिका का धर्म है। ऐसे नासूर बन रहे सवालों का हल ढूँढ़िए, नहीं तो यह व्यवस्था ही अविश्वनीय हो जाएगी। लोकतंत्र को खत्म कर देगी।

विनोद सिन्हा का प्रसंग 'प्रभात खबर' ने पहली बार 20 अगस्त, 2007 को उठाया था। अगर उस समय यह मामूली जाँच हो गई होती, तो भ्रष्टाचार का यह मामला झारखंड से निकल कर विदेशों में नहीं फैला होता। झारखंड देश का सबसे गरीब राज्य है, क्योंकि यहाँ सबसे अधिक भ्रष्टाचार है। सड़कें नहीं हैं, क्योंकि यहाँ सड़कें लूटी जाती हैं। स्वास्थ्य व्यवस्था ठीक नहीं है, क्योंकि अव्यवस्था है। बिजली नहीं है, क्योंकि बिजली विभाग में भारी लूट है। ऐसे सारे सवालों को ठीक करने का एक ही रास्ता है, जाँच। जाँच की सुरंग से ही झारखंड की राजनीति साफ होगी। सरकार और विधायिका ऐसा निर्णय कर ऐतिहासिक काम कर सकती है।

(25-09-2008)

☐

राजनीतिक रंगमंच के दृश्य

सच तो यही है कि तमाड़ उपचुनाव ने दो मंत्रियों की बलि ले ली है, पर कारण कुछ भी हो, इन दोनों के जाने से संविधान और कानून का पक्ष मजबूत हुआ है। इन मंत्रियों पर गंभीर आरोप हैं। इन्होंने सरकार, संविधान को बंधक बना लिया था। इनमें से एक ने कहा था, आई.एम. करप्ट, सो व्हाट (मैं भ्रष्ट हूँ तो क्या)? आश्चर्य है। दूसरे ने कहा है कि यह 'गंदी राजनीति' है। उन्होंने यह भी फरमाया, आनेवाला समय राज्य के लिए बहुत दुर्भाग्यपूर्ण है। यह कह कर भी वे चुप नहीं हुए। उन्होंने अपनी बरखास्तगी के बारे में कहा कि यह राज्य को रसातल में ले जाने की साजिश है। इससे राज्य बरबाद होगा।

इतना बड़बोलापन? इतना अहंकार? जो मंत्री के रूप में रोज संविधान, कानून, नैतिक राजनीति की धज्जी उड़ाता रहा हो, उसका यह अभिमान कि मेरे जाने से राज्य रसातल में जाएगा। जो आदमी परफॉरमेंस, इफीसिएंसी, इंटीग्रिटी, विजन सबमें सबसे घटिया साबित हुआ हो, उसका यह दर्प और अहंकार? कभी एक दरबारी कांग्रेस अध्यक्ष ने नारा दिया, इंदिरा इज इंडिया, इंडिया इज इंदिरा। अब वह चाटुकार राजनीति, इस शीर्ष पर पहुँच गई है कि समाज के लिए बोझ बने लोग यह दावा करने लगे हैं कि मेरे जाने से राज्य का दुर्भाग्य होगा? वह यह भी कहते हैं कि वह गलत राजनीति के शिकार हुए। यह सज्जन चुनाव जीत कर आए, तो इनकी संपत्ति क्या थी? अब क्या है? कितने खटाल, डेयरी फार्म, गाड़ियाँ खरीदीं? पचासों करोड़ से अधिक की। और तो और, बड़े शहरों में महिला मित्रों के साथ घूमते थे। जिन लोगों की राजनीति में पैदाइश ही पाप से हुई, छल से हुई, वे नीति की बात करें, यही कलियुग है। अब इनकी नीति देख लीजिए। पहली बार विधायक बने। एन.डी.ए. के साथ गए। फिर पल्टी मारी। यू.पी.ए. के साथ हुए। फिर शिबू सोरेनजी के साथ गए। यानी सरकार कोई भी हो, मंत्री पद चाहिए। क्यों? राज्य को लूटने के लिए? सच तो यह है कि झारखंड की सफाई का रास्ता सी.बी.आई. की जाँच सुरंग से होकर गुजरता है। यह लोकतंत्र की सीमा है। जो आदमी अपनी प्रतिभा, श्रम, ईमानदारी के बल चपरासी नहीं हो सकता था, वह मंत्री

बनकर करोड़ों का भाग्य तय करने लगा। अरबों में खेलने लगा।

मिनिस्टर पद का संवैधानिक कवर (कवच) था, पर असंवैधानिक काम ही फर्ज थे। सही जाँच हो, तो जिन्हें जेल जाना पड़े, वे अब कानून, अच्छी राजनीति वगैरह की दुहाई दे रहे हैं। दूसरे मंत्री का कहना है कि पूरे राज्य की जनता मेरे साथ है। इन पर भी असीमित संपत्ति जमा करने का आरोप है। अब यह मंत्री भी जनता की दुहाई दे रहे हैं।

पर सिर्फ इन दो मंत्रियों को दोष क्यों? किसने इन्हें पाला? पनपाया? बढ़ाया? और इनकी करतूतों को यहाँ तक पहुँचने की इजाजत किसने दी? क्यों झारखंड में ऐसी स्थिति हो गई कि सरकारी पद पर बैठकर ये लोग भयमुक्त हो गए सरकारी कानूनों से, संघीय कानूनों से, आयकर से, विधानसभा से, सरकारों से, मुख्यमंत्री से और केंद्रीय सरकार से? क्यों झारखंड देश का सबसे भ्रष्ट, अशासित और कलंकित राज्य बन गया?

इस राज्य को इस हाल में पहुँचाने के लिए एन.डी.ए., यू.पी.ए. दोनों जिम्मेवार हैं। जो मुख्यमंत्री हुए, वे भी इस पाप के समान अभियुक्त हैं। बाबूलाल मरांडी के कार्यकाल में भ्रष्टाचार अगर आठ फीसदी था, तो अर्जुन मुंडा के कार्यकाल में वह 16 फीसदी हुआ। कोड़ाजी को इसमें हजार गुना वृद्धि का श्रेय है। आज भी राज्य उसी राह पर है। बाबूलाल मरांडी ने नारा दिया कि वह भ्रष्टाचार के खिलाफ लड़ेंगे, पर क्या भ्रष्ट लोगों के साथ खड़े होकर भ्रष्टाचार के खिलाफ लड़ाई संभव है? जो राज्यसभा चुनाव में सौदेबाजी के तहत वोट देते हैं, उनके साथ होकर भ्रष्टाचार के खिलाफ लड़ाई? उनके दल का स्टैंड क्या है? वह भ्रष्टाचार के खिलाफ लड़ना चाहते हैं या एन.डी.ए. या यू.पी.ए. के मुकाबले तीसरा खेमा बनाना चाहते हैं? या झामुमो के खिलाफ बिगुल फूँकना चाहते हैं? यह साफ नहीं है। भाजपा तो इस राजनीतिक पतन की शुरुआत करनेवाली रही है। बाबूलाल के जमाने से ही। क्या भाजपा ने अपने शासनकाल में मंत्रियों के निरंकुश होने, उनके बढ़ते भ्रष्टाचार, अहंकार या लूट पर अंकुश लगाया? सिद्धांत के लिए सत्ता छोड़ी? मंत्रियों को हटाया? भाजपा के कार्यकाल में ही इन्हें भ्रष्टाचार का चस्का लगा। अगर भाजपा ने ऐसे मंत्रियों के खिलाफ कारवाई की होती, इन्हें निकाला होता, तो वह वैकल्पिक राजनीति की बात करती। तब उसमें भ्रष्टाचार के खिलाफ लड़ने का नैतिक साहस रहता, पर झारखंड को अथाह पतन में भेजने की पिच तो भाजपा के कार्यकाल में बनी। मधु कोड़ा राज में यह परवान चढ़ी। निर्दल मुख्यमंत्री, निर्दल मंत्री और स्टेज यू.पी.ए. का। इस सरकार ने भ्रष्टाचार का इतिहास रच दिया। यू.पी.ए. ने राज्य को रसातल में पहुँचा दिया। इस सारे खेल की सूत्रधार कांग्रेस है। वह नायक-खलनायक दोनों की भूमिका में रहना चाहती है। मधु कोड़ा कार्यकाल के अगर एक भी गंभीर मामले की गहराई और गंभीरता से जाँच हो जाए, तो अनेक बड़े चेहरे

सीखचों के पीछे नजर आएँगे। मंत्रियों का आचरण स्तब्धकारी रहा। कोई लोक-लाज, शर्म या कानूनी बंदिश नहीं। सामंती और निरंकुश राजा भी ऐसे स्वछंद, अमर्यादित या निंदनीय आचरण नहीं करते थे।

और राज्य की इस दुर्दशा के लिए सिर्फ सरकार ही दोषी नहीं, बड़े पदों पर बैठे अफसर उतने ही जिम्मेदार हैं। डॉ. लोहिया ने कहा था, असली राजा तो नौकरशाह हैं। मंत्री तो आते-जाते हैं, पर नौकरशाह यहाँ-वहाँ सत्ता में ही बने रहते हैं। जब ईमानदार नौकरशाहों को प्रताड़ित और अपमानित किया जा रहा था, तब चारण, चापलूस और भ्रष्ट अफसरों ने क्या किया? अपना आत्मसम्मान गिरवी रख दिया इन बिके और भ्रष्ट राजनेताओं के पास। कानून और संविधान के ये प्रहरी नेताओं और मंत्रियों के अपराधों के कवच बन गए। मुख्य सचिव से लेकर नीचे तक, ऐसे पात्र झारखंड में हुए, जिन्हें कभी यह राज्य, समाज या ईमानदार राजनीति माफ नहीं करेगी। राजनेताओं के साथ-साथ यह तबका भी समान अपराधी है। आज झारखंड में ऐसी व्यवस्था बन गई है कि इसके गर्भ से लगातार ऐसे ही मंत्री या सरकारें निकलेंगी।

यू.पी.ए. को पता है कि मंत्रियों या सरकार के बारे में लोकधारणा क्या है। इसलिए इन दोनों मंत्रियों को हटाने के पीछे कांग्रेस की रणनीति बताई जा रही है। कोशिश यह है कि इन दोनों मंत्रियों को कुरबान कर यू.पी.ए. दिखाए कि वह भ्रष्टाचार के खिलाफ है। वह नैतिक राजनीति की पक्षधर है। लोकसभा चुनाव सिर पर है। इसके कुछ दिनों के बाद झारखंड विधानसभा चुनाव भी होगा। जब तक इन दोनों निकाले गए मंत्रियों के साथ सत्ता का स्वाद लेना था, लिया। अब कुरबान कर भ्रष्टाचार के खिलाफ होने का श्रेय भी लेना है। पर जनता जग रही है। फर्ज करिए, कल एनोस एक्का साहस करें, तो वह राज्य का कितना बड़ा कल्याण कर सकते हैं? यह काम हरिनारायण राय नहीं कर पाएँगे। एनोस कर सकते हैं, क्योंकि वह खुलेआम कहते हैं कि मैं करप्ट हूँ। यानी करप्शन का सार्वजनिक विशेषण वह लेने को तैयार हैं। उनकी इस बात से लगता है कि उनमें साहस है। यह अलग बात है कि वे गलत रास्ते पर साहस दिखा रहे हैं, पर इस साहस से संकेत मिलता है कि एनोस तैयार हों (माफ करेंगे, आजतक कहीं किसी मंच पर कभी उनसे मुलाकात नहीं हुई। जो भी अवधारणा बनी, वह उनके बयान - करतूतों को मीडिया में देख-पढ़कर), तो वे झारखंड की राजनीति में भूचाल खड़ा कर सकते हैं। झारखंड की राजनीतिक सफाई की झाड़ू उठा सकते हैं। इस देश की विचित्र परंपरा रही है। पुण्याई से वह अपना पाप धो सकते हैं।

वह सार्वजनिक पुण्याई क्या हो सकती है? तमाड़ चुनाव के बाद, चाहे जीतें, चाहे हारें, वह आत्मशुद्धि करें। अपने पाप जनता के सामने कनफेस करें। बताएँ कि हमने यह गलत किया। इतनी संपत्ति इकट्ठी की। मंत्री पद पर रहा कानून, संविधान की रक्षा

के लिए, पर उसे इस रूप में तोड़ा। अब मैं प्रायश्चित कर रहा हूँ। यह काम वह शुद्ध मन से करें। गांधीवादी एप्रोच में करें। किसी को दुश्मन या मित्र माने बगैर करें।

इसके बाद वह सप्रमाण बताएँ कि विधायक बनने के पहले दिन से अब तक उन्होंने सरकार में क्या देखा? कैसे सड़क नापनेवाले अरबपति बने? कैसे कानून बचानेवाले कानून तोड़क बने? कैसे दलालों की फौज खड़ी हुई? किस राजनेता का शागिर्द झारखंड से 1500 करोड़ से अधिक की पूँजी विदेश ले गया? हरिनारायण राय की यह पीड़ा है कि अगर आय से अधिक संपत्ति के मामले में मुझे निकाला गया है, तो अन्य मंत्रियों को क्यों छोड़ा गया? तो गलत नहीं है, पर हरिनारायण राय में दम नहीं है कि उन सभी मंत्रियों के राज खोल दें, जो इसी तरह झारखंड लूटने में डूबे हुए हैं। एनोस अगर ऐसा करते हैं, तो तात्कालिक मुसीबत उठाएँगे। वैसे भी उनके खिलाफ जाँच होनी ही है और उनके गलत काम पकड़ में आएँगे ही, पर वह खुद पहल कर अपना जुर्म कबूल करें, तो पासा पलट सकते हैं। इस देश और राज्य की जनता सच्चे मन से अपराध स्वीकार करनेवालों को क्षमा करती है। यह पहल कर एनोस झारखंड की राजनीति के महत्त्वपूर्ण खिलाड़ी बन सकते हैं। तब उनकी जड़ें मजबूत होंगी। वह अपने समकक्ष नेताओं के मुकाबले मजबूत होकर उभरेंगे। एनोस के कनफेशन से झारखंड की राजनीतिक सफाई की शुरुआत हो सकती है। एनोस का यह प्रयोग, एक सशक्त दाँव होगा, जो विरोधियों को चित्त करेगा; और उनको प्रायश्चित की जमीन पर खड़े होकर राजनीति करने का अवसर देगा। अगर यह काम एनोस ने किया, तो यू.पी.ए. की रणनीति धरी रह जाएगी। जो लोग एनोस और हरिनारायण को हटाकर भ्रष्टाचार के खिलाफ जंग जीतने का श्रेय लेना चाहते हैं, वे कांग्रेसी औंधे मुँह गिरेंगे।

पर क्या झारखंड की इस दुर्दशा के लिए सिर्फ नेता और अफसर ही जिम्मेदार हैं? नहीं, जनता उससे अधिक दोषी है। मूकदर्शक बनकर संविधान, कानून और नैतिक मापदंडों का चीरहरण देखना, इसके मूल में है। यथा प्रजा तथा राजा। अँगरेजी में भी कहावत है, वी गेट व्हाट वी डिजर्व (हम जिस चीज के पात्र हैं, वही पाते हैं)। आम जीवन में गलत करेनवालों से नफरत, चोरी, बेईमानी से आगे न बढ़ने का संकल्प, दलाल बनने की स्पर्धा में शामिल न होने का संकल्प जिस समाज के पास हो, वहाँ के राजनेता बेहतर होंगे। मुंबई में आतंकवादी हमलों के बाद क्या स्थिति बनी? उस लोक आक्रोश के आगे केंद्र से लेकर राज्य सरकारों और राजनेताओं की बोलती बंद है। मुंबई में छगन भुजबल को चाह कर भी गृह मंत्रालय नहीं दिया जा सका, क्योंकि वह तेलगी भ्रष्टाचार के सुपात्रों में से एक हैं। चर्चा हुई कि भुजबल को गृह विभाग मिलेगा, तो जनता ने एलान कर दिया, अगर एक दागी को गृह मंत्रालय मिला, तो हम विधानसभा घेरेंगे। केंद्र से लेकर महाराष्ट्र तक के नेताओं ने हथियार डाल दिए। अति ताकतवर

लोगों के प्रियपात्र अकर्मण्य शिवराज पाटील को जाना पड़ा। महाराष्ट्र के बड़बोले मुख्यमंत्री और ऊलजलूल बकनेवाले गृहमंत्री पाटील को भी जाना पड़ा। लाखों की संख्या में लोग सड़कों पर उतर गए। केंद्र सरकार को बाध्य होकर आतंकवादियों के खिलाफ दो विधेयक पास करने पड़े। यह लोक की सत्ता, ताकत और महत्ता है। झारखंड की जनता सड़कों पर उतरे, इन नेताओं को घेरे, इनसे नफरत करे, तब बात बन सकती है। सड़क पर सायरन बजाते जब ये चलते हैं, तो जनता इन्हें गालियाँ देती हैं, पर ये सत्ता के मद में अंधे और बहरे हो चुके लोग हैं। इसलिए इस देश में जनक्रांति की जरूरत है। सात्त्विक लोक आक्रोश हो, अहिंसक लोक आक्रोश हो, तो झारखंड बदलेगा। कुछ लोग तुरंत परिणाम चाहते हैं। तुरत-फुरत निर्वाण। यह मैगी व नूडल्स का खेल नहीं है। अच्छा समाज चाहिए, विकसित समाज चाहिए, साफ-सुथरी सड़कें चाहिए, व्यवस्थित जीवन चाहिए, लगातार बिजली चाहिए, भ्रष्टाचारमुक्त समाज चाहिए, अच्छी स्वास्थ्य सेवाएँ चाहिए, अच्छी शिक्षण संस्थाएँ चाहिए, तो उसकी कीमत चुकानी होगी। झारखंडी जनता को व्यक्तिगत तौर पर आत्म-निरीक्षण करना होगा। क्या हमारे जीवन में सार्वजनिक मूल्य-मर्यादाएँ हैं? कहीं नैतिकता बची है? मीडिया से लेकर हर महत्त्वपूर्ण पद पर बैठे लोग (अपवाद हर जगह हैं, पर वे क्षमा करेंगे) नीलाम होने के लिए निर्लज्ज चौराहों पर खड़े हैं? बाबर की बाबरनामा पढ़िए। हिंदुस्तान के पतन का स्रोत मालूम हो जाएगा। बाबरनामा में उल्लेख है कि कैसे मुट्ठी भर बाहरी हमलावर भारत की सड़कों से गुजरते थे। सड़क के दोनों ओर लाखों की संख्या में खड़े लोग मूकदर्शक बनकर तमाशा देखते थे। बाहरी आक्रमणकारियों ने कहा है कि यह मूकदर्शक बनी भीड़, अगर हमलावरों पर टूट पड़ती, तो भारत के हालात भिन्न होते। इसी तरह प्लासी की लड़ाई में एक तरफ लाखों की सेना, दूसरी तरफ अँगरेजों के साथ मुट्ठी भर सिपाही, पर भारतीय हार गए। एक तरफ 50,000 भारतीयों की फौज, दूसरी ओर अँगरेजों के 3000 सिपाही, पर अँगरेज जीते। भारत फिर गुलाम हुआ। जब बख्तियार खिलजी ने नालंदा पर ग्यारहवीं शताब्दी में आक्रमण किया, तो क्या हालात थे? खिलजी की सौ से भी कम सिपाहियों की फौज ने नालंदा के दस हजार से अधिक भिक्षुओं को भागने पर मजबूर कर दिया। नालंदा की विश्वप्रसिद्ध लाइब्रेरी वर्षों तक सुलगती रही। इतिहास में हजारों उदाहरण हैं। मूकदर्शक या तटस्थ या निरपेक्ष बनकर रहनेवाली कौम का इतिहास नहीं होता। वह गुलाम बनने के लिए अभिशप्त होती है। अगर झारखंड को बेहतर बनाना है, तो यहाँ 'सिविक रेनेसाँ' (सार्वजनिक जीवन के मापदंडों-मूल्यों में रेनेसाँ) की जरूरत है। स्वाति रामनाथन के अनुसार, यह रेनेसाँ तीन स्तर पर संभव है। हर नागरिक के स्तर पर, समाज के लिए स्वैच्छिक पहल पर और समुदाय के लिए जीने के संकल्प पर। राजनीति से मत भागिए। राजनीति ही निर्णायक है। वही समाज-देश

को गढ़ती है। राजनीति में रुचि लें। इसी से देश और समाज बनाने की प्रक्रिया शुरू होती है। इससे दूर रहकर, इसे महज भ्रष्ट सत्ता या आपराधिक सत्ता या अनैतिक सत्ता भर कहना ठीक नहीं। महात्मा गांधी ने कहा था, सरकार के गुण या दोष सरकार की उपज नहीं हैं, बल्कि जनता के प्रतिबिंब हैं। लोग वोट नहीं डालेंगे, पर व्यवस्था सुधार का सपना देखेंगे। कहेंगे राजनीति में सब ऐसे ही हैं। इस रुख से बात बननेवाली नहीं है। जरूरी है कि राजनीतिक चेतना पैदा हो, जो जाति, धर्म, क्षेत्र से ऊपर हो। राजनीति के बाहर बैठ करके राजनीति की गंदगी को धोया नहीं जा सकता। गाँव के स्तर पर भी पुरानी सामूहिक भावना पैदा करनी होगी। जैसे पहले मंदिर, तालाब, पोखर, सार्वजनिक स्थल वगैरह गाँव की मिल्कियत होते थे। सामूहिक श्रमदान से बनते थे। समाज एक-दूसरे की देखभाल करता था। वह माहौल बनाना होगा। यह सामाजिक पूँजी है। सामाजिक पूँजी को मजबूत बनाना जरूरी है। महज पुलिस की नियुक्ति या कानून से बात नहीं बननेवाली। 100 करोड़ से अधिक लोगों के लिए कुल 10,32,960 पुलिस हैं। एक हजार पर एक भी नहीं। कितनी पुलिस खड़ी करेंगे? अपराध रोकने के लिए कितने कानून बनाएँगे? अंतत: समाज को नैतिक बनना होगा। पूर्व राष्ट्रपति अब्दुल कलाम जीवित मनीषी हैं। जब वह कहते हैं कि भारत का भविष्य दो के हाथ है—पहला, परिवार। दूसरा, प्राइमरी स्कूल के अध्यापक, तो यह बात समझनी होगी। अपने अड़ोस-पड़ोस से संबंध बनाना, एक-दूसरे को जानना, सार्वजनिक सवालों पर पहल करना, हम सीखें और सार्वजनिक जीवन में भाईचारे को मजबूत करें।

(20-12-2008)

हार के बाद

शिबू सोरेन ने रिकॉर्ड बना दिया। वह देश के तीसरे मुख्यमंत्री हैं, जो मुख्यमंत्री होते हुए उपचुनाव हार गए। उत्तर प्रदेश में त्रिभुवन नारायण सिंह मुख्यमंत्री रहते हुए मणिराम (गोरखपुर के पास) विधानसभा क्षेत्र से चुनाव हारे थे। वह लाल बहादुर शास्त्री के मित्र थे। आजादी की लड़ाई के सिपाही। केंद्र में उद्योग मंत्री रहे। उनका स्टैंड नैतिक था। उन्होंने कहा, एक मुख्यमंत्री को अपने चुनाव के प्रचार में नहीं जाना चाहिए। जनता पसंद करेगी, तो चुनेगी। वह मणिराम में एक दिन भी प्रचार के लिए नहीं गए। गांधीवादी राजनीति के तहत आचरण किया। चुनाव हारे, तो तुरंत पद छोड़ा। मुख्यमंत्री आवास छोड़ा। वह नैतिक राजनीति की पराजय थी, पर झारखंड में शिबू सोरेन ने सारी ताकत झोंक दी थी। फिर भी वह भारी मतों से हारे।

शिबू सोरेन झारखंड में जनाधारवाले नेता रहे हैं। वैसे नेता का हारना और भी गंभीर है। दरअसल शिबू सोरेन की पराजय, सिर्फ झामुमो प्रत्याशी की पराजय नहीं है, यह यू.पी.ए. की हार है। कांग्रेस ने अपनी सारी ताकत झोंक दी थी। यू.पी.ए. के अन्य समर्थक भी उनके प्रचार में गए थे। इसलिए यह हार यू.पी.ए. के लिए दूरगामी संकेत है। यू.पी.ए. के नेतृत्व में मधु कोड़ा से लेकर शिबू सोरेन की जो सरकारें चलीं, उनकी अलोकप्रियता, भ्रष्टाचार और अराजकता के खिलाफ यह जनमत है। शिबू सोरेन को बड़ा मौका मिला था, पर वह मौका उन्होंने दोबारा खो दिया। मधु कोड़ा के कुराज के मुकाबले और अधिक कुराज बढ़ाने में ही वह लग गए। आसपास जो टीम उन्होंने बनाई, उसका संदेश बहुत खराब रहा। किसी पर कभी सी.बी.आई. जाँच हुई थी या कोई अचानक बाहर से रातोरात आ टपका। ट्रांसफर उद्योग को भी उन्होंने खूब बढ़ाया। काठीकुंड गोलीकांड ने उनके अतीत को दागदार बनाया। उनके राज्य में यह भी पुष्टि हो गई कि मंत्रियों के भ्रष्टाचार का क्या रूप था? उच्च न्यायालय में मंत्रियों के भ्रष्टाचार के खिलाफ मामला चल रहा है। विजिलेंस ने दो पूर्व मंत्रियों के खिलाफ जाँच रिपोर्ट सौंप दी है। ये सारे तथ्य सरकार की कार्य-संस्कृति के संकेत थे। राजनीतिक कारणों से शिबू सोरेन ने दो मंत्रियों को हटाया, पर तथ्य तो यही है कि अन्य मंत्री भी उनसे कम

नहीं हैं। इस तरह पिछले कुछेक वर्षों से सरकार में रहते हुए, सरकार के लोगों ने संविधान, कानून और लोकमर्यादा को मजाक बना दिया है। शिबू सोरेन की यह हार, इन सभी चीजों का परिणाम है।

अब आगे क्या होगा? एक बार पुनः नई सरकार बनाने की कोशिश होगी। मधु कोड़ा दौड़ में आगे रहेंगे। उनका दावा होगा, वही सरकार चला सकते हैं। प्रमाण में वह अपना हुनर बताएँगे। झारखंड से दिल्ली तक सबको खुश रखने की तरकीब वह जानते हैं। उनसे लाभ पानेवालों की टोली भी उनके इस अभियान में साथ देगी। लालू प्रसाद से भी वह आशीर्वाद पाने की कोशिश करेंगे, पर एक पेच है। कांग्रेस प्रभारी अजय माकन ने ही कोड़ा सरकार के खिलाफ बिगुल फूँका था। कई महीनों तक कोड़ा राज में कांग्रेसी उनके विरोधी की भूमिका में रहे, पर कोड़ा मुख्यमंत्री पद से हट नहीं पाए। कांग्रेसी मुँह चुराते सड़कों पर घूम रहे थे। अब वही कांग्रेसी किस मुँह से कोड़ा को समर्थन की बात करेंगे। दूसरा अवरोध होगा झामुमो। जिस झामुमो ने कोड़ा मुक्ति अभियान चलाया, वह किस मुँह से उनकी ताजपोशी में मददगार होगा। खुद मधु कोड़ा झामुमो सरकार पर छींटाकशी करते रहे हैं। वह बात भी झामुमो कैसे भूलेगा, पर मधु कोड़ा के रास्ते में सबसे बड़ा अवरोध उनके खास मित्र लोग हैं, जिनकी कारगुजारियाँ पूरे राज्य में गूँज रही हैं। एक और बड़ा अवरोध है, लोकसभा का चुनाव। यह चुनाव दो-तीन महीनों में संभव है। इन चुनावों के कारण कांग्रेस दागदार लोगों को गद्दी पर बैठाने का जोखिम नहीं लेना चाहेगी।

फिर प्रदीप बलमुचु (यानी कांग्रेस), बंधु तिर्की या स्टीफन मरांडी जैसे नाम भी उछलेंगे। अब तो तमाड़ चुनाव के बाद एनोस एक्का, एक्का नहीं बादशाह की भूमिका में हैं। ये सब लोग भी चुप नहीं बैठेंगे। क्या कोई ऐसी सरकार बनाकर पुनः यू.पी.ए. लोकसभा चुनावों के समय जोखिम लेना चाहेगा? बेहतर तो यह होता, झारखंड में पुनः चुनाव होते। पर इन चुनावों के लिए क्या यू.पी.ए. विधायक तैयार हैं? कहते हैं, शेर के मुँह में खून लगने से वह आदमखोर बनता है। झारखंड के जो नेता सत्ता में हैं, वे इसी तरह सत्ता के लिए मदांध हैं। वे सत्ता छोड़कर कहीं नहीं रह सकते। राज्य को बेचना, दलाली करना, सड़कें चुराना जैसे काम ये लोग करते रहे हैं। यह कमाई यहाँ से लेकर दिल्ली तक बाँटते रहे हैं। ऐसी स्थिति में झारखंड की राजनीति से लाभ कमानेवाले ये तत्त्व चाहेंगे कि कोई शिखंडी सरकार बने। भ्रष्ट सरकार बने, ताकि धनार्जन होता रहे। अगर इस लॉबी के लोगों की चली, तो झारखंड में नई सरकार बनेगी। अगर यू.पी.ए. के समझदार लोगों की चली, तो झारखंड में राष्ट्रपति शासन भी संभव है। कांग्रेस कोशिश कर सकती है कि राष्ट्रपति शासन हो, राज्य में सुशासन हो, अराजकता खत्म हो और ऐसे कदमों से कांग्रेस लोकसभा चुनावों के पहले, लोकसंदेश

देना चाहेगी। ऐसी स्थिति में वह कहेगी कि वह साफ-सुथरी राजनीति की पक्षधर है। वह सुशासन चाहती है। यह सब कह कर वह लोकसभा चुनाव में लाभ लेना चाहेगी। एक और गहरी गुत्थी है। फर्ज कर लीजिए, कोई नई सरकार बने; क्या उस सरकार में एनोस एक्का और हरिनारायण होंगे? विजिलेंस रिपोर्ट के बाद यू.पी.ए. इन्हें मंत्रिमंडल में रखना चाहेगा? तमाड़ चुनाव ने झारखंड की राजनीति में एक नया चेहरा दिया है, राजा पीटर का। शिबू सोरेन को हरा कर वह रातोरात मशहूर हो गए हैं। भविष्य में उनकी भूमिका भी गौर करने लायक होगी।

(09-01-2009)

□

झारखंड के दाँव-पेच

शिबू सोरेन ने फिर बड़ी गलती की। तमाड़ उपचुनाव परिणाम के बाद उन्हें तत्काल इस्तीफा देना चाहिए था। इस्तीफा देकर वह दिल्ली जाते, तो राजनीतिक लोक-लाज बरतते। जनता ने कड़ी पराजय दी, फिर एक घंटे भी पद पर कैसे रह सकते हैं? यह उनकी दूसरी भूल है। चिरूडीह कांड जब उजागर हुआ, तब वह सीधे केंद्रीय मंत्री पद से इस्तीफा देते। लोकसभा में इसकी घोषणा करते, फिर अदालत में हाजिर होते, तो खुद उनकी प्रतिष्ठा रहती, पर पद पर चिपके रहने की प्रवृत्ति ने नेताओं का असली चेहरा उजागर कर दिया है।

हार कर भी शिबू सोरेन झारखंड की राजनीति में निर्णायक रह सकते हैं, पर शर्त यह है कि उनकी नजर खुद और परिवार से बाहर टिके। झामुमो के पास पाँच सांसद हैं, 17 विधायक। राष्ट्रीय राजनीति का जो गणित बन रहा है, उसमें यू.पी.ए. या कांग्रेस की मजबूरी है कि वह झामुमो को साथ रखे, लोकसभा चुनाव में। कांग्रेस की नजर दिल्ली पर है। दो दिन पहले प्रणब मुखर्जी कह चुके हैं कि राहुल गांधी भावी प्रधानमंत्री हैं, प्रणब मुखर्जी जैसे मँजे और अनुभवी नेता को यह घोषणा क्यों करनी पड़ी? बिना घोषणा के लोग जानते हैं कि कांग्रेस में प्रधानमंत्री पद के उत्तराधिकारी राहुल गांधी हैं। पर लोकसभा चुनाव के दो-तीन माह पहले प्रणब मुखर्जी की यह सार्वजनिक घोषणा अर्थपूर्ण है। संभव है कि कांग्रेस की रणनीति हो कि युवा राहुल को आगे कर लोकसभा चुनाव लड़ा जाए। युवाशक्ति मुद्दा बने। इस तरह कांग्रेस की रणनीति है दिल्ली फतह करना। 'युवराज' राहुल गांधी की ताजपोशी करना। कांग्रेस अपने दम यह कर नहीं सकती। उसे मजबूरी में क्षेत्रीय दलों का साथ चाहिए। इसके लिए वह राज्यों को क्षेत्रीय क्षत्रपों के हवाले कर देगी और केंद्र (दिल्ली) अपने पास रखेगी। इस तरह झामुमो, राजद वगैरह कांग्रेस की मजबूरी हैं। पुरानी कांग्रेस होती, तो झारखंड में अब तक राष्ट्रपति शासन होता। हारे मुख्यमंत्री इस्तीफा दे चुके होते, पर आज की सिमटती और सिद्धांतों से रोज समझौता करती कांग्रेस, 'लोकसभा चुनावों' में अपने पक्ष की राज्य सरकार चाहेगी। सरकार, जो चुनावों में मददगार हो, तबादलों से, अन्य सरकारी मददों

से। चुनाव फंड से। इस दृष्टि की यू.पी.ए. झारखंड में फिर कोई 'लँगड़ी सरकार' बनाना चाहेगी। राष्ट्रपति शासन नहीं।

शिबू सोरेन या झामुमो के लिए यही मौका है। वे कांग्रेस की यह कमजोरी या मजबूरी समझें। फिर अपनी रणनीति बनाएँ। शिबू सोरेन अगर अपने परिवार के किसी सदस्य का नाम, मुख्यमंत्री पद के लिए आगे करते हैं, तो वह मात खाएँगे। इसके लिए यू.पी.ए. किसी हाल में राजी नहीं होगा! ऐसी स्थिति में किस मुँह से कांग्रेस या राजद लोकसभा चुनाव फेस करेंगे? पर शिबू सोरेन अपनी पार्टी के किसी विधायक का नाम मुख्यमंत्री पद के लिए प्रस्तावित करते हैं, तो वह लाभ की स्थिति में होंगे। इसके कई लाभ होंगे। तमाड़ बुखार से पस्त पार्टी, झामुमो को वह फिर उत्साहित करेंगे। ऊर्जा भरेंगे। एकजुट करेंगे। सत्ता उनके दल के पास ही रहेगी। कांग्रेस और राजद की मजबूरी होगी, शिबू सोरेन के दल के प्रस्तावित व्यक्ति को समर्थन देना, क्योंकि लोकसभा चुनाव इन्हें मिलकर लड़ना है। झामुमो, यू.पी.ए. के सभी घटकों में सबसे बड़ा है। 17 विधायक हैं, पाँच सांसद हैं। इस तरह झारखंड की मिलीजुली सरकार पर उसका 'नेचुरल क्लेम' (स्वाभाविक दावा) बनता है।

झारखंड में यू.पी.ए. की कोई भी सरकार, झामुमो की सहमति या सहयोग के बिना संभव नहीं है। क्या झामुमो अपनी यह शक्ति और यह अवसर पहचानता है? निर्दलीय कहीं नहीं जाएँगे। ये सत्ता की मछली हैं। सत्ता के बाहर ये न जा सकते हैं, न सत्ता समुद्र के बाहर इन्हें चुपचाप पानी गटकने को मिल सकता है। चाणक्य ने कहा था, राजा के कारिंदे या सरकारी लोग मछली की तरह हैं, वे पानी में रहते हैं, चुपचाप पानी पीते हैं। दुनिया उनका पानी पीना देख नहीं पाती। यानी सत्ता के जल में रहकर ही धनार्जन या भ्रष्टाचार या चोरी से पानी पीना संभव है। जो सत्ता में धनार्जन और लूट के लिए ही आए हैं, वे हर सरकार को समर्थन देने को मजबूर हैं। इस तरह शिबू सोरेन, चुनाव हार कर भी, मुख्यमंत्री पद छोड़कर भी, अपनी सरकार बनवा सकते हैं, पर इसके लिए उन्हें 'स्व' से ऊपर उठना होगा। अपनी पार्टी के किसी बेहतर-विश्वसनीय विधायक को आगे करना होगा।

यह स्थिति कांग्रेस के भी अनुकूल होगी, कैसे? लोकसभा चुनावों के समय उसे एक समर्थक सरकार चाहिए, वह मिलेगी। लोकसभा चुनावों में झामुमो का साथ मिलेगा। चुनावों के बाद भी केंद्र सरकार के गठन में झामुमो साथ रहेगा। इस तरह एक तीर से कई शिकार। अगर मधु कोड़ा मुख्यमंत्री बनते हैं, तो कांग्रेस की फजीहत होगी। इस फजीहत से भी कांग्रेस बच जाएगी।

पर यह चर्चा हुई कि यू.पी.ए. या झामुमो अपने-अपने हित में क्या-क्या दाँव खेल सकते हैं या कदम उठा सकते हैं?

पर जनता या झारखंड के हित में क्या है?

तत्काल चुनाव, पर चुनाव की अपनी स्वाभाविक प्रक्रिया है। इसके पहले राष्ट्रपति शासन लगे, फिर चुनाव हो। 2005 में हुए विधानसभा चुनावों के बाद बनी सरकारों से कुछ निष्कर्ष साफ हैं। झारखंड में सरकार बनती हैं, बिजनेस करने के लिए, कमाने के लिए। राज्य को बरबाद करने और अपने लिए धनार्जन करने हेतु। लोक कल्याण से इन सरकारों का कोई रिश्ता नहीं है। एक-एक मंत्री की हैसियत और संपत्ति देखिए। चोरी भी, सीनाजोरी भी। इसकी दवा जनता के पास ही है। जनता अगर अपना भविष्य लूटनेवालों को ही सौंपती है, तो जनता जाने, पर जनता को एक बार फिर मौका मिलना ही चाहिए; ताकि वह चुने कि भ्रष्टाचार, कुशासन, खरीद-बेचकर सरकार बनाने के विरोध में वह है या इन्हीं मुद्दों के साथ वह सती होना चाहती है?

(10-01-2009)

□

राजनीतिक नाटक के दृश्य

सूचना है कि शिबू सोरेन इस्तीफा देने पर सहमत हो गए हैं, पर इसके पहले झारखंड के राजनीतिक रंगमंच पर जो दृश्य, देश-दुनिया ने देखा, वह अभूतपूर्व है। शिबू सोरेन क्यों इस्तीफा देना नहीं चाहते? वह समझते हैं कि इस्तीफा देने के बाद, उनके हाथ से बाजी निकल जाएगी। इसलिए मुख्यमंत्री पद पर रहते हुए, वह चंपई सोरेन को यू.पी.ए. का मुख्यमंत्री उम्मीदवार घोषित करा देना चाहते थे। चंपई सोरेन को मुख्यमंत्री बनाने के पीछे भी उनकी रणनीति स्पष्ट है। चंपई सोरेन, उनके लॉयल या वफादार साथी हैं। शिबू की योजना हो सकती है कि वह जामताड़ा उपचुनाव जीत कर आएँ, फिर चंपई सोरेन इस्तीफा दें और वह पुन: मुख्यमंत्री बन जाएँ। पद छोड़ने के पहले, वह पद पर लौटने की अपनी योजना को फूलप्रूफ बना लेना चाहते थे।

पर शर्मनाक पराजय के बाद उनका पद पर बने रहना, यू.पी.ए. के लिए बड़ा नुकसानदेह है। हार कर भी इस्तीफा न देना या विलंब करना अभूतपूर्व है। इसकी अत्यंत प्रतिकूल प्रतिक्रिया लोकमानस में होगी, यह यू.पी.ए. के नेता जानते हैं। इसलिए उनका एकमात्र एजेंडा है शिबू सोरेन से इस्तीफा दिलाना। यू.पी.ए. के लोग चाहते, तो चंपई सोरेन को मुख्यमंत्री पद का प्रत्याशी मान लेते, तो शायद शिबू सोरेन रविवार को ही इस्तीफा दे चुके होते, पर राज्य यू.पी.ए. चेयरमैन मधु कोड़ा ने स्पष्ट कर दिया है कि चंपई सोरेन झामुमो के मुख्यमंत्री पद के प्रत्याशी हैं, यू.पी.ए. के नहीं। स्पष्ट है कि शिबू सोरेन के इस्तीफे के बाद, मुख्यमंत्री पद के चयन को लेकर नया नाटक शुरू होगा। शिबू सोरेन के पास 17 विधायक हैं, पाँच सांसद। अंतत: मुख्यमंत्री पद पर झामुमो का हक बनता है। अगर शिबू सोरेन अंत तक डटे रहे, तो यू.पी.ए. के पास कोई विकल्प नहीं बचेगा। वैसे भी चंपई सोरेन को उम्मीदवार घोषित कर, फिर किसी गैर झामुमो व्यक्ति को मुख्यमंत्री के रूप में शिबू सोरेन स्वीकार करते हैं, तो वह दो आत्मघाती कदम उठाएँगे। पहला, उनकी पार्टी और कार्यकर्ताओं में उनके समझौते का खराब असर-संदेश जाएगा। आगामी लोकसभा और विधानसभा चुनाव में वे और उनकी पार्टी भारी कीमत चुकाएँगे। अगर शिबू सोरेन अंत-अंत तक डटे रहते हैं कि मेरे सबसे

अधिक विधायक हैं, इसलिए मुख्यमंत्री मेरा, तो वह बिखरती पार्टी में भी इस मुद्दे पर एकता बना सकते हैं। अगर चंपई सोरेन न बने, तो शिबू को दूसरा बड़ा नुकसान होगा कि वह जामताड़ा जीत कर भी मुख्यमंत्री बनने का सपना नहीं देख सकते। उधर, सांसद भी नहीं रहेंगे और अगर विधायक बन गए, तो मुख्यमंत्री भी नहीं बनेंगे। उनकी हालत न घर की, न घाट की जैसी हो जाएगी।

दूसरी ओर शिबू के इस्तीफे के बाद मुख्यमंत्री के दावेदार के रूप में मधु कोड़ा होंगे, जिन पर मँजे हुए राजनीतिज्ञ लालू प्रसाद का वरदहस्त है। शिबू के इस्तीफे के बाद, कोड़ा समर्थक लॉबी खुलकर सामने आएगी। मधु कोड़ा में एक कला है, वह अपने दुश्मन को भी पटा लेते हैं। ऐसी स्थिति में कोड़ा अपनी इस 'पटाओ कला' से सबको खुश करने की कोशिश करेंगे। कोड़ा के खिलाफ तीन-चार प्रमुख बातें उभरेंगी। पहली, कांग्रेस का कोड़ा विरोधी अतीत का अभियान। दूसरा, पुन: एक निर्दलीय के हाथ में सत्ता सौंपने के राजनीतिक परिणाम। तीसरा, कांग्रेस के सांसदों का कोड़ा के खिलाफ अतीत में रहा मुखर विरोध। अंतिम, पर सबसे ज्यादा कोड़ा अपने विश्वस्त साथियों संजय चौधरी और विनोद सिन्हा के कारनामों को लेकर सुर्खियों में होंगे। साथ में होगा झामुमो का प्रबल विरोध, क्योंकि झामुमो मुख्यमंत्री पद पर अपना प्रत्याशी घोषित कर पीछे नहीं लौट सकता। कोई भी कंप्रोमाइज झामुमो के लिए आत्मघाती कदम होगा।

अगर चंपई सोरेन या मधु कोड़ा के बीच कोई नहीं बन पाया, तो क्या हालात होंगे? तब कांग्रेस की साँसत होगी। अंत:पुर की खबर है कि कांग्रेस चाहती है कि राष्ट्रपति शासन हो, पर कांग्रेस के सांसद नहीं चाहते कि राष्ट्रपति शासन हो। कारण? कांग्रेस सांसदों को लगता है कि राष्ट्रपति शासन हुआ, तो विधानसभा और लोकसभा चुनाव साथ-साथ होंगे। वे साथ-साथ चुनाव नहीं चाहते। नहीं तो राज्य में अब तक राष्ट्रपति शासन होता, पर एक जुगाड़ टेक्नोलॉजी है। राष्ट्रपति शासन लगाकर विधानसभा को स्थगित कर दिया जाए (सस्पेंडेड इन एनिमेशन), तो शायद रास्ता निकल जाए। तब शिबू सोरेन कहीं यह माँग न कर बैठें कि कुछ महीनों बाद विधानसभा पुनर्जीवित कर मुझे फिर मुख्यमंत्री बनाया जाए। उनके समर्थक कह रहे हैं कि विधानसभा सस्पेंड हो गई, राष्ट्रपति शासन लग गया, तो फिर कुछ दिनों बाद विधानसभा पुनर्जीवित हो जाएगी। शिबू सोरेन पुन: शपथ ले सकते हैं। फिर छह महीने का उनका नया टर्म शुरू होगा और इस बीच वह जामताड़ा से जीत कर आएँगे। झामुमो के मन में यह शर्त है, पर इससे यू.पी.ए. के लिए भारी मुसीबत खड़ी हो जाएगी।

झारखंड में जिस तरह सत्ता पक्ष हर नैतिक मापदंड तोड़ चुका है, उसी तरह विपक्ष अपनी भूमिका भूल चुका है। जिस राज्य के शासक घटक यू.पी.ए. में इस तरह

की दरार हो, वहाँ विपक्ष चुप और किंकर्तव्यविमूढ़? यह स्थिति देश के किसी और हिस्से में होती, तो विपक्ष सड़कों पर होता। जहाँ का सत्ता पक्ष कई खेमों में बँट चुका हो, मुख्यमंत्री हार कर भी इस्तीफा देने में विलंब कर रहे हों, वहाँ का विपक्ष संघर्ष न करे, यह अद्भुत मिसाल है। पूरे देश में झारखंड की राजनीति शर्म का प्रतीक बनती जा रही है। भ्रष्टाचार, अव्यवस्था और कानून-व्यवस्था की दयनीय स्थिति। इन सबकी जड़ में है भ्रष्ट और अनैतिक राजनीति। विपक्ष इस भ्रष्ट और अनैतिक राजनीति का विरोध न कर पाप का बराबर साझीदार है।

इस खेल का एक दिलचस्प पहलू देखिए। सोमवार को 11 बजे शिबू सोरेन ने इस्तीफा देने की बात की है। स्टीफन मरांडी व अन्य कुछ निर्दल, इसके पहले राज्यपाल के पास जाकर इस्तीफा देने की बात कर रहे हैं। यानी यू.पी.ए. में ही अब सरकार है और विपक्ष भी। सरकार शिबू सोरेन हैं, विपक्ष की भूमिका में स्टीफन मरांडी व उनके साथी। यू.पी.ए. ही पक्ष-विपक्ष की भूमिका में है। अगर राष्ट्रपति शासन लगता है, तो उसका दोषी कौन होगा, इसे लेकर यू.पी.ए. के घटक एक-दूसरे पर दोषारोपण की रणनीति बनाने में लग गए हैं।

झारखंड में 2005 में चुनाव हुए। तब से जनवरी, 2009 के बीच चार मुख्यमंत्री हो चुके हैं। अब पाँचवें की तैयारी है। इसी बीच पाँच मुख्य सचिव आ-जा चुके हैं। आठ विकास आयुक्त आए-गए, चार डी.जी.पी.। इतनी अराजकता, इतनी अस्थिरता? इन सबकी जड़ में है राजनीतिक दलों का आचरण, लूट और जनविरोधी होना। झारखंड ने भ्रष्टाचार में जो कीर्तिमान बनाया है, जिस राजनीतिक अमर्यादा का परिचय दिया है, वह देश के हर हिस्से में हास्य और मजाक का विषय बन गया है। झारखंड ने बेशर्म नेताओं की बड़ी फौज खड़ी कर ली है। झारखंड बने आठ वर्ष हुए। अब तक छह मुख्यमंत्री हो गए। सातवें बननेवाले हैं।

हर सरकार के बनने और बिगड़ने के कई महीनों पहले से और बाद तक कोई काम नहीं होता। इस राजनीतिक अस्थिरता की बड़ी कीमत चुका रहा है झारखंड। जब राजनीतिज्ञ घूस लेकर ट्रांसफर उद्योग चलाएँगे, तो पुलिस अफसर कैसे कानून-व्यवस्था बनाकर रखेंगे? सूचना है कि अगस्त, 2008 से 8 जनवरी, 2009 के बीच 100 हत्याएँ राज्य में हुईं। इतनी हत्याएँ इसके पहले कभी नहीं हुईं। पुलिस कैसे अपराध पर नियंत्रण पा सकती है, इस राजनीतिक अराजकता के बीच? विकास के मोरचे पर भयानक स्थिति है। सिर्फ और सिर्फ लूट। राज्य के आदित्यपुर इंडस्ट्रियल इलाके में लगभग 1000 छोटे-छोटे उद्योग-धंधे हैं। ये छोटे उद्योग हैं, जो बड़े पैमाने पर रोजगार देते हैं, पर आर्थिक मंदी के कारण ये तबाह हो चुके हैं। लाखों कामगार बेरोजगार हो चुके हैं। इनकी देखरेख करनेवाला कोई नहीं है। किसी अन्य राज्य की सरकार इस आर्थिक मंदी

में अपने यहाँ उद्योग-धंधों और कृषि को मदद कराती, ताकि सामान्य लोगों की स्थिति बेहतर रहे, पर यहाँ की सरकार को मालूम ही नहीं है कि आसपास क्या हो रहा है?

एक ही रास्ता

झारखंड में आज जो राजनीति चल रही है, वह युवकों के भविष्य को खत्म कर रही है। आठ वर्षों में झारखंड की सरकारें, या रोज बदलते मुख्यमंत्री एक लॉ कॉलेज नहीं बना पाए, एक आई.आई.टी. नहीं खोल पाए, एक आई.आई.एम. नहीं शुरू कर पाए। जबकि केंद्र ने इन सबकी मंजूरी दे दी है। बगल के बिहार में ये सभी संस्थान खुल गए हैं, पर झारखंड में नहीं, क्यों? क्योंकि इन राजनीतिज्ञों को अपना घर भरने और झारखंड लूटने से फुर्सत ही नहीं है। इनके आचरण ने झारखंड को हास्यास्पद बना दिया है। झारखंड के युवा ही इस लज्जा से झारखंड को मुक्त करा सकते हैं। क्योंकि युवा ही इतिहास बदलते हैं, बनाते हैं। हाल की गढ़वा यात्रा में बैंककर्मी भाई पंकजजी ने युवकों की भूमिका के बारे में बहुत कुछ बताया। उसका संक्षेप है। राम युवा थे, तो उन्होंने 14 वर्षों का वनवास स्वीकारा। युवा अभिमन्यु ने महाभारत में यादगार लड़ाई लड़ी। युवा सिद्धार्थ ही गौतम बुद्ध बने। युवा ईसा मसीह ने दुनिया को नया संदेश और नया पथ दिया। युवा अकबर ने नई उम्र में ही अपनी अलग पहचान बनाई। युवा छत्रपति शिवाजी ने औरंगजेब के अत्याचार के खिलाफ विद्रोह का नेतृत्व किया। गुरु गोविंद सिंह ने युवाओं की टोली बनाई। महारानी लक्ष्मीबाई जब अँगरेजों से लड़ीं, तो युवा थीं। भगत सिंह, चंद्रशेखर आजाद, सुभाषचंद्र बोस! पहले लौटें तो बालक ध्रुव या मौत का रहस्य जानने को बेचैन बालक नचिकेता! विवेकानंद, जिन्होंने मृतप्राय देश में नए प्राण फूँक दिए। इसी परंपरा में झारखंड के युवा अपने भविष्य के लिए झारखंड को सँवारने निकलें। वे जाति, धर्म और क्षेत्रीयता के बाड़े से ऊपर उठें, क्योंकि ये विभाजन नेताओं ने बनाए हैं, ताकि लोग इनके खिलाफ एकजुट न हों। झारखंड की राजनीति बदबू देने लगी है। इस बदबूदार राजनीति के खिलाफ युवकों की रहनुमाई में जनता पहल करे। रास्ता या विकल्प या मॉडल ताजा है। मुंबई में आतंकवादी हमलों के खिलाफ जिस तरह लाखों लोग सड़कों पर उतर पड़े, वैसे ही जनता सड़क पर उतरे। राष्ट्रपति शासन की माँग करे। पुन: चुनाव की माँग करे, ताकि झारखंड की बदबूदार राजनीति का हल निकल सके। वरना ये नेता झारखंड को छिन्न-भिन्न कर देंगे।

(12-01-2009)

❑

फाइनल राउंड

झारखंड की राजनीति को देश स्तब्ध होकर देख रहा है। यह संकट संवैधानिक है। 'राजनीतिक है', नैतिक है। शिबू सोरेन ने 12 जनवरी को इस्तीफा दिया। इसके बाद राज्यपाल, गृह मंत्रालय, केंद्र सरकार और राष्ट्रपति क्या कर रहे हैं? यह सवाल सबसे महत्त्वपूर्ण हो गया है। झारखंड में आज किसकी सरकार है? यू.पी.ए. की केयरटेकर सरकार? यह सरकार खत्म हो चुकी है। झामुमो, राजद, कांग्रेस और निर्दलियों के अलग-अलग बयान आ चुके हैं। कांग्रेस के केंद्रीय नेता और झारखंड इंचार्ज अजय माकन फरमा चुके हैं कि 32 विधायकों का जो समर्थन लाएगा, उसे कांग्रेस के नौ विधायक अपना समर्थन देंगे। आज पाँच दिन हो गए, किसी ने इस बहुमत के साथ सरकार बनाने का दावा पेश नहीं किया। यह अजीब संकट है! कोई खेमा आज तक सरकार बनाने के लिए सामने नहीं आया। जो सरकार थी, वह नहीं है। विपक्ष सरकार बनाने में रुचि नहीं रखता। यह असल संवैधानिक संकट है। यह राजनीतिक संकट भी है। लेकिन सबसे बढ़कर नैतिक और मर्यादा का संकट? ऐसी स्थिति में क्या राज्यपाल, गृह मंत्रालय, केंद्र सरकार या राष्ट्रपति भवन का कोई फर्ज नहीं है? झारखंड का यह संकट देश का संकट है। क्या सरकार बनने तक राज्यपाल प्रतीक्षा करेंगे? भविष्य के लिए वे क्या उदाहरण या आदर्श पेश करेंगे? अगर लालूजी के भारत आगमन (17 जनवरी) तक यह संकट इसी रूप में रहना है, तो यह भी यू.पी.ए. को स्पष्ट करना चाहिए। क्योंकि संवैधानिक प्रक्रिया स्थगित नहीं रखी जा सकती।

झारखंड में इस बार राजनीतिक खेल दिलचस्प हो गया है। इसका श्रेय झामुमो को है। झामुमो के मूव (पहल) ने स्पष्ट कर दिया है कि झारखंड की राजनीति का फैसला दिल्ली में नहीं, राँची में हो। राज्यपाल को इस्तीफा देने के बाद राजभवन (झारखंड) में ही शिबू सोरेन ने कहा, ''इस बार हम दिल्ली नहीं जाएँगे।'' पहली बार झामुमो अपनी टेक या माँग पर अड़ा है। इससे सारा राजनीतिक खेल गड़बड़ा गया है। सोमवार को ही शाम में हुई यू.पी.ए. की बैठक में भी शिबू सोरेन ने स्पष्ट कर दिया था, ''हमारे प्रत्याशी चंपई सोरेन ही हैं, इस पर कोई समझौता नहीं होगा।'' इसके बाद अस्वस्थ हो गए। अब

दिल्ली में जो भी कवायद हो रही है, उसका कोई रिजल्ट नहीं निकल रहा है। अजय माकन, अहमद पटेल (दिल्ली की सूचनाओं पर यकीन करें तो) से कांग्रेस के प्रदीप बलमुचु मिल रहे हैं, पर हल नहीं निकल रहा, क्योंकि ये सभी महसूस कर रहे हैं कि 17 विधायकों की पार्टी झामुमो को इनवॉल्व (शामिल) किए बिना हल संभव नहीं। सोनियाजी इसमें पार्टी न बनना चाहती हैं, न हो सकती हैं। लालूजी बाहर हैं। पहली बार गुरुजी अपने दल की माँग पर टिके हैं, इससे कांग्रेस भी मुसीबत में है; क्योंकि वह राष्ट्रपति शासन नहीं, वैकल्पिक सरकार चाहती है। निर्दलीय भी इस बार अपनी हैसियत समझ गए हैं। वे उछल-उछलकर नहीं कह रहे कि हम यह सरकार बनवा देंगे, वह सरकार बनवा देंगे। इन सबके पीछे एक ही कारण है कि 17 विधायकों की पार्टी झामुमो अपनी ताकत-महत्त्व समझ गई है। हालाँकि अब बाजार में कंप्रोमाइज (समझौता) फॉर्मूला में नलिन सोरेन, स्टीफन मरांडी के नाम भी उछल रहे हैं। मधु कोड़ा पहले से प्रबल दावेदार हैं। झामुमो अड़ा रहा, तो अंततः उसका प्रत्याशी ही मान्य होगा। राष्ट्रपति शासन की संभावना तभी होगी, जब कांग्रेस इच्छुक हो। दिल्ली की सूचना है कि कांग्रेस राष्ट्रपति शासन नहीं चाहती।

शिबू सोरेन के इस्तीफे से एक चैप्टर खत्म हुआ। फिर गद्दी की लड़ाई शुरू हुई। शह और मात का खेल। नए-नए दाँव-पेच। यह लड़ाई नर्व की है। विट्स (समझ) की है। धैर्य की है। सत्ता दरबार में षड्यंत्र से भी यह लड़ी जाएगी। इसमें राजनीतिक दलालों की भूमिका भी होगी। फाइनल राउंड के इस अध्याय में चार रास्ते हैं। पहला, चंपई सोरेन का अगला मुख्यमंत्री बनना या झामुमो के नलिन सोरेन या किसी अन्य झामुमो प्रत्यांशी का उदय। दूसरा, मधु कोड़ा की पुनर्वापसी। तीसरा, समझौते के तहत कोई नया नाम, मसलन स्टीफन मरांडी। चौथा, राष्ट्रपति शासन।

पहले समीकरण की परख। झामुमो के पास झारखंड में 17 विधायक हैं। यू.पी.ए. घटक में अन्य दलों के पास इस संख्या के आधे से भी कम विधायक हैं। झामुमो के पास पाँच सांसद भी हैं। इस तरह झारखंड के मुख्यमंत्री पद पर उसका नेचुरल क्लेम है। पर दिल्ली में बैठे सत्ता के बड़े खिलाड़ी मानते और समझते हैं कि झामुमो मैनेजेबुल है। इसका कारण उसका अतीत है। नरसिंह राव कार्यकाल में कांग्रेस को मिला उसका समर्थन उसे दागदार बना गया। इसके पहले भी अविभाजित बिहार में राज्यसभा चुनाव के दौरान उसके विधायकों की भूमिकाएँ देश में चर्चा का विषय रहीं। इसी कारण दिल्ली में बैठे खुर्राट नेता समझते हैं कि झामुमो को मैनेज करना आसान है। दिल्ली में बैठे कुछ लोग, जिनका झारखंड में राजनीतिक इंटरेस्ट (हित) नहीं है, वे सिर्फ इकॉनोमिक इंटरेस्ट (आर्थिक हित) से झारखंड को देखते हैं। उनकी कोशिश है, ऐसा मुख्यमंत्री बैठाना, जो उनकी सेवा करे। उस मुख्यमंत्री के कामों से जो राजनीतिक नफा-नुकसान

होगा, उससे उनका सरोकार नहीं है। यह कीमत तो झारखंड की बात करनेवाले दल चुकाएँगे। इस तरह झारखंड की कीमत पर दिल्ली राजनीति करेगी, पर लगता है अब झामुमो बदल गया है! दिल्ली का खेल समझ गया है। जैसे राजद का गढ़ बिहार है या कांग्रेस का दिल्ली, उसी प्रकार झामुमो का गढ़ झारखंड है। राजद ने बिहार में हमेशा कांग्रेस को अपनी शर्तों पर नचाया। घुटने पर झुकाया, पर अपना गढ़ बिहार अपनी शर्तों पर चलाया। यह सही भी है। राजनीति का बुनियादी सच है कि जो जहाँ मजबूत है, वहाँ वह झुककर समझौता नहीं कर सकता। अपना इंटरेस्ट कुरबान नहीं कर सकता। झामुमो यह समझने लगा है। 'कोड़ा प्रयोग' (जहाँ एक निर्दलीय के नेतृत्व में सबसे बड़ी पार्टी झामुमो को रहना पड़ा।) के बाद झामुमो की समझ में आ गया है कि झारखंड में सत्ता उसके बल चलती है, पर लाभ कमाते हैं दूसरे। लेकिन सत्ता के कुकर्मों की कीमत चुकाते हैं स्थानीय दल। इसलिए झामुमो चंपई सोरेन के नाम से पीछे हटने को तैयार नहीं। अब कोशिश होगी कि सौदेबाजी में झामुमो को झुकाया जाए। गुरुजी के परिवार के सदस्यों को डिप्टी सी.एम. या अन्य महत्त्वपूर्ण विभाग ऑफर किए जाएँ। साम, दाम, दंड, भेद से झामुमो को झुकाने और 'दिल्ली दरबार' की बात मनवाने की कोशिश होगी। अगर इस जाल में झामुमो फँसा, तो वह अपनी जड़ खोद लेगा। तमाड़ उपचुनाव में हार के बाद शिबू सोरेन ने इस्तीफा देने में विलंब किया। इससे उन्होंने लोगों में अपनी साख घटाई, पर अगर वह किसी गैर-झामुमो के नाम पर मुख्यमंत्री पद के लिए सौदेबाजी के तहत सहमत हो गए, तो वह अपने संगठन को बिखरने के रास्ते पर डाल देंगे। झामुमो के अंदर बिखराव होगा। वह पस्त और झुकनेवाले संगठन के रूप में जाना जाएगा। कार्यकर्ता हतोत्साहित होंगे। इसके पहले झामुमो ने दिल्ली में नरसिंह राव को समर्थन दिया या पटना (अविभाजित बिहार) में हुए राज्यसभा चुनावों में उसके विधायकों पर कई तरह के आरोप लगे। यह सब दिल्ली और पटना में हुआ। अब झारखंड की धरती पर झामुमो अगर किसी सौदेबाजी का शिकार हुआ, तो वह अपने दागदार अतीत को लोगों को पुनः स्मरण कराएगा। इस तरह वह झारखंड में अलोकप्रिय और समझौतापरस्त संगठन के रूप में जाना जाएगा। शिबू सोरेन या झामुमो विधायक इस खतरे से जरूर वाकिफ होंगे, पर अगर शिबू सोरेन अंततः डटे रहे, तो क्या होगा? उनके दल को पटाने की हरसंभव कोशिश होगी। उनके दल में फूट की खबरें भी प्रचारित होंगी। ठीक वैसे ही, जैसे मधु कोड़ा को हटाने के समय पूरे देश में कोड़ा समर्थकों ने खबर फैलाई कि झामुमो में फूट है। इस तरह की सभी कोशिशें होंगी। अगर इन सब कोशिशों से बेफिक्र शिबू सोरेन अपनी माँग पर अंत तक डटे रहते हैं, तो आसार यही हैं कि सरकार झामुमो की बनेगी। इसके कारण साफ हैं। आगे लोकसभा चुनाव है। कांग्रेस अपने बूते यह चुनाव नहीं लड़ना चाहती। उसे शिबू सोरेन और झामुमो का साथ

चाहिए ही। और यह साथ सिर्फ चुनाव भर का नहीं है। कांग्रेस जानती है कि चुनावों के बाद भी केंद्र सरकार के गठन में उसे झामुमो का साथ चाहिए। इसके पहले फरवरी में भी कांग्रेस को झामुमो का साथ लोकसभा में चाहिए। फरवरी के बाद लोकसभा चुनाव होंगे। कांग्रेस को 'वोट ऑफ एकाउंट' पर झामुमो की मदद चाहिए। झामुमो अगर अपनी यह कीमत समझ रहा है, तब वह हर लाभ, लोभ और भय से परे रहकर अपने ही प्रत्याशी के नाम पर टिका रहेगा।

अगर चंपई सोरेन नहीं बने, तो कोशिश होगी कि मधु कोड़ा की पुनर्वापसी हो। झामुमो को खुश कर लिया जाए या पटा लिया जाए। मधु कोड़ा को मुख्यमंत्री बनाने में राज्य के निर्दलीय मंत्री सबसे आगे रहेंगे। कारण, मधु कोड़ा ने हर मंत्री को मुख्यमंत्री बना दिया था। अपने-अपने विभागों के स्वायत्त राजा थे मंत्री। अपनी-अपनी जागीर (मंत्रालय) में लूट, खसोट, अव्यवस्था और अराजकता का लाइसेंस उन्हें मिला था। नहीं तो मंत्रियों के पास इतनी संपत्ति कहाँ से आई? मंत्रालय असंवैधानिक कामों के अड्डे बन गए थे। ट्रांसफर उद्योग से बिसुखी गाय भी दुही जा रही थी। किसी एक मंत्रालय की सी.बी.आई. जाँच हो जाए, तो कलई खुल जाएगी। अब इन निर्दलीय मंत्रियों को लग रहा है कि पुन: स्वर्गराज वापस आनेवाला है। इस तरह सारे निर्दलीय मंत्री अब इस बात के लिए डटेंगे कि कैसे मधु कोड़ा की ताजपोशी हो! क्योंकि इसी में उनका इंटरेस्ट है, पर अनेक महत्त्वपूर्ण कारण हैं, जो कोड़ा की पुनर्वापसी के खिलाफ हैं। सबसे बड़ा कारण तो यह कि क्या एक निर्दलीय के नेतृत्व में पुन: सत्ता की वापसी? दिल्ली से राँची तक उभरा दलालों का बड़ा वर्ग भी ऐसा ही शासन चाहेगा, पर इन लोकसभा चुनावों के वक्त क्या कांग्रेस इस अलोकप्रियता के लिए तैयार है?

तीसरा रास्ता है, राष्ट्रपति शासन का। अगर अंत तक गतिरोध कायम रहा, तो संभव है, राष्ट्रपति शासन लगे। झारखंड की जनता के हित में है राष्ट्रपति शासन, पर कोई राजनीतिक दल (विपक्ष समेत) नहीं चाहता कि राष्ट्रपति शासन लगे। एक विपक्षी का कहना था कि हर विधायक को हर साल विकास के लिए तीन करोड़ मिल रहे हैं। सत्ता में बैठे लोग हजारों करोड़ का वारा-न्यारा कर रहे हैं। ऐसी स्थिति में भला कौन राष्ट्रपति शासन चाहेगा? इस व्यक्ति का यह भी तर्क था कि अगर शिबू सोरेन अंत तक डटे रहे, तो राष्ट्रपति शासन के आसार देखकर सारे निर्दलीय अंतत: झामुमो की शरण में ही आएँगे, क्योंकि निर्दलीय किसी कीमत पर सत्ता से बाहर नहीं जाना चाहते। पहले भी निर्दलीय अपने बयानों और अपनी बदलती भूमिका से अपना रूप, रंग और चेहरा दिखा चुके हैं। 'भागते भूत की लंगोटी सही,' सिद्धांत के तहत ये फिर बननेवाली सरकार में हिस्सेदार होंगे। इनके पुराने बयान बताते हैं कि कैसे ये बिना पेंदी के लोटे हैं या थाली के बैंगन हैं। शिबूराज में एक फर्क आया था, निर्दलियों की बोलती बंद थी। हालाँकि

शिबू सरकार में कुशासन, भ्रष्टाचार और ट्रांसफर उद्योग उसी तरह चलता रहा, जैसे पहले। जे.एम.एम. के लिए यह परीक्षा की घड़ी है। परीक्षा होनी है कि वह झुकेगी या डटेगी? झुकी तो धरती पर ठौर मिलेगा और अपने स्टैंड पर टिकी रही, तो सत्ता मिलने की संभावना है। चुनना झामुमो को है। दिल्ली और पटना में वह अतीत में मैनेजेबुल होने की जो छवि बना चुकी है, उसे राँची में धोने का मौका उसके हाथ है।

झारखंड सरकार गठन की इस कवायद में कौन-कौन शामिल हैं? राँची से दिल्ली तक। सिर्फ राजनेता, राजनीतिक दल या विधायक ही नहीं, बल्कि राजनीतिक दलाल सबसे कारगर और असरदार भूमिका में होंगे। पिछले कई दिनों से इनकी भूमिका साफ दिखाई दे रही है। मीडिया के माध्यम से कितनी झूठी और आधारहीन खबरें प्लांट और प्रचारित हो रही हैं। इस पर गौर करिए, आप दंग रह जाएँगे। यह सब कौन कर-करा रहा है? यह खेल उस दलाल तबके का है, जो झारखंड की सत्ता पर कब्जा चाहता है। खान-खदान, रोड, विभिन्न विभागों में ठेके वगैरह के काम, जिनमें अरबों-अरबों की राशि है। इस सरकारी राशि को गटककर डकार न लेनेवाले दलाल सबसे प्रभावी भूमिका में अब होंगे, क्योंकि उन्हें ऐसी सत्ता चाहिए, जो उनके दलाली के धंधे को फलने-फूलने और बढ़ने का माहौल और संरक्षण दे सके।

झारखंड का यह राजनीतिक गणित या संभावनाएँ जन-विरोधी हैं। विकास विरोधी हैं। नया चुनाव ही झारखंड की जनता को पापों की गठरी बनी राजनीतिक सत्ता से मुक्ति का अवसर दे सकता है।

(16-01-2009)

☐

झामुमो, कांग्रेस की मजबूरी

सूचना है कि पासा पलट रहा है। राष्ट्रपति शासन की अनुशंसा से कांग्रेस और निर्दलियों के बीच ज्यादा बेचैनी थी। झामुमो अपने मुद्दे पर अड़ा था। शाम होते-होते कांग्रेस के टॉप लोगों ने शिबू सोरेन से संपर्क किया, यह सूचना है। राज्यपाल की रिपोर्ट का एक अर्थ यह लगाया गया कि इससे झामुमो परेशान होगा। दबाव में आएगा। फिर वह यू.पी.ए. के अन्य घटकों के सामने घुटने टेक देगा, पर लगता है कि झामुमो ने न धैर्य खोया, न अपनी माँग से पीछे हटा। अंतत: 17 जनवरी की शाम होते-होते कांग्रेस ने पहल की।

यह स्थिति क्यों बनी? कैसे बनी?

17 जनवरी की सुबह में स्थिति कुछ और थी। शाम होते-होते पासा कैसे पलटा? 16 जनवरी की शाम जब राज्यपाल द्वारा राष्ट्रपति शासन की अनुशंसा की खबर आई, तो वॉच (निगाह रखी गई) किया गया कि झामुमो पर क्या प्रतिक्रिया होती है। झामुमो कांग्रेस की नब्ज पकड़ चुका था। कांग्रेस ही राष्ट्रपति शासन नहीं चाहती। इसके कारण दूरगामी हैं। जब क्षेत्रीयता की राजनीति देश का भविष्य तय कर रही है, क्षेत्रीय दलों को पटाने का अभियान राष्ट्रीय दलों में है, तब कांग्रेस कैसे झामुमो को यू.पी.ए. खेमे से बाहर जाने देगी? कांग्रेस को लोकसभा चुनाव में झामुमो को यू.पी.ए. खेमे में रखना मजबूरी है। फिर चुनाव के बाद के गणित में भी साथ रखना है। जब एक-दो सांसदों की संख्या सत्ता और सरकार के लिए निर्णायक हो, तो झामुमो के पाँच सांसदों को कौन गँवाएगा? फरवरी के दूसरे सप्ताह में शुरू हो रहे लोकसभा सत्र में भी कांग्रेस को झामुमो के समर्थन की जरूरत है। ऐसी स्थिति में कांग्रेस कैसे झामुमो को इग्नोर (अनदेखा) कर सकती थी।

अब कोई सिद्धांत की लड़ाई तो रह नहीं गई, अब सत्ता और कुरसी की लड़ाई है, इसलिए झामुमो कांग्रेस की मजबूरी है। कांग्रेसी नेता भले ही बार-बार शिबू सोरेन पर तोहमत लगाएँ कि सोरेन ही समस्या हैं और सोरेन ही निदान हैं, पर हकीकत यह है कि

झारखंड में कुव्यवस्था, कुशासन और स्तब्धकारी भ्रष्टाचार का कारण और निदान कांग्रेस ही है। यह भी सूचना है कि प्रदेश कांग्रेस के जो वरिष्ठ नेता दिल्ली गए, उन्हें कांग्रेस के वरिष्ठ नेताओं ने दो टूक शब्दों में कहा कि सरकार बनाने की प्रक्रिया में झामुमो को शामिल करें, पर इधर शिबू सोरेन अस्पताल से साफ संदेश दे रहे थे कि हम पीछे नहीं हटने वाले।

राजनीति को संभावनाओं का खेल भी कहा जाता है। यह शह और मात का भी खेल है। इस बार झामुमो साफ-साफ कांग्रेस की कमजोर नब्ज और अपनी संभावना देख रहा था। इसलिए जिस झामुमो को दिल्ली में बैठे लोग मैनेजेबुल समझते थे, उन्हें भी झामुमो ने साफ संदेश दे दिया है। निर्दलियों की यह सूचना है कि राज्यपाल की रिपोर्ट के बाद उनकी हालत और पतली हो गई! क्योंकि इन निर्दलियों में से कोई भी चुनाव में जाने को तैयार नहीं था। ये लोग किसी तरह बचे हुए एक साल में मंत्री रहकर अपना 'कल्याण' करना चाहते हैं। इसलिए सरकार बनाने के लिए झामुमो और कांग्रेस से ज्यादा बेचैन निर्दलीय थे।

(18-01-2009)

□

चुनौती भी, अवसर भी

कहावत है, हर संकट में एक अवसर छुपा होता है। झारखंड में जो राजनीतिक हालात बने हैं या जिसे यू.पी.ए. घटक दलों के विधायक राजनीतिक संकट कह रहे हैं, इसमें एक बड़ा अवसर भी छिपा है, पर उस अवसर पर चर्चा बाद में। पहले झारखंड का राजनीतिक संकट समझ लें। यहाँ सरकार बनाने की स्थिति में कोई नहीं रह गया है। न एन.डी.ए. और न यू.पी.ए.। यह झारखंड की राजनीतिक व्यवस्था के ठप हो जाने या फेल हो जाने का दृश्य है। स्टीफन मरांडी जैसे नेता, जो कल तक चुनाव में चलने के लिए हुँकार लगा रहे थे, अब उनके स्वर बदलते नजर आ रहे हैं। यही नहीं, यू.पी.ए. के जो-जो विधायक या घटक दल चुनाव में चलने का आह्वान कर रहे थे (राष्ट्रपति शासन लगने के पहले तक), अब राष्ट्रपति शासन में वे बेचैन (डिसपरेट) दिखाई दे रहे हैं। ऐसी स्थिति है कि कोई सरकार बनाने की पहल करे, तो ये डिसपरेट विधायक बैंड-बाजा लेकर कूद पड़ेंगे! पानी से बाहर मछली की हालत में ये तड़प रहे हैं, सिर्फ एक दिन में। अगर ये सचमुच जनप्रतिनिधि हैं, तो सारे दलों को मिलकर कहना चाहिए, 'चलिए चुनाव में'। डॉ. लोहिया कहा करते थे, 'लोकतंत्र की रोटी को बार-बार पलटिए, नहीं तो वह जल जाएगी।' अगर राजनीतिक प्रणाली ठीक-ठाक काम नहीं कर पा रही, उसके गर्भ से सरकार नहीं जनम रही, तो बार-बार चुनाव कराने में आपत्ति क्यों? क्यों चुनाव से भाग रहे हैं? क्या चुनाव होने तक बिना मंत्री पद या विधायकी के नहीं रह सकते? यह लोभ, लालच और बेचैनी क्यों? एक और रास्ता है, जिससे साल भर विधायकी भी बच सकती है, सरकार भी चल सकती है और झारखंड भी बन सकता है। इसकी बुनियादी शर्त है कि स्व को नीचे रखना, झारखंड के हित को ऊपर रखना। यह बार-बार कहना-बताना जरूरी है कि राजनीति ही नया चेहरा बना सकती है, नया माहौल पैदा कर सकती है, पर इस स्थिति के लिए बोल्ड राजनीतिक कदम उठाने पड़ेंगे। ऐसी स्थिति में एक नई पहल संभव है। सारे राजनीतिक दल मिलें और वे शेष एक साल के लिए (जिसके बाद झारखंड विधानसभा चुनाव होंगे) झारखंड के पुनर्निर्माण का एक एजेंडा बनाएँ। यह एजेंडा सिर्फ और सिर्फ झारखंड के विकास

की बात करे। यह पॉलिटिकल एजेंडा न हो; क्योंकि झारखंड है, तो झारखंड के राजनीतिक दल हैं।

झारखंड के राजनीतिक अस्तित्व पर सवाल उठने लगे हैं। यह स्वाभाविक भी है। लालूजी ने एक महत्त्वपूर्ण बात कही है, 'मैं तो झारखंड राज्य के पक्ष में ही नहीं था। अब, जब बन गया है, तो कोई सरकार चलानेवाला नहीं है'। लालूजी अकेले ही ऐसा नहीं सोचते, एक बड़ा तबका है, जो पिछले आठ वर्षों के झारखंडी अनुभव को राजनीतिक विफलता का नमूना मानता है। वे पूछते हैं, झारखंड के साथ बने छत्तीसगढ़ और उत्तरांचल आज कहाँ हैं और झारखंड कहाँ खड़ा है? क्यों सरकार के जाते ही शासक दल के विधायकों के प्राण सूख रहे हैं? फरवरी में लोकसभा चुनाव की घोषणा होते ही आचार-संहिता लग जाएगी। फिर सारे काम-काज ठप? सरकार ठप? अगर सरकार बन भी गई होती, तो वह क्या कर लेती? चुनावों के कारण वह निष्क्रिय बन जाती। पर माननीय विधायक बिना सरकार के इसलिए बेचैन हैं कि उनकी लालबत्ती गई। रुतबा व हैसियत में अंतर आ गया, रातोरात! विशिष्ट से सामान्य हो गए! पर संपत्ति के अर्थ में नहीं। उस अर्थ में तो आज भी माननीय, महाविशिष्ट श्रेणी में हैं, पर झारखंड के इस राजनीतिक संकट का समाधान ऐसे ही लोगों को ढूँढ़ना पड़ेगा; क्योंकि यही विधायक हैं। अगर ऐसे सवालों के उत्तर झारखंड की राजनीतिक पार्टियों या राजनीतिक प्रणाली ने लोकतांत्रिक ढंग से नहीं ढूँढ़ा, तो झारखंड फेल्ड स्टेट होगा। सारे दल मिलकर कॉमन मिनिमम प्रोग्राम के तहत शेष एक साल का एजेंडा बना सकते हैं। पहला, कृषि और गाँव का विकास। दूसरा, सड़कों का निर्माण। तीसरा, बिजली की सही आपूर्ति। चौथा, पर सबसे महत्त्वपूर्ण एजेंडा, भ्रष्टाचार के खिलाफ संपूर्ण ताकत के साथ प्रहार और सुशासन स्थापित करना। क्योंकि भ्रष्टाचार ने ही झारखंड को खोखला, निर्जीव और स्पंदनहीन बना दिया है। इस राजनीतिक भ्रष्टाचार ने उद्योग और मीडिया के साथ मिलकर एक नए उद्दंड, लालची और दलाल वर्ग को जन्म दिया है। इसके नाश में ही सबका कल्याण है। यह पता है कि झारखंड के राजनीतिक दल ऐसा प्रयास कतई नहीं कर सकते। इसे वे आदर्शवादी, अव्यावहारिक, फिजूल और किताब की बातें कहेंगे। उनकी इस आलोचना के बावजूद यह प्रस्ताव है; क्योंकि ऐसे बोल्ड कदमों से ही झारखंड में पुनः विश्वास, नई ऊर्जा और नई उम्मीद पैदा हो सकती है।

यू.पी.ए. घटक दल के लोग झामुमो से नाराज दिखते हैं; क्योंकि झामुमो सबसे अधिक विधायकों को रखकर अपना प्रत्याशी मुख्यमंत्री के रूप में देखना चाहता है। इसमें गलत क्या है? झामुमो ने हाल के दिनों में दो स्टैंड लिये। साफ ढंग से और उसपर टिका। पहला, शिबू सोरेन को मुख्यमंत्री बनाते समय। दूसरा इस बार। झारखंड के राजनीतिक अतीत में ऐसे अवसर पहले इस्तेमाल हुए होते, तो शायद यह स्थिति नहीं

होती। मुख्यमंत्री के रूप में बाबूलाल मरांडी को भी ऐसा मौका मिला था। उनके तीन मंत्रियों ने जब नाज-नखरे शुरू किए, तब वह सरकार छोड़कर पार्टी को चुनाव में जाने के लिए बाध्य कर सकते थे, पर अंत-अंत तक वह सरकार बचाने में लगे रहे। उन्होंने तीन वैकल्पिक लोगों का इंतजाम भी किया था। उनके यहाँ से राजभवन फोन करके पूछा गया था कि तीन वैकल्पिक मंत्रियों को कितनी जल्द शपथ दिलाई जा सकती है? सरकार बचाने के प्रयास में जब वह विफल हुए, तब चुनाव की बात की। तब तक अर्जुन मुंडा की गाड़ी निकल पड़ी थी। अर्जुन मुंडा और भाजपा ने भी चुनाव में जाने के बदले सरकार चलाने का रास्ता चुना। जब कोड़ा बिदके और नई सरकार बनाई, उसके पहले से ही एन.डी.ए. में फिर खटराग शुरू हो गया था। तब भी एन.डी.ए., भाजपा और अर्जुन मुंडा के पास मौका था, फिर चुनाव में चलने का, पर यहाँ तो स्पर्द्धा चली कि कैसे सरकारें बनें, बचें और लूट हो। कम-से-कम शिबू सोरेन ने अपनी टेक पर अड़कर समझौता न करने का साफ संकेत दिया है। एक और उल्लेखनीय कार्य किया है झामुमो ने। निर्दलियों को उनकी हैसियत में पहुँचा देना। दरअसल, पिछले आठ वर्षों से ऐसे फुटकर निर्दलीय ही झारखंड के दुर्भाग्य का अध्याय लिख रहे हैं। इस बार के राजनीतिक संकट में इन निर्दलियों की बड़ी-बड़ी बातें या दावे कहाँ थे?

जो आसार या हालात बने हैं, उनमें एक बड़ा अवसर छिपा है। राष्ट्रपति शासन झारखंड के लिए वरदान हो सकता है। दो रास्ते हैं। एक रास्ता बिहार और मध्य प्रदेश में राज्यपाल रहे शफी कुरैशी साहब का। दूसरा, बूटा सिंह का। कुरैशी साहब भारत सरकार में मंत्री रहे। चंद्रशेखरजी के कार्यकाल में राज्यपाल बने। मध्य प्रदेश में राज्यपाल के रूप में उन्होंने कुछ काम शुरू किए। राष्ट्रपति शासन के दौरान उन्होंने 8-10 कदम उठाए। ग्रामीण विकास से लेकर शासन को चुस्त-दुरुस्त करने तक के। ये वही काम थे, जिन्हें मध्य प्रदेश के कांग्रेसी नेता दिग्विजय सिंह ने बाद में आगे बढ़ाया और दो टर्म मुख्यमंत्री रहे। ये अत्यंत लोकप्रिय कार्यक्रम थे। झारखंड में सरकारों के रहते हुए सरकारी शून्यता की स्थिति रही है। सरकारों और प्रशासन का वजूद नहीं रहा। राष्ट्रपति शासन में झारखंड कुरैशी साहब के रास्ते पर चलकर अपना रूप निखार सकता है। देश में हो रही बदनामी के कलंक से कुछ हद तक मुक्त हो सकता है। दूसरा रास्ता है, बिहार में राज्यपाल रहे बूटा सिंह का। यह असफल मॉडल रहा। इसलिए झारखंड इस रास्ते पर चलना अफोर्ड (बरदाश्त) नहीं कर सकता।

राष्ट्रपति शासन में ग्रामीण विकास, सड़क निर्माण और भ्रष्टाचार पर पाबंदी के कदम उठाए जाएँ। ब्यूरोक्रेसी में आमूल-चूल परिवर्तन हो। ईमानदार और एफिसिएंट लोगों को वनवास से वापस लाया जाए। भ्रष्टों पर कठोर और त्वरित काररवाई हो। सच तो यह है कि झारखंड की सफाई का रास्ता कई विभागों में हुए काम-काज की सी.बी.आई.

जाँच से ही निकलता है।

जनता भी सार्वजनिक सवालों पर ड्राइंगरूम पीड़ा या विधवा विलाप या अरण्यरोदन से बाहर निकले। नागरिक संगठन सभी चौबीस जिलों में सड़क पर उतरें। अपने-अपने शहर या गाँव में हुए सरकारी काम-काजों में हेरा-फेरी, भ्रष्टाचार और लूट को डाक्यूमेंट करें। एक-एक तथ्य इकट्ठा करें। आजादी की लड़ाई में वकीलों ने बड़ी रहनुमाई की थी। झारखंड को पुनर्जन्म देने में वकील फिर कारगर हो सकते हैं। भ्रष्टाचार से संबंधित तथ्य ऐसे समर्पित वकीलों के पास ले जाएँ, उनसे पी.आई.एल. बनवाएँ और अदालतों में दायर करें। भ्रष्टाचार के खिलाफ लोकजंग से ही झारखंड का भविष्य निखरेगा। झारखंड में हो रही या हुई लूट ने आनेवाली पीढ़ियों का भविष्य भी बंधक बना लिया है। झारखंड-मुक्ति के लिए लोकपहल जरूरी कदम है। उन नागरिकों को और वकीलों को धन्यवाद दीजिए, जो विजिलेंस या हाईकोर्ट के माध्यम से झारखंड के लिए अपनी ऊर्जा और ताकत लगा रहे हैं। ऐसे और लोग व समूह आगे आएँ, तभी झारखंड बनेगा, निखरेगा और बदलेगा।

नागरिकों से पूछिए, राष्ट्रपति शासन पर उनकी क्या प्रतिक्रिया है? लोक प्रतिक्रिया से पता चलता है, चोर और भ्रष्ट राजनेताओं से जनता कितनी नफरत करती है या त्रस्त है! शासन या सरकार अपना इकबाल देखें! क्या सरकार, पुलिस, प्रशासन का प्रताप रह गया है? यह सब सरकारों और राजनीतिज्ञों के कारण हुआ है। आज चतरा-पलामू झारखंड से कट गए हैं नक्सलीबंदी के कारण। असल भय और शासन तो नक्सली समूहों का है। एक दिन में ही राज्यपाल महोदय ने जरूरी कठोर कदम उठाने के संकेत दिए हैं। यह उत्साहपूर्ण पहल है। राष्ट्रपति शासन में यह पहल और ठोस रूप ले, तो झारखंड में शासन का इकबाल, संविधान का राज वापस होगा।

(21-01-2009)

झारखंड : अब किधर?

पूत के पाँव पालने में! यह लोक कहावत भविष्य का संकेत करती है। इस कसौटी पर लोग झारखंड में राष्ट्रपति शासन परख रहे हैं। 12 दिन हुए, मोटे तौर पर संकेत बेहतर गए हैं। सामान्य जनता के लिए सुकून देनेवाले। राहत पहुँचानेवाले।

1. झारखंड का माइंस विभाग झारखंड को दुनिया में बिकाऊ और बदनाम बना चुका है। उसका अतिरिक्त प्रभार एक ईमानदार अफसर को सौंपा गया।
2. सरकार बदलवानेवाले, सफेदपोश मोबाइल दारोगाओं (सफेदपोश डकैत) के खिलाफ काररवाई।
3. इसी तरह सड़क विभाग का अतिरिक्त प्रभार एक अच्छे अफसर के हाथ में गया।
4. जे.पी.एस.सी. की एक परीक्षा में शिकायत पर जाँच का आदेश।
5. विजिलेंस को मजबूत करने की कोशिश। उसमें आई.जी. और एस.पी. दिए गए। दरअसल झारखंड की सफाई या पुनर्जन्म का काम यही विभाग कर सकता है। अगर झारखंड लूटनेवाले कानून के दायरे में आ गए, तो ही झारखंड का पुनर्जन्म संभव है।
6. अन्य काम भी, मसलन डॉक्टरों की हड़ताल खत्म होना या अराजपत्रित कर्मचारियों की हड़ताल खत्म होना।
7. 'जाजोरिया प्रसंग' में हुए अन्याय के खिलाफ जाँच का आदेश।

पर ये सारे कदम मरहम हैं। पिछले आठ वर्षों में भ्रष्टाचार ने झारखंड के शरीर पर ऐसे-ऐसे घाव पैदा कर दिए हैं, जो मामूली राहत से नहीं भरने वाले, पर राष्ट्रपति शासन की एक मर्यादा और सीमा है। वह चमत्कार नहीं कर सकता, पर उसके अंतर्गत अगर समयबद्ध ठोस कदम उठाए जा सकें, तो झारखंड का पटरी पर लौटना संभव है। ये ठोस कदम क्या हो सकते हैं—

1. अब तक 'रूल्स ऑफ बिजनेस' नहीं बना। यह तुरंत बनना चाहिए।
2. राज्यपाल के सलाहकारों के विभागों का अविलंब बँटवारा।

इन दोनों कदमों के बाद पहली चुनौती है, झारखंड में रूल ऑफ लॉ (कानून राज की वापसी) सुनिश्चित कराना। यह राज्य संविधान के अनुसार चले। अब तक सरकारों और मंत्रियों ने इसे निजी संपत्ति की तरह चलाया है। इसका परिणाम है कि झारखंड के साथ जो बरताव हुआ, वह विदेशी लुटेरों ने भारत के साथ किया। फर्क यह है कि यह काम झारखंडियों ने झारखंड के साथ किया है। अपने कामों से झारखंड सरकार को अब संदेश देना है कि फाइलें या निर्णय, पैसों और पैरवी से संचालित नहीं होते, संविधान के कानून के तहत होते हैं। मसलन कुछ विभाग ऐसे हैं, जो भ्रष्टाचार के लिए ही कुख्यात हैं।

जैसे जे.एस.एम.डी.सी. (झारखंड मिनरल डेवलपमेंट कॉरपोरेशन)। बाबूलाल मरांडी जब पहली बार मुख्यमंत्री हुए, तभी यह बात सार्वजनिक हुई कि वहाँ से नियमित पैसा ऊपर के अफसरों और मंत्रियों तक पहुँचता है। तब एन.डी.ए. के कुछ लोगों ने ईमानदार कोशिश की कि यह सब बंद हो, पर बंद नहीं हुआ। वह धारा लगातार फलती-फूलती और पसरती गई। ऐसी अनेक धाराएँ हैं, जो झारखंड बनने के साथ ही विरासत में मिलीं। इन धाराओं पर राष्ट्रपति शासन में ही अंकुश संभव है। इनकी जड़ों पर कठोर प्रहार हुए, इन्हें रोकने में कामयाबी मिली, तो झारखंड में स्वत: एक बड़ा संकेत जाएगा। अर्थशास्त्र में एक अवधारणा है, 'डिमोंस्ट्रेटिव इफेक्ट' (देखने का प्रभाव)। इसके तहत ऐसे कठोर कदमों का असर स्वत: अन्य विभागों पर जाएगा। इसी तरह एक्साइज विभाग। वहाँ शराब कांट्रेक्टर माफिया ऊपर तक दो करोड़ प्रतिमाह पहुँचाते थे। 15 महीने से शराब बेचने की एडहॉक व्यवस्था को एक्सटेंशन मिल रहा है। टेंडर कराकर साफ-सुथरे ढंग से काम कराने के प्रयास को असंभव बना दिया गया। राज्य को कई सौ करोड़ का नुकसान हुआ। मंत्री ही सरकार को लूटे, यह हाल! ऐसे अपराधों की जाँच होनी ही चाहिए।

कुपात्र अफसर : अर्थशास्त्र में ही 'ग्रेसम लॉ' है। लोकजीवन में भी मशहूर और चर्चित। खोटे सिक्के अच्छे सिक्कों को चलन से बाहर कर देते हैं। झारखंड के अच्छे नौकरशाह आज या तो हाशिए पर हैं या झारखंड से बाहर हैं। जो थोड़े-बहुत अच्छे अफसर महत्त्वपूर्ण पदों पर हैं, वे दिन-रात टेंशन और मुसीबत में हैं। झारखंड की दुर्दशा का मूल कारण है—नौकरशाही का बड़ी तादाद में बिकना। अगर नौकरशाह कानून और संविधान के अनुसार चलते, अपने मुद्दों पर अडिग रहते, आत्मस्वाभिमान से सौदा नहीं करते, तो झारखंड की यह स्थिति न होती। मंत्री और सरकार क्या कर लेते? ब्यूरोक्रेसी अगर नहीं बिकती, तो झारखंड के मंत्री लुटेरे बनते? क्यों ईमानदार नौकरशाह भागने पर या बार-बार स्थानांतरण के शिकार हुए? क्यों झारखंड में एक मंत्री नहीं हुआ, जो ईमानदार नौकरशाहों के साथ खड़ा हो और कहे कि ये लोग संविधान और कानून के

प्रहरी हैं। राज्य के हित में काम कर रहे हैं। हालाँकि राष्ट्रपति शासन की सीमाएँ हैं। पर बड़े स्तर पर एकाध चेंज करके यह संदेश तो नीचे जा ही सकता है कि अब कानून का राज है। 'नो नॉनसेंस' का मैसेज एकाध तबादलों से नीचे तक पहुँच सकता है। राज्यपाल राष्ट्रपति शासन में सर्वेसर्वा हैं। वह संविधान के प्रहरी हैं। झारखंड में संविधान का चेहरा एक बार लोग जानें, आज इसकी जरूरत है। राष्ट्रपति शासन में अगर लोगों ने कानून के राज की झलक पा ली, तब वे नेताओं के गैर-कानूनी चेहरे को पहचानने और उसके खिलाफ खड़े होने की स्थिति में होंगे। कौन-सा कानून यह कहता है कि मंत्री अपने ही शासन में, अपने ही विभाग में, अपनी पत्नियों को कांट्रेक्टर बना दे? झारखंड में ऐसी एक नहीं, कई घटनाएँ हैं।

ईमानदार और काम करनेवाले अफसरों के साथ झारखंड में जो सुलूक हुआ है, वह अनकही व्यथा है। पुरानी बातें छोड़ दें। दो हाल के उदाहरण। जिस तरह हाँड़ी से सिझते चावल के एक दाने को निकालकर परखा जाता है कि चावल तैयार है या नहीं, उसी तरह। देश ने झारखंड के दो आई.ए.एस. को 'नरेगा एक्सिलेंस अवार्ड' से नवाजा है। उधर झारखंड की राजनीति ने झारखंड को बिकाऊ और दलालों का अड्डा बनने का संदेश देश को दिया है, पर ऐसे अफसरों के काम से ही झारखंड को कभी-कभार प्रतिष्ठा मिलती है। लेकिन उनके साथ क्या हुआ? पूजा सिंघल ने गोड्डा में अच्छा काम किया, देश ने पुरस्कृत किया। झारखंड की सरकार ने उन्हें राजनीतिक कारणों से गोड्डा से हटाया। इतना ही नहीं, सात बार स्थानांतरित किया। अब वह डायरेक्टर सेकेंडरी स्कूल हैं। यह काडर पोस्ट नहीं है। डायरेक्टर प्राइमरी स्कूल काडर पोस्ट है। वहाँ एक फारेस्ट अफसर हैं। नितिन कुलकर्णी झारखंड के अच्छे अफसरों में से हैं, पर क्या हुआ था उनके साथ? आधी रात में ट्रांसफर। राजनीतिक हुड़दंग और कानून तोड़नेवालों के कारण। ये बानगी हैं। अच्छे अफसरों के पीछे कोई है नहीं। राष्ट्रपति शासन एकाध बड़े बदलाव कर इस दिशा में स्वस्थ मैसेज दे सकता है।

भ्रष्टाचार : झारखंड का उपनाम है भ्रष्टाचार। यह बड़ी चुनौती है। भ्रष्टाचार के इस दुर्ग में सूराख बने या न बने, पर एक ईमानदार कोशिश संभव है। राष्ट्रपति शासन में विजिलेंस डिपार्टमेंट को सशक्त बनाने की कोशिश हुई है। इस विभाग को सक्षम बनाने के लिए जो भी संसाधन जरूरी हैं, उन्हें तत्काल उपलब्ध कराना चाहिए। प्राथमिकता के आधार पर। अच्छे अफसर, अच्छे जाँचकर्ता, साफ-सुथरे रिकॉर्ड के डी.एस.पी., इंस्पेक्टर वगैरह। इस विभाग को समयबद्ध जाँच का आदेश देना चाहिए।

सड़क चुरानेवाले झारखंड में बड़े कारगर और प्रभावी हैं। मंत्रियों के सहयोग से, कांट्रेक्टरों के सौजन्य से झारखंड के माफिया इंजीनियरों ने राज्य बेचने का काम किया है। 19 जनवरी, 2009 को 'झारखंड अभियंत्रण सेवा संघ' ने एक प्रेस विज्ञप्ति जारी की

है। उसमें कई मामलों का उल्लेख किया गया है। अत्यंत गंभीर और आपराधिक। मसलन, नारायण खाँ जल संसाधन विभाग के सहायक अभियंता हैं। उन्हें सहायक अभियंता, कार्यपालक अभियंता, अधीक्षण अभियंता और मुख्य अभियंता के काम सौंपे गए हैं। एक ही व्यक्ति को चार पद? यानी वह खुद अपने काम का मूल्यांकन कर सकता है, जाँच कर सकता है, भुगतान कर सकता है। शायद प्रशासनिक इतिहास में ऐसे आपराधिक काम न मिलते हों! इसी तरह सिद्धिनाथ शर्मा हैं, अधीक्षण अभियंता। दुमका का प्रभार उनके पास है। लघु सिंचाई का अतिरिक्त प्रभार है। मुख्य अभियंता का प्रभार है। श्री इन वन। ब्रजमोहन कुमार ग्रामीण विशेष विभाग के कार्यपालक अभियंता हैं। अधीक्षण अभियंता का भी अतिरिक्त प्रभार उनके पास है। वह मुख्य अभियंता विशेष ग्रामीण विकास (राँची) भी हैं—श्री इन वन। अरुण कुमार यांत्रिक अभियंता हैं। वह लघु सिंचाई (यांत्रिक) के अधीक्षण अभियंता भी हैं। ऐसे अनेक उदाहरण 'झारखंड अभियंत्रण सेवा संघ' की प्रेस विज्ञप्ति में हैं। ऐसे लोगों को तत्काल एक-एक पद तक सीमित करना जरूरी है। साथ ही कई विभागों का दायित्व एक व्यक्ति को सौंपने के पीछे लूट और भ्रष्ट मानस की जाँच जरूरी है। ए.जी. की रिपोर्ट है कि झारखंड में विभिन्न मदों में 6000 करोड़ रुपए बतौर अग्रिम निकाले गए हैं। ये पैसे कहाँ हैं? किसने एडवांस लिए? किसने इसकी मंजूरी दी? 15-20 दिनों के अंदर इसकी जाँच का आदेश देकर झारखंड में एक नई शुरुआत हो सकती है। इस तरह के किसी एक गंभीर मामले को राज्यपाल के सलाहकार चाहें तो सी.बी.आई. जाँच के लिए रेफर करें। यह दु:खद है, पर है सच कि झारखंड की मुक्ति या पुनर्जन्म या सफाई का रास्ता सी.बी.आई. जाँच प्रक्रिया से होकर गुजरता है।

झारखंड में मूल चुनौती है सिस्टम की बहाली। सिस्टम काम करे। दलाल, पैसे से निर्णय प्रभावित करनेवाले या सरकारी निर्णय खरीदनेवाले तत्त्व सरकारी कॉरीडोर में न दिखें, यह जरूरी है। हाईकोर्ट में हेलीकॉप्टर के दुरुपयोग से संबंधित मामला चल रहा है। यह पढ़कर रूस के जार और फ्रांस के सम्राट् भी लज्जित हो जाएँगे। उन्होंने भी कभी गरीब राज्य के पैसों का इस निर्ममता से दुरुपयोग नहीं किया होगा। राजे-महाराजे, सामंत या विलासी तानाशाह भी इन कारगुजारियों के सामने शर्मिंदा होंगे! गाँव की एक कहावत है, 'अबर की लुगाई, गाँव की भौजाई।' कमजोर आदमी की पत्नी पूरे गाँव में मजाक और ठिठोली का पात्र बन जाती है। झारखंड को इन नेताओं ने ऐसा ही बना दिया है। कोई लोक-लाज और शर्म है ही नहीं। जिस राज्य में लोग भूखे मर रहे हैं, वहाँ के लोकतांत्रिक शासक हेलीकॉप्टर के दुरुपयोग में कई-कई करोड़ खर्चते हैं। कहाँ उड़ते हैं? किसे ले जाते हैं? क्या ढोते हैं? किसी नियम का पालन नहीं करते। जब यह सब चल रहा था, तो झारखंड के नौकरशाह क्या कर रहे थे? क्या उन्होंने यह सब बंद

कराने की पहल की? फाइल में लिखा? सूचना है कि ऐसी कुछ उड़ानों में ब्लैकमनी
ढोई गई। क्या मजाक बना दिया है कानून और व्यवस्था का। सरकार का हेलीकॉप्टर
और उसका यह गैर-कानूनी दुरुपयोग! अपराधी चोरी-छुपे उड़ते हैं, ब्लैकमनी ढोते हैं।
यहाँ तो सरकार के लोग इस काम में लगे थे। यह अक्षम्य अपराध है।

सरकार बनेगी या नहीं?

झारखंड में यह कयास लगाया जाने लगा है कि राष्ट्रपति शासन कितने दिन? नई
सरकार बनाने की कोशिश चल रही है। यह प्रक्रिया चलती रहेगी, पर इससे निरपेक्ष
राष्ट्रपति शासन में काम होना चाहिए। सवाल यह नहीं है कि किसका शासन कितने
दिन? एक कहावत है, जीवन कितना लंबा है, यह बड़ा सवाल नहीं है। बड़ा सवाल
यह है कि वह कितना अच्छा और कितना प्रभावी है।

झारखंड की राजनीति के रग-रग से वाकिफ लोग बताते हैं कि विधायक किसी
कीमत पर सरकार चाहते हैं। एक जानकार का यह भी कहना है कि पक्ष और विपक्ष
के विधायक इस सवाल पर एकमत हैं। हाँ, कुछ विधायक अपवाद हैं, जो विधानसभा
को भंग करने की बात करते हैं। मसलन भाकपा (माले)। इस पार्टी का स्पष्ट मत है
कि विधानसभा भंग हो। शुरू से ही झारखंड विकास मोरचा ने भी विधानसभा भंग
करने की माँग की है। झाविमो 18 फरवरी को पचास हजार लोगों के साथ 'घेरा
डालो, डेरा डालो' कार्यक्रम भी कर रहा है। इसी तरह भाजपा भी 12 तारीख को
'घेरा डालो, डेरा डालो' का आवाहन कर चुकी है। इन दोनों आंदोलनों के पीछे उद्देश्य
है विधानसभा भंग करने की माँग, पर इन दोनों दलों को खुद पर आत्मविश्वास नहीं
दिखता। इन दोनों के विधायक अगर इस्तीफा दे दें, तो विधानसभा भंग की स्थिति
स्वत: बनने लगेगी। बाबूलाल मरांडी की पार्टी में तो दल के लोगों ने कहा भी कि
हमारे विधायकों को इस्तीफा देना चाहिए, पर इस्तीफे के लिए कोई तैयार नहीं है। इसके
पीछे क्या कारण हैं?

झारखंड की राजनीति के एक जानकार की मानें, तो एक-एक विधायक को साल
में तीन करोड़ विधायक फंड मिलता है। इस विधायक फंड पर सामान्य कमीशन है 20
फीसदी—यानी 60 लाख। इस जानकार का कहना है कि झारखंड में अनेक ईमानदार
विधायक हैं, जो ऐसी चीजों में हिस्सेदार नहीं हैं। ऐसे विधायक हर दल-पक्ष में हैं, पर
अनेक हैं, जो यही करते हैं। 20 फीसदी तो तय कमीशन है। जो अधिक धनार्जन के
आकांक्षी हैं, वे 30-40 परसेंट या 50 परसेंट तक कमीशन वसूलते या लूटते हैं। भला वे
यह राशि कैसे छोड़ सकते हैं? जो सरकार में चले जाते हैं, उनकी चाँदी-ही-चाँदी है।
जिन मंत्रियों के रहस्य सामने आए हैं, उनसे लगता है कि चार-छह सौ करोड़ कमाना

मंत्रियों के दाएँ-बाएँ हाथ का खेल है। भला यह लाभ छोड़कर सरकार से कौन बाहर रह सकता है?

पर सरकार बनने में पेच है। अब एक नई बात हो गई है। लोकसभा चुनाव। यह चुनाव अप्रैल-मई में संभावित है। फरवरी या मार्च से आचार-संहिता भी लग जाएगी। लोकसभा के बाद क्या दृश्य होंगे, यह ईश्वर जाने! तब तक कमाई का बहुत मौका हाथ में नहीं है। हाँ, सरकार बन जाने पर मंत्रियों को लाल बत्ती और सुरक्षा जरूर मिल जाएगी और विधायकों को फंड।

पर झारखंड में राजनीतिक विवाद अभी कायम है। शिबू सोरेन ने दो नए नाम देकर कांग्रेस और राजद को पसोपेश में डाल दिया है। पहले यू.पी.ए. के घटक और निर्दलीय चंपई सोरेन के नाम पर असहमत थे। अब झामुमो ने दो नए नाम दिए हैं। इन दोनों पर भी अगर यू.पी.ए. के घटक राजी नहीं होते, तो झामुमो यह मैसेज देने में सफल होगा कि यू.पी.ए. सबसे बड़ी पार्टी को अनदेखा कर रहा है। अब झामुमो के लिए झामुमो के बाहर किसी नाम पर सहमत होना मुमकिन नहीं है। वैसे भी पार्टी में कई सवालों पर असहमति बाहर दिखाई दे रही है। मसलन महतो समुदाय की यह माँग कि सुधीर महतो मुख्यमंत्री क्यों नहीं? इस प्रसंग को भी यू.पी.ए. के अन्य घटक दल हवा दे रहे हैं। इस तरह झामुमो में नया तनाव पैदा हो रहा है।

कांग्रेस पसोपेश में होगी। अब तक सरकारों और मंत्रियों के कुकर्म जगजाहिर हो चुके हैं। बड़े पैमाने पर जनता राष्ट्रपति शासन के पक्ष में है। अगर राष्ट्रपति शासन में सुशासन का संकेत जाता है, तो कांग्रेसी मानते हैं, यह उनके हक में होगा। क्या कांग्रेस यह लोभ छोड़ने की स्थिति में है? यह दोधारी तलवार है। अगर कांग्रेस सरकार बनवा देती है, तो वह अपने पैर में कुल्हाड़ी मारेगी। सरकार बनने से अब यह संदेश जाएगा कि जोड़-तोड़ कराकर कांग्रेस ने फिर कुशासन, भ्रष्टाचार और लूट का राज वापस करा दिया। मंत्रियों और सरकार के भ्रष्टाचार और पाप दुर्गंध देने लगे हैं। इस दुर्गंध को वापस कराकर क्या कांग्रेस अपने लिए कब्र तैयार करेगी? क्या लोकसभा चुनाव की पृष्ठभूमि में कांग्रेस यह काम करेगी? इस बार भाजपा, झाविमो या भाकपा (माले) जैसे दल चुप नहीं बैठने वाले। भाकपा भी खिलाफ में खड़ी हो सकती है। वजह लोकसभा चुनाव हैं। राज्य सरकार के मंत्रियों के पाप इस कदर लोकमानस में दुर्गंध देने लगे हैं कि खुद राजद चुनावों के समय यह गंदा बोझ उठाने को तैयार होगा? यही कारण है कि झामुमो सत्ता अपने हाथ में चाहता है। वह किसी निर्दलीय की बदनामी या पाप की गठरी उठाकर, इस लोकसभा चुनाव में डूबना नहीं चाहता। कांग्रेस ने लोकसभा चुनावों में अकेले चलने का निर्णय लेकर दूरगामी संदेश दिया है। झारखंड के लिए कांग्रेस के इस निर्णय का संकेत है—कांग्रेस झारखंड में सरकार बनवाने में या नए प्रयोग में अब

दिलचस्पी नहीं लेनेवाली।

पर असल चुनौती मिलेगी विपक्ष से। बाबूलाल मरांडी और अर्जुन मुंडा-रघुवर दास से। यह सही है कि झारखंड अगर भ्रष्टाचार और कुशासन का पर्याय बना, तो इसके लिए विपक्ष समान दोषी है। जिस राज्य में इस तरह अराजकता, भ्रष्टाचार और गैर-कानूनी काम हुए हों, वहाँ कोई विरोध में एक बड़ा आंदोलन नहीं चला! यह असाधारण घटना है, पर चुनावों की इस पृष्ठभूमि में यह स्पर्धात्मक राजनीति का दौर है। लोकसभा चुनाव होने वाले हैं। इसलिए सरकार गठन की पहल या विधानसभा को निलंबित रखने के खिलाफ ये दल 'घेरा डालो, डेरा डालो' कार्यक्रम के लिए तैयार हैं। कारण लोकसभा चुनावों की पृष्ठभूमि में यह आंदोलन इन दलों को ऑक्सीजन देंगे। बाबूलाल मरांडी सचमुच अगर 50000 लोगों के साथ विधानसभा भंग करने के लिए 'घेरा डालो, डेरा डालो' कार्यक्रम चलाते हैं, तो वह अपना राजनीतिक आधार ठोस बनाएँगे। यही स्थिति भाजपा के साथ भी होगी, पर क्या यू.पी.ए. घटक यह राजनीतिक अवसर एन.डी.ए. को देना चाहेंगे? इसलिए सरकार बनाने की बेचैनी निर्दलियों को ज्यादा होगी, दलों को कम। हाँ, लोकसभा चुनाव के बाद बदले दृश्य में अनेक नई संभावनाएँ बनेंगी-पनपेंगी।

(31-01-2009)

आईने में अपना चेहरा
संदर्भ : झारखंड

झारखंड निगरानी ब्यूरो द्वारा मंत्रियों के यहाँ छापे। फिर मंत्रियों की संपत्ति ब्योरे की सार्वजनिक जानकारी। हेलीकॉप्टर दुरुपयोग का हाईकोर्ट में चल रहा प्रकरण। आयकर छापेमारी में इंजीनियरों की संपत्ति के ब्योरे। झारखंड लोक सेवा आयोग में हुई नियुक्तियों के संबंध में राजभवन से जारी आरोप पत्र, ये महज झलकियाँ हैं। कुछ बानगी कि झारखंड किस सड़ाँध में है? झारखंड की संस्थाएँ किस हाल में पहुँचा दी गईं? इन चीजों के संदर्भ में देखिए, कहाँ है विधानसभा की भूमिका? क्या करती रही सरकार? विपक्ष की क्या राजनीति चल रही थी? राजनीतिक दल कहाँ थे? मीडिया का एक छोटा वर्ग ही क्यों इन मामलों को उजागर कर रहा था? क्या राज था तब मीडिया के बड़े वर्ग की चुप्पी या पक्षधरता या चाटुकारिता या सत्ता पूजन का? राष्ट्रपति शासन में राजभवन से जो अच्छे कदम उठे हैं या आयकर ने जो कदम उठाए हैं, इसके बाद जो तथ्य सार्वजनिक हुए हैं, इनसे स्पष्ट होता है कि झारखंड किस क्रिटिकल सिचुएशन में है।

किसने सड़ाया झारखंडी संस्थाओं को? और किसने सड़ने दिया? इस सड़ाँध को बढ़ाने में क्यों सब साथ रहे या अन्य निरुपाय रहे या सहभागी रहे या मूकदर्शक बने?

सबसे पहले झारखंड की विधानसभा। विधानसभा में हुई नियुक्तियों या इसकी कार्यप्रणाली की गहन जाँच हो, तो पता चलेगा कि राज्य की सबसे पवित्र, लोकतांत्रिक संस्था को कितना मलिन किया गया है। लोकतंत्र में यहीं से राज्य का भाग्य तय होता है। फिसलन या पतन पर रोक लगानेवाली यही प्रभावी संस्था है। इस संस्था की नैतिक अगुवाई और आभायुक्त चरित्र से भविष्य निखरना है। यही संस्था सरकार पर अंकुश रख सकती है। सार्वजनिक जीवन के महत्त्वपूर्ण सवालों पर पारदर्शी नीति बना सकती है, पर खुद यही विधानसभा नियुक्ति घोटालों में चर्चित हुई। मंत्रियों की लापरवाही, अयोग्यता, सरकारी कामकाज में या कानून बनाने में निरंतर भूलें। निरंतर बनती जाँच कमेटियाँ, पर इनके काम, बैठक और परिणाम? सिफर। किसे आँख में धूल झोंकने के लिए दिखावे होते रहे? क्या संदेश दिया है इस विधानसभा ने राज्य को, देश को? क्या

इस विधानसभा के सदस्य राज्य में हो रहे कामकाज से नावाकिफ थे? क्या विधायकों या सरकार को नहीं मालूम था कि मंत्रियों में संपत्ति बटोरने की होड़ है? कुछेक इंजीनियर गिरोह बना कर सरकार चला रहे थे। हर मुख्यमंत्री और सरकार के ये प्रिय पात्र बन जाते हैं। इस राज्य के मोबाइल दारोगा सरकार चलाते थे, मुख्यमंत्री गिराते थे, बनवाते थे। क्या विधानसभा के माननीय सदस्य ये सच नहीं जानते थे? विधानसभा कमेटी के सामने डी.जी.पी. ने मोबाइल दारोगाओं के बारे में टिप्पणी की। इनके कथन का आशय था कि ये इतने ताकतवर हैं कि इनके सामने संस्थाएँ असहाय हो गई हैं। यह एक प्रतिबिंब है। ऐसे ही मोबाइल दारोगा, इंजीनियरों के मामले में। वह अन्य जगहों पर थे, जिनका राज चल रहा था। क्या सरकारों द्वारा ऐसे तत्त्वों को खुले संरक्षण से विधानसभा के सदस्य वाकिफ नहीं थे? पूरा राज्य यह सब जानता था। राज्य के विकास, गरीबों के नमक, सड़क और संस्थाओं के पैसे, ताकतवर लोग उदरस्थ कर रहे थे, तब कहाँ थी विधानसभा, सरकार और ये विधायक? माननीय विधायक लोकतंत्र के पहरेदार हैं। इन्हें इसके लिए वेतन और भारी सुविधाएँ मिलती हैं। विधायकों का सालाना विकास फंड है तीन करोड़ रुपए। फिर भी बार-बार इन्होंने वेतन और सुविधाएँ बढ़ाईं। ये वेतन, सुविधाएँ और विकास फंड किस कार्य के लिए हैं? इसलिए ताकि विधायक स्वच्छ और पारदर्शी शासन दें। इसी एवज में न? पर राज्य में क्या कारोबार चल रहा था? जब झारखंड में पतन की यह स्पर्द्धा चल रही थी, तो हमारे विधायक कहाँ थे? क्यों विधानसभा में बार-बार बहस नहीं हुई या सवाल नहीं उठे कि हमारी संस्थाएँ सड़-गल और पतित हो रही हैं! हम झारखंड का कैसा भविष्य बना रहे हैं? भविष्य की पीढ़ियों के प्रति कोई फर्ज है या नहीं? पर तब प्रतिस्पर्द्धा थी महँगी गाड़ियों की। करोड़ों के सोने के हार पहनने की। संपत्ति खड़ी करने की। इतिहास का प्रसंग है, रोम जल रहा था और नीरो बाँसुरी बजा रहा था। झारखंड की लोकतांत्रिक सरकारों ने साबित किया कि वे नीरो की भूमिका में थीं। जब झारखंड की सरकारें, मंत्री और लुटेरे अफसर नीरो की भूमिका में थे, तो विधायक चुप क्यों थे? राज्यसभा के चुनावों में विधायकों ने किस फॉर्मूले के तहत वोट डाले? यह देश ने देखा। हाँ! कुछेक विधायक हैं, हर पक्ष में हैं, जो धारदार तरीके से इन मुद्दों को उछालते रहे हैं, उठाते रहे हैं, पर क्षमा करेंगे, वे माइनोरिटी में हैं। विधानसभा के लिए अनसुनी आवाज। यहाँ तक कि इनकी पार्टियाँ भी इन मुद्दों पर जोर-शोर से सामने नहीं आईं। जब झारखंड लोक सेवा आयोग में नियुक्तियों के संबंध में सवाल उठे, बुंडू से एक प्रतिभावान छात्र ने 'प्रभात खबर' को पत्र लिखकर पूछा, क्यों न बन जाऊँ मैं नक्सली? तब कहाँ थे हमारे माननीय विधायकगण और विधायिका? झारखंड में ऐसा क्या हो गया था कि प्रभावी लोगों के बाल-बच्चों में ही अचानक प्रतिभा प्रस्फुटित होने लगी? दिलीप प्रसाद और गोपाल प्रसाद सिंह ही दोषी

हैं? नहीं। मंत्री, सांसद, विधायक, अफसर और समाज के प्रभावी लोगों के सगों में जब अचानक 'प्रतिभा प्रस्फुटन' होने लगा, इन ताकतवर तबकों द्वारा राज्य लोक सेवा आयोग को नियुक्तियों के लिए विवश किया गया। इसलिए दोषी आयोग के लोग ही नहीं हैं। किस ब्यूरोक्रेट या नेता के कितने स्वजन अचानक लेक्चरर हो गए? क्या कभी यह भी जाँच होगी? सूचनाएँ तो यह भी हैं, अनेक ऐसे लोग लेक्चरर हो गए हैं, जो एक पेज का शुद्ध आवेदन नहीं लिख सकते! ऐसे अज्ञानी लेक्चरर इस ज्ञानयुग (नॉलेज एरा) में झारखंड की भावी पीढ़ियों को कैसे तराशेंगे? क्या शिक्षा देंगे? ऐसे शिक्षकों को लाकर जब झारखंड का भविष्य दाँव पर लगाया जा रहा था, तब हमारी विधानसभा या सरकारें थीं कहाँ? झारखंड ने क्या भविष्य दिया है अपने युवकों-युवतियों को? आठ वर्षों से लॉ कॉलेज की फाइल मोटी हो रही है, पर कॉलेज नहीं खुला। आई.आई.टी. और मैनेजमेंट संस्थान खोलने के प्रस्ताव पड़े हैं, कोई सुध नहीं लेनेवाला। विश्वविद्यालयों में शिक्षा किस हाल में है? राज्य में हर साल हम कितने बेरोजगारों की फौज खड़ी कर रहे हैं? झारखंड के गरीब बच्चे और बीमार लोग झारखंड के बाहर पढ़ने-इलाज कराने जाते हैं। साल में हजारों करोड़ रुपए इन मदों (शिक्षा, स्वास्थ्य) में खर्च करते हैं। झारखंड बनने के बाद इन क्षेत्रों में क्या काम हुए हैं? जब 'प्रभात खबर' में लगातार हर विभाग के कुकर्मों की रपटें छप रही थीं, तब विधानसभा में कुछ विधायक कहते थे, अखबार में छपे पर विधानसभा चलेगी? इस तरह बार-बार वर्षों से 'प्रभात खबर' इस सड़ाँध से जुड़े एक-एक प्रसंग, सवाल उठाता रहा है, सामने लाता रहा है। जोखिम उठाकर, साहस कर। अपने लिए नहीं, इस देश, समाज और झारखंड के लिए। झारखंड के लिए कुरबानी देनेवालों के लिए। झारखंड की भावी पीढ़ियों के लिए। बिना किसी आग्रह-पूर्वाग्रह के। 'प्रभात खबर' ने जितने प्रकरण अकेले उठाए, वे सामने हैं। इन सवालों के ताल्लुक सीधे विधानसभा से थे। विधानसभा अपनी भूमिका से भटक गई है। सारे रोगों की जड़ राजनीतिज्ञों की अकर्मण्यता है या साझेदारी है या चुप्पी है। 'प्रभात खबर' ने कोशिश की कि जब लोकतंत्र की सबसे प्रभावी संस्था अप्रभावी बनने लगे, तब अखबार वह मंच बने, जहाँ लोक-पीड़ा, अकर्मण्यता, चोरी, भ्रष्टाचार वगैरह के सवाल उठें। समाज इन पर गौर करे। बिना राग-द्वेष 'प्रभात खबर' अकेले इस भूमिका में बढ़ता रहा, क्योंकि झारखंड की मुक्ति इसी रास्ते है, पर विधानसभा में क्या-क्या हुआ? बार-बार प्रभावी लोगों के इशारे और पहल पर 'प्रभात खबर' के खिलाफ प्रिविलेज लाने की तैयारी-धमकी। सरकारों ने अखबार का कितना और क्या नुकसान किया, इस पर कभी और, पर गांधीवादी अप्रोच के तहत 'प्रभात खबर' ने यह भी फैसला किया कि हम अपना ढिंढोरा नहीं पीटेंगे। नहीं छापेंगे कि हमारे उठाए इशूज के इंपैक्ट क्या हो रहे हैं। पिछले कुछेक वर्षों में 'प्रभात खबर' में उठाए गए एक-एक इशू

आज जाँच या आयकर छापे के बाद पुष्ट हो रहे हैं या उजागर हो रहे हैं। तब भी हम यह ढोल नहीं पीट रहे कि ये मुद्दे हमने उठाए, न भविष्य में दावा करेंगे। क्यों? यह समाज, सरकार, विधानसभा या राज्य के लिए दुःखद प्रसंग है। किसी को आहत करना हमारी पत्रकारिता नहीं है। जिनके खिलाफ छपा, वे भी क्षमा करेंगे, क्योंकि किसी से निजी द्वेष है ही नहीं, पर जो गलत रास्ते पर हैं, वे भी सोचें कि गलत काम उनके और उनकी भावी पीढ़ियों के हित में नहीं हैं। राज्य, समाज, हर वर्ग, गरीब, अमीर, सभी खुशहाल होंगे, तो इससे समाज आगे जाएगा। गरीब रोम-रोम से शासकों को दुआएँ देते हैं, अच्छे कामों के लिए। क्या हम पूरे समाज को खुशहाल नहीं बना सकते? या मुट्ठी भर लोग समाज की कीमत पर ऊपर जाना चाहेंगे? इसलिए 'प्रभात खबर' ने पूरे समाज की पत्रकारिता की।

सरकार की भूमिका

झारखंड में पिछले आठ वर्षों में जो सरकारें आईं, वे एक से बढ़कर एक। माल्थस ने कहा था, जनसंख्या गुणात्मक गति से छलाँग लगाती है। बननेवाली हर सरकार अपनी पिछली सरकार को लाख गुना बेहतर साबित कर देती थी, अपने आचरण से। पतन में स्पर्द्धा थी, लूट में स्पर्द्धा थी। सरकार की नीतियों और फैसलों को बेचने में स्पर्द्धा थी। इतना ही नहीं, इसके बाद मंत्रियों के दंभ, आचरण और बड़बोलापन देखने योग्य थे। वे इस अंदाज में बात करते थे, मानो दुनिया इनकी मुट्ठी में हो। हॉर्न बजाकर सड़कों पर खौफ पैदा करते थे, जैसे वे अविनाशी हों, अनश्वर हों। इनके शब्द कानून थे। संविधान की धज्जियाँ इन मंत्रियों ने अपने-अपने विभागों में उड़ा दीं। कोड़ाजी मुख्यमंत्री थे। इनके राज्य में सभी मंत्री मुख्यमंत्री हो गए थे। मुख्यमंत्री मंत्रिमंडल की बैठक में मंत्रियों का इंतजार करते थे। कैबिनेट की बैठक में दो-चार घंटे बाद नए बादशाह मंत्री पधारते थे। अपनी ही सरकार या मुख्यमंत्री के खिलाफ सार्वजनिक बयान देते थे। किसी संवैधानिक मर्यादा का बोध नहीं था। न संवैधानिक या सामूहिक आचरण था, न गरिमा थी। न कैबिनेट में इशूज (मुद्दे) को लेकर शालीन बहस होती थी। विधानसभा या सरकार में बहस की गुणवत्ता तब बेहतर, शालीन और उम्दा होती, जब विधायक या मंत्री अपने-अपने विषय के जानकार होते या पढ़ते, पर विधानसभा तो गलाफाड़ प्रतिस्पर्द्धा का अखाड़ा बनाई गई। कौन कितना अशालीन और अभद्र हो सकता है, इसकी प्रतियोगिता चलती थी। मुट्ठी भर जो शालीन और जानकार विधायक हैं, हर पक्ष में, वे चुप और मूकदर्शक बना दिए गए। शराब माफिया का जन्म, तबादलों के उद्योग की स्पर्द्धा, तबादलों में बोली और खुले रेट, राज्य के राजस्व में भारी कमी, राज्य में अव्यवस्था की स्थिति, नक्सलियों का बढ़ता वर्चस्व, कई इलाकों में खूनी गिरोहों के बीच चलता संघर्ष और मंत्रियों का

संरक्षण। अफसरों में धनवान बनने की होड़। कहाँ पहुँचा दिया झारखंड को सरकारों और नेताओं ने? दूसरी ओर महँगी शादियों की स्पर्द्धा थी। शानदार बर्थ डे पार्टियों की होड़ लगी थी। नोट गिनने की मशीन खरीदने की स्पर्द्धा चल रही थी। सोने की ईंटों को खरीदने का शौक था। सूटकेस भर कर नोट दिल्ली और बाहर ढोए जाते थे। जमीन खरीद में होड़ लगी थी। ईमानदार अफसरों को राज्य निकाला दिया जा रहा था। इन कामों-कुकर्मों को रोकने का दायित्व अंततः सरकार का था। यह उनका संवैधानिक, पवित्र दायित्व था, पर वे उसी तरह के कामों के हिस्सेदार या प्रेरक बन गए। नायक ही खलनायक की भूमिका में थे। और यह खलनायक की भूमिका चोरी-छिपे नहीं थी। संवैधानिक पीठ पर बैठकर, डंके की चोट पर यह सब हुआ। देश के किसी राज्य में संविधान की यह दुर्दशा नहीं हुई, जो झारखंड में हुई। सरकारों ने और क्या किया? झारखंड की माइंस बेचने का धंधा। उल्लेखनीय है राज्यपाल महोदय के शासन में घाटकुरी माइंस बच गई। उनके कारण और एक ईमानदार सचिव के कारण। राज्य के खनिज व संपत्तियाँ खुलेआम बाजार में बेची गईं। इस देश में पंडित नेहरू ने सपना देखा था, सार्वजनिक क्षेत्रों का, भारत के नए मंदिर, मसजिद और गिरजाघरों के रूप में। यह घाटकुरी माइंस सार्वजनिक क्षेत्र की संपदा है। अगर सार्वजनिक क्षेत्र फेल हो जाएँ, तब बात समझ में आती है कि इसके माइंस वगैरह निजी क्षेत्र को सौंप दिए जाएँ। इससे भी बड़ा सवाल इस प्रसंग में इनवॉल्व था कि जिस फैसले को कैबिनेट ने लिया था यानी रिजर्व करने का फैसला कैबिनेट का था, उस फैसले को एक अफसर का नोट कैसे पलट या बदल सकता है? कैबिनेट का फैसला कैबिनेट ही बदल सकती है, पर यह सब गोरखधंधा झारखंड में हुआ। सार्वजनिक क्षेत्र की संस्था है सी.सी.एल.। झारखंड में इसका मुख्यालय है। इसकी फाइलें क्लीयर करने के लिए राजनीतिज्ञों ने पैसे माँगे। शिकायत प्रधानमंत्री तक पहुँची, पर कुछ नहीं हुआ। राष्ट्रपति शासन में अंततः यह काम क्लीयर हुआ। इसमें राज्य का भला निहित है। सी.सी.एल. कई सौ करोड़ खर्च कर राज्य में सड़कें बनवाना चाहती है, पर इस प्रोजेक्ट को सरकारों ने मंजूरी नहीं दी। वे चाहते थे कि सी.सी.एल. उन्हें पैसा सौंप दे कि वे सड़क बनवाएँ। इरादा स्पष्ट था। रातोरात सड़क नापनेवाले अरबपति-खरबपति बन गए। झारखंड के सार्वजनिक मूल्य बदल गए। राज्य बनने के बाद पैसा जीवन की केंद्रीय भूमिका में आ गया। सामाजिक क्षेत्र में भी पैसे से मूल्यांकन होने लगा। हर वर्ग में दलाल उभर आए। दलाल बनने की होड़ लग गई। इस संस्कृति ने यह झलक दी कि बिना श्रम, ईमानदारी या मूल्यों के लूट-खसोट या पॉलिटिक्स से कैसे अरबपति बना जा सकता है? बिना ज्ञान या सामाजिक प्रतिबद्धता के कैसे सफल हुआ जा सकता है? झारखंड की सरकारों और राजनेताओं ने इस नई लूट और भोग संस्कृति को जन्म दिया, बहाया और बढ़ाया। यह झारखंड का कितना नुकसान करेगी,

यह तो भविष्य देखेगा। जिस झारखंड की खासियत थी कि वहाँ की मिट्टी से निकले लोगों ने सार्वजनिक जीवन में असाधारण ईमानदारी का परिचय दिया हो, वहाँ यह हाल! कार्तिक उराँव जैसे पढ़े-लिखे नेता। विदेश पलट इंजीनियर और केंद्र में मंत्री रहने के बाद, मुफलिसी में रहे। ललित उराँव थे बी.जे.पी. में, पर झारखंडी ईमानदारी थी। आज भी परिवार या घर फटेहाल है। झारखंड में अब भी ऐसें अनेक नेता, पूर्व मंत्री, पूर्व सांसद हैं, जो हल चलाकर शान का जीवन जीते हैं। ईमानदारी से जीवन बसर करते हैं। क्यों? क्योंकि वे जानते हैं कि सार्वजनिक धन और पाप की कमाई का रिश्ता झारखंड की संस्कृति और मनुष्य से नहीं है। झारखंड की इस बुनियादी संस्कृति को विधायकों और सरकारों ने तबाह और बरबाद कर दिया।

इन मंत्रियों का कंपीटेंस (योग्यता, क्षमता) क्या था? सिफर। मंत्रियों या सरकारों का एक काम जिस पर ये छाप छोड़ पाए हों? उलटे यह कहना ठीक होगा कि जँह-जँह पाँव पड़त संतन के, तँह-तँह बंटाधार। जहाँ-जहाँ इनकी दृष्टि गई या इनका संसर्ग हुआ, वहाँ-वहाँ लूट, कमीशनखोरी और चोरी। झारखंड के ए.जी. बार-बार पत्र लिखकर विधानसभा को और सरकारों को सूचना देते रहे हैं कि विभिन्न कामों में तकरीबन 6500 करोड़ रुपए एडवांस के तौर पर इंजीनियरों ने, अफसरों ने ले रखे हैं, उनका हिसाब दिया जाए। वर्षों से यह अग्रिम पड़ा है। सूचना है, इनमें से कई हजार करोड़ रुपए राज्य के बाहर कंस्ट्रक्शन उद्योग में निवेश किए गए हैं। दिल्ली, मुंबई, बेंगलुरु वगैरह में। यह सरकार का पैसा है, जनता के विकास के लिए है। ए.जी. चेता रहा है, पूछ रहा है, ये पैसे कहाँ हैं। और न सरकार कुछ कर रही है, न विधानसभा। इस तरह कुशासन और इनकंपीटेंस में स्पर्द्धा थी। सार्वजनिक धन को निजी बनाने की प्रतियोगिता थी। राज्यपाल के एक सलाहकार का कुछ दिनों पहले यह बयान आया कि कैसे विभिन्न मंत्रियों के यहाँ कैलकुलेटर का इस्तेमाल बढ़ गया था। केंद्र से जो पैसा सीधे राज्य को विकास मद में मिलता था, इसे मिलते ही कैलकुलेटर से कैलकुलेट किया जाता था कि इतना धन अमुक प्रोजेक्ट में हस्तगत होगा, यानी कमीशन का कैलकुलेशन।

यही स्थिति हेलीकॉप्टर दुरुपयोग में है। मामला अदालत में चल रहा है। जो तथ्य सामने आ रहे हैं, वे स्तब्ध करते हैं। इनसे स्पष्ट है कि झारखंड के मंत्रियों या सरकारों का लोक आचरण क्या था? हेलीकॉप्टर उड़ने का कोई नार्म्स या नियम नहीं था। सरकार की मरजी जिसे चाहे उड़ाए, उतारे। जनता के करोड़ों रुपए, अपनी मौज में खर्च करे या रहस्यमय उड़ानों पर झोंके। कई उड़ानों के कागजात उपलब्ध नहीं हैं कि इन पर कौन उड़े। देश के कानून के अनुसार ऐसी उड़ानें संभव नहीं हैं, पर झारखंड सरकार ने यह गैर-कानूनी काम किया। ऐसे अनंत प्रकरण हैं, जिनसे स्पष्ट होता है कि झारखंड की सरकारें जनता के लिए नहीं थीं, जनता के हित में नहीं थीं, जब देखिए बंद। और

सरकार और प्रशासन? किंकर्तव्यविमूढ़—दिशाहीन या मूकदर्शक। पाँच या दस लोग शहर बंद कराएँ, सार्वजनिक जीवन बंधक बना लें, सड़क पर खड़े होकर उत्पात करें, फिर भी चौतरफा चुप्पी? किस रोग की दवा है सरकार या पुलिस-प्रशासन? क्यों लोग कर चुकाते हैं? न सुरक्षा, न कोई देखनेवाला। उसका असर? जनता अंततः सुरक्षा देनेवालों को टैक्स देने के लिए विवश होगी। सरकार और प्रशासन लोगों को ठेलकर नक्सलियों का समर्थक बनने या उनकी शरण में जाने को बाध्य करते रहे हैं।

यह सब हो रहा था और विपक्ष कहाँ था? जिस राज्य में ऐसी अराजक स्थिति हो, वहाँ विपक्ष का लोकधर्म क्या है? जनसंघर्ष, संसद् से सड़क तक। नीतियों के सवाल पर। भ्रष्टाचार के सवाल पर। पतन के सवाल पर। अदालत, विजिलेंस, सी.वी.सी. सबके दरवाजे खटखटा कर, पर झारखंड का विपक्ष भी इतिहास रच गया। इतना अकर्मण्य, अनाक्रामक! देश के किसी राज्य में ऐसा उदाहरण नहीं मिलता। इसलिए झारखंड के पतन का समान साझीदार विपक्ष भी है।

कहाँ थी ब्यूरोक्रेसी? अच्छे ब्यूरोक्रेट्स प्रताड़ित किए गए। अपमानित किए गए। बार-बार बदले गए। अधिसंख्य को झारखंड छोड़ने पर मजबूर किया गया। जो बचे हैं, उनमें अधिसंख्य की भूमिका क्या है? इस पर राज्यपाल के एक सलाहकार की टिप्पणी फिर जानिए। रिम्स में मॉल बनने का प्रस्ताव आया। अस्पताल में दुकान? इस कमेटी में तीन ब्यूरोक्रेट्स भी थे। सबने सहमति दी। राज्यपाल के सलाहकार, जो खुद वरिष्ठ ब्यूरोक्रेट रहे हैं, उन्होंने कहा कि अगर ब्यूरोक्रेट सहमति नहीं देते, तो क्या ऐसी योजनाएँ बनतीं? ब्यूरोक्रेट का कोई क्या कर लेता? महज ट्रांसफर करवाता। चपरासी तो नहीं बनाता, पर जब ब्यूरोक्रेट ही आत्मा गिरवी रख दें या लूट में साझीदार बन जाएँ, तो वही होगा, जो झारंखड में हुआ। राज्यपाल के एक सलाहकार का यह बयान महज संकेत है। ब्यूरोक्रेसी का कामकाज, रवैया और चेहरा समझने के लिए। राज्य में जो ईमानदार ब्यूरोक्रेट बचे, उन्हें महत्त्वहीन पद दिए गए। फिर भ्रष्टाचार में शामिल नौकरशाह बहती गंगा में हाथ धोने कूद पड़े। सच तो यह है कि मंत्री और नेता बहुत बदनाम हुए, पर उनसे कम भ्रष्टाचार भ्रष्ट नौकरशाहों का नहीं है।

क्या भूमिका रही राजनीतिक दलों की? मुख्यतः मध्यमार्गी। राजनीतिक दल सिद्धांतविहीन हो गए हैं। उनके पास न मुद्दे हैं, न कार्यकर्ता। हर राजनीतिक दल में ठेकेदार या दलाली करनेवाले निर्णायक भूमिका में हैं। उनकी निगाह सांसद या विधायक कोष पर है। इस तरह से राजनीतिक दल सिमट रहे हैं। सही अर्थों में वे जनता की धड़कन से दूर हैं। जनता की नब्ज भी वे नहीं जानते। गाँव वगैरह से उनका संपर्क टूट गया है। अगर राजनीतिक दलों में प्रतिबद्धता होती, तो वे झारखंड में हुए इन पापकर्मों के प्रति सजग होते। वे लड़े होते। इन मुद्दों को जनमुद्दा बनाया होता।

धन लूट की बलवती इच्छा से झारखंड का पतन हुआ। भारतीय मान्यता है कि जीवन के चार मकसद हैं, अर्थ, धर्म, काम और मोक्ष। भारतीय मानस धन कमाने को बरजता नहीं, मना नहीं करता, पर वैसे ही धन की मान्यता है, जो श्रम से हो, ईमानदारी से हो। लेकिन झारखंड में धन-लोभ ने सारी सीमाएँ तोड़ दी थीं, पर आश्चर्य कि जब यह सब हो रहा था, मीडिया का बड़ा तबका या तो चुप था या तटस्थ या प्रशंसक। जब जिसकी सरकार या हवा, तब उसका गुणगान। क्या मीडियावाले अपनी आत्मा (अगर है) के आईने में अपना चेहरा खुद देखेंगे? झारखंड के इस पतन में हम मीडियावालों की क्या भूमिका रही? पैसे से हर कुछ मैनेज करनेवाले घूम-घूमकर मीडिया के नाम गिनाते चलते हैं। दलालों का यह मनोबल कि वे मीडिया के बारे में ऐसा बोलें? कमजोरी हमारे अंदर है। हमारा घर ही साबुत नहीं है। जरूरत है कि मीडिया के लोग अपनी इस भूमिका का अपने स्तर पर ही पुनर्मूल्यांकन करें और देखें कि उनकी भूमिका ने राज्य, समाज और झारखंड के भविष्य को कहाँ पहुँचा दिया। मीडिया अगर मिलकर इन सवालों को उठाता, तो झारखंड के हालात भिन्न होते।

जनता से—कहावत है जैसी प्रजा, वैसा राजा। झारखंड में जब यह सब हो रहा था। तो जनता कहाँ थी? लोकतंत्र में अंततः जनता ही मालिक है। जनता की चुप्पी या राजकाज के प्रति उदासीनता का ही परिणाम है उसकी यह दुर्दशा और झारखंड की यह हालत। अगर विकास नहीं हो रहा, न्याय नहीं मिल रहा, सड़कें नहीं बन रहीं, कानून-व्यवस्था सही नहीं है, पढ़ाई की अच्छी व्यवस्था नहीं है, इलाज के लिए लोग भटक रहे हैं, तो इसका दोषी कौन है? बुनियादी तौर पर विधायक, सरकार और अफसर, पर जनता भी बराबर की गुनहगार है। जो समाज चौकस नहीं रहता, वह बार-बार धोखा खाता है, लुटता है और बरबाद होता है। क्या झारखंडी जनता 'सब लुटाकर' कुछ सीखेगी? चुनाव के वक्त फिर नेता ठगने की भूमिका में होंगे, तरह-तरह से। क्या जनता चौकस रहेगी? क्योंकि उसे पाँच वर्षों में एक ही मौका मिलता है वोट डालने का। नेता दावा करते हैं खस्सी, मुरगा, दारू और धन के बल वे अपना भविष्य सँवार-सुधार लेंगे। क्या भविष्य में भी ऐसा ही होगा? यह जनता को तय करना है।

जब सरकारों के कुकर्मों या झारखंड में चल रही लूट के बारे में अखबार में सामग्री छपती थी, तो जनता की टिप्पणी थी, कुछ नहीं हो सकता। क्या इसी रुख से बेहतर समाज बनेगा? नेता तो दंभ के साथ कहते ही थे कि अखबारों में छपने से क्या होता है? सही भी है। झारखंड में आज जो भी हो रहा है, वह कैसे संभव हुआ?

भ्रष्टाचार के मामलों को कुछ 'स्पिरिटेड' (उत्साही) लोग अदालत ले गए। इस बीच तमाड़ में राजा पीटर जीते। उनकी जीत के बाद व पहले राजनीतिक समीकरण अचानक पलट गए। सरकार ही दो मंत्रियों के खिलाफ काररवाई कर बैठी। उधर, उच्च

न्यायालय में कई मामले आ गए। आय से अधिक संपत्ति का मामला। हेलीकॉप्टर दुरुपयोग वगैरह-वगैरह। राज्य का विजिलेंस जाँच करने लगा। उससे माहौल बना। असंभव संभव दिखने लगा। परिस्थितियाँ वैसी बन गईं और मंत्रियों के घर छापे पड़ने लगे। इंजीनियरों के घर आयकर के छापे पड़े। कहावत है समय होत बलवान। यह ईश्वरीय हस्तक्षेप कह लें या काल का प्रभाव। ताकतवर लोग कानून से खेलते दिखे। कहा भी जाता है किसी का समय एक जैसा नहीं रहता। याद करिए महाभारत का प्रसंग। युद्ध के बाद श्रीकृष्ण के परिवारवालों को अर्जुन हस्तिनापुर ले जाते हैं, द्वारका से। बीच में भील रोक लेते हैं। युद्ध होता है। अर्जुन का वही गांडीव, वही तीर, वही अर्जुन धनुर्धर, पर वे लुट जाते हैं। झारखंड के मंत्री और शासक कम-से-कम काल और अनश्वरता को समझें, तो वे ही बेहतर झारखंड और समाज गढ़-बना सकते हैं। सिकंदर विश्व विजय अभियान पर था। भारत पहुँचा। जीत के बाद उसकी मुलाकात एक साधु से हुई। उसने पूछा, दुनिया जीत के बाद क्या? सिकंदर चुप, साधु ने ही जवाब बताया। खुले हाथ आए हो धरती पर, खुले हाथ जाओगे। सिकंदर जीवन का मर्म समझा। वहीं से लौटा।

क्या महज इंजीनियर पारस या पूर्व मंत्री हरिनारायण राय या पूर्व मंत्री एनोस एक्का या झारखंड लोक सेवा आयोग के अध्यक्ष, सदस्य और पूर्व सदस्य ही दोषी हैं? नहीं। हमारा यकीन गांधीवाद में है। इसलिए हम मानते हैं कि शुरू से ये ऐसे नहीं रहे होंगे। हम सब में अच्छे और बुरे तत्त्व हैं। ये भी हमारे बीच के हैं। हम जैसे हैं, पर इनमें से अनेक को शीर्ष से फेवर करने के लिए विवश किया गया होगा। ऐसा माहौल मिला, संरक्षण मिला। कानून का भय नहीं रहा, क्योंकि कानून पालन सुनिश्चित करानेवाले ही गलत चीजों में हिस्सेदार थे। दरअसल, समाज के मूल्य बदल गए हैं। पैसे और पद से हम लोगों को आँकते हैं, चरित्र, तप, त्याग और ईमानदारी से नहीं। अधिसंख्य उन्हीं कामों में लगे हैं। भयहीन माहौल है, समाज चुप है। राजभय नहीं रहा। मीडिया भी इसी दौड़ में है, राजर्नाति साझेदार है। क्या समाज के बुनियादी मूल्य बदलेंगे? क्या राजनीतिक दल, नौकरशाह अपनी भूमिका का पुनर्मूल्यांकन करेंगे? क्या भविष्य की सरकारें उसी राह पर चलेंगी या कुछ सीखेंगी? क्या विधानसभा फिर उसी रास्ते पर रहेगी? क्या जनता इसी तरह मौन दर्शक की भूमिका में होगी? महज तमाशबीन। अगर सबकुछ यही रहा, तो झारखंड में आगे क्या संभावना है?

(01-03-2009)

□

क्या करें, कहाँ जाएँ?

राजू धानुका के अंतिम संस्कार में शामिल हुआ। राजूजी से कोई औपचारिक परिचय नहीं रहा। पर इस घटना से लगा, मनुष्य के जीने का अधिकार छीनने का यह प्रसंग है, इसलिए एक नागरिक के तौर पर शरीक होना फर्ज है।

इतना ही नहीं, हत्या दिन के दो बजे की गई। भीड़ भरे इलाके में की गई। डी.सी.–एस.एस.पी., जो राजसत्ता के जीवंत प्रतीक हैं, उनके कार्यालयों के पास ही की गई। इसके पीछे क्या इरादे होंगे? हत्या कहीं और भी हो सकती थी, पर व्यस्ततम इलाके में, दिन के दो बजे हत्या? साफ है, राजू धानुका को मारना प्रमुख लक्ष्य था, पर उससे महत्त्वपूर्ण उद्देश्य था, यह साबित करना या संदेश देना कि राजसत्ता (स्टेट पावर) हमारे अँगूठे पर है, और भीड़ तो कायरों का हुजूम है, यानी पूरी व्यवस्था और समाज को आतंकित करना।

यह भी सूचना मिली कि 14 मार्च की रात (हत्या के दिन) अरगोड़ा चौक के पास डकैती होती रही। डकैत आराम से लूटपाट करते रहे। लोग पुलिस को सूचनाएँ देते रहे, पर पुलिस सुबह तक वहाँ नहीं पहुँच सकी। हालाँकि पाँच–दस मिनट (गाड़ी से) की दूरी पर ही पुलिस थाना है।

एक ही दिन, इन दोनों घटनाओं के संदेश साफ हैं। राजसत्ता का प्रताप, भय या वजूद नहीं रहा। यह व्यवस्था निर्जीव लाश (नहीं, भ्रष्ट और दुर्गंध देती लाश) हो गई है। यह लाश, जनता से टैक्स वसूलती है, भ्रष्टाचार से अपराधियों को पालती-पोसती है। लोग टैक्स क्यों देते हैं? क्योंकि राजसत्ता का बेसिक फर्ज है, नागरिक सुरक्षा देना। इसीलिए मुंबई में आतंकवादी हमलों के बाद लाखों आम लोग सड़क पर उतर आए, और कहा, सुरक्षा नहीं, टैक्स नहीं।

इसलिए राँची की ये दो घटनाएँ (14 मार्च, हत्या + डकैती) और पहले की घटनाएँ, एक साथ जोड़कर देखने की जरूरत है। कहीं कोई सुरक्षा नहीं है। यह स्थिति देखकर, दूसरे विश्वयुद्ध के दौरान नाजियों से त्रस्त एक प्रसंग याद आया। कवि पास्टर मार्टिन (1892-1984) ने लिखा था, जिसका हिंदी आशय है :

वे (नाजी) पहले कम्युनिस्टों (को मारने) के लिए आए,
मैं चुप रहा, क्योंकि मैं कम्युनिस्ट नहीं था।
फिर वे यहूदियों (को मारने) के लिए आए,
और मैं खामोश रहा, क्योंकि मैं यहूदी नहीं था।
इसके बाद वे (नाजी) ट्रेड यूनियनों (को कुचलने) के लिए आए,
फिर मैं खामोश रहा, क्योंकि मैं यूनियनवादी नहीं था।
इसके बाद वे (नाजी) कैथोलिकों के लिए आए,
और मैं चुप रहा, क्योंकि मैं प्रोटेस्टेंट था।
इसके बाद वे मेरे लिए आए
और तब तक कोई बचा नहीं था, जो आवाज लगा सके।
यही हालत है, राँची या झारखंड की !

व्यवसायी पर हमला, तो व्यवसायी कुछेक दिन बेचैन, फिर खामोश। मोहल्ले में डकैती, मोहल्लेवाले उबाल पर, फिर चुप। डॉक्टरों पर हमला, डॉक्टर कुछ देर खफा, फिर शांत। वकीलों पर अत्याचार, तो वकील परेशान, फिर शांत। पत्रकार शिकार हुए, तो वे भी थोड़े पल के लिए बेचैन, फिर चुप। और एक-एक कर सब शिकार हो रहे हैं। क्या राँची की इन घटनाओं के संदर्भ में सारे समाज को एकसूत्र नहीं किया जा सकता। हर वर्ग जुटे, पहल करे, तो वह आवाज गूँजेगी, पर यह दमदार आवाज उठाने के लिए हमें बदलना होगा खुद को, अपने आचरण, प्रवृत्ति और चिंतन को, पर क्यों ?

राजू धानुका की अंतिम यात्रा हरमू मुक्तिधाम या श्मशान में संपन्न हुई। श्मशान जीवन का सच है। मनुष्य की अंतिम यात्रा। कम-से-कम यह एक पड़ाव ऐसा है, जहाँ किसी भी मनुष्य को पूरी गरिमा, गंभीरता और आदर्श के साथ विदा करना चाहिए। यह अंतिम यात्रा है। नश्वर संसार से विदा होने की अंतिम घड़ी। कम-से-कम वहाँ जीवन के कारोबार, धंधे और लूज टॉक से बचना चाहिए। यह मोबाइल संवाद का स्थल नहीं है।

शास्त्रों में श्मशान वैराग्य की चर्चा है। जब भी श्मशान जाना हुआ, पहली श्मशान यात्रा के अनुभव याद आते हैं। छोटा था, अपने चाचा के शव के साथ जाना हुआ। जीवन की नि:सारता-नश्वरता का तीव्र बोध। जीवन क्यों ? किसलिए ? ये सवाल वहाँ हर एक के मन में गूँजते-उठते हैं। इसलिए लोक कहावत है कि श्मशान वैराग्य स्थायी हो जाए, तो संसार कितना भिन्न होगा ? क्यों ये झगड़े, लफड़े, लूट, हत्या या विवाद ? जिन्होंने राजू धानुका की हत्या की, अंतत: वे भी बूढ़े होकर मरेंगे, तो इसी श्मशान में आएँगे। फिर वे क्यों हत्याएँ करते हैं ? सिद्धार्थ ने जीवन के चार दृश्य देखे और राजगद्दी पर लात मार दी। सिद्धार्थ से बुद्ध हो गए। दुनिया के लिए प्रकाश। यक्ष-युधिष्ठिर संवाद में वर्णन है—जीवन का सबसे बड़ा आश्चर्य क्या ? युधिष्ठिर कहते हैं, हम रोज कंधे पर

शव को लेकर श्मशान जाते हैं, पर कभी नहीं सोचते कि हमारा अंत भी यही है।

राजू धानुका की अंतिम यात्रा में ये प्रसंग भी मस्तिष्क में आए, पर किसी जीवन का ऐसे असमय, अचानक अंत न हो जाए, क्या इस पर भी लोग गौर करेंगे? यह स्थिति क्यों है?

क्योंकि—

1. जहाँ त्वरित न्याय नहीं, वहाँ कानून का भय खत्म है।

2. यह चर्चा आम है कि जहाँ थाने बिकते हों, बड़े अफसरों के पद नीलाम होते हों, वहाँ क्या पुलिस कानून-व्यवस्था सही रख सकती है? पुलिस के डी.जी.पी. के अनुसार पुलिस व्यवस्था से चलती है या राजनीतिज्ञों के अनुसार?

3. इस व्यवसाय में क्राइम कंट्रोल संभव है? हाँ, बगल में बिहार देखिए। कुछ वर्ष पहले तक अपहरण, हत्या और अराजकता का पर्याय माना जानेवाला, आज बड़े-बड़े अपराधियों के होश ठिकाने हैं। एक वर्ष पहले तक 3000 में से 1200 अपराधियों को आजीवन कारावास की सजा, अनेक को मृत्युदंड या सख्त सजा। राजू धानुका की अंतिम यात्रा में आए एक व्यक्ति फरमा रहे थे, राँची अब पटना बन गया है और पटना राँची।

4. बंद, प्रदर्शन या धरना गांधीवादी हथियार हैं। नैतिक हथियार हैं। इस अनैतिक समाज, भ्रष्ट और अक्षम व्यवस्था, मूकदर्शक बनी पुलिस और प्रशासन पर इन गांधीवादी विरोधों से कोई असर नहीं पड़नेवाला। यह वोट का समय है। जनता के लिए एक मौका। अगर राँची के हजारों-लाखों लोग इस कानून-व्यवस्था के खिलाफ सड़क पर निकलें और संकल्प करें कि जो पुलिस और प्रशासन से एक सप्ताह के अंदर जाँच करा कर स्थिति स्पष्ट करेगा, हम उसी का समर्थन करेंगे। यह पहली माँग यू.पी.ए. के लोगों से होनी चाहिए, क्योंकि उनकी सत्ता रही है। राजनीतिज्ञों को बाध्य कर इस मामले से जोड़ना चाहिए। जो कानून-व्यवस्था सही नहीं दिला सकते, वे शासन के कैसे हकदार हैं?

5. चेंबर ऑफ कॉमर्स को चाहिए कि वह राँची में ही विरोध न करे। झारखंड के 24 जिलों में संगठन सक्रिय करे। ये सभी संगठन हर वर्ग से मदद माँग कर हरेक समूह को जोड़ें। चूँकि यह मामला सिर्फ एक व्यवसायी का नहीं है। कोशिश यह होनी चाहिए कि कानून-व्यवस्था और भ्रष्टाचार के मुद्दे राज्य के लिए सवाल बनें।

6. इस प्रयास के गर्भ से निकले नागरिक आंदोलन को पहल करनी चाहिए। हर नागरिक को शपथ दिलाई जाए कि वह जाति, धर्म या क्षेत्र के आधार पर वोट

नहीं देगा। वह भ्रष्टाचार और अराजक कानून-व्यवस्था के खिलाफ एकजुट होगा, क्योंकि ये दोनों मुद्दे हर एक को तबाह कर रहे हैं। समाज का भविष्य लील रहे हैं। अगर समाज बचेगा, तभी जाति, धर्म या आपके अपने स्वार्थ भी बचेंगे। इसलिए सबको साझा प्रयास करना होगा।

अगर ऐसी पहल हम नहीं कर सकते, तो ऐसी घटनाएँ नहीं रुकनेवाली। अब लोगों को चुनना है कि वे क्या चाहते हैं? आज झारखंड कहाँ खड़ा है, यह जानने के लिए एक मुंबइया फिल्म के पुराने गाने की दो पंक्तियाँ—

जिन रातों की भोर नहीं
आज ऐसी ही रात आएगी।

(16-03-2009)
□

कमलेश, ध्रुव भगत और भाजपा

सैंतीस वोटों से जीते विधायक कमलेशजी की कलाबाजी देख-सुनकर बचपन में पढ़ी कहानी 'हार की जीत' (लेखक-सुदर्शन) याद आई।

कहानी में दो प्रमुख पात्र हैं—बाबा भारती संन्यासी। वह संसार छोड़ चुके हैं, पर वह अपने आश्रम में एक घोड़ा 'सुल्तान' पालते हैं। उस घोड़े के प्रति ममत्व है। अद्भुत नस्ल का घोड़ा है। जो देखता है, फिदा हो जाता है। उस इलाके का मशहूर डाकू खड़ग सिंह उस घोड़े पर मोहित हो जाता है। बाबा भारती से कहता है, 'मैं इसे ले जाऊँगा।' संसार छोड़ चुके बाबा कहते हैं, 'किसी कीमत पर नहीं'। वह रतजगा करते हैं। घोड़े की रखवाली करते हैं। एक दिन शाम में वह घोड़े पर सवार होकर घूमने निकलते हैं। देखा, एक बीमार कराह रहा है। वह उतर जाते हैं। बीमार को उठाकर घोड़े पर बैठा देते हैं। अचानक देखते हैं कि बीमार व्यक्ति तनकर बैठ जाता है। घोड़े की लगाम हाथ से झटक लेता है। फिर कहता है, 'बाबा मैं डाकू खड़ग सिंह हूँ। अब घोड़ा मेरा'। बाबा स्तब्ध।

बाबा कहते हैं, 'खड़ग सिंह ठहर जाओ। घोड़ा अब तुम्हारा। मेरी सिर्फ एक बात सुनो।' घोड़े के साथ खड़ग सिंह बाबा के पास आता है। बाबा जिस सुल्तान घोड़े के लिए रतजगा करते थे, उसे देखते तक नहीं। निवेदन करते हैं, 'यह घटना किसी को बताना नहीं।' खड़ग सिंह पूछता है, 'क्यों?' बाबा भारती जवाब देते हैं, 'इस घटना को सुनकर लोग बीमारों की मदद करना बंद कर देंगे।' इसके बाद वह मुँह मोड़कर चले जाते हैं। कहानी आगे चलती है।

पर यह कहानी 'कमलेश सिंह प्रकरण' में मेरी स्मृति में क्यों आई? राजनीतिज्ञों के कारण, जिन डॉक्टर-अस्पतालों को हम ईश्वर-उद्धारगृह मानते हैं, उनसे भी विश्वास उठ रहा है। संन्यासी होकर भी बाबा भारती को जिस घोड़े से सबसे अधिक सांसारिक लगाव था, उसे छोड़ने में क्षण भर नहीं लगा, पर वह दु:खी थे कि बीमार बनकर जिस तरह खड़ग सिंह ने घोड़ा हड़पा, यह जानकर लोग अब दु:खी-बीमार लोगों की मदद नहीं करेंगे। कमलेश सिंह के करतब से अब बीमार लोगों, अस्पतालों और

डॉक्टरों से भी यकीन उठ जाएगा।

सत्ता पाने के लिए कुछ भी करनेवाले राजनेताओं की कड़ी में यह घटना झारखंड की राजनीति पर अपना असर छोड़ेगी। 1967 के बाद हरियाणा से जिस 'आयाराम-गयाराम' की राजनीतिक संस्कृति शुरू हुई, वह क्या थी? सुबह में जो एम.एल.ए. इधर होता था, दोपहर में दूसरे खेमे में। शाम में तीसरे, रात में चौथे खेमे में। उन दिनों उत्तर प्रदेश, बिहार, हरियाणा वगैरह में न जाने कितनी सरकारें 'आयाराम-गयाराम' विधायकों ने बनवाईं।

उस संस्कृति को झारखंड की राजनीति में लाने का श्रेय कमलेश सिंह को है। न जाने कितनी सरकारें वह यहाँ बनवाएँगे-बिगाड़ेंगे? कमलेश अब विधायक नहीं विचारधारा-संस्कृति हैं। कानून के कारण साफ-साफ कहने-लिखने के लिए प्रमाण चाहिए। क्या कमलेश की कलाबाजी देखकर यह कहने के लिए प्रमाण चाहिए कि वह कैसे एन.डी.ए. में गए हैं? क्यों गए हैं? उन्हें क्या लाभ मिले हैं? कमलेश यह उत्तर नहीं देंगे, पर एन.डी.ए. को देना पड़ेगा। खासतौर से भाजपा को; क्योंकि अटलजी के राज्यारोहण के पहले 1996 में भाजपा का नारा था, 'भय, भूख और भ्रष्टाचार मिटाएँगे' क्या सुखराम और कमलेश जैसे की मदद से यह काम हो रहा है?

कमलेश की पार्टी के नेता थे ध्रुव भगत। पहले भाजपा में थे। विधायक थे। 'चारा घोटाले' के आरोपों में नख-शिख डूबे हुए। भाजपाई 'चारा घोटाले' को उठाते रहते हैं। सिर्फ राजनीतिक विरोधियों पर वार के लिए, पर उसी चारा घोटाले के आरोपितों की मदद से सरकार बचाना-चलाना हो, तो उन्हें कोई परहेज नहीं। केंद्र में सुखराम का आश्रय मिल जाता है, तो झारखंड में ध्रुव भगत-कमलेश की मदद सुलभ है।

दरअसल, राजनीति में कांग्रेस हो या भाजपा, सिर्फ सत्ता पाना मकसद रह गया है। सत्ता की सीढ़ी इसलिए, ताकि इंद्र का स्वर्ग, वैभव और भौतिक सुख मिल सके। गरीब, विकास, समस्याएँ वगैरह इन दलों के एजेंडा में नहीं हैं।

झारखंड की राजनीति के प्रेरणास्रोत क्या हैं? झारखंडी जीवन के मूल मर्म। 1991 में नरसिंह राव की सरकार बचाने के क्रम में सांसदों पर पैसे लेने के आरोप लगे। इन सांसदों में से तीन झारखंड के थे। झारखंड के गरीब आदिवासी लोगों ने अपने सांसदों को हराया। दो तो आज तक नहीं जीत सके हैं। झारखंड विधानसभा के चुनाव में सांसदों के बेटों को झारखंडी जनता ने हराया। 70-80 के दशकों में अपने जमीनी संघर्ष के कारण नायक बन चुके, निर्विवाद रूप से सबसे बड़े आदिवासी नेता शिबू सोरेन के बेटों को गरीब आदिवासियों ने हराया। अनेक पूर्व आदिवासी विधायक, सांसद, मंत्री कई-कई बार महत्त्वपूर्ण पदों पर रहे, पर आज फटेहाल हैं। खाना मयस्सर नहीं, पर वे ईमानदारी-चरित्र के प्रतीक के रूप में जीवित हैं।

झारखंड की यह अनोखी ताकत है, जिससे देश सीख सकता है। देश की भ्रष्ट और पतित राजनीति सीख सकती है। देश के दूसरे राज्यों में जब गैर-आदिवासी अपने भ्रष्ट राजनेताओं को जाति-धर्म के आधार पर चुनाव जिताकर राज्य सिंहासन पर बैठा रहे थे, तब आदिवासी जनता अपने नेताओं को सजा दे रही थी। वंशवाद के खिलाफ खड़ी हो रही थी। यह गरीब लोगों की प्रगतिशीलता थी, निरक्षर लोगों के जीवन-मूल्य थे, जिनसे देश सीख सकता है। धन और पद से संचालित देश की मौजूदा राजनीति सीख सकती है।

पर ऐसा होगा नहीं! कारण, इन तत्त्वों, जीवन-मूल्यों के वाहक कौन हैं? कौन-सा राजनीतिक दल, मंच, समूह इन आदर्शों को राजनीति में उतारने के लिए सक्रिय है? अंतत: ऐसे विचारों-मूल्यों को साकार करने के लिए एक राजनीतिक जमात चाहिए, जो यहाँ नहीं है।

(19-03-2009)

□

स्टेट इज डेड?
(राजसत्ता मर चुकी है?)

पाकिस्तान मूल के मशहूर विचारक, मार्क्सवादी विश्लेषक और '60 के दशक के दुनिया के चर्चित युवा नेता तारिक अली ने एक मशहूर पुस्तक लिखी—'स्ट्रीट फाइटिंग इयर्स' (एन आटोबायोग्राफी ऑफ द सिक्सटीज)। इस पुस्तक के आरंभ में उन्होंने एक चीनी कहावत कोट की है—

जब उँगली चाँद की ओर इशारा करती है, तब मूर्ख ही उँगली को निहारते या देखते हैं।

इन दिनों चर्चा है चुनाव कराने की। चुनाव प्रचार की। पर यह सब तामझाम चीनी कहावत के संदर्भ में देखें। हम उँगली देखने जैसी गंभीर भूल कर रहे हैं। जब बड़ी चीजें दाँव पर लगी हों, सामने बड़े-बड़े मंजर हों, तब निगाहें सिर्फ चुनाव चर्चा पर? चुनाव कराने और चुनाव जीतने तक? नए सांसद और नई सरकार के कयास तक? दरअसल झारखंड में पिछले 24 दिनों में हुई घटनाओं ने पुष्ट कर दिया है कि यहाँ राजसत्ता है ही नहीं। हिंदी में शब्द राजसत्ता है, पर इसका मूल उद्‌गम अँगरेजी है। इसलिए इस लेख का शीर्षक अँगरेजी में है, जो स्वत: स्पष्ट है। यह मर्म छूता हुआ शीर्षक है। स्टेट इज डेड? हालाँकि इसमें प्रश्नवाचक चिह्न है। इसका संकेत है कि अभी भी इसमें प्राण है और यह जीवित हो सकता है, पर जीवित करेगा कौन? स्टेट एक व्यापक शब्द है। संविधान के तहत इसके अंदर ही राज्यपाल, सरकार, नौकरशाही, पुलिस-प्रशासन, विधायिका वगैरह हैं, पर झारखंड में स्टेट के ये सिंबल कहाँ और किस हाल में हैं?

ट्रेन अपहरण प्रकरण ने स्टेट का चेहरा दिखा दिया है। पुलिस, प्रशासन और रेल अफसर पत्रकारों से अनुरोध कर रहे थे कि वे घटनास्थल पर जाएँ। बगल में बरवाडीह और लातेहार (इन दोनों के बीच वह जगह है, जहाँ ट्रेन का अपहरण हुआ) से भी कोई नहीं जा सका। मंगलवार देर रात तक पुलिस को यह मालूम नहीं था कि यह बंदी अनिश्चितकालीन है। बालूमाथ से जारी प्रेस रिलीज से खबर मीडिया जगत में पहले पहुँची। पुलिस को सूचना मीडिया से मिली। यह है पुलिस और प्रशासन का ध्वस्त

सूचनातंत्र। जब भी नक्सलियों का बंद होता है, या तो रेलवे ट्रैक पर फोर्स होती है या गाड़ियों का आना-जाना बंद होता है। फिर इस पैसेंजर ट्रेन को किसके बूते चलाया गया? कौन लोग जिम्मेदार हैं निर्दोष यात्रियों की जान को जोखिम में डालने के लिए? यह भी सूचना है कि लातेहार के डी.सी. राँची में थे। ऊँटारी रोड स्टेशन पर विस्फोट किया गया। सूचना है कि पलामू एस.पी. को इसका पता ही नहीं। उधर ट्रेन अपहरण की बड़ी घटना हुई, इधर राँची में कोई रिस्पांस मेकेनिज्म नहीं? कहाँ पहुँच गया है पुलिस और प्रशासन? क्या सिर्फ तनख्वाह + ए.सी. में बैठने + भ्रष्टाचार के कारण यह अकर्मण्यता? आखिर कौन जिम्मेदार है इस स्थिति के लिए? मुख्य सचिव और डी.जी.पी. कितनी नक्सल घटनाओं के बाद जगेंगे? पुलिस और प्रशासन को शर्म नहीं आती कि वे खुद जा नहीं सकते, पर निहत्थे पत्रकारों और आब्जर्वरों को भेज रहे हैं? दरअसल भ्रष्ट राजनेताओं ने राज्य की कार्य-संस्कृति खत्म कर दी है। न कोई एकाउंटेबल है, न किसी के खिलाफ काररवाई होती है, न क्राइसिस में रिस्पांस मेकेनिज्म है।

बहादुरशाह के जमाने में मुगल सल्तनत लाल किले तक सिमट गई थी। हमारे मौजूदा शासकों के शासन में संविधान का शासन शहरों में सिमट गया है। वह भी भगवान् भरोसे। ऐसी अराजकता के लिए दोषी किसी जिले के एस.पी. से लेकर ऊपर बैठे लोगों पर काररवाई होती है? झारखंड के भ्रष्ट नेताओं ने थोक तबादलों से अच्छे अफसरों का मनोबल तोड़ डाला या उन्हें राज्य से विदा कर दिया है। दूसरी ओर खुली लूट है। मंत्री से लेकर अफसरों तक ने झारखंड की विकास योजनाओं को विफल बना दिया। नरेगा तक में लूट हुई। जब इस कदर भ्रष्टाचार होगा और गरीब त्रस्त होंगे, तो कैसे उनके मन में इस संविधान, सिस्टम और व्यवस्था के प्रति सम्मान जगेगा? इस बेहतर लोकतांत्रिक व्यवस्था को इसके संचालकों ने एक 'डिस्क्रेडिटेड, इनइफीसिएंट, करप्ट' सिस्टम बना दिया है। अंततः नक्सलियों ने अपनी मरजी से ट्रेन का अपहरण किया। अपनी मरजी से छोड़ा। बंद का यह असर है कि स्कूटर, मोटरसाइकिल और साइकिल तक लोग नहीं चला रहे। यह नक्सलियों का खौफ है। कहाँ है राजसत्ता का प्रताप और अस्तित्व? चंदवा में एक मालगाड़ी के ड्राइवर की उग्रवादियों ने पिटाई की और कहा कि बंद के दिन फिर गाड़ी मत चलाना। अब इस ड्राइवर पर सरकार का भय है या नक्सलियों का? क्या वह अगली बार से ट्रेन चलाएगा? जो सरकार या व्यवस्था आम नागरिकों की हिफाजत न कर पाए, उसे नैतिक रूप से क्या करना चाहिए?

दरअसल जनता भी दोषी है। जनता अगर ऐसे ही शासकों को पालेगी-पोसेगी, तो यही हालात होंगे। नक्सली और पुलिस द्वंद्व में वही पिसेगी।

30 मार्च से 22 अप्रैल (दोपहर तक की घटनाएँ) के बीच की नक्सली घटनाओं पर निगाह डालिए। 24 दिनों में 37 बड़ी घटनाएँ। राज्य के विभिन्न हिस्सों में नक्सलियों

24 दिनों में 37 बड़ी घटनाएँ

30 मार्च	:	लातेहार के सरयू गाँव स्थित प्राथमिक स्वास्थ्य केंद्र को उड़ाया।
31 मार्च	:	बेरमो के केतवाडीह के पेक गाँव स्थित सामुदायिक भवन को उड़ाया।
01 अप्रैल	:	लातेहार के सरयू गाँव स्थित उत्क्रमित विद्यालय को उड़ाया।
01 अप्रैल	:	गुमला के विशुनपुर के राजकीय मध्य विद्यालय को उड़ाया।
02 अप्रैल	:	चतरा के कान्हाचट्टी स्थित पंचायत भवन को उड़ाया।
02 अप्रैल	:	चतरा के कान्हाचट्टी स्थित भाजपा नेता का घर उड़ाया।
03 अप्रैल	:	पलामू के पांकी में प्रत्याशी केशर यादव का बोलेरो वाहन फूँका।
05 अप्रैल	:	लातेहार में अभिजीत ग्रुप के चार गार्ड की हत्या।
06 अप्रैल	:	पलामू के विश्रामपुर क्षेत्र के प्रत्याशी कामेश्वर बैठा का प्रचार वाहन फूँका।
08 अप्रैल	:	गढ़वा के रजपुरा में मुठभेड़।
09 अप्रैल	:	हजारीबाग के कटकमसांडी क्षेत्र में पुलिस की नक्सलियों से मुठभेड़, दो नक्सली मारे गए।
10 अप्रैल	:	पलामू के विश्रामपुर के पांडू के बलहरा स्थित उच्च विद्यालय भवन को उड़ाया।
10 अप्रैल	:	गुमला के कामडारा के कोनालोया गाँव में उग्रवादियों ने झारखंड जनाधिकार मंच का प्रचार वाहन फूँका।
11 अप्रैल	:	गुमला के कामडारा में जे.वी.एम. का प्रचार वाहन फूँका।
11 अप्रैल	:	गढ़वा के नगरऊँटारी में निर्दलीय प्रत्याशी का प्रचार वाहन फूँका।
11 अप्रैल	:	खूँटी के अड़की के जरको गाँव में पुलिस की नक्सलियों से मुठभेड़, पाँच जवान मारे गए।
12 अप्रैल	:	पलामू के भंडरिया में बी.एस.एफ. जवानों पर हमला व मुठभेड़।
13 अप्रैल	:	पलामू के विश्रामपुर स्थित बी.एस.एफ. कैंप पर नक्सली हमला।

द्वारा अलग-अलग वारदात। यह सब सीधे राष्ट्रपति शासन में दिल्ली की छत्रछाया में हुआ। हर घटना के बाद सूचना आती है कि राज्यपाल के यहाँ शीर्ष बैठक हुई। राज्यपाल गंभीर। प्रशासन और पुलिस कड़क, पर हर घटना के बाद शब्दवीर पुलिस-प्रशासन कमजोर दिखते हैं। नक्सली ताकतवर। 12 अप्रैल से 22 अप्रैल के बीच पाँच बार नक्सली बंद करा चुके हैं। 12 अप्रैल को, 13 अप्रैल को, फिर 15-16 अप्रैल को और 22 अप्रैल को। यह खुला सच है कि जब नक्सली बंद कराते हैं, तो झारखंड में सबकुछ ठहर जाता है। राँची का संपर्क पूरे राज्य से टूट जाता है। आधिकारिक तौर पर नहीं,

15 अप्रैल	:	लातेहार के बढ़निया गाँव के पास विस्फोट, सी.आई.एस.एफ. के जवान मारे गए, पाँच ग्रामीण व एक चालक की मौत।
16 अप्रैल	:	लातेहार के चंदवा में विस्फोट, बी.एस.एफ. के छह जवान, बस का चालक व खलासी की मौत।
16 अप्रैल	:	खूँटी के रनिया क्षेत्र में पुलिस व नक्सलियों के बीच मुठभेड़।
16 अप्रैल	:	गुमला के विशुनपुर के गोराँग से चार मतदान कर्मियों का अपहरण।
16 अप्रैल	:	गुमला के विशुनपुर के जमकी से नक्सलियों ने इ.वी.एम. लूटा।
16 अप्रैल	:	गुमला के डुमरी के तीन बूथ से नक्सलियों ने इ.वी.एम. मशीन लूटा।
16 अप्रैल	:	लातेहार के मनिका की सुरी से चार मतदान कर्मियों का अपहरण।
16-17 अप्रैल	:	लातेहार के कुमानीडीह में पुलिस की नक्सलियों से मुठभेड़।
16 अप्रैल	:	लातेहार महुआडाँड में मुठभेड़।
17 अप्रैल	:	लातेहार के ओड़ेया घाटी में विस्फोट, बी.एस.एफ. का एक जवान मरा।
20 अप्रैल	:	गिरिडीह के खुखरा स्थित मध्य विद्यालय को उड़ाया।
21 अप्रैल	:	पलामू जिला में स्थित ऊँटारी रोड स्टेशन को उड़ाया। पास में स्थित एक स्कूल भवन को भी उड़ाया।
22 अप्रैल	:	लातेहार के हेहेगढ़ा स्टेशन के पास ट्रेन को छह घंटे अगवा कर रखा।
22 अप्रैल	:	चतरा के प्रतापपुर में स्कूल और अस्पताल भवन उड़ाया।
22 अप्रैल	:	चंदवा में मालगाड़ी के चालक की उग्रवादियों ने पिटाई की और चेतावनी देकर छोड़ा।
22 अप्रैल	:	विष्णुगढ़ (हजारीबाग) में माले कार्यकर्ता की हत्या।
22 अप्रैल	:	गढ़वा के भंडरिया में उग्रवादियों ने 5 बॉक्साइट ट्रकों को जलाया।
22 अप्रैल	:	पलामू के मनातु में मध्य विद्यालय भवन उड़ाया।
22 अप्रैल	:	मेदिनीनगर में चियाँकी रेलवे स्टेशन उड़ाया।

सुझाव के तौर पर पुलिस और प्रशासन के लोग नागरिकों और बस चालकों को मूव करने से मना करते हैं। 24 दिनों में 37 गंभीर घटनाएँ (30 मार्च से 22 अप्रैल दोपहर तक)। एक-एक दिन में दो-दो घटनाएँ, कभी तीन। 16-17 अप्रैल को तो लगभग आठ घटनाएँ। हालाँकि नक्सलियों ने 4 अप्रैल, 7 अप्रैल, 14 अप्रैल और 18-19 अप्रैल को कुछ नहीं किया। यानी 22 दिनों में पाँच दिन अपनी काररवाई ठप रखी। सच यह है कि 19 दिनों में 37 बड़ी घटनाएँ।

इसी बीच पहले चरण के चुनाव हुए। गढ़वा, गुमला, लातेहार (नेतरहाट-गारू

इलाका) और पलामू-चतरा वगैरह के कई इलाकों में तो बिना सुरक्षा चुनाव हुए। पहली बार सुना कि पहले चरण के चुनावों में 2000 'माइक्रो ऑब्जर्वर' तैनात किए गए? कौन हैं ये माइक्रो ऑब्जर्वर? ये सामान्य आदमी हैं। चुनाव आयोग द्वारा नियुक्त। कैमरे से सुसज्जित। इनसे उम्मीद की गई कि ये नक्सलियों के इलाके में संवेदनशील बूथों के फोटो उतारेंगे या जहाँ अपराधियों या बाहुबलियों का आतंक है, वहाँ जाकर बूथ पर मतदान में हो रही धाँधली को कैमरे में कैद करेंगे। यह सोच की दरिद्रता है या यह भयभीत राजसत्ता का कदम? जहाँ बहादुर पुलिसवालों के पसीने छूट रहे हैं, वहाँ निहत्था कॉमन मैन तसवीर उतारेगा? यह सोच डरावनी भी है, घृणा पैदा करनेवाली भी और गुस्से से भरनेवाली। डरावनी इस अर्थ में कि राजसत्ता ने अपने आप को इस कदम से असहाय और अक्षम सिद्ध कर दिया है। जब राजसत्ता ही भयभीत है, तब आम नागरिक किस हाल में होगा? घृणा पैदा करनेवाली इसलिए कि माइक्रो ऑब्जर्वर बहाल करने की यह सोची-समझी रणनीति बेकसूर और निर्बल लोगों की बलि देने की है। जहाँ पुलिस या अर्द्धसैनिक बल मोरचा नहीं सँभाल रहे, वहाँ एक कॉमन मैन स्थिति सँभालेगा? गुस्सा पैदा करनेवाली भी, क्योंकि इस राजसत्ता को नागरिक इसलिए कर देते हैं, चूँकि बदले में राजसत्ता उन्हें सुरक्षा देती है। राजनीति शास्त्र में स्टेट (राजसत्ता) के उदय पर अनेक विचार हैं। शायद जॉन लाक ने कहा था कि स्टेट और नागरिक के बीच एक सोशल कांट्रेक्ट (सामाजिक करार) है। इस करार में राजसत्ता का मूल फर्ज है नागरिकों को सुरक्षा देना। पर क्या हो रहा है? झारखंड बनने के बाद 2001 से 2004-05 के बीच नक्सलियों से निबटने के लिए 112.51 करोड़ खर्च हुए। पुलिस आधुनिकीकरण पर 2002-03 से 2006-07 तक 324.13 करोड़ खर्च हुए। क्या परिणाम निकला? इस खर्च से शासकों की सुरक्षा बढ़ती गई और नागरिक और राज्य असुरक्षित होते गए। राजसत्ता के हर नुमाइंदे की सुरक्षा में लगी सायरन गाड़ियाँ, दरअसल कॉमन मैन के असुरक्षित होने की मर्सिया (सायरन गाड़ियों की निकलती आवाज) गाती घूमती हैं। कर्कश और डरावने स्वर में। 2002-03 से 2006-08 तक नक्सलियों द्वारा मारे गए पुलिस व अर्द्धसैनिक बल के जवानों के मुआवजों में 27.85 करोड़ खर्च हुए। पिछले दस दिनों में दो राज्यों—छत्तीसगढ़ और झारखंड में 35 जवान माओवादियों से लड़ते हुए मारे गए। पिछले पाँच वर्षों में इन्हीं राज्यों में अर्द्धसैनिक बलों के 900 जवान मारे गए। यही कारण है कि पुलिस में भयानक रोष है।

16 अप्रैल को प्रथम चरण के चुनाव हुए। अफसर इनकार करेंगे, पर सच यह है कि कई इलाकों में पुलिस के जवानों ने जाने से मना कर दिया। सशस्त्र बल में यह हुक्मउदूली? यह सबसे खतरनाक संकेत है। इससे अधिक क्रूर तथ्य और क्या हो सकता है कि होमगार्ड के जवानों को एके 47 थमा दी गई। 1981 में इन जवानों को

गोली चलाने का अनुभव था। जो एके 47 चला नहीं सकते, उन्हें एके 47 शहीद बनने के लिए थमाई गईं? एन.सी.सी. के लड़के बूथ सुरक्षा में लगाए गए? क्या यह कदम डरी और मरी हुई व्यवस्था का नहीं है? जहाँ अर्द्धसैनिक बल या बी.एस.एफ. के लोग हथियारबंद होकर नहीं जा रहे, वहाँ कैमरा लटकाए 'माइक्रो ऑब्जर्वर' मोरचा सँभालने भेजे गए? कुछ सोचने-समझने की शक्ति, व्यवस्था में बची है या नहीं? या यह एक चालाक और क्रूर कोशिश है सामान्य लोगों की बलि देने की? आला अफसर शायद इस बहस में लगे हैं कि इलेक्शन कराना है कि एंटी नक्सल ऑपरेशन कराना है? सही है कि यह एंटी नक्सल ऑपरेशन का दौर नहीं है, वैसे भी एक अतिभ्रष्ट, लुंज-पुंज और डरपोक ताकत नक्सलियों को कैसे कंट्रोल कर पाएगी? पर मूल सवाल इससे भी अधिक कठिन और चुनौतीपूर्ण है। झारखंड सरकार मानती रही है कि 24 में से 18 जिलों में नक्सली असरदार हैं, तो जहाँ नक्सली असरदार हैं और जो वोट बहिष्कार का आवाहन कर चुके हैं, वहाँ जनता अपने आप बिना सुरक्षा के वोट डालेगी? क्या हो गया है ऊपर बैठकर मतदान करानेवालों को? जहाँ नक्सलियों के वोट बहिष्कार के सवाल पर अर्द्धसैनिक बल घुसने और जाने से बच या डर रहे हैं, वहाँ असुरक्षित जनता स्वत: वोट डाल देगी? शायद पुलिस ने यह सोचा कि मतदान करानेवाले लोगों के साथ पुलिस नहीं जाएगी, तो नक्सली कुछ नहीं करेंगे, पर क्या हुआ? एक जगह मतदानकर्मियों का अपहरण, मारपीट। परिणाम, कई जगह मतदानकर्मियों ने हंगामा किया। जाने से मना किया। स्पष्ट है कि मतदान के लिए जानेवाले लोगों को खुद अपने सिस्टम (राजसत्ता) पर भरोसा नहीं रहा। क्या आप फर्ज कर सकते हैं कि सारंडा या गिरिडीह या राँची लोकल इलाके में बिना सुरक्षा के लोग वोट डालेंगे? यह इलेक्शन है या रस्मअदायगी? सूचना है कि खूँटी या लातेहार वगैरह में कई जगहों पर अर्द्धसैनिक बल पहुँचे ही नहीं। एक जिले में तो फोर्स शाम को पहुँची, पहुँचना उसे एक दिन पहले था। लगता है, चुनाव आयोग भी स्थिति समझने में चूक गया। चुनाव आयोग के पास कोई वैकल्पिक इंतजाम भी नहीं। यह भी सूचना है कि पुलिस फोर्स का डिप्लायमेंट कागज पर ही हुआ। यह अप्रत्याशित दौर है लोकतंत्र के प्रहसन, कमजोर होने का और हास्यास्पद होने का।

(23-04-2009)

झारखंड : सवाल और हालात

क्या झारखंड सुशासित हो सकता है? राज्य में सुधार संभव है? यहाँ बेहतर कल्पना का स्कोप है? यहाँ नागरिकों की मन:स्थिति क्या है? उसी तरह जैसे एक अभेद्य किले में कैद लोग अँधेरे में विवश दिखते हैं? नाउम्मीद, हताश व लाचार। भविष्य के भय और चिंता से त्रस्त। जो देश का सबसे गरीब राज्य हो, वहाँ की सरकारें गरीबों के विकास के लिए केंद्र से सात हजार करोड़ रुपए ले ही न पाएँ, तो इसे क्या कहेंगे? एक तरफ गरीबी के कारण, भूख के कारण गरीब आत्महत्या की अनुमति माँग रहे हैं, दूसरी ओर इन गरीबों को बेहतर बनाने के लिए सात हजार करोड़ रुपए उपलब्ध हों और खर्च न हो पाएँ? यह क्या है? अपराध से भी संगीन मामला। पहले सरकारों के पास (स्टेट के पास) खर्चने के लिए पैसे नहीं होते थे। अब पैसे हैं, तो खर्चने का लुर, शऊर और कॉन्पीटेंस नहीं। पिछले एक साल में केंद्र प्रायोजित योजनाओं के करीब सात हजार करोड़ रुपए लैप्स हुए हैं। झारखंड के हुक्मरान आँकड़ों में अपनी उपलब्धता बताते हैं। पिछले साल इतनी हत्याएँ हुईं। इस साल इतनी हुईं। उस साल चोरी अधिक हुई। इस साल चोरी कम हुई। वगैरह-वगैरह। क्या विजन है सरकारों के पास या इस तंत्र को चलानेवालों के पास?

एक दूसरी विचित्र स्थिति है। यहाँ दूसरी बार कैबिनेट सेक्रेटरी के नेतृत्व में सेंट्रल टीम आई। यह परंपरा सही है या गलत? संवैधानिक या फेडरल स्ट्रक्चर के अनुरूप है या नहीं? ऐसी अनेक चर्चाएँ हैं, पर सेंट्रल टीम की मॉनिटरिंग के बाद भी गवर्नेंस में सुधार नहीं होता, तब किससे उम्मीद की जाए? दूसरी ओर, केंद्रीय मंत्री सुबोधकांत सहाय ने कहा है, झारखंड में सरकारी तंत्र फेल है। लॉ ऐंड ऑर्डर बिगड़ गया है। नक्सल समस्या जटिल है, चरम पर है। आम लोग असुरक्षित महसूस कर रहे हैं। सारे आरोप सही हैं, पर यह टिप्पणी किस पर है? साफ-साफ राष्ट्रपति शासन पर। केंद्र की पूरी टीम यहाँ आकर चीजों को देख रही है। फिर भी चीजें सुधर नहीं रहीं? बीच-बीच में हालात खराब होते हैं, तो राज्यपाल की चिंता भी उभरती है। वह भी कई विभागों के कामों से निराश और परेशान दिखते हैं। इस तरह राज्यपाल भी असंतुष्ट दिखें।

केंद्रीय मंत्री भी साफ-साफ अव्यवस्था की बात कहें। देश की नौकरशाही की सर्वोच्च इकाई दिल्ली से आकर बार-बार निगरानी करे, फिर भी हालात सुधरें नहीं? यह कैसी स्थिति है?

व्यवस्था चलानेवाले ही व्यवस्था को दोष दे रहे हैं? आखिर दोषी कौन है? दायित्व किसका है? लोकतंत्र में इन चीजों को ठीक करने का जिम्मा किस पर? यह वैसी ही बात है, जैसे थानेदार कहे कि कानून-व्यवस्था खराब हो गई है। ये बातें-कथन बहुत खतरनाक हैं। लोग नहीं जानते, इससे लोकतंत्र से विश्वास उठ रहा है। कहावत है, लीडर्स तत्काल तक ही सोचते हैं, स्टेट्समैन दूर तक की सोचते हैं। आज झारखंड में जरूरत है कि कोई स्टेट्समैन की भूमिका में आए, कहे कि इस व्यवस्था में सबकुछ ठीक हो सकता है। अन्य राज्यों में हो रहा है। पड़ोस में बिहार देख लीजिए। इसलिए लोकतंत्र या व्यवस्था में खामी नहीं है। खामियाँ हम चलानेवालों में है। बड़े-बड़े पदों पर आसीन हैं, ये लोग-संस्थाएँ। झारखंड का भविष्य इन्हीं के हाथ में है। जरूर इन्हें अपनी इस ताकत और सत्ता का एहसास होगा। इनसे अपेक्षा है कि या तो व्यवस्था को ठीक करें या खुलेआम कहें कि हम नहीं सँभाल पा रहे हैं। दोनों ही बातें कैसे? इन सबकी चिंता की एक ही मुख्य वजह है। पुअर गवर्नेंस और भ्रष्टाचार। केंद्र सरकार की जितनी भी योजनाओं में झारखंड विफल है, वह राज्य के पुअर गवर्नेंस और पुअर कॉन्पीटेंस की देन है। दूसरी महामारी है भ्रष्टाचार। शीर्ष पर बैठे लोग, जब तक इन दो चीजों के खिलाफ कदम नहीं उठाएँगे, झारखंड बद से बदतर होगा। करप्ट, इनकॉन्पीटेंट, इनइफीसिएंट, तिकड़मबाज और षड्यंत्रकारी तत्त्वों के खिलाफ सख्त अभियान चलाए बिना, झारखंड का पुनर्जीवन मुश्किल है। राष्ट्रपति शासन में यह काम कौन कर सकता है? राज्यपाल, उनके सलाहकार और केंद्र सरकार। अगर अब भी ये संवैधानिक संस्थाएँ इस रास्ते पर पहल करती हैं, तो कुछ संभव है।

राजनीतिक दल, वे बड़ी भूमिका निभा सकते हैं, पर जो इतिहास बना सकते हैं, वे निजी लाभ के अभियान में लगे हैं। मसलन, 8-9 महीने के लिए सरकार बनाने के लिए कौन लोग बेचैन हैं, जिन्होंने सरकारों में रहते हुए अव्यवस्था, अराजकता और भ्रष्टाचार के बड़े-बड़े मजबूत किले बना दिए। आज झारखंड इन्हीं किलों के नीचे सिसक रहा है, फिर भी इन्हें सरकार बनाने की बेचैनी है। यह भी स्पष्ट है कि बदले माहौल में कांग्रेस पुनः सरकार बनाने का जोखिम नहीं लेनेवाली। क्यों?

कांग्रेस के लिए अवसर : झारखंड के हालात कांग्रेस के लिए एक मौका है, सुनहरा। संगठन को मजबूत करने का। अपनी जड़ को सुदृढ़ करने का। अपनी खोई प्रतिष्ठा को पाने का, पर इसके लिए कुरबानी देनी होगी। यह तो साफ है कि कांग्रेस सरकार बनवाने नहीं जा रही। अगर यू.पी.ए. की सरकार बन गई (जिसका 0.1 फीसदी

आसार नहीं है), तो झारखंड विधानसभा चुनाव में अगली सरकार भाजपा की होगी। अपने दम होगी। इसकी कीमत बाबूलाल मरांडी भी चुकाएँगे, क्योंकि बाबूलालजी केंद्र में यू.पी.ए. को समर्थन दे चुके हैं, पर यह होनेवाला नहीं है। कांग्रेस यह रिस्क नहीं लेगी। पर सिर्फ भावी सरकार की बलि से बात नहीं बनेगी। उसे झारखंड में गवर्नेंस स्थापित करना होगा। वह कर सकती है, क्योंकि केंद्र में उसकी सरकार है। उसे टॉप से परिवर्तन करने होंगे। शासन में बैठे जो टॉप लोग हैं, अगर वे रिजल्ट नहीं दे सकते, तो बड़े-बड़े पदों पर बैठने का क्या लाभ? क्यों स्टेट अपने कोष से करोड़ों-करोड़ का बोझ उठाए? इसलिए टॉप पर जहाँ-जहाँ जरूरी हो, कांग्रेस को बदलाव करना ही होगा। इस बदलाव के साथ उसे एजेंडे तय करने होंगे। पहला, क्राइम पर कंट्रोल। दूसरा और सबसे महत्त्वपूर्ण, भ्रष्टाचार के खिलाफ ठोस काररवाई। झारखंड में नेताओं और अफसरों ने लूट के जो रिकॉर्ड बनाए हैं, वे जानकर देश हतप्रभ और सदमे में होगा। अनेक मामले हैं। कुछेक पर समयबद्ध सी.बी.आई. जाँच हो। तीसरा, ट्रांसफर-पोस्टिंग उद्योग को खत्म करने की ठोस पहल। बिजली विभाग में हुई लूट की जाँच। विधानसभा में या अन्य संवैधानिक संस्थाओं में हुए नियुक्ति घोटालों की जाँच। साथ-साथ कांग्रेस के टिकट बँटवारे में इनकंपीटेंट और खराब परफॉरमर लोगों से मुक्ति। अगर कांग्रेस ये ठोस कदम उठाए, तो वह झारखंड में मजबूत आधार बना सकती है; क्योंकि पारंपरिक रूप से यह इलाका कांग्रेस का बेस रहा है। लोकसभा चुनाव में मिली सफलता ने कांग्रेस की गुडविल बढ़ाई है। अब यह उस पर निर्भर है कि वह इस गुडविल को, झारखंड विधानसभा चुनाव में अपने पक्ष में इनकैश कराए या नहीं। बगैर कोशिश के कांग्रेस को यह अवसर मिला है। कांग्रेस चाहे, तो अपनी तकदीर झारखंड में बना और बदल सकती है।

भाजपा : लोकसभा चुनावों में झारखंड में भाजपा को सफलता मिली, पर यह सफलता, भाजपा के कारण नहीं है। इसके लिए उसे यू.पी.ए. समर्थित निर्दलियों की सरकार का ऋणी होना चाहिए। निर्दलियों के कुकृत्य = भाजपा की जीत। अगर यू.पी.ए. समर्थित राज्य सरकारें सक्षम होतीं, तो भाजपा की अंदरूनी लड़ाई, कलह भाजपा का सूपड़ा साफ कर देते। भाजपाई आत्ममुग्ध हैं कि वे यही सफलता विधानसभा में दोहराएँगे। यह कामयाबी उनके गुणों के कारण नहीं, अन्य के अवगुणों के कारण है, पर भाजपाई मुगालते में हैं। इसका प्रमाण उनका अकर्म है। जिस राज्य में फिर सरकार बनाने की कोशिश हो, वहाँ भाजपाई चुप? रणनीतिविहीन? एक-दूसरे को काटने में लगे? दल के अंदर में गुटबंदी। उस गुटबंदी में जातिगत गुटबंदी! अवसर का लाभ दृष्टिवान उठाते हैं, दृष्टिहीन नहीं। अब इस विधानसभा में क्या बचा है? कल्पना करिए, अगर सभी भाजपाई विधायक अपने इस्तीफे देकर मार्च करते और कहते कि अब चुनाव चाहिए।

भाजपाइयों ने बड़ी घोषणाएँ की थीं कि वे लोकसभा चुनाव के बाद विधानसभा भंग का आंदोलन करेंगे। कहाँ गया वह आंदोलन? क्या 8-10 महीने के लिए विधायक फंड का मोह है? वह भी सही मान लिया जाए, तब भी चतुर लोग पाँच वर्ष राज करने के लिए 8-10 महीने की कुरबानी आराम से करते हैं। इसमें न नीति है, न सिद्धांत। यह शुद्ध व्यवसाय का गणित है। भाजपाइयों का दावा है कि वे व्यवसाय समझते हैं, पर राजनीति का यह मामूली व्यवसाय उन्हें समझ में नहीं आ रहा है।

यह तो रही विधायकी छोड़ने की बात। जिस राज्य में अपराध बढ़ा हो, भ्रष्टाचार अनियंत्रित हो, वहाँ एक मुख्य विरोधी दल का फर्ज और कर्म क्या है? भाजपा एक राजनीतिक पार्टी है। पार्टी होने के कारण उसके तय धर्म हैं। समाज की पीड़ा को आवाज देना। झारखंड में अगर मधु कोड़ा और शिबू सोरेन की सरकारें विफल रहीं, तो विपक्ष के रूप में भाजपा भी कैसे सफल मानी जाएगी? हाँ, विधानसभा के अंदर उसके दो-तीन विधायकों ने जोरदार तरीके से मुद्दे उठाए, पर कोई पार्टी मुद्दों के आगे कर्म पर भी उतरती है। भाजपा के कर्म क्या हैं? बड़े भाजपाई नेताओं की मानें, तो इन्हें बाहर के विरोधियों की जरूरत नहीं है। अंदर में ही ये एक-दूसरे को कमजोर करने, काटने में लगे हैं। 'विनाशकाले विपरीत बुद्धि'। भाजपा में जाति-उपजाति और समूह की किलेबंदी हो रही है। फिर भी पार्टी में कुछ लोग आत्ममुग्ध हैं कि अगली सरकार उनकी है। 2009 के लोकसभा चुनावों में भी वह मान चुके थे कि अब सिर्फ शपथ शेष है। 2004 में भी यही हुआ था। फिर भी भाजपाई समझने को तैयार नहीं। यही कांग्रेस के लिए मौका है। जिस तरह निर्दलियों की सरकार के प्रति भाजपाइयों को ऋणी होना चाहिए, उसी तरह भाजपाई अपनी अंदरूनी राजनीति से कांग्रेस को भाजपा का ऋणी होने का मौका देनेवाले हैं। 'घर फूटे, जवार लूटे' तर्ज पर। भाजपा अब भी अपना घर ठीक कर ले और सशक्त विपक्ष की भूमिका में उतरे, तो वह भविष्य सँवार सकती है, पर यह होता नहीं दिख रहा है।

जे.एम.एम : सरकार में होने की कीमत जे.एम.एम. को चुकानी पड़ी है। अपनी सरकार का और उससे अधिक कोड़ा सरकार को ढोने का लोक पुरस्कार भी जे.एम.एम. ने पाया है। जे.एम.एम. शायद यह सच समझ गया है। इसलिए इस बार जे.एम.एम. ने सरकार बनाने की पहल नहीं की, पर जब देखा कि कांग्रेसी हमारे बल फिर उड़ रहे हैं, तो गुरुजी ने फिर दावा ठोक दिया है। जे.एम.एम. को नए सिरे से खुद को पुनर्गठित करना होगा। कांग्रेस के दिल्ली में बैठे नेता इसी पेच पर झारखंड में सरकार नहीं बनने देंगे।

आर.जे.डी : आर.जे.डी. बाहर से झारखंड की यू.पी.ए. सरकारों को ऑक्सीजन दे रहा था, पर लोकसभा चुनाव में जनता ने राजद को जनता से मिल रहा ऑक्सीजन

ही छीन लिया है। परिणाम सामने हैं। न माया मिली, न राम। अब क्या फिर आर.जे.डी.
के लोग ऐसी सरकार बनवाएँगे, जिसके कुकर्म के तले अपनी कब्र तैयार करेंगे?
नामुमकिन है। लालू प्रसाद का दल अब यह समझता है कि आनेवाली झारखंड विधानसभा
में आर.जे.डी. की अधिक सीटें रहेंगी, तो वह राजनीति में असरदार रहेगा। विधानसभा
में अधिक सीटें होंगी, तभी आर.जे.डी. का अस्तित्व रहेगा। इसलिए आर.जे.डी. नई
सरकार के पाप की गठरी नहीं ढोनेवाला। वैसे राजद ने इस लोकसभा चुनाव में झारखंड
की यू.पी.ए. सरकारों के कुकर्मों की कीमत चुकाई ही है।

इस तरह झारखंड के राजनीतिक दलों की स्थिति और उनका अंदरूनी खेल साफ
है, पर यह स्थिति किसी भी दल के लिए एक मौका है। कहावत है कि हर संकट में
एक मौका छुपा होता है। मौका है कि जो भी राजनीतिक दल झारखंड को बेहतर बनाने
का राजनीतिक एजेंडा लेकर काम करे, अभी से जनता के बीच जाए, तो वह कामयाब
हो सकता है, पर इसके लिए कोई तैयार है?

जिनमें सैद्धांतिक प्रतिबद्धता, ईमानदारी है, वे लेफ्ट के लोग इतने कमजोर, बिखरे
और सीमित हैं कि उनसे कोई उम्मीद दिखाई नहीं देती।

(01-07-2009)

□

जाँच से मत भागिए कोड़ाजी

कोड़ाजी से 'प्रभात खबर' का निजी विवाद नहीं है। हाँ, कोड़ाजी के मुख्यमंत्रित्व काल में जो अनियमितताएँ हुईं, भ्रष्टाचार के जो गंभीर मामले सामने आए, उन्हें 'प्रभात खबर' उठाता रहा है। अब ये मामले अदालत और निगरानी में हैं। अखबार का फर्ज है कि सत्ता के दुरुपयोग की चीजें वह जनता तक पहुँचाए। यह काम 'प्रभात खबर' ने किया। सिर्फ श्री कोड़ा के कार्यकाल का ही नहीं, उसके पहले भी और उसके बाद के भी गलत कामों को 'प्रभात खबर' ने उजागर किया। ऐसे मामलों को कुछेक लोग अदालत ले गए। 'प्रभात खबर' मानता है कि मुद्दों को सामने लाना अखबार का काम है। उसके आगे अन्य लोकतांत्रिक संस्थाएँ ऐसे मामलों को देखती हैं, जाँचती हैं। अब अदालतें या निगरानी अपना काम कर रही हैं, तो कोड़ाजी उन पर तो बौखला नहीं सकते। उन्हें सॉफ्ट टारगेट 'प्रभात खबर' मिला।

आरोप और जवाब

आरोप-1 : 'प्रभात खबर' ईमानदारी की बात करता है, लेकिन 'प्रभात खबर' ने संपत्ति का ब्योरा एकपक्षीय छापा।

जवाब—आय से अधिक संपत्ति के आरोप में मधु कोड़ा सहित अन्य मंत्रियों के घर छापा पड़ा। जिन पूर्व मंत्रियों के घर छापा पड़ा, उनकी बातें भी 'प्रभात खबर' में उसी दिन पहले पेज पर छपीं। क्या यह एकपक्षीय है? रही बात ब्योरे की, तो सभी पूर्व मंत्रियों और श्री कोड़ा के घर से मिले दस्तावेज और ब्योरे को 'प्रभात खबर' ने छापा। पूर्व मंत्री बंधु तिर्की के घर से संपत्ति से संबंधित कोई दस्तावेज और सामान नहीं मिला, यह सूचना भी छपी। बंधु तिर्की, भानु प्रताप शाही और कमलेश सिंह के बयान भी उसी दिन पहले पेज पर छपे। कोड़ाजी को 'प्रभात खबर' से एलर्जी है। आज से नहीं, शुरू से। कारण वह जानें। इसलिए उनसे भी संपर्क करने की कोशिश की गई, पर उन्होंने बात नहीं की। 26 जुलाई को संवाददाता सम्मेलन में कोड़ाजी ने

'प्रभात खबर' पर और जिस कंपनी का 'प्रभात खबर' से कोई फंक्शनल रिश्ता नहीं है, उस पर भी जो बातें कीं, वे भी 'प्रभात खबर' में 27 जुलाई को छपीं। अब यह पाठक तय करें कि क्या 'प्रभात खबर' एकपक्षीय है? 'प्रभात खबर' फिर स्पष्ट करना चाहेगा कि यह किसी का व्यक्तिगत मामला नहीं, भ्रष्टाचार के खिलाफ प्रसंग है। 'प्रभात खबर' आज से नहीं, शुरू से जिनके बारे में जो गंभीर तथ्य छापता है, उनका भी पक्ष छापता रहा है, क्योंकि यह पत्रकारिता के कुछ उसूलों के अनुसार चलता है। वह निर्दलीय नहीं है, जिसके न कोई विचार हैं, न ठौर। जब जहाँ लाभ मिला, लुढ़क गए। फिर भी कोड़ाजी से 'प्रभात खबर' का एक मामूली अनुरोध। 'प्रभात खबर' के खिलाफ जो-जो आरोप उन्होंने लगाए हैं, उनकी सी.बी.आई. या जिस किसी अन्य संस्था से कोड़ाजी चाहें, जाँच के लिए 'प्रभात खबर' न्यायालय में लिखकर देने को तैयार है, पर एक मामूली शर्त है। श्री कोड़ा, विनोद सिन्हा और संजय चौधरी के काम-काज, संबंध, राजसत्ता के दुरुपयोग की सी.बी.आई. जाँच के लिए वह तैयार हों। 'प्रभात खबर' सार्वजनिक जीवन में है और श्री कोड़ा भी सार्वजनिक जीवन में हैं। इसलिए यह जाँच सबसे बेहतर समाधान है। विश्वास है, यह मामूली शर्त कोड़ाजी को स्वीकार्य होगी।

जहाँ तक इस निगरानी छापे में संपत्ति मिलने के विवरण का प्रसंग है, उन्होंने कहा कि गलत सूचना नहीं छापी जाए। सूचना गलत है, तो उसे भी प्रचारित नहीं करना चाहिए। एकपक्षीय सूचना क्यों?

मधु कोड़ा के यहाँ जब्त चीजों के ब्योरे अन्य अखबारों में भी छपे, पर जमीन की खबर छपने पर खासतौर से 'प्रभात खबर' पर वह बौखलाए। बता दें कि यह खबर अन्य अखबारों में भी छपी है। एक अखबार में 10 एकड़ की सूचना है। दूसरे में जमीन के कागजात मिले, यह उल्लेख है।

पर श्री कोड़ा सिर्फ और सिर्फ 'प्रभात खबर' पर ही जमीन की सूचना पर बौखलाते हैं, क्योंकि उनके कार्यकाल के गलत कामों और उनसे जुड़े कुछ अप्रिय तथ्यों को 'प्रभात खबर' ने उठाया है। सार्वजनिक किया है। यह दिखाता है कि वही सूचना दूसरे अखबारों में छपती है, तो कोड़ाजी नहीं बौखलाते हैं, पर वही चीज 'प्रभात खबर' में पढ़कर भड़क जाते हैं। बता दें, जो सूचनाएँ निगरानी छापे के बाद मिलीं, वे सभी अखबारों में छपी हैं। जिस दिन कोर्ट में निगरानी के कागजात प्रस्तुत होंगे, तथ्यात्मक विवरण स्पष्ट होगा, फिर वे तथ्य छपेंगे।

आरोप-2 : जब से मुख्यमंत्री बना, तब से मान-सम्मान को ठेस पहुँचाने का काम किया जा रहा है।

जवाब—कोड़ाजी की 'प्रभात खबर' से नाराजगी उनके मुख्यमंत्री बनने से पहले से है। जिस दिन 'प्रभात खबर' में महत्त्वपूर्ण ढंग से चाईबासा में सोनालिका ट्रैक्टर्स में घोटाले का प्रकरण, विनोद सिन्हा का रिश्ता और सत्ता का संरक्षण, यह सब छपा, उस दिन से कोड़ाजी अखबार से बेरुख हैं। सोनालिका ट्रैक्टर्स जाँच रोकने के लिए क्या कुछ हुआ है, वह अलग अध्याय है।

फिर भी कोड़ाजी को बताना चाहिए कि वह कौन-सी खबर है, जिससे उनके मान-सम्मान को ठेस पहुँची? हाँ, कोड़ाजी मुख्यमंत्री रहे हैं। उनकी सरकार के कामकाज पर लगातार खबरें छपी हैं। अनियमितता और भ्रष्टाचार को सामने लाने का काम 'प्रभात खबर' ने किया। हाँ, विनोद सिन्हा, संजय चौधरी जैसे लोगों से सत्ता की नजदीकी, प्रभाव, सिस्टम पर कब्जा, प्रभुत्व और कारनामे जरूर छपे। महज दो साल में सत्ता के दुरुपयोग से करोड़पति-अरबपति बनने का चमत्कार, पाठकों को जरूर बताया गया। क्या इससे कोड़ाजी के मान-सम्मान को ठेस पहुँची है?

आरोप-3 : पी.आई.एल. हुआ, तो बड़े-बड़े अक्षरों में छपा, देखिए भ्रष्ट का कारनामा, देखिए उनकी करामात।

जवाब—जिन-जिन लोगों के खिलाफ पी.आई.एल. हुआ, उनसे संबंधित खबरें 'प्रभात खबर' में छपीं। इसमें तरह-तरह के राजनेता, अफसर हैं। भाजपा और कांग्रेस के प्रभावी लोग भी हैं। 'प्रभात खबर' में सबकी खबर छपी। हाँ, बड़े या छोटे अक्षरों में, यह परख कोड़ाजी की निजी है। हाँ, कोड़ाजी ने आरोप में जो शब्द इस्तेमाल किए हैं, वे नहीं छपे हैं। हाँ, कोड़ाजी की सरकार, उनके कामकाज पर 'प्रभात खबर' में लगातार तथ्यात्मक चीजें छपीं। इनमें से कुछेक मामले कुछ लोग अदालत में ले गए।

पी.आई.एल. की जिन याचिकाओं के दस्तावेजों के प्रति 'प्रभात खबर' आश्वस्त लगा, उनको प्रमुखता से छापा। जिन दस्तावेजों को लेकर उसके मन में संशय रहा, उस पर भी उसने छोटी सूचना दी। कोड़ाजी एक पी.आई.एल. के बारे में कह रहे हैं, जिसकी छोटी सूचना 'प्रभात खबर' में छपी है। उसकी पूरी सुनवाई के बाद उसकी प्रामाणिक चीजें मिलेंगी, वह भी छापेंगे। उसमें कैसे और क्या कागजात हैं, यह भी।

आरोप-4 : कोई किसी के साथ बाहर घूमे, तो उसका पार्टनर नहीं बन जाता।

जवाब—यह सही है कि कोई किसी के साथ घूमने से बिजनेस पार्टनर नहीं बन जाता, पर विनोद सिन्हा मामले में तबके मुख्यमंत्री मधु कोड़ा का रोज-रोज बदलता बयान काबिलेगौर है। पहले तो उन्होंने कहा कि किसी विनोद सिन्हा या संजय चौधरी को नहीं जानते। फिर कहा कि उनके क्षेत्र का व्यवसायी है। फिर उन्हें अपना मित्र बताया। लेकिन कोड़ाजी ने विनोद-संजय से अपनी अंतरंगता को सदैव छुपाने का

प्रयास किया। कोड़ाजी को विनोद-संजय से अंतरंगता को जगजाहिर करने में किस बात का भय है? यह तो वे ही जानें, पर कोड़ाजी आजतक इस बात पर खामोश हैं कि मुख्यमंत्री बनते ही विनोद-संजय को एक साथ 'आउट ऑफ वे' जाकर बॉडीगार्ड किस काम के लिए मुहैया कराया? ये दोनों सरकार अथवा सार्वजनिक जीवन के ऐसे किस महत्त्वपूर्ण काम में लगे थे, जिससे इनकी जान पर ऐसा खतरा उत्पन्न हो गया कि सरकार को आउट ऑफ वे जाकर एक साथ दोनों को सरकारी अंगरक्षक देना पड़ा। संजय चौधरी को ऐसे किस आपातकालीन काम के लिए विदेश जाने की जरूरत थी कि उनका पासपोर्ट बिना विलंब रिन्यूअल करने के लिए भी कोड़ा को सिफारिशी पत्र लिखना पड़ा। विनोद सिन्हा में ऐसी कौन बात दिखी कि कोड़ाजी ने खान मंत्री रहते विनोद को जे.एस.एम.डी.सी. में मेंबर बनाने के लिए न सिर्फ सिफारिश की, बल्कि इसके लिए अनवरत प्रयास में लगे रहे। कोड़ाजी और विनोद सिन्हा के संबंधों पर, अभी 'प्रभात खबर' न कुछ छाप रहा है, न सूचना दे रहा है, क्योंकि बहुत चीजें छपी हैं, बहुत चीजें शेष हैं। जाँच चल रही है, तो स्वत: शेष तथ्य आ जाएँगे। जाँच होने देने से यह परेशानी क्यों? मुख्यमंत्री रहते हुए या पूर्व मुख्यमंत्री बन जाने पर जब-जब विनोद सिन्हा ऐंड कंपनी की जाँच की माँग उठी, श्री कोड़ा क्यों बिफर जाते हैं? क्या कोई राज है? विनोद सिन्हा ने मधु कोड़ा के कार्यकाल में कहाँ-कहाँ, किस-किस विभाग में क्या-क्या किया, उनमें से काफी चीजें छपी हैं, कुछेक जाँच के बाद स्पष्ट हो जाएँगी। 'प्रभात खबर' सिर्फ यह कहता रहा है कि यह रिश्ता सामान्य नहीं, यह बिजनेस रिश्ता है। कोड़ा मुख्यमंत्री थे, तो विनोद सिन्हा के ऊपर सरकार कैसे मेहरबान रही, इस पर भी काफी सामग्री छपी है। शेष चीजें जाँच के बाद सामने आ जाएँगी। झारखंड सरकार के हेलीकॉप्टर में उड़ान भरनेवाले कौन-कौन थे? यह मामला भी अदालत में है। जाँच हुई, तो सब खुलासा होगा।

'प्रभात खबर' पर बौखलाए श्री कोड़ा ने यू.एम.आई. (उषा मार्टिन इंडस्ट्रीज) का प्रसंग उठाया। पहले यू.एम.आई. और 'प्रभात खबर' के रिश्तों को जान लें। यू.एम.आई. और 'प्रभात खबर' के बीच कोई फंक्शनल रिश्ता नहीं है। दोनों दो कंपनियाँ हैं। हाँ, प्रमोटर एक हैं। 'प्रभात खबर' एक अलग कंपनी है। 'प्रभात खबर' को प्रोफेशनल लोग चलाते हैं, शुरू से। यहाँ न कोई प्रमोटर बैठता है, न इसकी नीति में कोई दखल देता है। 1990 से इस कंपनी को चलाने के लिए अलग नियम-कानून, प्रावधान बने। प्रमोटरों की सहमति से। कंपनी उसी रास्ते चलती है, स्वायत्त तरीके से। अपना विकास, अपनी चुनौतियाँ खुद सँभालती है। यह तथ्य हम समाज को, पाठकों को बता चुके हैं। श्री कोड़ा को भी मालूम होगा कि औद्योगिक ग्रुपों के अखबार

बुनियादी और सैद्धांतिक तौर से सरकारों की खुशामद में रहते हैं। क्या 'प्रभात खबर' ने श्री कोड़ा या अन्य पूर्ववर्ती मुख्यमंत्रियों के बारे में जो तथ्य उजागर किए, उनसे लगता है कि वह उनकी खुशामद में रहा है? श्री कोड़ा की नाराजगी का राज यही है कि 'प्रभात खबर' उनकी खुशामद में नहीं है।

प्रबंधन की सहमति से बनी स्वायत्त नीतियों से ही 'प्रभात खबर' बढ़ा। पिछले बीस वर्षों में एक से बढ़कर एक बड़े प्रकरण 'प्रभात खबर' में छपे, जिन्होंने देश की राजनीति को प्रभावित किया। अनेक ताकतवर लोगों पर असर डाला और उनकी सत्ता गई। श्री कोड़ा के आरोपों के अनुसार 'प्रभात खबर' कंपनी के हितों के लिए काम कर रहा है। अगर यह सच है, तो यह सब 'प्रभात खबर' कैसे करता? यह सवाल श्री कोड़ा खुद से पूछें? सार्वजनिक रूप से एक और सूचना। हाँ, 'प्रभात खबर' के प्रमोटरों में वैल्यूज हैं, नहीं तो जिस स्वायत्त तरीके से इसको चलाने की नीति 1990 में बनी, वह नीति नहीं चलती। फिर यह चीज भी स्पष्ट कर दें कि हम रोज कुआँ खोदनेवाले और प्यास बुझानेवाले समूह हैं। ऐसी स्थिति में तो कोई अखबार सबसे पहले सत्ताधीशों की चरण वंदना करता, पर 'प्रभात खबर' ने शुरू से भिन्न पत्रकारिता चुनी। इसी कारण श्री कोड़ा बौखलाए हैं। श्री कोड़ा ने दो पूर्व मंत्रियों के नाम लिए हैं। बाबूलाल मरांडी के जमाने के। श्री कोड़ा यह भी बता देते कि उन मंत्रियों पर क्या-क्या चीजें छपीं और कब-कब छपीं? उनका क्या रिश्ता कंपनी के हितों से था? अगर कंपनी के हित के अनुसार अखबार को चलाना होता, तो जिन मंत्रियों के पास कंपनी के हित हैं, सबसे पहले अखबार उनकी तीमारदारी करता, पर गुजरे 20 वर्षों में एक-से-एक ताकतवर लोगों के तथ्य 'प्रभात खबर' में छपे, क्योंकि इसका फैसला सिर्फ और सिर्फ 'प्रभात खबर' करता है। पत्रकारिता के अपने मापदंडों के तहत, कोई कंपनी नहीं।

हाँ, 1990 से आज तक यू.एम.आई. के खिलाफ भी खबरें 'प्रभात खबर' में छपीं। 1990 से लेकर अब तक इन खबरों की ऑडिट या सूची श्री कोड़ा 'प्रभात खबर' से तैयार कराना चाहें, या जाँच कराना चाहें, तो 'प्रभात खबर' उन्हें पूरी फाइल उपलब्ध करा देगा। हाँ, एक और बात श्री कोड़ा ने कही। उक्त कंपनी की किसी समूह कंपनी द्वारा नक्सलियों को लेवी देने की बात। तब कोड़ाजी मुख्यमंत्री थे। तब वह क्यों चुप रहे? दरअसल तथ्य यह है कि 15-20 कंपनियों के नाम आए कि इनकी चर्चा है कि इन्होंने नक्सलियों को लेवी दी है। न इसके कागजात मिले, न कहीं प्रमाण। न दस्तावेज। फिर भी 'प्रभात खबर' के संबंधित संस्करण में यह खबर पूरी तरह छपी है। श्री कोड़ा अगर देखना चाहें, तो उस तारीख का समाचार-पत्र हमारे जमशेदपुर

संस्करण में उपलब्ध है, वह देख सकते हैं। हाँ, झारखंड में तो सरकार के मुखिया थे कोड़ाजी, उन्हें अच्छी तरह मालूम है कि सरकार में काम करनेवाले ही जहाँ नक्सली समूहों को लेवी देते हैं, वहाँ कॉमन मैन की क्या स्थिति है? पर 'प्रभात खबर' पर जो आरोप कोड़ाजी ने लगाए हैं, उन्हें एक क्षण के लिए सच मान लें, तब भी 'प्रभात खबर' अपने समूह के खिलाफ की खबरें भी छापता रहा है, पर कोड़ा सरकार के खिलाफ जो गंभीर आरोप लगे, उनमें से एक के लिए भी जाँच से वह सहमत नहीं हैं। श्री कोड़ा ने उक्त समूह को माइंस देने या किसी अन्य काम का उल्लेख कर पूछा है कि हमने क्या राशि ली? बताएँ। श्रीमान कोड़ाजी, न उस कंपनी से 'प्रभात खबर' का कोई कामकाजी रिश्ता है, न इसकी जानकारी 'प्रभात खबर' को है। आपके राजकाज की गंभीर अनियमितताओं की जो जानकारी 'प्रभात खबर' को है, वे छपी हैं। उनके बारे में जाँच से बेरुखी क्यों?

हाँ, श्री कोड़ा का एक आरोप यह भी है कि हमें ही टारगेट बनाया गया है। वह भूल रहे हैं, किसी मुख्यमंत्री के समय का 'प्रभात खबर' उठा लें। अगर गलत हुआ है, तो वह 'प्रभात खबर' में छपा है। हाँ, इसकी कीमत 'प्रभात खबर' ने चुकाई है। लगभग तीन बार 'प्रभात खबर' के विज्ञापन बंद किए गए। मधु कोड़ा के सत्ता में आने से पहले। एक-से-एक कटु तथ्य अन्य पूर्व मुख्यमंत्रियों के बारे में छपे, श्री कोड़ा चाहें, तो पिछले नौ वर्षों की फाइल देखकर आश्वस्त हो सकते हैं। यहाँ तक कि हर विभाग में भ्रष्टाचार के रेट और कमीशन भी छपे, पर आज एक फर्क दिखाई देता है कि किसी पूर्व मुख्यमंत्री के पास विनोद सिन्हा और संजय चौधरी नहीं थे। न उनके किसी यार-मित्र या शागिर्द का दुबई में, थाइलैंड में, जकार्ता में अचानक कारोबार खड़ा हो गया। किसी अन्य मुख्यमंत्री के पद पर रहते हुए कोई उनका खास मित्र राजसत्ता के संरक्षण में इतनी जल्द इतना बड़ा नहीं बना। हाँ, उन पूर्व मुख्यमंत्रियों के भी किचेन कैबिनेट थे। निजी संबंधोंवाले लोग तब भी चीजों को प्रभावित कर रहे थे, पर एक सीमा तक।

एक और प्रसंग। कोड़ाजी को सत्यम आर्ट मीडिया प्रा.लि. के बारे में जरूर पता होगा। उनकी सरकार भी इस पर मेहरबान रही। इसके निदेशक विनोद सिन्हा हैं। साथ ही कोई अरविंद व्यास भी इसके डायरेक्टर रहे। ये अरविंद व्यास कौन हैं? अमितोष लीज ऐंड फाइनेंस प्रा.लि. कौन-सी कंपनी है? अमितोष ने चाईबासा में इंडिया डीजल ट्रैक्टर के मामले में हुए ऋण घोटाले में किस तरह बैंक ऑफ बड़ौदा को पैसा दिया? वह कैसा पैसा है? इस कंपनी का खास क्षेत्रीय चैनल से क्या रिश्ता है? जहाँ कोड़ाजी की एकपक्षीय बातें बड़ी प्रमुखता से दिखाई जा रही हैं। यह सत्यम आर्ट मीडिया,

उक्त क्षेत्रीय चैनल के किन-किन लोगों को उपकृत करता रहा है? कैसे-कैसे लोगों को उपकृत किया है? निश्चित रूप से इस कंपनी और इसके प्रतिनिधियों के कामों की जानकारी और उक्त क्षेत्रीय चैनल से इसके संबंध की सूचना, वहाँ के एम.डी. या ऊपर बैठे लोगों को नहीं होगी। हालाँकि श्री कोड़ा खंडन करेंगे, पर श्री कोड़ा तो शिखंडी की भूमिका में हैं। असली खिलाड़ी कहीं और है। अदालती जाँच आगे बढ़ी, तो तथ्य स्वत: सामने आएँगे।

(28-07-2009)

□

झारखंड कांग्रेस
हम नहीं सुधरेंगे

हालाँकि फिल्मी दुनिया से असरानी का दौर और जमाना गुजर गया है, पर उनकी एक फिल्म का लाजवाब नाम था 'हम नहीं सुधरेंगे'। झारखंड के कांग्रेसी, असरानी के इस टाइटल को सच साबित करने पर तुले हैं। हाल में केंद्र में कांग्रेस को जो नया जनसमर्थन मिला, उससे कांग्रेस हाईकमान में एक नया आत्मविश्वास जगा है। सोनिया गांधी ने हाल में बयान दिया है कि पैसा कमानेवाले कांग्रेस में न आएँ। राहुल गांधी कांग्रेस की काया बदलने में लगे हैं। उनके प्रयास का क्या असर होगा, यह तो भविष्य बताएगा, पर कांग्रेस की इस नई ऊर्जा, सोनियाजी और राहुल गांधी की सही पहल को विफल कांग्रेसी ही करेंगे। शायद इस दिशा में पहला पाँव झारखंड के कुछ कांग्रेसियों ने बढ़ाया है।

झारखंड में अजय माकन ने कांग्रेस में प्राण डाले थे। इसका परिणाम सिमरिया उपचुनाव में कांग्रेस को मिले वोटों से दिखा भी था। अगर कांग्रेस, अजय माकन के रास्ते चली होती, तो झारखंड लोकसभा चुनाव में उसको एक सीट पर संतोष नहीं करना होता। पर अजय माकन को झारखंड के ही कांग्रेसियों ने विफल किया, क्योंकि कांग्रेस का एक धड़ा, निर्दलियों की सरकार से सारे लाभ ले रहा था। निर्दलियों के शासन में ड्राइविंग सीट पर पीछे कुछ कांग्रेसी भी थे, बिना पद या दायित्व के सभी लाभ लेनेवाले। ये उस सरकार के हर पाप के हिस्सेदार हैं, पर पाप का दंड निर्दलियों को मिल रहा है। इसलिए आज ये कांग्रेसी, नेताओं के यहाँ पड़े छापों का विरोध कर रहे हैं। क्या ये कांग्रेसी बताएँगे कि लोकतंत्र में शासकों के लिए अलग कानून है, जनता के लिए अलग? जिस तरह से सरकारी विभाग चलाए गए, ट्रांसफर-पोस्टिंग, कानून तोड़ने का काम हुआ, क्या कांग्रेसी उसे जस्टिफाई करना चाहते हैं? ये नेता क्या संदेश देना चाहते हैं कि कांग्रेस गलत करनेवालों के साथ है? चुनाव सामने है। केंद्र में बढ़ी कांग्रेस की साख ने झारखंड कांग्रेस को भी एक अवसर दिया है।

लोकसभा चुनाव में मिली शिकस्त को दुरुस्त करने का अवसर भी, पर झारखंड के कांग्रेसी उस कालिदास की भूमिका में हैं, जो पेड़ पर बैठकर वही डाल काट रहे थे, जिस पर सवार थे। इन कांग्रेसियों को किसी दुश्मन की जरूरत नहीं।

केंद्र सरकार ने झारखंड को सबसे बेहतर तोहफा दिया है, एक अच्छे राज्यपाल के रूप में के. शंकरनारायणन की नियुक्ति। वह अत्यंत सुलझे और संस्कार संपन्न राजनीतिज्ञ हैं। मर्यादित और गंभीर। केरल के रहनेवाले केंद्रीय मंत्री ए.के. एंटोनी, जिनकी ईमानदारी आज के सार्वजनिक जीवन में एक मापदंड है, उनके साथ के. शंकरनारायणन ने मंत्री के रूप में काम किया है। वहाँ वित्त और कृषि जैसे महत्त्वपूर्ण विभागों को अत्यंत कुशलता से चलाया है। नगालैंड में भी राज्यपाल के रूप में अपनी छाप छोड़ी है। अशासित और अराजक हो चुके झारखंड के लिए श्री शंकरनारायणन का राज्यपाल बनना, एक महत्त्वपूर्ण पॉजिटिव संकेत है। उन्होंने साफ किया भी है कि उनकी प्राथमिकता गरीबों के लिए बने सरकारी कार्यक्रमों को नीचे तक पहुँचाना, बिजली सुधार और विधि व्यवस्था ठीक करना है। निश्चित तौर पर कम समय में वह अपनी प्राथमिकताओं से झारखंड को बेहतर बनाने की कोशिश करेंगे।

केंद्र में बैठी कांग्रेस झारखंड को सड़ाँध और अराजकता से बाहर निकालना चाहती है, लेकिन राज्य के कांग्रेसी कानून का राज नहीं चाहते। वे ऐसी व्यवस्था चाहते हैं, जहाँ उनके पसंदीदा राजनेता कानून से ऊपर मान लिए जाएँ। ये लोकल कांग्रेसी भूल गए कि झारखंड के पूर्व कांग्रेस प्रभारी अजय माकन ने ही पूर्व सरकार के खिलाफ अनेक गंभीर आरोप लगाए थे। उनके साथ इन लोकल कांग्रेसियों ने झारखंड की स्थिति दुरुस्त करने के लिए पैदल मार्च किया था। क्या वह पैदल मार्च नाटक था? निगरानी के छापों के खिलाफ आए इन कांग्रेसियों के बयानों से यही लगता है कि ये चाहते हैं कि गलत करनेवालों को दंड न मिले?

कांग्रेस का एक ऐसा खेमा, कुछ ही दिनों पहले भ्रष्ट लोगों के खिलाफ सी.बी.आई. जाँच की माँग कर चुका है। पूर्व मंत्री रामेश्वर उराँव भ्रष्टाचार को गंभीर मुद्दा बता- कह चुके हैं। एक वरिष्ठ कांग्रेसी बागुन सुंब्रई का बयान भी मजेदार है—झारखंड के इन भ्रष्ट नेताओं एवं पदाधिकारियों के कारण नाराज भगवान् ने राज्य को अकालग्रस्त किया। जब तक भ्रष्ट मंत्री जेल नहीं जाएँगे, राज्य में बारिश नहीं होगी। उन्होंने यह भी कहा कि आय से अधिक संपत्ति के मामले में सी.बी.आई. एवं इंटरपोल से उच्चस्तरीय जाँच होनी चाहिए। उन्होंने अपनी हार के कारणों की चर्चा करते हुए कहा कि पैसे के बल पर उनके कार्यकर्ताओं को लोगों ने भ्रमित किया। यू.पी.ए. में शामिल कई मंत्रियों के कारनामे से कांग्रेस की बदनामी हो रही है। उन्होंने यह भी बताया

कि आय से अधिक संपत्ति के मामले में जो नेता आरोपियों का पक्ष ले रहे हैं, उनकी भी जाँच होनी चाहिए।

स्पष्ट है कि कांग्रेस में इस सवाल पर एक राय नहीं है। फिर भी पदधारी कांग्रेसी इस जाँच के खिलाफ मंतव्य देकर कांग्रेस का आधिकारिक पक्ष स्पष्ट कर चुके हैं। अब कांग्रेस के झारखंड प्रभारी डॉ. के. केशव राव को स्थिति स्पष्ट करनी चाहिए कि कांग्रेस भ्रष्टाचार के खिलाफ कारवाई होने देना चाहती है या नहीं।

(29-07-2009)

□

बाड़ खाए खेत!

बचपन में यह कहावत सुनी। बाड़ (वृहत् हिंदी शब्दकोश के अनुसार 'बाड़' का अर्थ है, फसल की रक्षा के लिए बनाया हुआ काँटे, बाँस आदि का घेरा) इसलिए होती है कि वह खेत की सुरक्षा करे। खेत की फसल को बरबाद न होने दे, पर जब सुरक्षा के लिए बनी चीज ही बरबाद करने पर तुल जाए तो? यही हाल होता है, जो झारखंड का हो रहा है। समाज को आगे या ऊपर ले जाने का दायित्व किसका है? किन पर है? राजनीति, नौकरशाही, बुद्धिजीवी वर्ग और पत्रकारिता वगैरह का ही न, पर झारखंड में क्या हुआ?

राजनीति : जो राजनीति समाज को शिखर पर पहुँचा सकती है, वही राजनीति इतनी सड़ी, दुर्गंधमय और चरित्रहीन हो सकती है, यह झारखंड ने पूरे देश, दुनिया को दिखाया। झारखंड का सर्वनाश राजनीति ने ही किया है। हालाँकि यह भी किसी को संशय नहीं होना चाहिए कि राजनीति ही इसे ठीक भी कर सकती है, पर वह राजनीति भिन्न होगी। जो नेता फाकाकशी करते थे, जो पंचायत स्तर की लियाकत नहीं रखते थे, वे जब सत्ता शीर्ष पर बैठ गए तो क्या किया? कुछेक लोगों के पैसे विदेशों में लगे। देश के अन्य राज्यों के कंस्ट्रक्शन उद्योग में झारखंड का धन लगा। भ्रष्टाचार के सारे रिकॉर्ड टूट गए। विधानसभा जैसी पवित्र संस्था अपनी भूमिका से विरक्त हो गई। वहाँ नियुक्तियों की होड़ लग गई। इन नियुक्तियों में भी भ्रष्टाचार के आरोप लगे। विधानसभा में कितनी कमेटियाँ बनीं और उनकी क्या उपयोगिता रही और उनपर क्या खर्च हुआ, यह जानकर लोग हैरत में होंगे। सरकार या व्यवस्था पर अंकुश लगाने का काम विधानसभा ने नहीं किया। सरकारें नियंत्रणहीन और बद से बदतर होती गईं। खुद कांग्रेस के तत्कालीन प्रभारी अजय माकन ने झारखंड की बदहाली को गंभीर माना। उधर अपराधी भी अनियंत्रित होते गए। सरकारी योजनाएँ लूट का पर्याय बन गईं। राजनीति में उजड्डता, अज्ञानता, अकर्म सब माफ। सिर्फ लूट कला का ज्ञान अहम बन गया। राजनीति जैसी पवित्र चीज बिचौलियों की, भ्रष्टाचारियों की, दलालों की, पैरवी करनेवालों की, तिकड़म-षड्यंत्र करनेवालों की चेरी बन गई। जो ग्राम प्रधान के काबिल नहीं थे, वे राज्य की

तकदीर सँवारने के पदों पर बैठ गए। अब झारखंड को तय करना है कि यही राजनीति चलेगी या बदलेगी? नए झारखंड की कल्पना नई राजनीति के गर्भ से ही संभव है।

नौकरशाही : यह नौकरशाही 'स्टील फ्रेम' कही जाती है। इस संस्था की भूमिका देश को जोड़ने में अद्‌भुत रही है। ईमानदार नौकरशाहों की बदौलत आज देश यहाँ पहुँचा है। झारखंड में भी अनेक अच्छे, ईमानदार और समर्पित आई.ए.एस.-आई.पी.एस. हैं, पर वे निष्क्रिय बना दिए गए। झारखंड के दो आई.ए.एस. अफसरों के यहाँ छापे पड़े हैं। जो विवरण आए हैं, उनसे लगता है कि झारखंड में कोई शासन ही नहीं रह गया था। डॉ. राममनोहर लोहिया ने नौकरशाही को 'दूसरे नंबर का स्थायी राजा' कहा था। यानी नेता और मंत्री तो आते-ज़ाते रहते हैं, चुनाव में पराजित भी होते हैं, पर अफसर तो अपनी जगह बने रहते हैं। स्पष्ट है कि सरकार की स्थायी पहचान या प्रतिनिधित्व तो नौकरशाही ही करती है। वह संविधान-कानून की प्रहरी है। वही नौकरशाही भयमुक्त होकर गलत कामों में शरीक थी। झारखंड में अनेक ऐसे आई.ए.एस. हैं, डी.सी. हैं, जिनके यहाँ ऐसे छापे पड़ें तो एक-से-एक बड़े राज खुलेंगे। एक सज्जन, एक जिले के डी.सी. थे। खुद अपने परिवार के नाम एक बेशकीमती भूखंड (बिल्डिंग) खरीदी। पता चला, पंद्रह दिनों के लिए उन्होंने जमीन संबंधी अपना अधिकार अपने एक पालतू अफसर को सौंप दिया था। बिहार विधानसभा ने कानून बनाकर केंद्र सरकार के पास अनुमोदन के लिए भेजा है कि भ्रष्ट अफसरों की संपत्ति जब्त हो, उनके खिलाफ भी 'स्पीडी ट्रायल' के मुकदमे चलें। क्या झारखंड इससे कुछ नहीं सीख सकता? आखिरकार झारखंड में जो लूट, कुव्यवस्था, अराजकता थी, इसकी कीमत इस देश-राज्य ने किस रूप में चुकाई है? नक्सल-प्रभाव का सबसे मूल कारण यही अराजकता, अव्यवस्था है।

राज्य में लोग भूखे मरें, चिकित्सा की व्यवस्था न हो, पढ़ने के लिए अच्छी संस्थाएँ न हों, और राज्य चलानेवाले राजनीतिज्ञ और नौकरशाह खुद अपनी दुनिया समृद्ध करने में लगे रहें, आत्मकेंद्रित हो जाएँ, तो क्या हालात होंगे? वही न, जो झारखंड का हो रहा है।

पत्रकारिता : यह चौथा स्तंभ है। अन्य तीन स्तंभों का वाच डॉग, प्रहरी या उनपर नजर रखनेवाला। दो दिन पहले 'प्रभात खबर' में पूर्व प्रधानमंत्री इंदिरा गांधी के समय प्रेस सलाहकार बने एच.वाई. शारदा प्रसाद पर लेख छपा है। पिछले साल दो सितंबर को वह नहीं रहे। उनके छोटे भाई नारायण दत्तजी (जो सबसे सम्मानित 'नवनीत' के संपादक रहे, जो खुद विलक्षण और चरित्रवान् पत्रकार हैं) ने खासतौर से बेंगलुरु से 'प्रभात खबर' के लिए यह लेख भेजा। शारदा प्रसादजी तीन-तीन प्रधानमंत्रियों के प्रेस सलाहकार रहे। उनकी आभा, योग्यता और चरित्र यह था कि कैबिनेट सेक्रेटरी भी

उनके सामने झिझकते थे। वह विद्वता और ज्ञान के पर्याय थे। वह उस दौर की पत्रकारिता के प्रतीक भी थे। तब हमने 'टाइम्स हाउस' में काम करते हुए करीब से देखा श्यामलाल को, गिरिलाल जैन को, फिर कुलदीप नैयर के सान्निध्य में हम युवा आए। अजीत भट्टाचार्यजी को नजदीक से देखा, प्रभाषजी को देखा। बीजी वर्गीस का स्नेह मिला। अज्ञेय, धर्मवीर भारती के दौर में टाइम्स में इनके साथ काम किया। रघुवीर सहाय को पास से देखा। इनके पहले के पत्रकारों को छोड़ दीजिए, यानी आजादी की लड़ाई के राम राव, चलपति राव, देवदास गांधी, मुलगाँवकर तो उच्चकोटि के थे ही, पर इनके बाद के ये पत्रकार भी 24 कैरेट सोना थे या हैं। उनकी योग्यता, प्रतिबद्धता और दृष्टि में हम आज पासंग भी नहीं हैं। पीछे मुड़कर देखने पर लगता है, आज क्षेत्रीय और छोटे अखबारों में जो तनख्वाहें और सुविधाएँ हो गई हैं, वह भी सत्तर-अस्सी के दशकों में इन बड़े पत्रकारों को नहीं मिलती थीं। 'टाइम्स ऑफ इंडिया ट्रेनिंग स्कीम' अपने दौर की सबसे प्रतिष्ठित योजना थी। उसमें आई.पी.एस. और आई.आई.एम. के लोग आते थे। वेतन की शुरुआत साठ के दशक में 350 रुपए से हुई। वह बढ़ते-बढ़ते पाँच सौ, साढ़े सात सौ और बाद में एक हजार तक पहुँची। इसी प्रशिक्षण योजना से गणेश मंत्री, विक्रम राव, एम.जे. अकबर, विश्वनाथ सचदेव, सुरेंद्र प्रताप सिंह, उदयन शर्मा, विनोद तिवारी, विष्णु नागर, विक्रम बोरा जैसे पत्रकार निकले, जिन्होंने हुनर और कौशल से देश-दुनिया में अपनी पहचान बनाई। इन सब की वेतन, सुविधाएँ जो उन दिनों थीं, उनसे आज क्षेत्रीय अखबारों के हालात बहुत बेहतर हैं, पर क्यों नहीं हम एक भी ऐसा पत्रकार खड़ा कर पा रहे हैं, जो स्तर का हो? धन कमाना अपराध नहीं है। भारतीय परंपरा भी इसे सही मानती है। धर्म, अर्थ, काम, मोक्ष के गुण हम गाते हैं। इस तरह अर्थ कमाना बुरी बात नहीं, पर वह ईमानदार तरीके से क्यों नहीं? आज पत्रकारिता में बढ़िया वेतन है। अगर आप में हुनर और कौशल है, तो आपके पीछे पैसे लेकर घूमनेवाले लोग हैं। यह सब सही तरीके से संभव है और हो रहा है। पुरानी पीढ़ी के अनेक पत्रकारों ने खूब पैसे कमाए। कैसे? अपनी प्रतिष्ठा से। उनकी किताबें हिट हुईं। देश-विदेश में उन्हें लिखने के अवसर मिले। आज अखबारों में वेतन सुविधाओं और नौकरी की सेवा शर्तों की दृष्टि से हालात काफी बेहतर हैं, पर ज्ञान, चरित्र, दृष्टि में हम पत्रकार अपनी पहले की पीढ़ी के पत्रकारों के मुकाबले कहाँ हैं? उन्हें आज जैसा अर्थ कमाने का (ईमानदार तरीके से) मौका नहीं था! आज कई मीडिया कंपनियाँ मुनाफे में हिस्सा देती हैं। अच्छे लोगों को इनसेंटिव देती हैं, शेयर देती हैं, इनाम देती हैं। फिर भी वह पुरानी पीढ़ी की ईमानदारी, नैतिकता और ज्ञान हममें क्यों नहीं है? क्या हम पत्रकार इस पर कभी गौर करेंगे? हमारा धंधा क्या है? लाइजनिंग या फेवर लेना या सत्ता के पतन में साझीदार बनना या चुपचाप देखना?

इस देश में टाइम्स ऑफ इंडिया समूह, एच.टी. समूह, हिंदू, इंडियन एक्सप्रेस, आनंद बाजार पत्रिका वगैरह पत्रकारीय मूल्यों के वाहक (टॉर्च बियरर) रहे हैं। इन्हीं घरानों के मशहूर और वरिष्ठ पत्रकारों ने पत्रकारिता को नए मूल्य दिए। जरूरत है कि आज ये घराने फिर पहल करें और पत्रकारों के लिए 'कोड ऑफ इथिक्स' (नीतिगत आचार-संहिता) गढ़ें। ये समर्थ संस्थान ही पहल कर सकते हैं। निश्चित तौर पर अन्य अखबार इनका अनुकरण करेंगे। जरूरत है कि पत्रकारिता सचमुच प्रहरी की भूमिका में लौटे, ताकि कोई राज्य झारखंड जैसी दुर्गति की स्थिति में न पहुँचे।

उम्मीद की किरण

जिनके कंधों पर झारखंड सँवारने का दायित्व था, वे ही झारखंड की दुर्दशा में हिस्सेदार बन गए। इससे झारखंड में गहरी निराशा फैली, पर बरसों बाद उम्मीद की किरण भी दिख रही है। सिर्फ एक ईमानदार, कानून की हिफाजत करनेवाले राज्यपाल, के. शंकरनारायणन के आगमन से हालात बदले हैं। राज्यपाल नारायणन का झारखंड में आना वैसा ही था, जैसे भारी परेशानी, बेचैनी, तबाही और उमस के बाद हवा के ताजे झोंके आएँ! यह सुकून शब्दों से परे है। राज्यपाल संवैधानिक हेड हैं, पर एक अच्छे व्यक्ति के आते ही क्या असर पड़ा? कानून का राज वापस लौट रहा है। आम लोग कहते हैं, 'राज्यपाल के रहते वैसी गड़बड़ी नहीं होगी, जो पहले होती रही है।' यह धारणा क्यों? एक मूल्यनिष्ठ, ईमानदार और कानून के अनुसार चलनेवाले व्यक्ति के व्यक्तित्व का यह असर है।

भारतीय संस्कृति की मान्यता रही है, 'महाजनो येन गतः स पंथाः'

—अर्थ है, जिस रास्ते से महान् लोग गए हों, वही रास्ता सही है।

यानी बड़े लोग जिस रास्ते जाते हैं, वही रास्ता श्रेयस्कर होता है। अर्थ साफ है, श्रेष्ठ पदों पर बैठे लोग जैसा आचरण करेंगे, वही अन्य अनुकरण करेंगे। अब झारखंड में राज्यपाल पद पर एक गरिमापूर्ण व्यक्तित्व है। उसका असर बाहर भी दिख रहा है।

(05-09-2009)

□

गरिमा के सौदागर

संदर्भ : झारखंड चुनाव

लोकतंत्र में विधानसभा ही मूल प्राण है। सुशासन के लिए, विकास के लिए। भ्रष्टाचार रोकने के लिए, कानून व्यवस्था दुरुस्त करने के लिए। कुल मिलाकर राज्य को आगे ले जाने के लिए।

पर दिनोंदिन झारखंड विधानसभा में मर्यादाओं का हनन हुआ। नियुक्तियों में भ्रष्टाचार हुए। राज्य के गंभीर सवालों पर इस संस्था के पास न कोई सपना था, न चिंता। विधानसभा का अपने स्तर से फिसलना ही झारखंड के पतन में मूल बात है। चुनाव होने हैं। यह मौका है, जब जनता अच्छी विधानसभा का गठन कर सकती है। यह बुनियादी शर्त है बीमार, पस्त और लाइलाज झारखंड के बेहतर होने की। क्योंकि गंगोत्री में ही जब गंगा प्रदूषित और बदबूदार हों, तो कोई भगीरथ उन्हें बीच रास्ते में साफ और स्वच्छ नहीं कर सकता। इसलिए जरूरत है विधानसभा को स्तरीय, बेहतर और पारदर्शी बनाने की।

शुरुआत होती है—नियुक्तियों में गड़बड़ी से। अयोग्य लोगों का यहाँ चयन हुआ। इससे इसकी गरिमा घटी। स्तर प्रभावित हुआ। जो सबसे पवित्र संस्था है, जहाँ के नेतृत्व की रोशनी से राज्य रोशन होता, वहाँ राज्य अँधेरे में घुट रहा है। आलमगीर आलम के कार्यकाल में इन नियुक्तियों में घूस लेकर कई तरह की अनियमितताएँ चर्चा में आईं। यह मामला पी.आई.एल. के माध्यम से हाईकोर्ट में है। आरोप है कि नियुक्ति समिति में ऐसे लोग थे, जिनके सगे-संबंधियों को नौकरी मिली। जो लोकतंत्र का 'लाइट हाउस' है, अगर वहीं से अंधकार पसरने लगा, तो राज्य में घोटाले, भ्रष्टाचार, अराजकता पसरने ही थे। नियुक्तियों में फेवरिटिज्म, योग्यता की विदाई और अनियमितताएँ।

इस फिसलन की शुरुआत इंदरसिंह नामधारी के समय से ही हुई। 2001 में विधानसभा में 212 स्टाफ थे। नामधारीजी ने क्लास थर्ड और फोर्थ श्रेणी में 262 लोगों को भरा। क्लास थर्ड और फोर्थ में अगस्त, 2009 में आलमगीर आलम ने 283 लोगों को चुन लिया। आज झारखंड विधानसभा में कुल 960 स्टाफ हैं। तथ्य यह है कि इन सबके एक

साथ बैठने की जगह नहीं है। ड्राइवर, माली, टाइपिस्ट, क्लर्क भर गए हैं। बात इतनी ही नहीं, यही प्रमोट होकर ऊपर तक पहुँच रहे हैं। संयुक्त सचिव स्तर के लोग 70,000 से अधिक वेतन पा रहे हैं। जो कुछ ही दिनों पहले मामूली पदों पर बैठे, वे अब ऊपर के पदों तक पहुँच रहे हैं। सच पूछिए, तो कई उस पद के काबिल ही नहीं हैं। माननीय नामधारीजी का एक और बड़ा योगदान था। विधानसभा सचिव का पद कैडर पोस्ट है। न्यायिक सेवा के लोग ही इसमें आते हैं। बिहार में भी ऐसा ही है, पर माननीय नामधारीजी ने नॉन–जूडिसियल कैडर का आदमी इस पर बैठा दिया। विधानसभा से इसके लिए कानून पास करा लिया। बहुत दिनों तक इन महत्त्वपूर्ण पदों पर कार्यकारी लोग रखे गए। मकसद था कि ऐसे लोग नेताओं की इच्छा पूरी करें। कानून के साथ न चलें। विधानसभा सचिव के न्यायिक पृष्ठभूमि से आने के पीछे एक विजन था। कानून जाननेवाला व्यक्ति ही कानून बनानेवाली संस्था में महत्त्वपूर्ण पद पर हो, ताकि वहाँ कोई अवैधानिक काम न हो। इस कदम ने झारखंड विधानसभा की गरिमा पर कुठाराघात किया। फिर नामधारीजी ने पलामू के ही अधिकतर लोगों को विधानसभा में भरा। इस तरह के कामों से यह संदेश गया कि पक्षपात, अगंभीरता, संवैधानिक परंपराओं–मर्यादाओं का उल्लंघन अगर लोकतंत्र के मंदिर से ही शुरू होता है, तो फिर अन्य जगहों पर क्यों नहीं?

विधानसभाओं की तुलनात्मक स्थिति

राज्य	विधायकों की संख्या	स्टाफ	वार्षिक खर्च (करोड़ रुपए में)
छत्तीसगढ़	91	255	5.60
उत्तराखंड	70	190	4.25
बिहार	243	630	7.25
झारखंड	81	960	16.81

आलमगीर आलम के कार्यकाल में नियुक्तियों में हुई धाँधली ने विधानसभा की मर्यादा की रही-सही कसर पूरी कर दी। विधानसभा के निलंबन के बाद भी वह नियुक्तियाँ कर रहे थे। समय मिलता, तो वह कर्मचारियों की संख्या हजार से अधिक पहुँचा चुके होते। मतदाताओं को आलमगीर आलम, कांग्रेस और यू.पी.ए. से पूछना चाहिए कि इस हालात के लिए आप अपनी क्या जिम्मेवारी कबूल करते हैं? और इसे ठीक करने के लिए आप क्या करेंगे? क्या इसकी जाँच होगी? सभी संभावित प्रत्याशियों से मतदाताओं को पूछना चाहिए कि विधानसभा में हुई नियुक्ति धाँधली के खिलाफ जीतने पर आप क्या कदम उठाएँगे? जिस संस्था में राज्य का सबसे योग्य, दक्ष स्टाफ होने चाहिए, वहाँ भीड़ इकट्ठी की गई। किस मकसद से? यह दुनिया जानती है।

आज छत्तीसगढ़ विधानसभा में 91 विधायक हैं। वहाँ 255 स्टाफ हैं। वहाँ विधानसभा पर खर्च का वार्षिक बजट है 5.60 करोड़। उत्तराखंड में 70 विधायक हैं। स्टाफ हैं कुल 190। विधानसभा का वार्षिक खर्च बजट है 4.25 करोड़। पड़ोसी बिहार में कुल 243 विधायक हैं। स्टाफ हैं लगभग 630। विधानसभा का वार्षिक खर्च बजट है 7.25 करोड़। झारखंड में 81 विधायक हैं। यहाँ स्टाफ की संख्या हो गई है 960। वार्षिक खर्च बजट बढ़ गया है 16.81 करोड़।

यह है झारखंड की तकदीर बनानेवालों का करतब! विधानसभा की कार्य-संस्कृति पिछली शताब्दी की है। लीथो मशीन से काम होता है। अपार लीथो ऑपरेटर भरती कर दिए गए हैं। 21वीं शताब्दी के कंप्यूटर के जमाने में, 18वीं शताब्दी की लीथो मशीन से काम करनेवाली विधानसभा को बदले बिना क्या झारखंड बदलेगा? अगर कानून बनानेवाली संस्था ही प्रतिभाहीन लोगों, अयोग्य लोगों से भरी होंगी, तो वहाँ आधुनिक वर्क कल्चर कैसे होगा?

यह चुनाव विधानसभा को बेहतर बनाने का अवसर है। लोकतंत्र के मंदिर को झाड़-फूँककर साफ-सुथरा, रोशनी देनेवाला और प्रकाशवान बनाने का अवसर है। जाति, धर्म, भ्रष्टाचार, लूट, दलाली के चक्कर में फँसी राजनीति से ऊपर उठकर क्या मुट्ठी भर लोग भी यह संकल्प लेंगे कि राजनीति को बेहतर बनाया जाए? नैतिक बनाया जाए? यही अवसर है, यह संकल्प लेने का। जो युवा संकल्प लेकर कुछ करना चाहते हैं, उनके लिए भी मौका है।

(28-10-2009)

□

सबसे गरीब जनता,
सबसे अमीर विधायक

संदर्भ : झारखंड चुनाव

नौ वर्षों में झारखंड के मंत्रियों और विधायकों का छह बार वेतन बढ़ा। इस बीच झारखंडी जनता की प्रति व्यक्ति आय उस अनुपात में नहीं बढ़ी। इस तरह झारखंड की जनता देश की सबसे गरीब, पर झारखंड के विधायक देश के सबसे अमीर विधायक। गुजरात, तमिलनाडु, छत्तीसगढ़, कर्नाटक, मध्य प्रदेश वगैरह से भी अधिक तनख्वाह और सुविधाएँ झारखंड के विधायकों की। राज्य बना, तब झारखंड के मुख्यमंत्री 19000 पाते थे। अब लगभग प्रतिमाह 52000। कुछेक विधायकों, मंत्रियों पर प्राइवेट प्रैक्टिस के आरोप अलग हैं। कानूनन तो झारखंड के विधायक-मंत्री सबसे अमीर बने ही, झारखंड के कुछेक मंत्रियों ने भ्रष्टाचार में भी वह रिकॉर्ड बनाया, जो देश में कहीं नहीं है। मंत्री के पी.ए. के पास अगर 13.88 करोड़ का फिक्स्ड डिपोजिट मिलता है, तो मंत्री की हैसियत का अनुमान सहज ढंग से लगाया जा सकता है!

अगर इन विधायकों या सरकारों ने झारखंड को देश का सबसे संपन्न राज्य बनाया होता, तो उनका नैतिक हक होता कि वे सबसे संपन्न विधायक बनते, पर विधानसभा में इनकी बहस का स्तर देखिए। कुछेक लोग जरूर अपवाद हैं, पर सामान्यतया बहस का स्तर कमजोर, अपूर्ण और सतही है। बॉडीगार्ड की संख्या बढ़ाने पर ये बहस करते हैं। एके 47 से सुसज्जित जवान सुरक्षा के लिए मिलें, इस पर विधायक चिंतित होते हैं। इनके सवाल पुल, पुलिया और सड़क तक ही सीमित रहते हैं, क्योंकि इनका संबंध दुधारू इंजीनियरों से है। बनते ही पुल, पुलिया गायब हो जाते हैं। सड़कें चोरी हो जाती हैं। इसकी तह में विधायक या सरकार नहीं जाते। विधानसभा से जारी होनेवाले ड्राफ्टों में भी गलतियाँ रहती हैं। बजट पेश करने में मर्यादाओं-नियमों का पालन नहीं होता। ये इस्तीफा देने के बाद भी सुविधाएँ नहीं लौटाते। विधानसभा में 31 समितियाँ बनीं। 16 ने रिपोर्ट ही नहीं दी। जिन्होंने रिपोर्ट दी, उनका स्तर और गहराई देखने योग्य है। इससे

जाँच कमेटी में शरीक विधायकों की अगंभीरता या अज्ञानता भी स्पष्ट होती है।

इस तरह परफॉरमेंस में सिफर, पर सुविधाओं में सबसे अव्वल। पिछले साल झारखंड में 47 लोगों ने गरीबी से तंग आकर आत्महत्या कर ली, पर छह सालों में मुख्यमंत्री आवास के सौंदर्यीकरण में छह करोड़ खर्च हुए। मंत्रियों, विधायकों, विधानसभा अध्यक्षों के आवास सौंदर्यीकरण पर 12 करोड़ खर्च हुए। पूर्व मुख्यमंत्रियों और पूर्व विधायकों पर 2.29 करोड़ खर्च हुए। देश में पूर्व मुख्यमंत्रियों को कहीं आजीवन सुविधा नहीं है, पर झारखंड के पूर्व मुख्यमंत्रियों को आजीवन सुविधाएँ दी गईं। सार्वजनिक जीवन में बेशर्मी और अमर्यादा की पराकाष्ठा।

नौ वर्षों में राज्य के युवाओं के लिए क्या हुआ? एक बेहतर शिक्षण संस्थान नहीं खुला। न मेडिकल कॉलेज, न आई.आई.एम., न केंद्रीय विश्वविद्यालय, न लॉ कॉलेज। याद करिए, 2000 में ही लॉ कॉलेज की स्थापना की घोषणा हुई, पर नौ वर्ष हो गए, एक कॉलेज नहीं खुल सका। यहाँ के मंत्री दो-दो गाड़ियाँ रखने को अधिकृत थे, पर छह-आठ गाड़ियों पर कब्जा जमा लिया था। पुलिस की विशेष टुकड़ी, जो नक्सलियों से लड़ने के लिए प्रशिक्षित की गई, यानी आम आदमी को सुरक्षा देने के लिए, उसे मंत्रियों, विधायकों ने खुद अपनी सुरक्षा में लगा लिया। राष्ट्रीय खेल समय पर नहीं हुए। इस कारण इस गरीब राज्य पर एक करोड़ का जुरमाना लगा।

जिस विधानसभा से सार्वजनिक जीवन में नैतिक मापदंड, उच्च आदर्श, श्रेष्ठ इफिसिएंसी, राजकाज चलाने का सर्वश्रेष्ठ हुनर निकल कर राज्य के कोने-कोने में पसरना चाहिए था, उस विधानसभा से स्वार्थ, खुद के वेतन और भोग बढ़ाने, खुद की सुरक्षा बढ़ाने के संदेश गए। सार्वजनिक जीवन की सर्वश्रेष्ठ संस्था, अगर श्रेष्ठ मूल्यों का केंद्र नहीं बन सकी, तो झारखंड में यह अव्यवस्था फैलनी ही थी। इतिहासकार कहते हैं कि जहाँ भी लोगों ने कनविक्सन (प्रतिबद्धता) की जगह कनविनिएंस (सुविधा) को तरजीह दी, उस समाज का भविष्य नहीं बना। अतीत अँधेरे में गुम हो गया। हमारी पुरानी मान्यता रही है—महाजनो येन गतः स पंथाः। (जिस रास्ते से महान् लोग गए हों, वही रास्ता सही है।)

लोकतंत्र के मंदिर विधानसभा से मूल्यों की, श्रेष्ठ आचरण की, पारदर्शी नीतियों की जो नदी निकलनी चाहिए थी, वह नहीं निकली, बल्कि जो प्रदूषित धारा बही, उससे आज झारखंड दुर्गंधमय है। झारखंड में भ्रष्टाचार की जो दुर्गंध ऊपर से नीचे तक पसर गई है, उससे झारखंड देश में भ्रष्टाचार, कुव्यवस्था और अशासित होने का प्रतीक बन गया है। क्या इन चुनावों में इसकी सफाई होगी?

विधायकों का वेतन (प्रतिमाह)

झारखंड	26000 रुपए
गुजरात	21000 रुपए
नगालैंड	10000 रुपए
मध्य प्रदेश	9000 रुपए
कर्नाटक	8000 रुपए
हिमाचल	8000 रुपए
गोवा	5000 रुपए
राजस्थान	5000 रुपए
ओडिशा	5000 रुपए
सिक्किम	4000 रुपए
पंजाब	4000 रुपए
पं बंगाल	3000 रुपए
दिल्ली	3000 रुपए
मेघालय	3000 रुपए
तमिलनाडु	2000 रुपए
छत्तीसगढ़	1500 रुपए
केरल	3000 रुपए
हरियाणा	1000 रुपए

झारखंड में अतिरिक्त सुविधाओं का पैकेज

मनोरंजन भत्ता	5000 रुपए प्रतिमाह
निजी सचिव भत्ता	10000 रुपए प्रतिमाह
यात्रा	3 लाख रुपए प्रतिवर्ष
स्थानीय यात्रा	10 रुपए प्रति किमी (विधानसभा क्षेत्र में)
टेलीफोन	1 लाख रुपए प्रतिवर्ष

(स्रोत—पी.आर.एस. लेजिसलेटिव रिसर्च)

झारखंड के विधायकों की प्रतिमाह परिलब्धियाँ हैं 46000। प्रतिवर्ष डेवलपमेंट बजट में 3 करोड का फंड, जो देश में कहीं नहीं है।

(29-10-2009)

□

किस रास्ते चले अध्यक्ष-विधायक

संदर्भ : झारखंड चुनाव

अवसर था झारखंड विधानसभा स्थापना संदर्भ में शुरू विधानसभा सत्र 22 नवंबर, 2008। 8वें जन्मदिन समारोह, आयोजन और अपनी भूमिका पर चर्चा। पूर्व विधानसभा अध्यक्ष नामधारीजी ने सही कहा कि स्थापना दिवस महज औपचारिकता भर है। अध्यक्ष आलमगीर आलम सहमत थे। बोले, अपने मकसद को पाने में हम विफल हैं, पर किसी को विधानसभा में आस्था नहीं खोनी चाहिए, क्योंकि लोकतंत्र का यही सबसे महत्त्वपूर्ण स्तंभ है।

अध्यक्षजी ने सही फरमाया। विधानसभा लोकतंत्र का मंदिर-प्राण है, पर इसकी मर्यादा और महत्त्व को किसने घटाया? किसी बाहरी व्यक्ति या संस्था ने? सवाल ही नहीं। खुद विधायकों ने, विधानसभा अध्यक्षों ने। विधानसभा में विधायकों के निलंबन को लेकर वर्षों से मामले निलंबित रहे। स्टीफन मरांडी का मामला सितंबर 2006 में दर्ज हुआ। एनोस एक्का का मामला 2005 में दर्ज हुआ, पार्टी संस्थापक एन.ई. होरो ने दर्ज कराया। भानु प्रताप शाही के खिलाफ मामला दर्ज हुआ मार्च 2007 में। कमलेश सिंह के खिलाफ सितंबर 2006 में मामला दर्ज हुआ। रवींद्र राय, विष्णु भैया, मनोहर टेकरीवाल, प्रदीप यादव और कुंती देवी के खिलाफ मार्च 2007 में मामला दर्ज हुआ। बंधु तिर्की के खिलाफ अगस्त 2007 में मामले दर्ज हुए, पर इन मामलों पर क्या रुख रहा विधानसभा अध्यक्षों का? कितने दिनों बाद इन पर निर्णय आए। 13 अगस्त, 2009 को स्पीकर का फैसला आया, विधानसभा निलंबन के बाद। दो या तीन या चार वर्ष ऐसे मुकदमे चले? वर्षों लगे सात लोगों की सदस्यता रद्द होने में। जबकि एक-एक मामला पानी की तरह साफ था।

इस बीच कुछ सजग नागरिक हाईकोर्ट गए। हाईकोर्ट ने हस्तक्षेप किया। स्पीकर से स्पष्टीकरण माँगा। पाँचों तत्कालीन मंत्रियों से भी। याद करिए—13 सितंबर, 2006 को स्पीकर नामधारीजी ने स्टीफन मरांडी, कमलेश सिंह और एनोस एक्का के मामलों

की सुनवाई कर ली थी, पर फैसला नहीं सुनाया। 18 सितंबर, 2006 को आलमगीर आलम विधानसभा अध्यक्ष बने। उन्होंने दोबारा नोटिस जारी कर दिया।

इस खेल के पीछे का खेल क्या दुनिया नहीं जानती? जब तक विधायकों की सदस्यता का उपयोग रहा, सरकार बनाने और चलाने में, तब तक उनका इस्तेमाल किया गया। जब विधानसभा ही निलंबित हो गई और विधायकों का कोई उपयोग नहीं रहा, तो उनकी सदस्यता रद्द की गई। क्या यही समाज की आदर्श संस्था का न्याय है? गांधी साध्य और साधन की बात करते थे। लोकतंत्र के मंदिर, विधानसभा से मर्यादा, शुचिता और आदर्श प्रस्तुत होता, तो राज्य की अन्य सार्वजनिक संस्थाएँ इसका अनुकरण करतीं। विधायिका से अकसर आवाज उठती है कि न्यायपालिका से हमारी स्वायत्तता में हस्तक्षेप होता है। झारखंड के कुछ राजनेता भी यह सवाल उठाते थे। विधायकों के लंबित प्रसंग में अनावश्यक विलंब पर जब हाईकोर्ट ने पूछा, तो विधायिका को तकलीफ हुई? किसने अवसर दिया न्यायपालिका को कि वह विधायिका से पूछे? स्पष्ट है, विधायिका ने। इस विलंब के पीछे के मकसद साफ थे। विधायिका, इन जन मुद्दों पर सुनवाई में विलंब कर, जनता के हक-न्याय को प्रभावित कर रही थी। क्या जनता को विधायिका से यह पूछने का हक नहीं है कि आप इस विलंबित न्याय से जनता के नैसर्गिक अधिकार का हनन कर रहे हैं? विधायिका बड़ी है या जनता? ये नेता बड़े आदर्श, ऊँचे विचार पर भाषण देते हैं। ये लोग फरमाते हैं कि जस्टिस डीलेड जस्टिस डीनाइड। क्या इन्हें यह कहने का हक है? कुछ और नहीं तो लोकसभा में या पड़ोसी बिहार में, या पड़ोसी छत्तीसगढ़ में कैसे ये मामले त्वरित ढंग निबटाए गए, कम-से-कम यह तो देखना-जानना चाहिए था। किस तरह अन्य राज्यों की विधायिका ने सार्वजनिक जीवन में मर्यादाओं का पालन किया है, इससे तो सीखते, पर झारखंड विधानसभा तो अलग थी। वह सूची गौर करिए, जो इस टिप्पणी के साथ है कि लोकसभा या अन्य विधानसभाओं में इन मामलों को कैसे और कब निबटाया गया। कितना समय लगा। अब ये तथ्य जानकर फैसला करिए कि झारखंड में क्या हुआ? विधानसभा के महत्त्व को किसने कम किया?

विधानसभा सत्र के एक दिन का अनुमानित खर्च है 4.6 लाख रुपए। एक अध्ययन होना चाहिए कि इतने खर्च के बाद भी क्या सार्थक बहस हुई, जिससे राज्य, समाज को कोई रोशनी मिल सके? किस तरह चीख-चिल्लाहट हुई? क्या शब्द बोले गए? मंत्रियों को जेड श्रेणी की सुरक्षा थी। विधायकों को वाई श्रेणी की सुरक्षा, पर जिन नागरिकों की ये रहनुमाई करते हैं और जिस जनता को चुनाव में भगवान् कहते हैं, उनकी सुरक्षा पर? प्रति विधायक प्रतिमाह सुरक्षा खर्च औसतन 28000 रुपए था।

प्रतिमाह हर मंत्री पर सुरक्षा खर्च औसतन 1.3 लाख रुपए, पर इन नेताओं के 'भगवान्' नागरिकों पर? प्रति नागरिक सिर्फ सात रुपए सुरक्षा खर्च। राज्य के 967 लोगों की सुरक्षा के लिए सिर्फ एक पुलिसकर्मी, पर इनकी सुरक्षा पर? मंत्रियों के सायरन और काफिले से आतंकित जनता सड़क खाली कर देती थी।

एक तरफ विधायक सर्वश्रेष्ठ सुविधाएँ पा रहे थे—वेतन, भत्ते, सत्ता और सुरक्षा, पर विधानसभा में शायद किसी ने ऐसे सवाल नहीं पूछे—

1. 10वीं पंचवर्षीय योजना अवधि (2002-07) में विकास लक्ष्य के मुकाबले राज्य की उपलब्धि क्या रही?
2. 11वीं पंचवर्षीय योजना अवधि (2007-12) के लिए विकास का क्या लक्ष्य है?
3. महालेखाकार रिपोर्ट में उजागर वित्तीय अनियमितताओं में क्या कारवाई हुई? कौन दोषी अफसर हैं? क्या वे दंडित हुए?
4. देश भर के 18 सर्वाधिक गरीब जिलों में से 9 जिले झारखंड में हैं। राज्य बनने के बाद इन जिलों की कितनी स्थिति सुधरी?

ऐसे अनेक सवाल, जो सीधे गरीबों से जुड़े हैं, राज्य के विकास से जुड़े हैं, उन पर कभी गंभीर चर्चा हुई? अगर हुई तो समाधान निकला? आखिरकार लोकतंत्र में विधानसभा के होने का बड़ा महत्त्वपूर्ण मतलब है, पर उस महत्त्व को किसने और कब कमजोर किया, इस पर कभी विधानसभा ने गौर किया? ऐसे-ऐसे प्रस्ताव पारित हो रहे थे, जिन्होंने विधानसभा की नैतिक आभा धूमिल की। मसलन विधानसभा में नई योजना बनी कि पूर्व स्पीकरों को आजीवन कैबिनेट मंत्रियों की सुविधाएँ मिलेंगी। पूर्व मुख्यमंत्रियों को तो मुफ्त सरकारी बँगला, गाड़ी, फोन, आप्त सचिव की सुविधा उपलब्ध कराई ही गई। ऐसे अनेक हतप्रभ करनेवाले काम झारखंड विधानसभा में हो रहे थे। पूर्व स्पीकरों को आजीवन सुविधा के विधेयक को गवर्नर सिब्ते रजी ने अनुमति नहीं दी। उल्लेखनीय है कि देश के किसी अन्य राज्य में पूर्व स्पीकर या सभी पूर्व मंत्रियों को ऐसी सुविधाएँ हासिल नहीं हैं।

ऐसे कार्यों से विधानसभा की गरिमा बनी या बिगड़ी? यह सवाल लोगों को इन चुनावों में इन दलों से पूछना चाहिए।

बचपन में प्रकृति की ताकत के बारे में कहावत सुनी थी। एक बीज उपजते हुए-बढ़ते हुए कोई आवाज नहीं करता, यानी सृजन चुपचाप होता है। एक पेड़ गिरता है, तो भयानक शोर होता है। स्वस्थ मूल्यों या ऊँचे आदर्शों को गढ़ने में चर्चा नहीं होती। यह तप, त्याग और श्रमसाध्य है, पर अस्वस्थ परंपराओं-कदमों के स्वर तेज होते हैं।

झारखंड में लोकतंत्र के मंदिर से जब अस्वस्थ परंपराओं की गूँज होने लगी, तो यह राज्य के सचिवालय, जिलों और ब्लॉकों तक पहुँची। फिर झारखंड का क्या हाल हुआ? यह सब जानते हैं। क्या इन चुनावों में इन सवालों पर कोई गौर करने को तैयार है?

(हम यह भी उल्लेख करना चाहते हैं कि पक्ष-विपक्ष में अनेक विधायक रहे, जिनकी भूमिका गौरवमय रही, पर वे मुख्यधारा को नहीं मोड़ सके, क्योंकि यह काम सरकार या अध्यक्ष की भूमिका से ही संभव था।)

(30-10-2009)

□

मंत्रियों के कारनामे
संदर्भ : झारखंड चुनाव

झारखंड चुनाव के द्वार पर है। जानना चाहिए कि कैसे थे हमारे मंत्री, जिनके हाथ में हमारी नियति थी? थामस जेफरसन ने कहा था—राजनीतिज्ञ वह है, जो अगले चुनाव तक देखता है, राजनेता (स्टेट्समैन) वह है, जो अगली पीढ़ी को ध्यान में रखता है। इस अर्थ में झारखंड के कुछेक मंत्री सामान्य राजनीतिज्ञ भी नहीं थे। इन्हें चरागाह का खुला व बड़ा मैदान मिला था। मंत्री पद का संवैधानिक कवच ऊपर से। हाल में एक मंत्री के निजी सचिव के पास से लगभग 14 करोड़ के फिक्स्ड डिपोजिट मिले हैं। अगर सूद वगैरह जोड़ दिया जाए, तो यह 17-18 करोड़ की राशि होगी। अगर एक मामूली पी.ए. 14 करोड़ एक जगह जमा रख सकता था, तो मंत्री क्या करते होंगे? भगवान् जाने। धन्यवाद, चौकस आयकर विभाग को, जिसने केस उजागर किया। इस एक घटना से स्पष्ट है कि झारखंड के हालात क्या थे। इससे भी गंभीर बात, 42 से अधिक झारखंड सरकार की गोपनीय फाइलें उस पूर्व सचिव के घर मिलीं। याद रखिए, यह सचिव सरकारी कर्मचारी नहीं हैं। मंत्रियों को सुविधा है कि वे अपनी पसंद के सहायक रख सकते हैं। उनके हटते ही इनके पद स्वत: समाप्त हो जाते हैं। मंत्री के हटते ही यह सज्जन भी किसी पद पर नहीं थे। इसका अर्थ यह है कि एक साधारण आदमी के घर सरकार की 42 गोपनीय फाइलें अब तक पड़ी रहीं? इस सचिव के मंत्री महोदय 15 महीने पहले पद छोड़ चुके हैं, फिर 15 महीनों से ये गोपनीय फाइलें कैसे एक गैर-सरकारी व्यक्ति के घर रहीं? क्या झारखंड सरकार के अफसरों को अपनी गोपनीय फाइलों, कागजात के बारे में पता नहीं होता? कैसे सरकार की संवेदनशील और गोपनीय फाइलें वर्षों एक आउटसाइडर के घर रह सकती हैं? यानी झारखंड में कोई माई-बाप है या नहीं? जो जैसा चाहे, वैसा ही करे? सूचना है कि ये फाइलें इंजीनियरों के प्रोमोशन, टेंडर और आरोपों से जुड़ी हैं। हालात बताते हैं कि झारखंड में प्रोमोशन, टेंडर और आरोप के विषय तिजारत के माध्यम रहे हैं।

सचिव बना यह व्यक्ति कैसे सरकारी फाइलों पर तिजारत करता था? क्या गुजरे 15 महीनों में इन फाइलों की खोज सरकार में किसी ने की? यह एक घटना संकेत देती है कि झारखंड सरकार की कार्यशैली कितनी मरणासन्न, खराब (इरिसपॉन्सिबल, अनएकाउंटेबल) है। निजी सचिव रहे महोदय के घर मात्र 14 करोड़ की राशि या सरकार की फाइलें ही नहीं मिलीं, उनका एक कमरा अभी सीलबंद है। इस तरह उनकी कुल संपत्ति का हिसाब नहीं मिला है।

यह एक घटना राज्य की सेहत बताती है। कैसे अयोग्य, धूर्त, अनपढ़, अज्ञानी, देश तोड़नेवाले, आज महत्त्वपूर्ण पदों पर पहुँच जाते हैं। कहावत है कि पानी अपनी सतह तलाशता है। इसी तरह मंत्री भी अपने आसपास अपने स्तर के लोगों को ही रखते हैं।

मंत्री तो एक से बढ़कर एक थे। शायद झारखंड के कुछेक मंत्री ऐसे हुए, जिन्होंने केंद्र सरकार के सरकारी विभागों, उपक्रमों, सार्वजनिक संस्थाओं से सीधे घूस माँगना शुरू किया। ऐसे अनेक प्रकरण चर्चित हुए। मसलन प्रधानमंत्री के परिचितों में से एक हैं, अंतरराष्ट्रीय उद्योगपति। वह झारखंड में बड़ा प्रोजेक्ट लगाने के इच्छुक हैं। उनकी टीम ने झारखंड सरकार से संपर्क किया। तब झारखंड में सबसे महत्त्वपूर्ण पद पर बैठे व्यक्ति के एक गहरे मित्र थे, जिनका काम सिर्फ वसूली था, इस पक्ष से कहा गया कि यही व्यक्ति आपकी सरकारी मदद-काम कराएँगे। उक्त उद्यमी के वरिष्ठ लोग जब इस आदमी से मिले, तो इन्होंने सीधे कुछेक सौ करोड़ रुपए माँगे। वह टीम हतप्रभ। यह बात उक्त उद्यमी तक पहुँच गई, जिनकी प्रधानमंत्री से भी पहचान है। इस तरह ऊपर तक यह सूचना पहुँची कि झारखंड में क्या हो रहा है!

एक-दूसरे मंत्री के विभाग में टेंडर निकला, इंश्योरेंस कराने का। सरकारी गाड़ियों का इंश्योरेंस होना था। केंद्र सरकार के एक उपक्रम, इंश्योरेंस कंपनी ने भी टेंडर भरा। उनके लोग मंत्री से मिले। मंत्री पहली ही मुलाकात में कट मनी माँग बैठे। आगे-पीछे कोई चर्चा नहीं। सीधे बिजनेस की बात। यह भी डर-भय नहीं कि यह सार्वजनिक उपक्रम है। बात दिल्ली तक पहुँचेगी। इतने बहादुर और बेधड़क लोग झारखंड में मंत्री रहे।

एक-दूसरे मंत्री ने भी कमाल किया। एक विदेशी एन.जी.ओ. राहत पहुँचाने का काम करता है, दुनिया में। भारत में भी। उसका प्रतिनिधि यहाँ काम करने का प्रस्ताव लेकर आया। मंत्री के पी.ए. इतने ज्ञानवान या ज्ञानशून्य (आप पाठक तय कर लें) थे कि वे उसे उद्यमी समझ बैठे। वह सीधे मंत्री के दरबार में ले गए। वहाँ दो-तीन पार्टियाँ बैठी थीं। खुलेआम पैसे भी दे रही थीं। अचानक मंत्री आगंतुक से पूछ बैठे, आप कितना पैसा लाए हैं? वह व्यक्ति हतप्रभ। इस परिवेश से अपरिचित। उसे बात

समझाई गई, तो उसने स्पष्ट किया कि मैं उद्यमी नहीं हूँ। न कारोबार करता हूँ। मैं सेवा काम में लगे एन.जी.ओ. से जुड़ा हूँ, जो चंदे से, डोनेशन से चलता है। इसके बाद वह व्यक्ति सीधे झारखंड से भाग कर कोलकाता पहुँचा। झारखंड में काम न करने का संकल्प लेकर।

एक अन्य पावरफुल मंत्री थे। वह एक क्लीयरेंस देने में भारत सरकार के एक विभाग से ही पैसा माँग बैठे। जब तक वह पद पर रहे, तब तक क्लीयरेंस नहीं दिया। सूचना है कि उस विभाग के सचिव ने वह बात ऊपर तक पहुँचा दी। एक सरकारी कारखाने से झारखंड के एक-दूसरे मंत्री करोड़ों का फ्लैट माँग बैठे, काम के बदले।

इस तरह झारखंड के कुछेक मंत्रियों के काम-काज के विवरण और चर्चे दिल्ली पहुँचे। दिल्ली में सत्ता में बैठे लोग यह सब सुनकर स्तब्ध थे। किसी को अनुमान नहीं था कि हालात इतने बदतर हैं। मंत्रियों के पी.ए. बने लोगों को लिखने-पढ़ने की जानकारी शायद ही थी। जो लोग मंत्रियों से काम कराना चाहते थे, वे इन पी.ए. लोगों से संपर्क करते। पी.ए. लोग सौदेबाजी कर उस पार्टी से ही कहते, यह लीजिए सरकारी पैड-कागज, जो करना है लिखवा कर-नोट बनाकर लाइए। यानी सरकारी कामकाज की जो मर्यादा-शुचिता थी, वह सड़कों पर नीलाम हो रही थी। यह थी झारखंड की स्थिति। राज्यसभा चुनावों में विधायकों की भूमिका जाहिर हो चुकी है।

क्या झारखंड की राजनीति में ऐसे ही तत्त्व प्रभावी रहेंगे? इन चुनावों में जनता को यह भी तय करना है।

(31–10–2009)

□

बदले झारखंड
संदर्भ : विधानसभा चुनाव

बेहतर राज्य-समाज के लिए

नौ साल हुए झारखंड बने (15 नवंबर, 2000 को झारखंड बना, 15 नवंबर, 2010 को दसवें वर्ष में प्रवेश करेगा)। इस बीच छह सरकारें आईं-गईं। पाँच मुख्यमंत्री बने। लगभग एक साल तक राष्ट्रपति शासन भी रहेगा। दसवें मुख्य सचिव कार्यरत हैं। विकास आयुक्त पद पर भी 10वें व्यक्ति हैं। राज्य की सुरक्षा की कमान छठे डी.जी.पी. के हाथ में है। चौथे महाधिवक्ता कुरसी पर हैं। औसतन 10-12 महीने में हर सचिव का तबादला हो गया। डी.सी., एस.पी., इंजीनियर, एस.डी.ओ. वगैरह की बात ही छोड़ दें। ये तबादला उद्योग के शिकार हुए। पिछले एक साल में झारखंड में 47 लोगों ने गरीबी से तंग आकर आत्महत्या की। पूर्व मुख्यमंत्रियों को आजीवन सुविधाएँ मिलेंगी। पूर्व मुख्यमंत्रियों और पूर्व विधायकों पर लगभग ढाई करोड़ का सालाना खर्च। झारखंड के मुख्यमंत्री आवास की साज-सज्जा पर छह करोड़ का खर्च। मंत्रियों, विधायकों, विधानसभा अध्यक्ष के आवासों की मरम्मत में 12 करोड़ खर्च। इस राज्य का अपना सचिवालय नहीं है, न विधानसभा भवन। सात साल में इस पर 150 करोड़ रुपए खर्च हुए। राष्ट्रीय खेल समय पर नहीं करा पाने पर एक करोड़ का जुर्माना लगा। जयपाल सिंह, महेंद्र सिंह धोनी, सुमराय टेटे, अरुणा मिश्रा, डोला बनर्जी जैसे खिलाड़ियों का यह राज्य, पर एक राष्ट्रीय खेल कराने में अक्षम। ओलिंपियन डोला बनर्जी को यहाँ नौकरी नहीं मिली। वे बंगाल गईं। नौरी मुंडू हॉकी की जादूगरनी बनतीं, पर वह खूँटी में एकांतवास झेलती रहीं।

उधर विधानसभा में नियुक्ति घोटाले की खबरें गूँजती रहीं। छत्तीसगढ़ में 91 एम.एल.ए. हैं। कर्मचारियों की संख्या है 255। विधानसभा का वार्षिक खर्च बजट है 5.60 करोड़। उत्तराखंड में 70 विधायक हैं, पर स्टाफ हैं कुल 190। विधानसभा का वार्षिक खर्च बजट है 4.25 करोड़। बिहार में कुल 243 विधायक हैं। कर्मचारियों की संख्या है 630। विधानसभा का वार्षिक खर्च बजट है 7.25 करोड़।

पर झारखंड में विधायक हैं 81। कर्मचारियों की संख्या 960 से अधिक। वार्षिक खर्च बजट 16.81 करोड़। लोकतंत्र के मंदिर को किस हाल में पहुँचाया माननीय लोगों ने? खुद छह बार अपने ही वेतन-भत्ते में सुधार कर लिया। आज झारखंड के विधायक देश में सबसे अधिक वेतन पानेवाले विधायक हैं। प्रतिमाह इनकी कुल मासिक परिलब्धियाँ हैं 46000। गुजरात में विधायकों का वेतन है कुल 21000। मध्य प्रदेश के विधायक 9000 पाते हैं प्रतिमाह। छत्तीसगढ़ में 1500 रुपए। पश्चिम बंगाल में 3000 रुपए। इसी तरह अन्य राज्यों के विधायक बहुत कम वेतन पाते हैं। प्रतिवर्ष झारखंड के विधायकों का डेवलपमेंट फंड तीन करोड़ है, जबकि सांसदों को भी प्रतिवर्ष महज दो करोड़ विकास मद में आवंटित हैं।

यह सब तो नेताओं, अफसरों ने किया। और झारखंड देश का सबसे भ्रष्ट राज्य बन गया, पर यहाँ एक मेडिकल कॉलेज नहीं खुला, न एक आई.आई.एम. या एक आई.आई.टी. या कॉलेज या कोई शिक्षण संस्थान। आई.आई.एम. का केंद्र का प्रस्ताव लंबित है। कॉलेज खोलने की बात 2000 में शुरू हुई, पर अब तक कॉलेज नहीं खुला। एक भी बेहतर शिक्षण संस्थान नहीं खुला। इस साल तक मेडिकल कॉलेजों में प्रबंधन का कोटा होता था, जिसमें विधायकों, मंत्रियों के वार्ड बिना परीक्षा दिए डॉक्टर बन रहे थे। एक तरफ यह सब हो रहा था, दूसरी तरफ झारखंड देश का सबसे गरीब राज्य बन रहा था। यहाँ 15 फीसदी सबसे गरीब बेघर हैं।

क्या आप ऐसा ही झारखंड चाहते हैं? अगर नहीं तो जाति, धर्म, और स्वार्थ से ऊपर उठकर 'प्रभात खबर' के इस अभियान में शरीक होइए। झारखंड को जगाइए। झारखंड को बदलिए। संकल्प लीजिए कि इन चुनावों में भ्रष्टाचार के सौदागर चुनकर नहीं भेजेंगे। राजनीतिक अस्थिरता दूर करेंगे। एक बेहतर राज्य, समाज के लिए जागिए।

(31-10-2009)

स्तब्धकारी

झारखंड से जुड़े नेताओं या झारखंड में हुए भ्रष्टाचार के प्रसंग में ही देश भर में छापे पड़े। शायद ही कभी किसी एक राज्य की राजनीति से जुड़े इतने लोगों के यहाँ एक साथ इतने छापे पड़े हों। इस तरह नौ वर्षों में ही झारखंड ने देश में रिकॉर्ड बना दिया। सूचना है कि इस छापे में आयकर के कई दर्जन लोग थे। आयकर ने प्रवर्तन निदेशालय के कुछेक अफसरों से भी मदद ली। इससे मामले की गंभीरता साफ है। एक साथ इतने छापे यह भी बताते हैं कि बात (भ्रष्टाचार) कितनी बढ़ गई थी। छापे जिस वर्ग के लोगों के यहाँ पड़े, वह भी दिलचस्प है। राजनीति, मीडिया, उद्योग से जुड़े लोगों के यहाँ छापे। जानेमाने बिचौलियों के यहाँ भी। इनमें से अनेक की शुरुआत झारखंड बनते समय हुई थी। हैसियत लगभग सामान्य से नीचे, पर झारखंड बनने के बाद इनमें से कई करोड़पति, अरबपति हो गए। सत्ता में आने के पहले गाँव, शहर से बाहर नहीं निकले थे, पर गद्दी पाते ही पूरी दुनिया में पसर गए। अर्थशास्त्र के किस गणित या ग्रोथ मॉडल से? यह समाज नहीं जानता। कानून को भी शायद इसी की तलाश है।

इन छापों के राजनीतिक अर्थ निकाले जाएँगे, पर सच यह है कि इस देश के प्रधानमंत्री अत्यंत ईमानदार हैं। दो माह पहले उन्होंने सी.बी.आई., इनकम टैक्स, आई.बी. वगैरह के अफसरों को संबोधित किया दिल्ली में। भ्रष्टाचार उन्मूलन के खिलाफ यह आयोजन था। प्रधानमंत्री ने आला अफसरों से साफ-साफ कहा, भ्रष्टाचार की बड़ी मछलियों को पकड़ें। यह अखबारों में सुर्खियों में छपा। आयकर से लेकर हर विभाग में ईमानदार अफसरों की बहुतायत है। छापों को देखकर लगता है कि आयकर के अफसरों ने टीम बनाकर काफी दिनों तक इसकी तैयारी की होगी। क्योंकि इतने छापे एक साथ, एक दिन नहीं डाले जा सकते। वह भी देश के अलग-अलग हिस्सों में। साफ है, इसकी तैयारी महीनों-महीनों पहले से चल रही होगी। एक-एक तथ्य को आयकर अफसरों ने जुटाया होगा, तब जाकर यह संभव हुआ होगा। इसलिए इन छापों का राजनीतिक अर्थ निकालना या चुनाव की राजनीति को दोष देना भारी भूल होगी। ये छापे शुद्ध रूप से गैर-कानूनी कामों के परिणाम हैं। झारखंड में कानून का राज

नहीं रह गया था। बेधड़क सरकारी फैसले और निर्णय खरीदे और बेचे जाते थे। यह एक-एक बात दिल्ली तक पहुँच रही थी। खुद आयकर के तत्पर अफसर इन पर निगाह रख रहे होंगे, यह अब स्पष्ट हो गया है। खुद कांग्रेस के अजय माकन ने कोड़ा सरकार की कारगुजारियों को ऊपर तक पहुँचाया। कांग्रेस के लगभग सभी सांसद कोड़ा सरकार के खिलाफ थे। सांसद बागुन सुम्ब्रुई ने तो कई गंभीर आरोप लगाए। खुद केंद्रीय मंत्री सुबोधकांत सहाय ने इन पूर्व मंत्रियों के खिलाफ अनेक चीजें कहीं, सार्वजनिक तौर पर। दिल्ली के सत्ता दरबार में भी उन्होंने बताया होगा। उधर भारत सरकार के अनेक सचिव यहाँ की बात प्रधानमंत्री से लेकर सबको बता ही रहे थे, पर राज्य के कांग्रेसी कोड़ा सरकार के घोर समर्थक थे, कारण सब जानते हैं। इस तरह कांग्रेस का एक बड़ा तबका इस भ्रष्टाचार से लाभान्वित और इसमें साझीदार भी था। इसलिए इन हालात की जिम्मेदारी से भी कांग्रेस बच नहीं सकती। झारखंड को लॉलेस (कानून रहित) और सबसे भ्रष्ट राज्य बनाने का श्रेय मधु कोड़ा सरकार को है, जो कांग्रेस, झामुमो और राजद के समर्थन से चली। इस भ्रष्टाचार ने झारखंड को न्यूनतम 50 वर्ष पीछे धकेल दिया। कैसे? आज पूरा देश झारखंड की यह घटना जानकर स्तब्ध है।

इस भ्रष्टाचार ने जिस राजनीतिक अपसंस्कृति को जन्म दिया है, उसमें नैतिक राजनीति की गुंजाइश ही नहीं बची। धूर्त, तिकड़मी, बिचौलिया, यही लोग आज की राजनीति में आगे आ सकते हैं। यहाँ राजनीति में कंपिटेंट (योग्य) व विजनरी लोगों की जरूरत है, पर आ रहे हैं इनकंपीटेंट (अयोग्य, अनैतिक, काले धनवाले)। टाइम पत्रिका ने राजनीतिज्ञों के बारे में लिखा था कि राजनीतिज्ञ को जनविश्वास के अनुरूप नैतिक सत्ता बनानी होगी।

एक विदेशी सेनापति सर डेनिस ब्याड ने कहा था—"सत्ता हमेशा भ्रष्ट करती है, पर इसे उच्चस्तरीय सेवा का माध्यम समझा जाए, तो हालात बदलते भी हैं।" पर झारखंड की राजनीति तो आत्मसेवा के लिए थी। एक उर्दू शेर है, जिसका अर्थ है, 'शराब का नशा मदहोश करता है, पर सत्ता का नशा तो बढ़ता ही जाता है। यह सत्ताधारी को कब्जे में करता है और अंततः उसी में डुबो देता है।'

झारखंड की सत्ता में ये सभी पात्र (जिनके यहाँ छापे पड़े) सत्ता के नशे में डूब गए थे। इन्हें लगता था, ये अजर-अमर हैं। पैसे से कुछ भी कर सकते हैं। इसलिए गांधी ने कहा था, धर्म रहित कोई राजनीति नहीं होती। राजनीति धर्म की सेवा करती है। धर्म रहित राजनीति मौत का कुआँ है और यह आत्मा को भी मार डालती है। धर्म से उनका अर्थ, मनुष्य के उदात्त गुणों और लक्षणों से रहा होगा। झारखंड की राजनीति के मूल में सिर्फ धूर्तता थी। जिधर अधिक पैसे, उधर पासा पलटो। यही दर्शन

था। इसका हश्र यही होना था। यह साधन और साध्य का गणित है, रासायनिक फॉर्मूले की तरह। जिस तरह बेखौफ लूट हो रही थी, उसके परिणाम हैं छापे। लोभ, लालच और सत्ता मद ने इनकी आत्मा को मार डाला था।

इन छापों की खबर सुनकर झारखंड गठन का दौर याद आया। 15 नवंबर को बिहार से झारखंड अलग हुआ था। विकास के लिए। कुव्यवस्था-अव्यवस्था के अंत के लिए। आदिवासियों-गरीबों के कल्याण के लिए। पशुपालन घोटाला झारखंड में हुआ। तब बिहार का दौर था। अब झारखंड बने नौ वर्ष हो रहे हैं। नौ वर्षों में झारखंड का जितना शोषण हुआ, वह शायद कभी न हुआ हो। शायद यह झारखंड-धरती बनने से अब तक। इस गरीब राज्य से बड़े पैमाने पर पूँजी देश-विदेश गई, निवेश के लिए। कई-कई हजार करोड़ की पूँजी। और यह सब किया किसने? धरतीपुत्रों ने। क्या झारखंड की राजनीति में ऐसे तत्त्वों के खिलाफ झारखंड की मिट्टी से यह आवाज उठेगी? क्या झारखंड की धरती के युवा शोषक बने धरती पुत्रों के खिलाफ उतरेंगे?

यह सवाल ही झारखंड का भविष्य तय करेगा। झारखंड में चुनाव होने हैं। चाहें या न चाहें, इस चुनाव में भ्रष्टाचार ही सबसे निर्णायक मुद्दा बनना चाहिए या बनेगा। देश में जब-जब भ्रष्टाचार मुद्दा बना है, राजनीति पलटी है। चाहे 1974 में गुजरात में चिमन चोर का नारा लगा हो। तब या '74 में जब भ्रष्टाचार राष्ट्रीय मुद्दा बना हो। '74 में चिमन भाई पटेल गुजरात के मुख्यमंत्री थे। बेतहाशा महँगाई बढ़ी (आज की अपेक्षा महँगाई अत्यंत मामूली थी)। मोरवी इंजीनियरिंग कॉलेज के छात्र इस महँगाई के खिलाफ कूद पड़े। आंदोलन हुआ। जे.पी. ने उस युवा आंदोलन में एक नई रोशनी देखी। फिर '77 का बदलाव। फिर '89 में बोफोर्स मुद्दा बना। वह भी महज 65 करोड़ का मामला था। झारखंड का भ्रष्टाचार कई हजार करोड़ का है। अगर यहाँ की राजनीति में विचार और मुद्दे जीवित हैं, तो भ्रष्टाचार ही चुनाव में निर्णायक मुद्दा बनेगा। जरूरत है गाँव-गाँव, घर-घर तक इन नेताओं के भ्रष्टाचार के संदेश फैलें। जनता अपने नेताओं से पूछना शुरू करे कि आपकी हैसियत और संपत्ति में अचानक ये बढ़ोतरी कहाँ से और कैसे? जनता की नफरत और घृणा से ऐसे नेता सबक लें, यह होना चाहिए।

भ्रष्टाचार देशद्रोह जैसा ही गंभीर मामला है। इससे झारखंड में गरीबों के भविष्य की हत्या हो रही है। गरीब और गरीब बन रहे हैं। जो पुल-पुलिया बन रहे हैं, वे बनते ही ढह रहे हैं। अरबों के पुल-पुलिया गायब हो रहे हैं। करोड़ों-करोड़ की सड़क चोरी चली जा रही है, यानी सिर्फ कागज पर ही काम हो रहे हैं। यहाँ मंत्री खुलेआम कहते थे कि यहाँ उपस्थित सरकारी कर्मचारियों में से कोई बताए, जिसका पैसा लेकर हमने काम नहीं किया? यह अहंकार और दर्प था मंत्रियों का। जिस संविधान और कानून की शपथ

लेकर पद पर बैठे, उसी की जड़ खोद रहे थे। उसी की हत्या कर रहे थे। इन भ्रष्ट तत्त्वों ने पूरी नौकरशाही को अशक्त और पंगु बना दिया था। मीडिया के लोगों को भी अपने चंगुल में लिया।

'प्रभात खबर' झारखंड बनने के बाद से ही लगातार ऐसे मुद्दे उठा रहा था। पत्रकारिता के प्रति अपने पवित्र फर्ज के तहत। 2000 से 2006 तक की सरकारों ने इसके लिए 'प्रभात खबर' को क्षति भी पहुँचाई, पर कोड़ा सरकार बनने के पहले ही, 'प्रभात खबर' ने लगातार लिखा कि झारखंड के साथ यह प्रयोग सबसे महँगा होगा। आत्मघाती होगा। क्योंकि निर्दलियों का कोई दर्शन नहीं था। इनकी इधर-से-उधर पलटने की कलाबाजी ने साफ कर दिया था कि ये क्या चाहते हैं। फिर भी इनकी सरकार बनवाई गई और आज देश उसका नतीजा देख रहा है।

कोड़ा सरकार बनने के बाद भी लगातार 'प्रभात खबर' इनकी कारगुजारियों को उजागर करता रहा। विधानसभा में मामले उठे भी, पर राज्य सरकार ने कोई काररवाई नहीं होने दी। लगातार 'प्रभात खबर' में वे सारे दस्तावेज छपे, जिनकी आज पुष्टि हो रही है। कैसे देश और विदेश में संपत्ति बनाई जा रही थी। मुख्यमंत्री का आवास रात दस बजे के बाद तिजारत का केंद्र बन जाता था। यह सवाल पूछा जाना चाहिए कांग्रेस, राजद और झामुमो के विधायकों—राज्य के नेताओं से कि वे कैसे इस तरह की सरकार का समर्थन कर रहे थे? इसकी क्या कीमत थी या मजबूरी थी? अगर 'प्रभात खबर' में छपे दस्तावेजों पर विधानसभा ने या झारखंड की सरकार ने काररवाई की होती या कोड़ा सरकार के समर्थक घटकों ने जाँच का दवाब डाला होता, तो आज झारखंड का इतना धन बाहर न गया होता। धन ही महत्त्वपूर्ण नहीं है। भ्रष्टाचार की संस्कृति को झारखंड में मजबूत बनाने का काम, सबसे अधिक कोड़ा सरकार ने किया। कुछ ही दिनों पहले कोड़ाजी 'प्रभात खबर' में छपी बातों को झुठला चुके थे। उनकी यह प्रेस कॉन्फ्रेंस कई जगहों पर टी.वी. ने दिखाई। खबरें भी छपीं। खुद 'प्रभात खबर' ने विस्तार से छापा। मीडिया अगर कोड़ाजी के 'प्रभात खबर' पर गुस्से को दिखाने के बदले 'प्रभात खबर' में उठाए गए सवालों की छानबीन कर लेता, तब भी बहुत चीजें पता चलतीं। यह 'प्रभात खबर' का सवाल नहीं था। राज्य का सवाल था। अगर पूरा मीडिया इन सवालों पर एक मंच पर खड़ा होता, तब भी झारखंड लुट जाने से बचता। उससे भी अधिक झारखंड में यह लोभ और दलाली की संस्कृति मजबूत नहीं होती। इस घटना के बाद, शायद हम मीडिया के लोग भी एक मंच से जनता के सवालों पर साथ खड़े हों।

1925 में महात्मा गांधी ने कहा था, ''भ्रष्टाचार रूपी राक्षस पर रोक नहीं लगी, तो यह देश को गंभीर नुकसान पहुँचाएगा।'' इन आसन्न राज्य विधानसभा चुनावों में क्या लोकसभा में सर्वसम्मत से तय यह प्रस्ताव मुद्दा बनेगा—

'और विशेष तौर से, सभी राजनीतिक दल ऐसे सभी कदम उठाएँगे, जिनसे हमारी राजनीति को अपराधीकरण या इसके प्रभाव से बचाने का लक्ष्य हासिल किया जा सके।' (31 अगस्त, 1997 को स्वतंत्रता प्राप्ति की स्वर्ण जयंती के अवसर पर लोकसभा के विशेष सत्र में स्वीकार किए गए प्रस्ताव से)

अँगरेजी के 'सी' अक्षर से शुरू होनेवाले तीन शब्द—करप्शन (भ्रष्टाचार), क्रिमनलाइजेशन (अपराधीकरण) और कास्टीज्म (जातीयता)/कम्यूनलाइजेशन (सांप्रदायिकता) आज देश और राज्य को खोखला कर रहे हैं। क्या इन चुनावों में झारखंड की जनता इन सवालों के जवाब को ढूँढ़ेगी?

(01-11-2009)

☐

कितना धन चाहिए?

संदर्भ : झारखंड नेताओं के घर आयकर छापे

झारखंड से जुड़े आयकर छापों ने अनेक सवाल खड़े किए हैं—सामाजिक, आर्थिक, सांस्कृतिक दृष्टि से। देश भर में ये छापे पड़े। विदेशों में भी इनकी जड़ें-फैलाव हैं।

छापों की इन खबरों को देखकर मन में सवाल उठा। कितना धन चाहिए एक इनसान को? धन की भूख की कोई सीमा है? 23 महीने सत्ता में रहकर कैसे लोग हजारों करोड़ कमा लेते हैं? यह किसी एक व्यक्ति का सवाल नहीं है। यह मानस है, जो हर जगह—हर तरफ है। इस मानस-मनोवृत्ति की ललक क्या है? इस भूख का मनोवैज्ञानिक राज क्या है? बड़ा आसान फॉर्मूला है। उपभोक्ता मानस को दोष देना। कहना कि यह पश्चिमी मानस है। पश्चिमी संस्कृति का प्रभाव। लोभ-लालच को इसकी जड़ बताना। फिर भी पूरा उत्तर नहीं मिलता। जीने के लिए कितना और क्या? सर ढँकने के लिए कितनी छत चाहिए? कितने देशों में और कितने शहरों में?

उदारीकरण ने भारत की मिट्टी छीन ली है। पश्चिमी आर्थिक मॉडल ने भारत में नया मानस दिया है। यह मानस है संपूर्ण भोग का। भारतीय मानस मानता था, भोग-लालसा आग है। इंद्रिय भोग भी आग है। उसमें घी डालिए, यह भभकेगा। अनियंत्रित उद्दाम इच्छाएँ, वासनाएँ! आज समाज की मुख्यधारा में इच्छाओं-वासनाओं की बाढ़ है। यही '91 के बाद का भारतीय मानस है—समाज की मुख्यधारा का। आजादी की लड़ाई से लेकर '91 के बीच तक, राजनीति में भारतीय मानस मौजूद था। संस्कारों के रूप में। विचारों के रूप में। गांधीजी ने राजनीति में इसी को आगे बढ़ाया। इसलिए आर.एस.एस. से लेकर घोर वामपंथी भी आचार-विचार में, जीवन दर्शन में, सोच में, ईमानदार और नैतिक रहे। कह सकते हैं, हर दल-समूह में गांधीवादी विचारों-चिंतन का बोलबाला था। अब ईमानदारी-नैतिकता बोझ है। इस दौर में प्रतिस्पर्द्धा ही मूल है। दूसरे की कीमत पर आगे बढ़ना। छल, छद्म, षड्यंत्र और तिकड़म से। साधन और साध्य का कोई अर्थ ही नहीं रहा। भारत की राजनीति-व्यवस्था अब मैकियावेलि की राजनीति से संचालित है। साधन-साध्य फिजूल है। येन-केन-प्रकारेण गद्दी, पैसा

और प्रतिष्ठा! यह इस धारा का दर्शन है। भारतीय मूल्यों या गांधी के संस्कारों से अब यहाँ की राजनीति नहीं चल रही। आर.एस.एस. में भी कार्यकर्ताओं का टोटा है। युवा नहीं आ रहे। वामपंथ से युवाशक्ति भड़क रही है। मध्यमार्गी दलों में कार्यकर्ता रहे नहीं। ठेकेदारों की फौज है। इन दलों का सदस्यता अभियान झूठ और फर्जी का पुलिंदा है। राजनीति में विचार और मूल्य हैं कहाँ? आज कोई दल का सदस्य बनता है, कल उसे टिकट चाहिए। पद और पैसे की आग में दल जल रहे हैं। भारतीय मानस पूछता था कि इतनी संपत्ति क्यों और किसलिए? लोहिया मरे, तो दो जोड़ी कुरता-धोती और एक टूटा सूटकेस था। यही जर्मनी से पढ़कर लौटे मौलिक चिंतक की कुल संपत्ति थी। जे.पी., जो कुछ था, वह भी बाँट चुके थे। मित्रों के भरोसे जीवन चलता था। जवाहरलालजी भी प्रधानमंत्री रहे, पर उनके पत्रों को पढ़िए, वह राजीव गांधी को मदद नहीं कर सके। राजीव लंदन में पढ़ते थे। जवाहरलालजी ने लिखा, खुद खटो, कमाओ और पढ़ो। 'मेरे पास पैसे नहीं।' राजीव गांधी ने क्लीनर का काम किया। गुजारे के लिए। रफी अहमद किदवई लंबे समय तक केंद्र में मंत्री रहे। मरे तो बेगम गाँव लौट गईं। अपनी टूटी झोपड़ी में। पासबुक में 24 रुपए थे। दीनदयाल उपाध्याय की यही स्थिति थी। कम्युनिस्ट अत्यंत सादगी से रहते थे। आर.एस.एस. के बड़े नेता भी जीवन में सादगी और शुचिता के साथ जीते थे।

क्या कारण था कि धुर वाम से धुर दक्षिण तक की जीवन पद्धति में सादगी और ईमानदारी थी। तप और त्याग था। यह गांधी का युग था।

यह मानस भारतीय संस्कारों को मानता था। इस मानस में धन कमाना वर्जित नहीं है। चार पुरुषार्थों में एक धन कमाना भी है। आज की आत्मकेंद्रित होती दुनिया में धन होना और भी आवश्यक हो गया है, पर वह धन आए कैसे? ऋग्वेद मानता है— स्वार्थपूर्ण धन संग्रह विपत्ति का कारण है—

'मोघमन्नं विन्दते अप्रचेता : सत्यं ब्रवीमि वध इत् सतस्य
नार्यमणं पुष्यति नो सखायं केवलाघो भवति केवलादी'

—अर्थात् मैं सत्य कहता हूँ कि स्वार्थ के लिए अन्न-संग्रह (धन-संग्रह) मनुष्य के लिए कठिनाई (विपत्ति) का कारण होता है। 'वृहदारण्य उपनिषद' ने तो स्पष्ट कहा कि धन से अमृतत्व (अमरता) प्राप्त होने की आशा ही नहीं है—'अमृतत्वस्य तु नाशास्ति वित्तेन'। बेन जॉनसन ने भी इसी प्रकार कहा था—''धन ने किसी को सचमुच धनी नहीं बनाया, बल्कि उसके मानसिक विकास ने ही सच्चा धनी बनाया है।'' (मनी नेवर मेड एनी मैन रिच, बट हिज माइंड—बेन जानसन)। शोषणपूर्ण एवं स्वार्थपूर्ण धनसंग्रह से जीवन के लक्ष्य की पूर्ति नहीं होती। इसी आशय से महात्मा

ईसा ने कहा था—"सूई की नोक में से ऊँट का गुजरना संभव हो सकता है, किंतु धनिक स्वर्ग में नहीं घुस सकता है। यह परिग्रह पर कुठाराघात है।"

महाभारत में विदुर कहते हैं—

'अदत्त्वा परसंतापं, अगत्त्वा खलमंदिरम्
अनुल्लंध्य सतां वर्त्म, यदल्पमपि तद् बहु'

—अर्थात् किसी अन्य को न सताकर, किसी दुष्ट के घर न जाकर, सज्जनों के मार्ग का उल्लंघन न करके, अर्थात् नेकी से कमाए हुए, थोड़े से धन को भी बहुत (पर्याप्त) समझना चाहिए। (जीवन और सुख : शिवानंद से साभार)

आज धन जमा करने की यह भूख बेलगाम है। न कानून का भय, न सामाजिक बंधन है। न पुराने भारतीय संस्कार रहे। खुद झारखंड के पुराने नेताओं को देखिए! आज भी कई ईमानदारी में बेमिसाल और देश के लिए प्रेरक हैं। अनेक झारखंडी विधायक हुए। सांसद हुए, जो मंत्री, सांसद होने के बाद भी हल चलाते रहे, चलाते हैं। हर दल में। स्व. कार्तिक उराँव को देखिए। ललित उराँव। झारखंड पार्टी के होरो साहब, जो हाल में मरे हैं। इन्हें देखिए। आज भी करिया मुंडा सामने हैं। आदिवासी जीवन और मिट्टी में ईमानदारी और सादगी है, पर इस मिट्टी से घोर लोभी और लालची कैसे पैदा हो रहे हैं? यह पूरे समाज के लिए चिंता का विषय है। समाज भूल रहा है कि सब मरणधर्मा है। कोई संपत्ति साथ नहीं जानेवाली।

'कठोपनिषद्' का प्रसंग है। बालक नचिकेता यम से वर माँगता है। यम कहते हैं तीसरा वर माँगो। नचिकेता कहता है—

हे यम तृतीय वर माँगूँ मैं, जिज्ञासा है, मरणोत्तर क्या?
इस मनुज रूप का क्या होता, दो समाधान, बचता है क्या?...

यम बरजते हैं। कहते हैं, यह सूक्ष्म विषय है—कुछ और माँगो, पर नचिकेता अडिग है, अटल है। उसका यही सवाल है—

मरणोत्तर क्या हे मृत्यु बता, मेरी इतनी ही अभिलाषा।

पर यम कहते हैं—

गज अश्व स्वर्ग पशु भू ले ले, वे पुत्र-पौत्र ले जो शतायु
संपदा माँग हे नचिकेत, जब तक जीना हो माँग आयु।
हे नचिकेत भू-खंड राज्य, धन-धान्य दीर्घ जीवन ले लो

इस वर के बदले जो चाहो, कामना पूर्ति का वर ले लो।
रथ वाद्य सहित ये कामिनियाँ, दुष्प्राप्य कामना अभिलाषा
देता हूँ तुझे भोग करने, बस छोड़ मृत्यु की जिज्ञासा।

('उपनिषद्गीत गीतासुगीता'—लेखक भवेशनाथ पाठक। श्री पाठक ऋषि परंपरा के लेखक हैं। उनकी किताबें अद्भुत हैं। हर इनसान को पढ़नी चाहिए।)

पर नचिकेता अडिग है। यम उसे सब दे रहे हैं। वैसी अलभ्य, दुर्लभ्य सुंदरियाँ, जो मनुष्य के लिए दुष्प्राप्य हैं। अपार धन, सुख, लंबी उम्र, दीर्घायु पुत्र-पौत्र आदि। कामिनियों की लंबी फौज। पर नचिकेता कहता है, ये सभी सुख क्षणभंगुर हैं। हे यम, ये सब अपने पास रखिए। ऐसे ही सवाल बुद्ध के भी मन में गूँजे होंगे वृद्ध को देखकर, बीमार को देखकर। मरे को देखकर। राजपुत्र बुद्ध ने परिव्रज्या (गृहत्याग) की। महाभिनिषिक्रमण। उनकी कृति, संदेश दिग-दिगंत फैला।

यही संस्कार, यही मानस, यही मूल्य भारत का रहा। इसी मूल्य पर भारत की राजनीति खड़ी हुई-बढ़ी। विनोबा इसी कड़ी के ऋषि थे। इन सबका नैतिक असर समाज और राजनीति पर था। स्कूल के अध्यापक नैतिक पुंज होते थे। आस्था के केंद्र। संयुक्त परिवार का गार्जियन सबके लिए जीने का संदेश देता था। बड़े-छोटे का रिश्ता था। बूढ़े अनादर के पात्र नहीं थे। न अयाचित। वे श्रद्धा-शिक्षा के केंद्र थे। तब समाज और राजनीति में नैतिक प्रहरी मौजूद थे। प्रेरणा और उत्कृष्ट जीवन के जीवंत मॉडल थे। आज कहाँ भटक रहा है यह समाज?

दो दिन पहले यह सुना। योगदा मठ के स्वामी विश्वानंद से। अवसर था महर्षि योगदानंद की बहुचर्चित पुस्तक 'ऑटोबायोग्राफी ऑफ ए योगी' का लोकार्पण। योगदा आश्रम में। झारखंड के राज्यपाल मुख्य अतिथि थे। देश-दुनिया के आए लोग मौजूद थे। विश्वानंदजी मूलतः अमेरिकी हैं। अमेरिका से ही आए थे। वहीं रहते हैं। वह बोले अँगरेजी में ही। उनकी बातों में अद्भुत मर्म था। उन्होंने कहा, "आज दुनिया इतनी बेचैन क्यों है? तनाव क्यों है? आतंकवाद क्यों है? वगैरह-वगैरह। इन सबकी जड़ में पश्चिम का भौतिक विकास मॉडल है। पश्चिम इस संकट से उबरने के लिए पूरब की ओर देखता है।" पूरब से उनका आशय भारत से था। बहुत पहले गांधी के जमाने में महान् इतिहासकार प्रो अर्नाल्ड टायनबी ने भी लिखा, "भारत की आजादी से पश्चिम को नई रोशनी मिलेगी। भौतिकग्रस्त सभ्यता को पूरब से ही नए विचार और जीवन-मूल्य मिलेंगे।"

पर कहाँ खो गए भारत के वे मूल्य, जिनमें पश्चिम को नई रोशनी दिखाई देती थी? जिसकी चर्चा टायनबी ने की या योगी विश्वानंदजी ने। डॉ. लोहिया ने बहुत

पहले कहा था, ''राजनीति अल्पकालिक धर्म है और धर्म दीर्घकालिक राजनीति।'' जयप्रकाश नारायण ने जब मार्क्सवाद छोड़ा तो उनके मन में कई नैतिक सवाल उठे थे। यह राजनीति किधर जा रही थी, इसको भारत के ही एक मनीषी राजनेता ने बहुत पहले देख लिया था। राजाजी या राजगोपालाचारी ने। 1922 में उन्होंने 'जेल डायरी' में लिखा, जैसे ही हमें आजादी मिलेगी, चुनाव और भ्रष्टाचार, सत्ता और धन का अहं और प्रशासन की इनएफीसिएंसी (अकुशलता) जीवन को नरक बना देंगे। लोग पश्चात्ताप करते हुए अतीत को याद करेंगे। पुराने दिनों की तुलनात्मक न्यायपूर्ण व्यवस्था, इफिसिएंट सिस्टम (प्रभावकारी व्यवस्था), शांति और कमोबेश ईमानदार प्रशासन को याद करेंगे। (आशय अँगरेजी राज को बेहतर कहने से है)। एक ही उपलब्धि (तात्पर्य आजादी मिलने से) होगी। एक कौम अपमान-अनादर से बचेगी। अधीन होने से बचेगी।

कितने दूरदर्शी और महान् थे ये नेता, जिन्होंने भारत का भविष्य 1922 में पढ़ लिया था। खुद तौल लीजिए आज के राजनेताओं की दृष्टि और विजन से! उनमें देवत्व था, तो आज के अधिसंख्य राजनेताओं में क्या है? खुद जज करें। मैं, मेरा परिवार और मेरे नाते-रिश्तेदार। बहुत बढ़ेंगे, तो बात जाति की करेंगे। सिर्फ ठगने के लिए। अपनी ही जाति के गरीबों से कोई धर-छुआव नहीं। चुनाव भर ऐसे नेता जाति की दुहाई देंगे, सत्ता में आते ही अपने भोग की दुनिया में सिमट जाएँगे।

राजनीति भोग की आग में दहक रही है। सारे दल इसी में डूब-उतरा रहे हैं। विद्यार्थी था, तो राजनेताओं से सुना—'मैन इज पॉलिटिकल एनीमल' (मनुष्य राजनीतिक पशु है)। आज इस फ्रेज से लगता है, राजनीति हट गई है? बचपन में बतलाया गया था—इनसान और पशु में क्या फर्क है!

विवेक, अच्छा-बुरा समझना, दया, धर्म, ममता वगैरह, यही न? पर पैसे की भूख ने सब सोख लिया है।

पहले गाँव के स्कूलों में सुना। उपदेश। नैतिक पाठ। गीता, उपनिषद, रामायण, महाभारत, बाइबल, कुरान वगैरह के अंश। समझ नहीं थी, पर अच्छी बातें सुहाती थीं। आज स्कूलों में एस.एम.एस. की शिक्षा मिलती है। अश्लील तसवीरों-संदेशों का आदान-प्रदान बचपन से। कच्ची उम्र में। अधिक पैसे कमाने का पाठ। बुनियाद से ही। ब्रांडेड चीजों का जमाना है। बाजार के विचार-संस्कृति का दौर। चंद्रशेखरजी अकसर कहा करते थे कि बाजार और करुणा में रिश्ता नहीं होता। यह करुणाविहीन समाज उभर रहा है। पैसों से, भोग से ऐहिक-दैहिक सुख-आनंद पाने के लिए बेचैन। भोग, हवस, तृष्णा, लालसा की आग में झुलसता। यहाँ न चोरी करने पर शर्म है, न बड़ा-से-बड़ा अपराध करने पर पश्चात्ताप्र। न देशद्रोही होने का अपराधबोध। यह

ग्लोबल विलेज का दौर है। समाज अब तपस्वियों-त्यागियों के पीछे नहीं भागता। अब अनीतिकार व पापी भी पूज्य हैं, बशर्तें धनवान हों।

क्या कारण था कि गांधी की प्रार्थना सभाओं में जाकर इनसान पवित्र होता था? बुद्धि, विचार और संस्कारों में निर्मल होता था। उसमें नहाता था। सांसारिक मैल धोता था। कैसे बादशाह खाँ जैसे महान् लोग तब थे? कैसे तब ऐसे लोग थे, आज नहीं?

प्रो. सी.एन. वकील देश के बड़े अर्थशास्त्री हुए। 'लंदन स्कूल ऑफ इकोनॉमिक्स' में पढ़े। उन्होंने कहा, ''अर्थशास्त्र ऐसा विषय है, जो सबको छूता है। स्पर्श करता है। सबको उसकी समझ जरूरी है, पर धर्म से नैतिक और मूल्यगत पाठ न सीखना या अपनी सभ्यता और संस्कृति को न जानना, गंभीर संकट खड़ा करता है।''

आज समाज, देश, राजनीति, परिवार और इनसान अर्थशास्त्र तो समझ रहे हैं। पहले से अच्छी तरह। पर अन्य चीजें भूल गए हैं। अब नैतिक होना, मूल्यों की बात करना पुरातनपंथी है। बुर्जुआपना है। आधुनिकता विरोधी है। धर्म और धर्मग्रंथ अब सिर्फ सांप्रदायिक अर्थों में चर्चित होते हैं।

आइंस्टीन ने कहा था कि अगर मनुष्य और मानवता को बचना है तो हमें मौलिक ढंग से सोचना होगा। क्या आज रहनुमाई करनेवाला कोई दल नए विचार-सोच-समझ में सक्षम है? मारकूस अरेलियस ने बहुत पहले कहा, ''अतीत को देखो, न जाने कितनी सभ्यताएँ और संस्कृतियाँ इसमें दफन हो गईं। बड़े-बड़े साम्राज्य हुए, जिनकी गूँज दुनिया के कोने-कोने में हुई, पर वे राख की तरह मिट गए और गायब हो गए।''

इसी तरह हम अपना भविष्य भी आँक सकते हैं। अगर हम नई राह नहीं चले, झारखंड के इन चुनावों में लोगों के बीच से नए सवाल नहीं उठे, नए राजनीतिक मूल्यों—उसूलों की बात नहीं हुई, तो हमारा हश्र भी भिन्न नहीं होगा।

नहीं जानता, यह कहना, लिखना, बोलना लोगों को सुहाता है या नहीं, क्योंकि ये बातें अप्रिय हैं। कटु हैं। धारा के विपरीत हैं। एक ऐंग्लिकन बिशप की कही बात बार-बार याद आती है। 11वीं शताबदी में कही बात। उन्होंने कहा, ''जब मैं युवा और आजाद था, मैंने दुनिया बदलने का सपना पाला। वयस्क हुआ तो पाया कि संसार नहीं बदल सकता। तय किया, अपना ही देश बदलूँगा। कुछ प्रयासों के बाद समझा, यह भी असंभव है। यह प्रयास छोड़ दिया। जीवन का अंतिम पड़ाव था। तब लगा कि अपना परिवार ही बदल दूँगा। लेकिन पाया कि मेरे प्रयासों के बाद भी वे वैसे ही हैं, जैसे तब थे। अब मृत्युशय्या पर हूँ। अब मेरा मानना है कि मेरा मिशन ही गलत था। मेरा मिशन होना चाहिए था—खुद को बदलना। अगर मैं खुद को बदल पाता तो शायद अपने परिवार को भी बदल पाने में कामयाब होता। तब अगर थोड़ा भाग्य साथ देता, तो देश को भी बदलने में सफलता मिलती। पर कौन जानता है, तब

शायद दुनिया भी इस बदलाव से सीखती-समझती।''

उपनिषदों में मान्यता है, 'आत्मदीपो भव'। हम खुद ही अपने लिए प्रकाश बनें। समाज, राजनीति की बातों को करते हुए ऐसे संशय मन में उभरते हैं। कौन सुनता है धारा के खिलाफ की बातों को? यह तो सत्ता-सुख, इंद्रिय-सुख, धन-सुख, अहं-सुख की स्पर्द्धा में पड़ी दुनिया है। कोई किसी की सुनता नहीं। फिर भी, अपना धर्म है कहना, सो कहा। बुरा लगे, बातें अटपटी लगें, तो आपसे भी क्षमा।

(03-11-2009)

□

पार्टियों की बोलती बंद!

संदर्भ : भ्रष्टाचार

मधु कोड़ा व उनके साथियों पर पड़े छापों की खबरों से देश स्तब्ध है। पिछले तीन-चार दिनों से राष्ट्रीय अखबारों-चैनलों की सुर्खियाँ ये छापे ही हैं। इंटरपोल, प्रवर्तन निदेशालय के अफसर राँची में हैं, आयकर विभाग के बुलावे पर। आयकर के आला अफसर भी राँची पहुँचे हैं। स्पष्ट है कि सरकार की नजर में मामला कितना गंभीर है। है भी यह गंभीर प्रकरण। आजादी के बाद भ्रष्टाचार का कोई इतना बड़ा मामला सामने नहीं आया।

नेहरूजी के कार्यकाल में कृष्णमेनन रक्षा मंत्री थे। सेना के लिए जीप खरीद हुई। पता चला, उसमें कुछेक लाख रुपयों की गड़बड़ी थी। इंदिराजी के जमाने में चुनाव लड़ने के लिए दो मुख्यमंत्रियों ने मिलकर चुनाव कोष में चार करोड़ एकत्र किए। ऐसी चर्चा सामने आई, तो राजनीति में यह गंभीर मुद्दा बन गया। '74 आंदोलन का निर्णायक मुद्दा था भ्रष्टाचार। फिर 65 करोड़ का बोफोर्स राष्ट्रीय मुद्दा बना। केंद्र में सरकार बदल गई। फिर सामने आया लगभग 900 करोड़ का पशुपालन घोटाला। अब झारखंड से सूचना मिल रही है कि हजारों करोड़ बाहर भेजे गए। देश के अंदर अलग से हजारों करोड़ की तिजारत हुई। साफ है कि लगातार भ्रष्टाचार की राशि, मात्रा बेतहाशा बढ़ रही है। न इस पर कोई अंकुश है, न रोक-टोक। क्या भ्रष्टाचार ऐसे ही बढ़ता रहेगा? इसकी कीमत है गरीबी, किसानों की बदहाली, सड़कों का न होना, खराब स्वास्थ्य, शिक्षा की अव्यवस्था, देश का कमजोर होना वगैरह-वगैरह। विशेषज्ञ फरमाते हैं, भ्रष्टाचार देशद्रोह से भी अधिक गंभीर और खतरनाक है। बड़े अखबार बता रहे हैं कि अब तक 4000 करोड़ के लेन-देन के संकेत मिले हैं। टाटा स्टील जैसी बड़ी साखवाली कंपनी अपने जन्म के 75 वर्ष बाद अपना टर्नओवर 10,000 करोड़ से अधिक कर पाई, पर नेताओं का 2-1 वर्षों में यह 4000 करोड़ का टर्नओवर?

देश से सीधे विदेश इतना पैसा भेजने का शायद यह पहला मामला होगा। आजादी के बाद मनी लाउंड्रिंग से हजारों करोड़ बाहर। कोड़ाजी 23 महीने बतौर मुख्यमंत्री रहे।

उपलब्ध तथ्यों के अनुसार मुख्य करामात इन 23 महीनों में हुई। वैसे भी कोई पूछ नहीं रहा कि इसमें शरीक पात्रों की संपत्ति में बेतहाशा वृद्धि कैसे हुई? कोड़ाजी की कुल ज्ञात संपत्ति 2004 में चुनाव लड़ते समय 25 लाख की थी। ऐसा उन्होंने शपथ-पत्र में बताया था। 2009 में लोकसभा चुनाव लड़ते समय शपथ-पत्र दिया कि उनके पास एक करोड़ 28 लाख की संपत्ति है। यह उनकी ज्ञात संपत्ति है। अज्ञात की बात तो ईश्वर जानें। ज्ञात संपत्ति में इतनी वृद्धि किस फॉर्मूले के तहत?

अचानक संपत्ति वृद्धि का कौन-सा मॉडल कोड़ाजी के लिए और कैसे कारगर हुआ? क्योंकि वह सत्ता में थे। सत्ता से संपत्ति बढ़ी। यह स्पष्ट है। सत्ता का कितना दुरुपयोग हुआ, यह तो जाँच से ही पता चलेगा। इसी तरह उनके संगी-साथी विनोद सिन्हा, संजय चौधरी वगैरह कैसे कुछेक वर्षों (सबसे अधिक 22 महीनों में जब वह मुख्यमंत्री रहे) में दूध बेचते-बेचते, खैनी-बालू बेचते-बेचते, सड़क से उठकर अरबपति हो गए?

अर्थशास्त्र का वह कौन-सा नुस्खा और चमत्कार है, जिससे यह जादू हुआ? कैसे 2-4 वर्षों में लोग हजारों करोड़ में खेलने लगते हैं? बिना कल-कारखाना लगाए, बिना उत्पादन किए, कहाँ से पूँजी की बरसात होती है? रातोरात फटेहाली से अरबों में खेलना-खाना, सड़क से उठकर दुनिया के कोने-कोने में निवेश करना। यह किस जादुई या अलीबाबा (व चालीस चोर) के चमत्कार से संपन्न हुआ है? आर्थिक विकास का यह झारखंडी मॉडल, देश के गरीबों के काम आएगा। इसलिए भी इसकी गहन जाँच-पड़ताल जरूरी है।

देश स्तब्ध है इस लूटकांड से, पर झारखंड में क्या हालात हैं? यहाँ चुनाव होने हैं। यहाँ से भ्रष्टाचार का देशव्यापी विस्फोट हुआ है, पर यहाँ न वह बेचैनी है, न राजनीतिक प्रतिकार की झलक। सामान्य दिनों में ऐसा प्रकरण गंभीर मुद्दा बनता। राजनीतिक विस्फोटक की भूमिका में। इससे जुड़े सामाजिक-आर्थिक सवालों से समाज बेचैन होता। आमतौर से चुनावों में ऐसे मुद्दे तो आग में घी का काम करते हैं, पर झारखंड की राजनीति में यह सवाल आँधी या भूचाल नहीं पैदा कर रहा।

याद करिए, बोफोर्स घोटाला, जब फूटा। पशुपालन घोटाला सामने आया, तब क्या हुआ? '74 में तुलमोहन राम सांसद थे। एकाध लाख की राशि लेनदेन का उन पर आरोप लगा था, तो क्या स्थिति बनी? राजनीतिक भूचाल आ गया। धरना, तूफान, प्रतिकार, राजनीतिक मोरचेबंदी, जाँच के लिए आंदोलन वगैरह-वगैरह, पर झारखंड का राजनीतिक माहौल, इस स्तब्धकारी प्रकरण के बावजूद खामोश है, क्यों?

1. भाजपा मुख्य विपक्षी दल है। चुनाव में उसके लिए यह ईश्वरीय सौगात है। उसे तो आगे बढ़कर यह प्रकरण-खुलासा लोक लेना चाहिए था। पूरे झारखंड

में इस मुद्दे-सवाल को लेकर पसर जाना चाहिए था। घर-घर, द्वार-द्वार, पर वह खामोश-स्तब्ध है! क्यों? कहीं इसकी आँच उन तक तो नहीं पहुँच रही? वरना बोफोर्स और पशुपालन पर रातोरात सर पर आसमान उठानेवाले इस मामले की नजाकत नहीं समझ रहे, यह तो नहीं माना जा सकता? यह आजाद भारत का सबसे संगीन मामला है। लूट का, मनी लाउंड्रिंग का। भाजपा के विशेषज्ञ यह नहीं समझ पा रहे? फिर चुप्पी क्यों?

2. कांग्रेस की चर्चा से ही एक फिल्मी गाने की पंक्ति याद आती है। तुम्हीं ने दर्द दिया, तुम्हीं दवा दोगे। कांग्रेस ने ही कोड़ा सरकार की सौगात-उपहार झारखंड को दिया। यह सही है, पर एक ईमानदार प्रधानमंत्री के कारण इतने बड़े भ्रष्टाचार से परदा उठा है, यह कांग्रेस की बड़ी पूँजी है। इस पूँजी को लेकर अतीत की अपनी गलतियों को स्वीकारते हुए कांग्रेस अपनी जमीन बना सकती है। नए राज्यपाल के कार्यकाल में हुए बुनियादी काम, राहुल गांधी की छवि, देश में कांग्रेस का बढ़ता प्रभाव और प्रधानमंत्री की साख, ये कांग्रेस की पूँजी हैं। कोड़ा जाँच प्रकरण का लाभ भी कांग्रेस पा सकती है। बशर्ते वह भी घर-घर पहुँचे। अपनी भूल कबूले। पश्चात्ताप करे और कहे कि अब जो काररवाई हो रही है, उसका हम खुलेआम समर्थन करते हैं। इसे आगे रोकने के ठोस विकल्प-एजेंडे ये हैं, पर कांग्रेस यह कर नहीं पाएगी, क्योंकि इस पश्चात्ताप की वेदी पर राज्य के कई महत्त्वपूर्ण कांग्रेसियों की बलि देनी पड़ेगी, क्योंकि कोड़ा सरकार के बेनीफिशियरी (लाभुक) ये भी हैं। इन लाभुक कांग्रेसियों के रहते, इस भ्रष्टाचार प्रकरण से लाभ उठाने की नैतिक स्थिति में कांग्रेसी नहीं हैं।

झारखंड विकास मोरचा अपनी पूँजी मानता है बाबूलाल मरांडी की स्वच्छ छवि। पर वह भी इस संगीन मामले पर चुप है। उसे बताना चाहिए कि वह इस मुद्दे पर क्या सोचता है और सत्ता में आने पर वह क्या कदम उठाएगा? क्या उसके पास कैंसर बन चुके भ्रष्टाचार के खिलाफ कोई पुख्ता प्लान है? यह मामला देश के सबसे चर्चित एवं सबसे बड़े मामलों में से एक है। क्या जे.वी.एम. इसकी सी.बी.आई. जाँच कराएगा? राज्य का विजिलेंस डिपार्टमेंट बदहाल है, बुनियादी सुविधाएँ नहीं हैं, पर्याप्त लोग नहीं हैं, अच्छे वकील नहीं हैं। क्या भ्रष्टाचार के मामलों की त्वरित काररवाई के लिए फास्ट ट्रैक कोर्ट बनाना चाहेगा जे.वी.एम.? झारखंड के चुनाव में ही हर दल को इस मामले पर अपना रुख साफ करना चाहिए, सार्वजनिक वायदा कर। क्योंकि इस राज्य का सबसे बड़ा मुद्दा भ्रष्टाचार ही है।

इस सवाल पर झामुमो साँसत में है। उसे समझ में नहीं आ रहा है कि वह क्या

करे। कोड़ा सरकार का सबसे महत्त्वपूर्ण स्तंभ रहा है झामुमो, पर हर संकट-संशय ही मौका देता है। भ्रष्टाचार के मौके पर झामुमो को अपना स्टैंड साफ करना चाहिए, सार्वजनिक बयान देकर। सार्वजनिक स्टैंड लेकर। यही मौका भी है, जब झामुमो अपनी साख बनाने का बड़ा काम कर सकता है। झारखंड के सबसे बड़े और अहम मुद्दे भ्रष्टाचार पर झारखंड का सबसे मजबूत क्षेत्रीय दल चुप या खामोश रहे, तो क्या अर्थ निकलेगा? अतीत की बड़ी-से-बड़ी भूल भी पश्चात्ताप या नए संकल्प से ही सुधरती है।

राजद, लालूजी ने कहा है कि अब वह कोड़ा जैसे लोगों से मदद नहीं लेंगे। उल्लेखनीय है कि कोड़ा के सबसे बड़े मददगार लालूजी ही रहे हैं, पर इसकी क्या गारंटी है कि कल झारखंड में कोई नया निर्दलीय खड़ा नहीं हो, उसे फिर ऐसे ही समर्थन ये दल न दें? कोड़ा खुद पहले ऐसे नहीं रहे होंगे। उस पद पर एक निर्दलीय के बैठने की कीमत है, कोड़ा बन जाना। कोड़ा अब व्यक्ति नहीं, विशेषण हैं। कोड़ा मुँह खोल दें, तो तूफान आ जाएगा।

इसलिए होना यह चाहिए कि लालू प्रसाद जैसे मँजे, चतुर और अनुभवी नेता अब यह कहें कि कोड़ा प्रयोग भारी भूल थी। अब भविष्य में किसी निर्दलीय के साथ ऐसा प्रयोग नहीं करेंगे।

निर्दलीय सरकार बनते समय 'प्रभात खबर' ने आगाह किया था। सात-आठ लेख लिखकर। चेताया था कि आग से मत खेलिए, लोकतंत्र झुलस जाएगा, तब राजद को पत्रकार सनकी, फालतू और बेकार नजर आ रहे थे। लालूजी ने कोड़ा के बारे में कहा था कि मधु में मधु है, और कोड़ा भी है। वह मधु भी देंगे और कोड़ा भी बरसाएँगे। मधुजी ने भ्रष्टाचार पर कोई कोड़ा तो नहीं चलाया, लेकिन राज्य का मधु सोख लिया।

मधु कोड़ा इस रास्ते पर चले क्यों? इस पद पर बैठकर उन्हें लगा कि वह दूसरों के लिए धनार्जन कर रहे हैं, तो अपने लिए क्यों नहीं? कोड़ा ऐंड कंपनी खुलेआम कहती, मानती और साबित करती रही कि पैसे से सब मैनेजेबल है, बिकाऊ है। यह मानस ही खतरनाक है, पर आज की राजनीति का सफल मानस यही है।

राजद या लालू प्रसाद, देश-झारखंड की बड़ी सेवा करते, अगर कहते कि कोड़ा समर्थन के पश्चात्ताप में हमारा संकल्प है, हम भविष्य में इस राजनीतिक अपसंस्कृति के खिलाफ अभियान चलाएँगे। किसी निर्दल के हाथ सत्ता नहीं सौंपेगे।

वामपंथी हैं। भाकपा है, माकपा है, भाकपा माले है। ये बिखरे हैं, पर शुद्ध ताकत हैं। गरीबों की बात करते हैं। अभी भी सिद्धांत-आदर्श शेष हैं। विचार भी हैं। यह ताकत भ्रष्टाचार के खिलाफ सही लड़ाई लड़ सकती है। माले के निवर्तमान विधायक विनोद सिंह या स्व. महेंद्र सिंह की भूमिकाएँ आदर्श हैं। वामपंथियों की यह जमात मिलकर

भ्रष्टाचार को सबसे बड़ा मुद्दा बनाए, संकल्प करे कि इस प्रकरण की सी.बी.आई. जाँच कराएँगे। पुराने किसी मामले में गड़बड़ी की आशंका हो, तो उसकी भी जाँच कराने की माँग करेंगे। वामपंथी अपने बूते सत्ता में आने की तो स्थिति में नहीं हैं, बिखरे हैं, पर राज्य में सबसे सशक्त जनांदोलन वे खड़ा कर सकते हैं। विधानसभा के अंदर कारगर ढंग से इस सवाल को उठा सकते हैं। इस दृष्टि से विनोद सिंह की भूमिका धारदार रही है, पर अनेक विनोद सिंह विधानसभा में तभी पहुँचेंगे, जब वाम ताकतें इस लूट संस्कृति के खिलाफ प्रभावी जनांदोलन खड़ा कर सकें। चुनाव के दौरान ये छापे एक तरह से वामपंथ के लिए वरदान हैं, मुद्दे की दृष्टि से।

अब नक्सल भी चुनाव मैदान में उतरने की तैयारी में हैं। ऐसी सूचना है कि अनेक लोग जगह-जगह से परचा भरेंगे, जब ऐसी ताकतें लोकतंत्र को अपना रास्ता मानेंगी, संसदीय राजनीति में आएँगी, तो उन्हें भी अपना रुख और एजेंडा स्पष्ट करना होगा।

अन्य फुटकर दल भी हैं, एन.सी.पी., फारवर्ड ब्लॉक, झापा और आजसू वगैरह। इन्हें भी झारखंड के कैंसर (भ्रष्टाचार) पर अपनी नीति सार्वजनिक करनी होगी। इनके लिए भी अपने अतीत के दागों से मुक्त होने का मौका है। अगर भविष्य में ये सरकार बनाते हैं या उसमें शरीक होते हैं, तो भ्रष्टाचार के खिलाफ इनके क्या कदम होंगे? गलतियाँ जीवन का हिस्सा हैं। इनसान भूलों से ही सीखता है। जो दल, इनसान या देश गलतियों से सबक लेते हैं, वे ही नया रास्ता बनाते हैं, बताते हैं। इस दृष्टि से ये छोटे-छोटे दल भी झारखंड की राजनीति में निर्णायक एजेंडा बना सकते हैं।

जब मधु कोड़ा मुख्यमंत्री बने थे, उन्होंने कहा था कि अर्जुन मुंडा के कार्यकाल में हुए कार्यों की वे जाँच कराएँगे। फिर कोड़ा मुकर क्यों गए? कांग्रेस-राजद ने भी यही कहा कि उनकी पहली प्राथमिकता है एन.डी.ए. सरकार के खिलाफ जाँच कराना, पर वे मुकर गए। क्या उन्हें कोड़ा सरकार के भावी कामों की आहट थी? या जो काम एन.डी.ए. सरकार यू.पी.ए. की निगाह में धीमी गति से कर रही थी, उसे तेज गति से करने के लिए कोड़ा को शिखंडी के रूप में आसीन किया गया?

यह तो हुई दलों की भूमिका पर चर्चा, पर जनता की भूमिका क्या हो, मतदाता कैसा माहौल बनाए, जनसंगठन, स्वैच्छिक संगठन, सचेत नागरिक, सिविल सोसाइटी वगैरह क्या कर सकते हैं? दुर्गा उराँव, कुमार विनोद, राजीव शर्मा वगैरह जैसे लोगों की लोकहित याचिकाओं ने झारखंड का राजनीतिक दृश्य बदल दिया है। इन्होंने कोर्ट में मुकदमे ले जाकर इतिहास बनाया है। ऐसे नागरिक एवं जनसमूह चुनाव लड़ रहे राजनीतिक दलों, संभावित विधायकों को बाध्य कर सकते हैं कि वे राज्य के महत्त्वपूर्ण सवालों पर अपने दल के दृष्टिकोण स्पष्ट करें।

1. मसलन राज्य का विजिलेंस डिपार्टमेंट खराब हाल में है। न पर्याप्त अफसर

हैं, न बेहतर वकील हैं, न संसाधन हैं, जबकि झारखंड का सबसे अहम मुद्दा भ्रष्टाचार है। उल्लेखनीय है जब झारखंड के पूर्व मंत्रियों पर पी.आई.एल. हुआ, तो सुप्रीम कोर्ट से महँगे वकील राँची लाए गए, इन मंत्रियों के खिलाफ मुकदमे न चले, इसकी पैरवी करने के लिए। क्यों महँगे वकील बुलाए गए? जनता के पैसे से यानी सरकारी कोष से। प्रयास यह था कि सरकारी पदों पर बैठे लोग सार्वजनिक पैसे का गबन करें और उस गबन पर मुकदमा न चलने देने के लिए भी सरकारी कोष से ही सुप्रीम कोर्ट के वकील बुलाएँ। चोरी और सीनाजोरी, दोनों। गाँव की भाषा में इसे कहते हैं, जबरा मारे भी और रोने भी न दे। कोशिश यह थी कि पूर्व मुख्यमंत्री या पूर्व मंत्रियों के खिलाफ भ्रष्टाचार की जाँच न हो, मुकदमा न चले, याचिका अस्वीकृत हो जाए, यानी दुर्दशा देखिए। जनता को लूटा जा रहा है, और जनता के कर के सरकारी पैसे से ही इस लूट के खिलाफ जाँच न हो, यह बहस करने के लिए सुप्रीम कोर्ट के जाने-माने वकील बुलाए जाते हैं। दूसरी ओर इन मंत्रियों पर जो मामले चल रहे हैं, उन्हें लड़ने के लिए राज्य सरकार के वकील हैं, जिन्हें पी.पी. कहते हैं, उन्हें महज चार सौ रुपए देते हैं। कम पैसे पर वकील। न उनके अंदर उत्साह है, न ऊर्जा और न मोटिवेशन। इस कम पैसे में वे कैसे श्रेष्ठ काम कर सकते हैं? राजनीतिक दल बताएँ कि सत्ता में आने पर वे इसे ठीक करने के लिए क्या करेंगे?

2. कोड़ा मामले की जाँच सी.बी.आई. से हो या न हो? विजिलेंस, आयकर, प्रवर्तन, इंटरपोल अपनी-अपनी जाँच करेंगे, पर पूरी जाँच एक जगह लाकर ही परिणाम निकल सकता है। वह सी.बी.आई. ही कर सकती है। जनता दलों से पूछे कि अगर आप सत्ता में आते हैं, तो आप इस घटना की जाँच सी.बी.आई. से कराएँगे या नहीं?

3. विजिलेंस डिपार्टमेंट के मामलों की त्वरित सुनवाई के लिए स्पेशल फास्ट ट्रैक ट्रायल कोर्ट बनने चाहिए। याद करिए, बिहार की सबसे बड़ी चुनौती दो थीं—अपहरण और अपराध। मुख्यमंत्री बनने के पहले नीतीश कुमार ने जनता को आश्वासन दिया था कि इन दोनों मुद्दों का समाधान निकालेंगे। उन्होंने फास्ट ट्रैक कोर्ट के माध्यम से अपराध से जुड़े मामलों की त्वरित सुनवाई कराई। इस तरह बड़े-बड़े मामलों में काररवाई हुई। उसी तरह झारखंड में भ्रष्टाचार सबसे संगीन मुद्दा है। मंत्री के पी.ए. के पास 14 करोड़ की राशि मिलती है। ऐसे अनगिनत मामले हैं। भ्रष्टाचार को रोकने के लिए फास्ट ट्रैक कोर्ट बनाने पर राजनीतिक दल सहमत हैं या नहीं, इन्हें

अपना स्टैंड साफ करना चाहिए?

4. झारखंड में हुए संगीन भ्रष्टाचारों में बड़े पैमानों पर ब्यूरोक्रेट भी शामिल रहे हैं। एक विभाग के सचिव के रिटायर होने पर विदाई पार्टी दी गई। उसमें बतौर मुख्यमंत्री कोड़ाजी पाँच घंटे बैठे रहे। इस तरह राजनीतिज्ञों के बाद अब ब्यूरोक्रेटों की जाँच, राजनीतिक एजेंडे पर होनी चाहिए। जनता राजनीतिक दलों पर दबाव डाले कि आप वादा करें कि भ्रष्ट नौकरशाहों के खिलाफ सख्त कारवाई आरंभ कराएँगे।
5. राजनीतिक दल यह वायदा करें कि वे अब निर्दलियों को सिरमौर बनाकर न सरकार बनाएँगे, न उनके पिछलग्गू बनेंगे।
6. हर संभावित विधायक से जनता यह वादा ले कि चुनाव जीतने के बाद वह छुप-छुपकर नहीं भागेगा। न जयपुर जाएगा, न छत्तीसगढ़, न केरल, न हरियाणा के रिसोर्ट में। झारखंड के बाहर बैठकर सौदेबाजी से सरकार नहीं बनाएगा, जो इस बार हुआ है। जनता इन दलों और विधायक रहे लोगों से यह भी पूछे कि आप बताएँ 2004 से 2009 के बीच प्रति व्यक्ति आमद कितनी बढ़ी, पर इसी अवधि में अनेक बार संशोधन करके विधायकों ने अपना वेतन, देश के सभी राज्यों से सबसे अधिक कैसे कर लिया? आज झारखंड के विधायक देश के सबसे अमीर विधायक हैं। सबसे अधिक तनख्वाह पानेवाले विधायक हैं और जनता सबसे गरीब। लोकतंत्र में क्या यही लोक की राजनीति है या आप नए सामंत, राजा और शहंशाह पैदा कर रहे हैं? क्यों झारखंड के पूर्व मुख्यमंत्री को आजीवन सुविधाएँ मिलनी चाहिए, सरकारी खर्चे पर? क्यों झारखंड विधानसभा से यह प्रस्ताव भी पारित हुआ कि झारखंड के स्पीकरों को भी आजीवन सुविधाएँ मिलेंगी? हालाँकि राज्यपाल ने इसे पारित नहीं किया, लेकिन विधानसभा ने अपनी ओर से यह कानून बना ही दिया था। क्यों झारखंड के विधायकों के पास तीन करोड़ का विकास फंड है, जबकि देश के किसी अन्य राज्य में ऐसा नहीं है? यहाँ तक कि सांसदों के लिए यह राशि महज दो करोड़ है। कैसे विधानसभा में 960 लोगों की नियुक्ति हुई, जबकि अन्य राज्यों में जहाँ विधायक अधिक भी हैं, वहाँ पर विधानसभा में कर्मचारियों की संख्या बहुत कम है। इसके लिए कौन दोषी है? यह सवाल जनता दलों से, विधायक और मंत्री रहे लोगों से बार-बार पूछे। हजार बार पूछे। नेताओं की जाति, धर्म, समुदाय और वोट मैनेज करने की कला को धता बताए। अगर जनता ने ये सवाल पूछने शुरू किए, तो झारखंड में बदलाव की पहली शुरुआत

होगी। मुक्तिबोध की कविता की एक पंक्ति है—'एक पाँव रखता हूँ, हजार राहें फूट पड़ती हैं।' देखने में ये सवाल या जन-चेतना जगाने के प्रयोग मामूली हैं, पर हम करके देखें। झारखंड बड़े बदलाव के द्वार पर खड़ा मिलेगा।

(05-11-2009)

☐

सुधरेंगे या तबाह होंगे!

(15 नवंबर, 2009 एक और मौका)

झारखंड बनने के नौ वर्ष पूरे हुए। आज से दसवें वर्ष में प्रवेश। क्या गुजरे नौ वर्ष, खोए अवसरों की कहानी है? इस प्रश्न का सपाट उत्तर है, हाँ। राजनीतिक अस्थिरता, गवर्नेंस का ध्वस्त होना, राजसत्ता के प्रताप का क्षय और संस्थाओं का विकसित न होना। राजनीतिक दल, विधानसभा, सरकार और नौकरशाही, वे संस्थाएँ हैं, जिनका प्रभावी होना राज्य के अस्तित्व के लिए बुनियादी शर्त है, पर इन संस्थाओं का आचरण-स्खलन सबसे दुःखद अध्याय है। पूरे देश के लिए पहेली और झारखंड के भविष्य का ग्रहण। दूसरे छोर पर सिविल सोसाइटी है, विश्वविद्यालय हैं, मीडिया है, जागरूक नागरिक संगठन हैं, उद्यमी हैं। इस वर्ग ने भी झारखंड में गहराते अँधेरे का प्रतिकार नहीं ढूँढ़ा।

आज नौ वर्ष बाद जहाँ झारखंड खड़ा है, वहाँ दो ही रास्ते हैं। सुधरने का या तबाह होने का। संयोग से चुनाव होने वाले हैं। जो सुधार चाहते हैं, उनके लिए चुनाव एक अवसर है। चुनाव-द्वार से ही सुधरने की पगडंडी गुजरती है। यह चुनाव झारखंड के लिए निर्णायक है, क्योंकि इस चुनाव के गर्भ से ही उस राजनीतिक संतान के जन्म की प्रतीक्षा है, जो झारखंड की बेड़ियों को काटेगा। इसके लिए जो भी सरकार बने, उसे कठोर निर्णय लेने होंगे—कई मोरचों पर। विधानसभा को हल ढूँढ़ना होगा उन चुनौतियों-सवालों का, जो झारखंड की बेड़ी-जंजीर बन चुके हैं। लगभग खत्म गवर्नेंस, बेकाबू भ्रष्टाचार और सरकार की उपस्थिति न होना, वे सवाल हैं, जिनके हल दसवें वर्ष में नई सरकार और विधानसभा को ढूँढ़ने होंगे—अन्य जिम्मेदार संस्थाओं को भी।

अगर अतीत का राग बजा, तो फिर वही दलबदल, रोज सरकारों का आना-जाना, फिर भ्रष्टाचार का अनियंत्रित हो जाना। फिर झारखंड को तबाह होने से बचा पाना नामुमकिन है। नक्सली तब सबसे अधिक प्रभावी होंगे। अराजकता होगी। अव्यवस्था होगी।

इसलिए इस बार 15 नवंबर भिन्न पृष्ठभूमि में आया है। स्थितियाँ – हालात भिन्न हैं। चुनौतियाँ विषम हैं। हर मोरचे पर। राजनीतिक, प्रशासनिक, सामाजिक, आर्थिक और सांस्कृतिक क्षेत्रों में।

यह हल ढूँढ़ेगा कौन? कोई अवतार नहीं, चमत्कारी पुरुष नहीं; बल्कि झारखंड की जनता और नेता ही इसका हल ढूँढ़ेंगे। यह हल लोकतांत्रिक रास्ते से ही संभव है। ई.वी.एम. के बटन से। इसलिए हर नागरिक को पहल करनी होगी। अकर्म की पीड़ा-बेचैनी से मुक्ति पाने के लिए। मतदान में भाग लेकर। ड्राइंगरूम में बैठकर चिंतित होने से समाज-इतिहास नहीं बनता। इसलिए मतदान, अच्छे पात्रों, विचारों, दलों का चयन, राजनीतिज्ञों से सवाल-जवाब, ऐसे सारे प्रयास ही झारखंड को तबाह होने से बचा सकते हैं। यह 'मत चूको चौहान' की स्थिति है।

(15-11-2009)

❑

ये मुद्दे कहाँ हैं?

दिग्गज वोट माँगते घूम रहे हैं। जिनके दर्शन दुर्लभ हैं, जो सुरक्षा प्राचीरों में घिरे हैं, या जिनके जीवन का महत्त्वपूर्ण भाग पाँच सितारा सुविधाओं में कटता है, वे गली-गाँव भटक रहे हैं। सड़क छान रहे हैं। यह भ्रम हम दूर कर लें कि उन्हें हम मतदाताओं की चिंता है। नहीं, वे अपने लिए, अपने दल के लिए कवायद कर रहे हैं। हर दल झोली फैला चुका है। निर्दल भी याचक हैं।

पर इनकी झोली में क्या है? किसलिए ये सत्ता चाहते हैं? यह पूछिए। पग-पग पर पूछिए। क्योंकि पूछने का मौका पाँच वर्षों में एक बार आता है। अपना मत देकर पाँच वर्षों के लिए अपना भविष्य आप गिरवी रखते हैं, इसलिए सोच-समझ लीजिए, झाँसे में मत आइए। न जाति के, न धर्म के, न क्षेत्र के, न समुदाय के। न भावना में बहिए। ठोक-पीटकर फैसला कीजिए, क्योंकि आप अपना भविष्य तय करने जा रहे हैं, इसलिए जनता भी अपना एजेंडा बनाए। जहाँ और जब भी मौका मिले, दलों से पूछिए, प्रत्याशियों से बार-बार पूछिए कि गरीबों के लिए आपके पास कौन-सी समयबद्ध योजनाएँ हैं? क्या भूख, विकास, विकेंद्रीकरण, भ्रष्टाचार, माइनिंग (खनन), सुशासन, नक्सलवाद, विस्थापन वगैरह को आप झारखंड के संदर्भ में अहम मुद्दा मानते हैं? अगर हाँ, तो आपके पास समाधान के क्या ब्लूप्रिंट हैं?

पूछिए, क्या झारखंड में आप पंचायत चुनाव कराएँगे? क्या नीचे तक सत्ता का विकेंद्रीकरण होगा? कैसे और कब होगा? ग्रामीण विकास योजनाएँ कैसे नीचे तक पहुँचेगी, बगैर भ्रष्टाचार के? बिचौलिए रहेंगे या जाएँगे? जन वितरण प्रणाली कैसे ठीक होगी? इस राज्यपाल के आने के पहले चीनी, केरोसिन वगैरह गाँवों तक नहीं पहुँचते थे, फिर ऐसा न हो, इसके लिए क्या कदम उठेंगे? बिजली बोर्ड लुट चुका है, वह राज्य में अँधेरा बाँटने का केंद्र बना दिया गया। क्या आनेवाले दिनों में बिजली बोर्ड सुधरेगा? कब तक 85 वर्ष की उम्रवाले बार-बार बिजली बोर्ड के अध्यक्ष बनेंगे या उत्तराखंड से भ्रष्ट तत्त्वों को बुलाकर उन्हें बिजली बोर्ड की कमान सौंपी जाएगी? ऐसे सारे सुलगते सवालों के क्या हल हैं विधायक बननेवालों के पास? यह पूछिए।

सवाल अनंत हैं, क्योंकि ये सब इन्हीं राजनीतिक रहनुमाओं की देन हैं। पूछिए। युवाओं के लिए आपकी झोली में कुछ है? झारखंड लोक सेवा आयोग की परीक्षाएँ पारदर्शी बनें, चयन विवादास्पद न हों, इसके लिए क्या रास्ते अपनाए जाएँगे? कॉलेजों, विश्वविद्यालयों और स्कूलों के बारे में सरकार बनानेवालों के पास क्या ठोस प्रस्ताव हैं? केंद्र की मंजूरी मिलने के बाद नौ वर्ष हो गए, लॉ इंस्टीट्यूट नहीं बना। दो-ढाई वर्षों से आई.आई.टी., आई.आई.एम. के प्रस्ताव मारे-मारे फिर रहे हैं। न अच्छे इंजीनियरिंग कॉलेज खुले, न प्रबंधन के बेहतर संस्थान, न मेडिकल कॉलेज। क्या ये सवाल हमारे होनेवाले शासकों के जेहन में हैं?

क्या झारखंड के भूखों को कम दर पर अनाज देने के लिए कोई तैयार है? झारखंड में गरीबों की संख्या को लेकर विवाद है। एन.सी. सक्सेना की रिपोर्ट मानें, तो झारखंड के गाँवों के 80 फीसदी लोग गरीबी रेखा से नीचे हैं, पर झारखंड सरकार मानती है 29 लाख लोग गरीबी रेखा से नीचे हैं। केंद्र सरकार कहती है सिर्फ 25 लाख लोग झारखंड में गरीबी रेखा के नीचे हैं। यह संख्या निर्धारण कैसे होगा? कौन करेगा? यह सवाल किसी दल के एजेंडे में है? क्योंकि गरीबों की संख्या के आधार पर ही केंद्र से अनाज, केरोसिन, राहत वगैरह मिलती है। सरकार के 2004-05 के आँकड़ों (एन.एस.एस.) के अनुसार, झारखंड के 60 फीसदी निर्धनतम लोगों के पास कार्ड नहीं हैं। गरीबों के लिए बना 'सपोर्ट सिस्टम' (राहत योजनाएँ) ध्वस्त हैं। लाल कार्ड नहीं है। जनवितरण प्रणाली लगभग ठप है। देश के सबसे निर्धनतम नौ जिले झारखंड में हैं। क्या ये सवाल भी कहीं उठ रहे हैं? महज शब्दों तक नहीं। ठोस सुझावों के साथ।

झारखंड की खनिज संपदा ही इसके लिए अभिशाप है। खनिज मामलों में हुई सौदेबाजी ने झारखंड को पूरी दुनिया में चर्चित बना दिया है। झारखंड की खनिज संपदा लुट रही है। झामुमो के एक पूर्व मंत्री ने पिछले दिनों भाषण में कहा कि वे चीन गए थे। उन्हें देखकर खुशी हुई कि झारखंड के लौह अयस्क से चीन के स्टील कारखाने चल रहे हैं। उन्हें नहीं मालूम कि चीन स्मगल कर झारखंड से लौह अयस्क मँगा रहा है। अपना लौह अयस्क भंडार सुरक्षित रख रहा है। यह भारत सरकार की विफलता है, पर झारखंड में सरकार बनानेवालों को स्पष्ट होना चाहिए कि उनके खनिजों का इस्तेमाल कैसे होगा? उनकी शर्तों पर, उनके हित में या यहाँ के नेता खनिज से सौदेबाजी कर धन कमाएँगे और विदेश भेजेंगे? यह भी सही है कि यह खनिज संपदा हमेशा नहीं रहनेवाली। इसलिए इसके उपयोग की सार्थक नीति होनी चाहिए। यह स्पष्ट हो, पारदर्शी हो, इससे विस्थापन न हो, पर्यावरण न नष्ट हो। इन सवालों के उत्तर किसके पास हैं, यह लोगों से पूछना चाहिए। इसी तरह कोयला खनन, पत्थर काटने, स्पंज आयरन वगैरह के मुद्दे हैं।

नरेगा के तहत लोगों को काम नहीं मिल रहा। कृषि क्षेत्र में झारखंड में बड़े काम

होने हैं। सिंचाई में रत्ती भर वृद्धि नहीं हो रही है, पर भारी पूँजी खर्च हो रही है। यह सब कैसे हो रहा है? कौन कर रहा है? क्या ये सवाल उठेंगे?

इसी तरह भ्रष्टाचार का मामला सबसे संगीन है। भ्रष्टाचार नियंत्रण के बगैर झारखंड में कुछ भी संभव नहीं। राज्य सत्ता कोलैप्स कर चुकी है। इन्हें ठीक करने का ब्लूप्रिंट किसके पास है? कौन अपराधमुक्त माहौल दे सकता है? कैसे नक्सली समस्या से झारखंड मुक्त हो सकता है?

इन्हीं सवालों के जवाब से नया झारखंड बनेगा? मूल सवाल है कि झारखंड के ये सवाल इन चुनावों में उठ रहे हैं या नहीं? जनता सोचे, पहल करे और पूछे।

(19-11-2009)

□

नक्सल मुद्दे पर मौन

गाँवों में देखा था। भसुर (पति के बड़े भाई/जेठ) और भवह (छोटे भाई की पत्नी) का रिश्ता। भवह के आते ही भसुर हट जाते थे। जहाँ भसुर होते थे, वहाँ भवह नहीं फटकती थी। नक्सल पर राजनीतिक दलों और नक्सलों के बीच ऐसा ही रिश्ता लगता है। झारखंड की सबसे बड़ी समस्या के बारे में आप लोगों से पूछें। जवाब मिलेगा, नक्सल समस्या। पर किसी राजनीतिक दल की जुबान पर यह मुद्दा नहीं है। यह मुद्दा उठाने के संदर्भ में कमोबेश सभी दल भवह की भूमिका में हैं। जहाँ ये सवाल उठे, वहाँ बात बदल दो, बहस मोड़ दो। सब चुप हैं। ये दल यह मुद्दा उठाने से भाग रहे हैं, क्योंकि यह समस्या इन दलों की ही देन है।

राजनीतिक दल समाज के मूल सवाल नहीं उठा रहे। नगर-डगर और जंगल में अब दलों के कार्यकर्ता नहीं घूमते। अदालतों में करोड़ों-करोड़ मुकदमे लंबित हैं। राशन की सामग्री भी गरीबों की झोंपड़ी तक नहीं पहुँच रही। स्वास्थ्य के सवाल अलग हैं। उत्पादन प्रक्रिया में गरीबों की हिस्सेदारी नहीं है। इसलिए गाँवों में, जंगलों में बेचैनी है, पर वहाँ राजनीतिक दल नहीं हैं। इसका लाभ नक्सलियों को मिला है। नक्सली वहीं रहते हैं। गरीबों के सवाल उठाते हैं। इसलिए उन्हें नीचे से ताकत मिलती है। जब तक राजनीतिक दल अपनी जड़ें गाँवों तक नहीं ले जाएँगे, गरीबों से नहीं जुड़ेंगे, तब तक नक्सलियों की ताकत कम नहीं होगी। क्या यह काम करने के लिए कोई दल तैयार है?

आज वोट देनेवालों की संख्या लगातार घट रही है। ग्रासरूट पर काम करनेवाले कहते हैं, चुनावों में कौन वोट देता है? जो विधायक या सांसद हैं, उनके समर्थक इसलिए सक्रिय रहते हैं, ताकि उनके संरक्षक विधायक या सांसद जीतें। फिर उन्हें ठेके मिलेंगे। जो अन्य प्रतिस्पर्द्धी मैदान में हैं, उनके समर्थक इसलिए चुनाव में कवायद करते हैं, ताकि उनका उम्मीदवार जीते। उन्हें भी ठेका-पट्टा मिले। इन दो समूहों के अतिरिक्त तीसरा समूह जो मतदान करता है, वह है, जेनुइनली अपने मताधिकार

का प्रयोग करनेवाला। लोकतंत्र प्रेमी।

इस तरह 36 से 50 फीसदी के बीच वोट पड़ते हैं। शेष वोट इस लोकतंत्र के पर्व से बाहर है। इस तरह गहराई में उतरेंगे, तो पाएँगे झारखंड के विधायक को विकास के लिए तीन करोड़ का सालाना फंड मिलता है, जो देश में सबसे अधिक है। यह भी एक प्रबल आकर्षण है विधायक बनने के लिए।

पर विधायक बनकर सबसे पहली चुनौती झारखंड में झेलनी है नक्सली सवालों से। झारखंड जब बना था, तब सरकार ने कबूला कि 8-10 जिलों में नक्सली प्रभाव है। तब 20 जिले थे, आज 24 जिले हैं। लगभग सभी जिले नक्सली प्रभाव में हैं। यह भी सरकार ही मानती है। झारखंड का यह सबसे बड़ा मुद्दा है, पर कोई दल इसके हल की बात नहीं कर रहा।

हाल में गृहमंत्री पी. चिदंबरम ने 'टेलीग्राफ' को इंटरव्यू दिया। कहा, झारखंड सर्वाधिक नक्सल प्रभावित राज्य है। जिन्होंने झारखंड की सत्ता चलाई, वे इसके दोषी हैं। बताया, उनकी नजर में इसका मुख्य कारण कुशासन है, पर इस मुद्दे पर कहीं कोई आवाज नहीं।

गृहमंत्री ने कहा, पहले नक्सल प्रभाव को नियंत्रित करना होगा, तब विकास होगा। साफ है कि एक विचारधारा कहती है कि विकास होगा, तो नक्सली कमजोर होंगे, पर गृहमंत्री मानते हैं कि नक्सली प्रभाव कम होगा, तभी विकास होगा। यह प्रसंग झारखंड के अहम सवालों में से है। राजनीतिक दलों को बताना चाहिए कि इस सवाल पर कौन क्या सोचता है।

चिदंबरम ने उक्त बातचीत में कहा, मेरी समीक्षा से स्पष्ट है कि नक्सल प्रभावित जिलों में पूँजी प्रवाह के बावजूद कुछ नहीं हो रहा। क्योंकि अधिकांश पूँजी लेवी के रूप में वसूली जाती है ठेकेदारों से। इसलिए इन इलाकों में सरकारी प्रशासन को पहले मजबूत करना होगा। तब इन जिलों को विकास की पूँजी देनी होगी। उन्होंने यह भी कहा कि नक्सल प्रभावित जिलों में जो आधारभूत संरचनाएँ तैयार होती हैं, मसलन स्कूल, सड़क, स्वास्थ्य केंद्र, टेलीफोन टावर, इन सबको नष्ट कर दिया जाता है, इसलिए पहले नक्सल प्रभावित इलाकों में सरकार का शासन स्थापित करना होगा।

चिदंबरम की बातें साफ हैं, पर इस पर झारखंड की राजनीति चुप है। क्या चिदंबरम का रास्ता ही इस समस्या का हल है? या अन्य विकल्प और रास्ते हैं? सच यह है कि इसे सुलझाने के अन्य रास्ते और विकल्प हैं। पहला रास्ता राजनीतिक दलों के घरों से गुजरता है। राजनीतिक दल गाँव-गाँव पहुँचें। महज ठेके-पट्टे में उनकी रुचि न रहे। भ्रष्टाचार पर अंकुश लगे। फर्ज करिए, अगर नक्सली भ्रष्टाचार के मुद्दों

पर चुनावी राजनीति में उतर जाएँ, तो क्या होगा? उन्हें राजनीतिक दलों से अधिक समर्थन मिलने की संभावना है, क्योंकि भ्रष्टाचार समाज का सबसे गंभीर मुद्दा है। राजीव गांधी ने '84 में कहा था, केंद्र से चले 100 पैसे गाँव पहुँचते-पहुँचते 16 पैसे हो जाते हैं। फिलहाल झारखंड में वह 4-6 पैसे भी नहीं रह पाते। ऐसे बुनियादी मुद्दों पर जब तक राज्य सरकार पहल नहीं करेगी, नक्सली कमजोर नहीं होंगे। पर इस सबसे अहम सवाल पर राजनीतिक दल बोलें तो! चुनाव में इस सवाल पर चौतरफा चुप्पी, क्या बताती है?

(20-11-2009)

❑

अगर माकन की चली होती

अजय माकन भी झारखंड चुनाव प्रचार में आए हैं। याद करिए, वह झारखंड कांग्रेस प्रभारी थे। 24 सितंबर, 2007 से 19 फरवरी, 2008 तक। उन दिनों के 'प्रभात खबर' पलटते हुए अतीत के पन्ने खुलते हैं।

चर्चिल ने कहा था, अतीत में जितनी दूर तक देख सकें, देखें। इससे भविष्य की झलक बनती है। पर यह बहुत दूर की बात नहीं है। केंद्र में मनमोहन सिंह की दूसरी बार सरकार बनी, मई में लोकसभा चुनाव के बाद। तब झारखंड को लेकर लोकसभा में बहस हुई। झारखंड से चुने गए एक गैर-कांग्रेसी सांसद ने कहा कि काश, कांग्रेस ने अजय माकन की बात मान ली होती, तो झारखंड के हालात ये नहीं होते। किसी सरकारी पक्ष के व्यक्ति के लिए विपक्ष से यह प्रशंसा? वह भी आज की राजनीति में। बड़ा कंप्लीमेंट है। यह भी दिलचस्प है कि उन दिनों केंद्रीय मंत्री सुबोधकांत समेत कांग्रेस के सभी झारखंडी सांसद कोड़ा सरकार के खिलाफ थे। फिर भी कोड़ा बने रहे।

फर्ज करिए, कांग्रेस या यू.पी.ए. ने अजय माकन की बात मान ली होती, तो आज क्या हालात होते? कांग्रेस को किसी गठजोड़ की जरूरत नहीं होती। तब कोड़ा समर्थन वापसी मानस के पीछे तत्कालीन सरकार के कुकर्म तो थे ही, एक और वजह थी। कांग्रेसियों का युवा तबका तब से ही यह कहने लगा था, उत्तर प्रदेश, बिहार, झारखंड वगैरह में कांग्रेस अकेले चले। भले उसे विपक्ष में बैठना हो। इस खेमे का मानना था कि इन इलाकों में अपने बूते नई शुरुआत करनी होगी, अपने दम, पर तब बात बनी नहीं। इसलिए आज कांग्रेस भी कोड़ा बोझ से दबी है। हालाँकि वह श्रेय ले सकती है कि कोड़ा सरकार के पापों की सफाई भी हम कर रहे हैं। फिर भी कोड़ा प्रयोग की जिम्मेदारी से कांग्रेस बच नहीं सकती। झारखंड के कांग्रेसी किसी कीमत पर नहीं चाहते थे कि कोड़ा जाएँ। शिबू सोरेन मुख्यमंत्री बनें। राष्ट्रपति शासन खत्म कराने के लिए भी झारखंड के कांग्रेसियों ने जी-जान से कोशिश की। तब भी कोड़ा का नाम उछला।

पर सरकार में कोड़ा और उनके साथी क्या कर रहे थे? इसको बखूबी किसी कांग्रेस प्रभारी ने समझा, तो वह अजय माकन थे। गौर करिए, उनके इन बयानों को···मैं

अपनी बात आपसे कहने नहीं आया हूँ, बल्कि प्रधानमंत्री मनमोहन सिंह और यू.पी.ए. अध्यक्ष सोनिया गांधी की बात कह रहा हूँ। भ्रष्ट मंत्रियों पर कंट्रोल करें। इसके लिए हम 60 दिन की मोहलत दे रहे हैं।' ('प्रभात खबर', 15 नवंबर, 2007)।

(अवसर था झारखंड का सातवाँ स्थापना दिवस। कांग्रेस ने अजय माकन, सुबोधकांत और रामेश्वर उराँव वगैरह के नेतृत्व में सी.एम. आवास पैदल मार्च किया। इसे प्रोटेस्ट मार्च कहा गया। मुख्यमंत्री कोड़ा को तब अजय माकन ने उपरोक्त बातें कहीं। सरकार को अल्टीमेटम दिया गया। 15 जनवरी तक सुधरें, नहीं तो रास्ता अलग। कांग्रेसियों ने उस दिन यह भी कहा, पानी सिर से ऊपर। इसलिए सार्वजनिक रूप से यह सब कह रहे हैं।)

इसके पहले 18 अक्तूबर, 2007 को अजय माकन ने कहा—सरकार को अब ज्यादा वक्त नहीं दे सकती कांग्रेस। 28 जनवरी, 2008 को कहा—सोनिया चाहती हैं स्वच्छ शासन। यू.पी.ए. के कुछ घटकों ने हल्ला किया, तो माकन ने जवाब दिया,… मैं बोल रहा हूँ, मतलब ए.आई.सी.सी. बोल रही है। 20 जनवरी, 2008 को माकन ने साफ-साफ कहा—नहीं चाहिए कोड़ा और उनके मंत्री। 19 जनवरी को 'प्रभात खबर' से विशेष बातचीत में कहा…मैं स्पष्ट कर देना चाहता हूँ कि मुख्यमंत्री मधु कोड़ा और सरकार के अन्य मंत्री कांग्रेस के पक्ष में चुनाव प्रचार करने सिमरिया नहीं जाएँ। कांग्रेस को उनकी मदद नहीं चाहिए।

यह बयान पर्याप्त था, संकेत समझ लेने के लिए। किसी अन्य राज्य में कांग्रेस के समर्थन से चलती सरकार के मुख्यमंत्री-मंत्रियों के लिए ऐसा बयान कांग्रेस प्रभारी द्वारा दिया गया होता, तो आत्मसम्मान के लिए तुरंत सरकार इस्तीफा दे देती। पर जहाँ सौदेबाजी होती है, वहाँ आत्मस्वाभिमान नहीं होता। अब उस सरकार के कारनामे जगजाहिर हो गए हैं। इससे स्पष्ट है कि तब सरकार इतनी फजीहत के बाद भी किस मकसद से चलाई जा रही थी?

टंडवा, सिमरिया, ईंटखोरी, पत्थलगड्डा, गिद्दौर में अजय माकन ने सभाएँ कीं। सिमरिया विधानसभा चुनाव के सिलसिले में। कहा—झारखंड में सिर्फ भ्रष्टाचार बढ़ा। 14 जनवरी, 2008 के आसपास। कोड़ा सरकार के कई मंत्री माकन से मिलने के लिए बेचैन थे, पर माकन झारखंड के मंत्रियों से नहीं मिले। एक टी.वी. चैनल पर 15 जनवरी को कहा—हम भ्रष्टाचार और विकास के मुद्दे पर समझौता नहीं कर सकते। इसलिए समर्थन वापस ले रहे हैं। हमने इस सरकार को समर्थन ही दिया था कि वह अच्छा काम करे, पर ऐसा नहीं हुआ।

11 जनवरी, 2008 को धनबाद में कांग्रेस की विकास संकल्प महारैली हुई। वहाँ अजय माकन ने कहा था—यहाँ सड़कों में गड्ढे हैं या गड्ढों में सड़क, कहना मुश्किल।

यह भी बताया कि केंद्र में झारखंड के लिए कुछ योजनाओं के 700 करोड़ रखे हुए हैं। लेकिन सरकार राशि लेने तक के लिए तैयार नहीं है। उस दिन भी यह कहा गया ''15 के बाद कभी भी समर्थन वापस। 15 से आशय, 15 जनवरी, 2008 था। 22 फरवरी, 2008 को अजय माकन ने कहा कि हम घटक दलों को समझा रहे हैं, यह भी जानते हैं कि निर्णय नहीं हुआ, तो झारखंड की जनता हमें माफ नहीं करेगी। उन दिनों नियेल तिर्की अपने कुछ साथियों के साथ मंत्री एनोस एक्का के खिलाफ 12 फरवरी से अनशन पर थे। अजय माकन ने उन्हें जूस पिलाकर अनशन तुड़वाया, तो नियेल तिर्की रो पड़े। नियेल ने निवेदन किया, कुछ नहीं तो कम-से-कम एनोस को तो हटवा दीजिए।

अतीत की व्याख्या, किंतु-परंतु से नहीं होती। अगर-मगर से इतिहास नहीं सुधरता। पर, अतीत से संदेश मिलता है भविष्य के लिए। निर्दलीय या गठजोड़ की राजनीति झारखंड की तबाही का मूल कारण है।

अजय माकन के बयान साफ थे। अगर कांग्रेस इस राह पर चली होती, तो शायद आज कांग्रेस की स्थिति भिन्न होती। झारखंड कोड़ा या कोड़ा सरकार के मंत्रियों के कामकाज से बचता। लोकसभा चुनावों में कांग्रेस को एक सीट पर संतोष नहीं करना पड़ता। देश-दुनिया में झारखंड बदनाम न होता। सरकार में बैठे लोग ऐसे-ऐसे स्तब्धकारी काम कर सकते हैं, यह नहीं होता।

पर क्या वजह थी कि अजय माकन सफल नहीं हुए? यह गठबंधन की राजनीति का ही परिणाम था। स्पष्ट है कि झारखंड शुरू से ही गठबंधन की राजनीति (कोलिशन पॉलिटिक्स) का दर्द झेल रहा है। पहली सरकार बाबूलाल मरांडी के खिलाफ उपद्रव हुआ! सिर मुड़ाते ही ओले। पहली बार राज्य बना और राजनीतिक अस्थिरता का सूत्रपात हो गया। मरांडी सरकार में साझीदार और निर्दल ही इस उपद्रव के अगुवा थे। उसी तरह अर्जुन मुंडा सरकार को अपदस्थ करने में निर्दलियों की भूमिका रही। फिर यू.पी.ए. ने तो निर्दलों की सरकार ही पदारूढ़ करा दी।

निर्दलियों की अगुवाई में चली सरकार ने जो करतब किए, उनसे देश स्तब्ध है। इसे समर्थन देने, चलाने की कीमत यू.पी.ए. को भी चुकानी पड़ेगी। फिर भी अजय माकन के स्टैंड की याद कांग्रेस के बचाव का कारगर हथियार है। कांग्रेस के लिए ताकत और ऊर्जा का स्रोत।

(22-11-2009)

□

कैसे हुई युवा भविष्य की हत्या?

हर जगह आप सुनेंगे कि भविष्य युवाओं का है। नंदन नीलेकणि ने 'प्रभात खबर' से अपनी बातचीत में कहा कि झारखंड-बिहार में दाँव युवाओं पर है, क्योंकि आने वाले वर्षों में हिंदी पट्टी में युवा सर्वाधिक होंगे, पर इन युवाओं के लिए झारखंड की सरकारें क्या करती रही हैं, कभी यह सवाल उठा?

शायद जगजीत सिंह के गायन में सुना था—'बात निकलेगी तो दूर तलक जाएगी।' युवाओं से जुड़े सवाल उठेंगे, तो अनेक गंभीर चीजें स्पष्ट होंगी। युवाओं के साथ नौ वर्षों में अपराध हुआ है। उनके भविष्य की हत्या की है पार्टियों ने। कभी विधानसभा में युवकों के भविष्य को लेकर कोई चर्चा नहीं हुई। आज यही नेता और दल, किस मुँह से युवकों से वोट माँग रहे हैं?

परिवार के भविष्य युवा होते हैं। इस तरह इन युवकों के भविष्य को अँधेरे में डालनेवाले झारखंड को गर्त में डाल चुके हैं, पर यही दल, नेता अब युवकों के परिवारवालों के पास याचना करेंगे—'वोट मुझे दें, मेरे दल को दें। जाति के नाम पर दें।' धर्म के नाम पर दें, समुदाय के नाम पर दें, बाहरी-भीतरी के नाम पर दें। विचार और सिद्धांत की भी दुहाई देंगे। कहेंगे, विचार और सिद्धांत के लिए भी युवा या युवकों के गार्जियन हमें मत दें। समर्थन दें। पर सावधान रहिए। गाँव में रंगे सियारों की बात सुनी थी। वोट के दिनों में इन सभी नेताओं ने अपने रंग-ढंग बदल लिये हैं। इसलिए इनसे पूछिए कि झारखंड के युवकों को लेकर आपके पास क्या एजेंडा है? क्या समाधान है?

कम-से-कम युवा जान लें कि उनके भविष्य के साथ झारखंड में हुआ क्या है? यह टिप्पणी इसलिए भी छप रही है, क्योंकि जे.पी.एस.सी. की परीक्षाओं के बाद बुंडू के एक प्रतिभावान् छात्र ने 'प्रभात खबर' को एक पत्र भेजा। पूछा, ''मेरा कॅरियर श्रेष्ठ रहा है (फर्स्ट डिवीजन)। जे.पी.एस.सी. की दोनों परीक्षाओं में लिखित में मुझे बहुत अच्छे अंक मिले, पर मौखिक परीक्षा में बहुत कम।'' बुंडू के इस छात्र की पीड़ा थी कि ''मुझे इससे भी कष्ट नहीं हुआ, पर मेरे ही इलाके के एक राजनेता हैं, स्वजातीय हैं। उनके भाई ने कई कक्षाओं में विश्राम (फेल) किया, पर वह जे.पी.एस.सी. परीक्षा में

श्रेष्ठ नौकरी पा गया।'' उस छात्र ने अपनी पीड़ा लिखकर, समाज और सरकार से पूछा, ''मेरे पास नक्सली बनने के अलावा क्या विकल्प है? क्योंकि मेरे पिता ने जमीन बेचकर मुझे पढ़ाया है। मैं अच्छे अंक पाकर क्यों बेरोज़गार हूँ?''

भविष्य में कोई छात्र लिखकर किसी अखबार से यह सवाल न करे, इसलिए भी झारखंडी युवकों को सावधान होना चाहिए । युवकों के अभिभावकों को भी।

अब युवक पूछें?

झारखंड बने नौ वर्ष हुए। 15 नवंबर, 2000 से 15 नवंबर, 2009 के बीच। अब दसवाँ वर्ष है। इन नौ वर्षों में झारखंड लोक सेवा आयोग की नौ परीक्षाएँ होनी चाहिए थीं, पर हुईं कुल तीन। उन तीन में से महज दो के रिजल्ट आए हैं। इन नौ वर्षों के दौरान नौ परीक्षाएँ होतीं तो बड़े पैमाने पर झारखंड के बेरोजगार युवकों-छात्रों को मौका मिलता, पर नौ वर्षों में तीन ही परीक्षाएँ हुईं, छह नहीं। हालाँकि रिजल्ट दो परीक्षाओं के ही निकले। इस तरह जो लाखों लड़के ओवर एज हो गए, उनका क्या गुनाह था?

याद रखिए, ऐसी हर परीक्षा में बैठने के लिए उम्र की सीमा तय है। पहले से। इसमें फेरबदल संभव नहीं। इस तरह न जानें कितने हजार या लाख युवक बिना परीक्षा दिए ही उम्र सीमा पार कर गए। अब वे परीक्षा में नहीं बैठ सकते। इस तरह लाखों छात्रों के भविष्य की हत्या हुई है। छात्रों को पूछना चाहिए, हमारे भविष्य के हत्यारे कौन हैं? क्यों परीक्षा के बाद रिजल्ट में विलंब होता है? क्यों नहीं परीक्षा कैलेंडर बना? क्या करती रही विधानसभा और सरकारें? क्यों नहीं राजनीतिक दलों के एजेंडे में ये सवाल शुमार हुए?

यह तो हुई झारखंड लोक सेवा आयोग की बात।

इसी तरह सबआर्डिनेट सर्विसेज में नियुक्तियाँ होनी थीं। आम बोलचाल की भाषा में जिसे सुपरवाइजरी ग्रेड कहते हैं, उस वर्ग में पद होते हुए नियुक्तियाँ नहीं हो सकीं । मसलन लेबर इंस्पेक्टर, सप्लाई इंस्पेक्टर, एक्साइज इंस्पेक्टर, को-ऑपरेटिव इंस्पेक्टर, सर्किल इंस्पेक्टर वगैरह पदों पर नियुक्तियाँ। बड़े पैमाने पर रिक्तियाँ थीं, खाली पद थे, पर नौकरी किसी को नहीं मिली।

राज्य बना तो नारा लगा, 'रोजगार की बरसात होगी'। युवकों के लिए कॉलेज खुलेंगे। लॉ इंस्टीट्यूट की योजना नौ वर्ष पहले बनी। आई.आई.टी., आई.आई.एम. खुलने की बात हुई। याद रखिए, ये सभी संस्थाएँ केंद्र की मंजूरी और मदद से खुलनी थीं। केंद्र तैयार रहा, पर उनके प्रस्ताव राज्य सरकार के यहाँ खो गए; क्योंकि मंत्रियों-अफसरों को उन कामों की तलाश थी, जो उन्हें संपन्न बना सकते थे। जो ईमानदार और विजनरी अफसर थे, जिनकी इच्छा थी कि ऐसी संस्थाएँ खुलें, पर उन्हें संट कर दिया गया। इस तरह एक ओर न नई नौकरियों के अवसर दिए गए, न दूसरी ओर अच्छे

संस्थान खोलकर प्रतिभावान छात्रों को पढ़ने का मौका। झारखंड के लोग याद रखें कि जब सरकारें और राजनीतिक दल उनके भविष्य की हत्या कर रहे थे, तब झारखंड के वी.वी.आई.पी. के बच्चों के लिए क्या अवसर थे? गुजरे आठ वर्षों तक लगातार विभिन्न कोटों से इनके बच्चे सीधे दाखिला पा रहे थे मेडिकल में। भले ही ये बच्चे लिख-लोढ़ा पढ़-पत्थर की योग्यतावाले रहे हों, पर वे सीधे डॉक्टर बन रहे थे। उन्हें प्रतियोगिता परीक्षा में बैठने की मजबूरी नहीं थी, क्योंकि वे वी.वी.आई.पी. लोगों के बच्चे थे। दरअसल ये राजनीतिज्ञ इस नए दौर के नए राजा-महाराजा हैं। ये बार-बार आपको छलेंगे। जाति के नाम पर। धर्म के नाम पर। क्षेत्रवाद का नाम देकर। मोह कर। भ्रम में डालकर। क्योंकि ये मानते हैं कि नासमझ मतदाताओं के बीच ठग ही राज करते हैं। इसलिए झारखंड के नौजवानों को और बेरोजगारों को सजगता का परिचय देना होगा।

इसी तरह ब्लॉक स्तर पर शिक्षा, श्रम, सप्लाई, को-ऑपरेटिव के क्षेत्रों में काम करनेवाले नहीं हैं। फिर उस वर्ग में जाइए, जिसे स्टेट क्लास-2 कहते हैं। वहाँ भी एक परीक्षा नहीं हुई, न एक नियुक्ति।

स्टेट क्लास -3 के सर्विसेज का यही हाल है। इससे चयनित लोग, राज्य सचिवालय, आयुक्त कार्यालय में काम करते हैं। 'झारखंड लोक सेवा आयोग' के कार्यालय में सहायक के रूप में होते हैं। विश्वविद्यालय सहायक संवर्ग में इसी से लोग चुने जाते हैं। इस राज्य से कोई पूछनेवाला है कि इन लाखों पदों पर नियुक्तियाँ क्यों नहीं हुईं? जहाँ लाखों बच्चों का भविष्य बन सकता था, उनके भविष्य को अंधकार में डालने का काम किसने किया? इन लाखों युवकों को रोजगार मिलता तो कई लाख परिवार आबाद होते। पर यह नहीं हुआ।

इसी तरह फॉरेस्ट गार्ड पद पर 21 से 25 हजार के बीच नियुक्तियाँ होनी थीं, वह भी नहीं हुईं। बात इतनी ही नहीं है। मुफस्सिल स्तर पर काम करनेवालों की भारी कमी है। वहाँ भी पंचायत सेवक, राजस्व कर्मचारी, वी.एल.डब्ल्यू. रखे जाने थे, पर अब तक परीक्षाएँ नहीं हुईं। पुलिस में सिपाहियों की बहाली परीक्षाएँ नहीं हुईं। पुलिस में ही सब-इंस्पेक्टर बहाल नहीं किए गए। लगभग हर विभाग में इंस्पेक्शन का काम करने के लिए इंस्पेक्टर होते हैं। मसलन माप-तौल के इंस्पेक्टर, पर्यावरण इंस्पेक्टर, पुलिस इंस्पेक्टर वगैरह, पर कहीं कुछ नहीं हुआ। अंततः लाखों-लाख झारखंडी युवा, जो रोजगार पा सकते थे, वे बेरोजगार ही रहे। इसके लिए कौन दोषी है?

रोजगार के मोरचे पर ये सभी कदम उठाए गए होते तो झारखंड की बड़ी आबादी को रोजगार मिलता। इसका दूसरा गहरा असर होता। राज्य सरकार के काम-काज में एफीशियंसी (उत्पादकता) में गुणात्मक बदलाव होता। सरकार रोना रोती रही है कि हमारे यहाँ कर्मचारियों की संख्या कम है, इसलिए केंद्र सरकार के फंड का हम इस्तेमाल

नहीं कर पाते। हर साल कई सौ करोड़ सरेंडर करते हैं। देश के सबसे गरीब राज्य में कल्याणकारी योजनाओं पर खर्च नहीं हो पाता, पैसा सरेंडर होता है, 'क्योंकि सरकारी कर्मचारियों का अभाव है', पर कहीं आवाज नहीं गूँजी कि ये जरूरी नियुक्तियाँ हों। क्या इन चुनावों में कहीं आपने रोजगार की चर्चा सुनी है? युवाओं के सवाल पर कोई आहट है? नहीं है, तो झारखंड के युवा अंगड़ाई लें। अभी एक दिन का समय है। समय-अवसर गुजर गए, तो पश्चात्ताप ही हाथ रहता है। चिड़िया खेत चुग ले, फिर रोने से क्या होगा?

(23-11-2009)

□

चूके, तो भोगेंगे
संदर्भ : विधानसभा चुनाव

पाँच चरणों में होनेवाले मतदान का पहला दिन। यह दिन आनेवाले पाँच वर्षों का भविष्य तय करेगा। आपका, आपके बच्चों का, आपके परिवार का, आपके समाज का, झारखंड का और देश का। अगर चूके, तो पश्चात्ताप का मौका भी नहीं। सीधे अराजकता को आमंत्रण। आपको याद है, नौ वर्षों में कितनी सरकारें बनीं? कितने मुख्यमंत्री हुए? छह मुख्यमंत्री हुए। फिर राष्ट्रपति शासन का दौर। नौ वर्षों में ही दसवें मुख्य सचिव काम पर हैं। दसवें विकास आयुक्त हैं। छठे डी.जी.पी. हैं। महीने-दो-महीने में सचिव बदलते रहे। चार-चार महाधिवक्ता हुए। क्या फिर इसी अस्थिर राजनीति की प्रयोगशाला बनेगा झारखंड? यह आपके मत से ही तय होगा। इसलिए वोट का महत्त्व समझिए। वोट के बटन में आपके पाँच वर्षों का भविष्य छुपा है। भविष्य बनाना है, तो सावधान होकर, सोच-समझकर बटन दबाइए।

राज्य में हुए भ्रष्टाचार की गंध देश-दुनिया में फैल गई है। आए दिन बंद, अराजकता और हिंसा के बीच जीवन। यह भला झारखंडियों से बेहतर कौन जानता है? रंगदारी, अपराधियों का भय, ध्वस्त पुलिस प्रशासन, भ्रष्ट सरकारें, यह सब झारखंड ने भोगा है। भोगा हुआ दुःख, कहे हुए बयान से गहरा होता है। नक्सलियों की चुनौती-खौफ अलग है। इस चुनौती के बीच अँधेरे में रोशनी दिखाने की भूमिका विधायिका की थी। पर विधायिका में क्या हुआ? यह भी झारखंडवासी जानते हैं।

द्रौपदी का चीरहरण हुआ। कुरू राज दरबार खामोश रह गया, मूकदर्शक। उसी क्षण महाभारत की नींव पड़ गई। झारखंड के कोने-कोने में अराजकता, भ्रष्टाचार, अशासन फैलता रहा, क्योंकि अच्छे लोग घरों में चुप बैठ गए। मतदान, छुट्टी का दिन या जश्न का दिन नहीं होता। यह लोकतंत्र का मूल मर्म है। हजारों-हजार वर्ष की कुरबानी के बाद वोट का यह अधिकार मिला है। इसलिए वोट दें, हालात बदलें। लोग वोट देने नहीं जाते। ड्राइंग रूम में बैठकर अच्छे समाज का ख्वाब देखते हैं।

दरअसल, समाज के पतन के ऐसे लोग जिम्मेदार हैं। घरों से निकलिए, झुंड में निकलिए। एक-एक वोट डालिए। इससे ही झारखंड का भविष्य बेहतर होगा, आपका भी। शायद केनेडी ने कहा था—अच्छे लोग घरों में सिमटते हैं, इसलिए हालात बदतर होते हैं। झारखंड के लिए यह प्रासंगिक उक्ति है।

भीष्म से बड़ा उदार चरित्र ढूँढ़े मुश्किल है। द्रोणाचार्य अप्रतिम हैं। कर्ण सूर्य प्रतिभा से दीप्त हैं, पर इनके मौन या मूक सहमति से विनाश की नींव पड़ी। इसलिए घरों से निकलिए। आपका विवेक या अंतरात्मा जो कहे, उस पर चलिए।

चुनाव में बड़े पैमाने पर धन-बल के इस्तेमाल की खबरें हैं। धन-बल अगर चुनाव प्रभावित करेगा, तो लोकतंत्र कमजोर होगा। हिंसा न हो, यह सबका दायित्व है। बूथों पर आपसी झड़प न हो, यह जरूरी है। यह सवाल एक दिन, बनाम पाँच वर्ष का है। वोट का एक दिन = पाँच वर्ष का भविष्य। इसलिए जाति, धर्म, अपना-पराया, बाहरी-भीतरी के उन्माद से बच कर काम करें। क्योंकि आप-अपना भविष्य गढ़ने जा रहे हैं।

निजी भविष्य बनाने के क्रम में सौदेबाजी नहीं होती, आत्मा की आवाज होती है। भारतीय मनीषियों ने कहा भी है—'आत्म दीपो भव।'

लोकतंत्र के इस महापर्व के अवसर पर हम खुद ही अपने लिए प्रकाश बनें। समाज में रोशनी फैल जाएगी।

मत जरूर दें

पटमदा गया था। झारखंड आंदोलन के एक पुराने कार्यकर्ता मिले। नाम था बुद्धेश्वर महतो। झारखंड की दुर्दशा की कहानी उन्होंने लोकोक्तियों में सुनाई—

नीधनेआर धन होले दिने देखे तारा

(निर्धन व्यक्ति को धन मिलता है, तो दिन में ही तारे दिखते हैं)

झारखंड में सत्ता मिलते ही लोग दिन में ही तारे देखने लगे। इसके बाद जो हुआ, वह देश ने देखा, पर बुद्धेश्वर महतो ने एक और लोकोक्ति सुनाई—

गोबर खाले गाछे बाटिले, जल्दी उलटिए जाए।

(गोबर के गड्ढे में अगर पेड़ बढ़ गया, तो वह अपने आप गिर जाता है)

श्री महतो ने कहा, राँची का राजनीतिक धरातल गोबर का गड्ढा हो गया है। वहाँ जो पेड़ बढ़ते हैं, वे खुद अपने बोझ से गिर जाते हैं। वहीं सुदूर देहात में एक गँवई युवा ने कहा, राजनीति क्या है? मनी (धनबल)। फिर बताया, धनबल आया, तो बंदूक और आदमी मिल जाते हैं। इस तरह पॉलिटिक्स = मनी। मैन और गन

(राजनीति = पैसा, लोग और बंदूक)। अगर राजनीति का यह बदरंग चेहरा बदलना है, तो यह वोट से ही बदलेगा। यह मान कर चलिए। राजनीति ही चीजों को बदलेगी। अच्छी राजनीति होगी, तो अच्छा माहौल होगा। बुरी राजनीति होगी, तो बुरा माहौल। अगर अच्छी राजनीति चाहते हैं, तो घरों में मत बैठिए। वोट डालिए। युवा, बेहतर भविष्य और नौकरी चाहते हैं, तो उन्हें राजनीति में सक्रिय होना होगा। कम-से-कम मतदान के दिन तो जरूर।

(25-11-2009)

□

बिदकते वोटर!
संदर्भ : विधानसभा चुनाव

पहले चरण में वोट फीसदी घटा है। झारखंड विधानसभा चुनाव में। एक स्रोत का मानना है, बीस वर्षों में सबसे कम मत पड़े। खासतौर से शहरों में। इससे क्या संकेत मिलते हैं? यह क्या राजनीति के प्रति नफरत का प्रतिफल है? इस घटते वोट फीसदी के संकेत गहरे हैं। समाजशास्त्रियों के लिए भी। राजनीतिज्ञों के लिए भी। लोकतंत्र के प्रेमियों के लिए भी।

एक विश्लेषण यह भी है कि यह ग्लोबल विलेज की नई दुनिया में उभरे आत्मकेंद्रित समाज का रुझान है। 21वीं सदी की यह दुनिया गाँव मानी जा रही है। एक सूत्र में बँधी। यह दुनिया बाजार के विचारों से संचालित है। अब दुनिया पलटने और बदलनेवाले राजनीतिक विचार प्रभावी नहीं हैं। राजनीति विचारविहीन है। पहले 'वाद' थे। पूँजीवाद, समाजवाद, साम्यवाद, अराजकतावाद। अब है बाजारवाद। इस बाजारवाद के विचारस्रोत हैं, 'मैनेजमेंट थॉट' या 'मैनेजमेंट गुरु' या 'मैनेजमेंट आइडियालॉग' (प्रबंधन के भाष्यकार)। अभी दुनिया ने मैनेजमेंट गुरु पीटर ड्रकर की शताब्दी मनाई। उनको मरे चार वर्ष हुए। वह जीते, तो सौ वर्ष के हुए होते। वह अर्थशास्त्री जे.एम. कींस और जोसेफ शुंपीटर स्तर के थे। इन दोनों से वह प्रबंधन के अपने विचार लेकर मंथन भी करते रहे। प्रबंधन में आज वही पीटर ड्रकर आइडियालॉग माने जाते हैं। प्रबंधन शास्त्र की शुरुआत का श्रेय उन्हें है। कहते हैं, इस वर्ष 'मैनेजमेंट कंसलटिंग इंडस्ट्री' को 300 बिलियन डॉलर (13.88 लाख करोड़ रुपए) की आय होगी। इसका श्रेय उन्हें दिया गया है। जब राजनीतिक वाद थे, अर्थशास्त्र के सिद्धांत समाज को गढ़ते थे, तब प्रबंधन का शास्त्र नहीं था। आज एक प्रबंधन गुरु अपने एक व्याख्यान के बदले 60000 डॉलर (28 लाख रुपए) कमा सकता है। प्रबंधन कला को इस स्तर तक पहुँचाने का श्रेय पीटर ड्रकर को दिया जाता है। वह बाजार, प्रबंधन और उद्योग के मौलिक विचारक माने गए। वह 'द फादर ऑफ मॉडर्न मैनेजमेंट' (आधुनिक प्रबंधन के पिता) और 'वर्ल्ड्स ग्रेटेस्ट मैनेजमेंट थिंकर' (विश्व के सबसे बड़े प्रबंधन विचारक) माने जाते हैं। उन्होंने ही

भविष्यवाणी की थी कि भविष्य में नॉलेज वर्कर (ज्ञानसंपन्न मजदूर) होंगे।

यह विश्व गाँव ज्ञान संपन्न मजदूरों की दुनिया है। मार्क्सवाद के गहरे अध्येता बता सकते हैं कि मार्क्स ने कैसे व किस समाज में 'एलीनेशन' (अलगाव) की चर्चा की थी। बाजार की इस दुनिया का प्रेरक तत्त्व है उपभोग की भूख। टी.वी. विज्ञापनों पर देखे गए अत्याधुनिक और महँगी चीजों का आकर्षण। उसे पाना, उसमें जीना, उसमें रमना, उसी में डूबना-उतराना। भदेस भाषा में कहें, तो यही भोग का संसार है। इससे आत्मकेंद्रित समाज पनपता है। यह समाज अपने लिए जीता है। घर में बच्चों के लिए समय नहीं। पति-पत्नी अपनी दुनिया में। दरकते-टूटते मानवीय संबंध। शहरों में यह ज्यादा है, गाँवों में कम। इसलिए शहर का समाज गाँव की तुलना में अधिक आत्मकेंद्रित हो रहा है, दिनोंदिन। लोकतंत्र समूह की जीवन पद्धति है, समूह की व्यवस्था है।

इसलिए आत्मकेंद्रित होते लोग समूह से कट रहे हैं, जिनकी दुनिया खुद तक सीमित हो गई है, वे पहल कर समाज के लिए क्यों वोट दें? सरकार समाज की चीज है। इस आधार पर आत्मकेंद्रित लोगों को समाज की चीज से क्या ताल्लुक? गाँव का व्यक्ति अभी भी, समूह व समाज के लिए जीता है, इसलिए वहाँ वोट फीसदी अधिक है। पिछले लोकसभा चुनावों में जमशेदपुर व बोकारो में सबसे कम वोट पड़े। शायद यहाँ भी नॉलेज वर्कर अधिक हो गए हैं। खुद से सरोकार अधिक। यह व्याख्या पढ़े-लिखे लोग देते हैं। यह कारण है या नहीं, यह अध्ययन से ही पुष्ट होगा।

फिर घटते वोट क्या बताते हैं? हमारी मान्यता रही है—'कोउ नृप होउ हमहि का हानी'। कोई भी राजा हो, उससे क्या फर्क पड़नेवाला? डॉ. लोहिया ने भी निराशा के कर्तव्य में भारतीय मन की उदासी-तटस्थता का उल्लेख किया है। उनकी व्याख्या मानती है कि हजारों वर्षों की गुलामी ने हमें सत्त्वहीन कर दिया है। 'बाबरनामा' में बाबर के सटीक अनुभव हैं। कैसे लाखों-लाख लोग सेना की मामूली टुकड़ी का मूकदर्शक बनकर स्वागत करते हैं। पराधीनता मान लेते हैं। इस तरह मतदाताओं के घटते रुझान की अनेक व्याख्याएँ होती रही हैं, होती रहेंगी, पर लोकतंत्र को हमारी मौजूदा राजनीति अविश्वसनीय बना चुकी है, यह सच है। राजनीति का चेहरा कितना अविश्वसनीय हो गया है, इस पर एक सटीक टिप्पणी लिखी है, 'ओपेन' पत्रिका के संपादक संदीपन देव ने। (पढ़िए 'क्या हमारे नेताओं को शर्म नहीं आती?')

सच यह है कि राजनीतिज्ञों के कामकाज से यह नफरत पैदा हुई है। 'प्रभात खबर' ने पहले चरण में वोट दे चुके लोगों से बात की। राज्य भर में मुद्दों को लेकर सबसे अधिक लोग त्रस्त हैं—भ्रष्टाचार से, फिर महँगाई से। झारखंड के मतदाता स्थायी सरकार भी चाहते हैं। जिन थोड़े से, वोट दे चुके लोगों से बात हुई, उनकी नजर में यही मुद्दे हैं। बातचीत अलग-अलग पृष्ठभूमि के लोगों से हुई। समाज के हर वर्ग से हुई।

युवा से बुजुर्ग तक। अब इन मुद्दों की कसौटी पर राजनीतिक दलों को परखें। जिस महँगाई से सबसे अधिक लोग त्रस्त हैं, उसके लिए कहीं गंभीर आवाज उठी? चुनावी घोषणा-पत्रों को छोड़कर। आज से 20 वर्ष पहले प्याज के भाव पर सरकारें बदलती थीं। राजनीतिक दल लंबे समय तक आंदोलन चलाते थे, जेल जाते थे। शासकों की फिजूलखर्ची गिनाते घूमते थे। गाँव-कस्बों तक जाते थे। वैकल्पिक आर्थिक नीति की बात करते थे। अब किस दल के पास वैकल्पिक अर्थनीति है? 1991 के पहले तक अर्थनीति को लेकर चुनाव में मुद्दे उठते थे। गरीबों की पक्षधर कौन-सी नीति है? अमीरों की पक्षधर अर्थनीति क्या है? इस पर राजनीतिक दल सार्वजनिक बहस करते थे। 1991 के उदारीकरण के बाद अब अर्थनीति एक ही है। इस तरह सिर्फ चेहरे अलग-अलग हैं, विचार और सिद्धांत अलग-अलग नहीं रहे।

एक बार मधु लिमये ने मुंबई में एक व्याख्यान दिया था। वर्तमान राजनीति का संकट। उन्होंने दो विचारकों का एक उद्धरण दिया। फिर अपनी बात शुरू की। कहा कि आज राजनीति, राजनेता और दल, ये सब शब्द लोगों में तिरस्कार की भावना पैदा करते हैं और उनमें संकीर्ण स्वार्थवादिता की बू आती है। नेता सिर्फ वादा करते हैं। बड़ी बातें करते हैं, कुछ करते नहीं। इसलिए उन्होंने पूरी राजनीति को अविश्वसनीय बना दिया है। फिर उन्होंने आगे कहा, आज भारतीय राजनीति में हो क्या रहा है? लोकतंत्र की पाँच संस्थाएँ हैं। एक संस्था हो गई हमारी पार्लियामेंट। दूसरी, हमारा प्रेस। तीसरी, हमारी न्यायपालिका। चौथी, हमारे राजनीतिक दल। पाँचवीं, नौकरशाही तथा पुलिस प्रशासन। फिर उन्होंने कहा, ये पाँच संस्थाएँ ठीक नहीं रहेंगी, तो लोकतंत्र नहीं चल पाएगा। मधु लिमये ने कहा, आज राजनीतिक दलों में क्या हो रहा है? और बताया, देश में जो दलों की सबसे बड़ी कमजोरी है, वह है कि राजनीतिक दलों में सूबेदारों का राज चल रहा है, जिसको वार लारडिज्म कहा जाता है : इनका कोई राष्ट्रीय दृष्टिकोण नहीं होता। ये सिद्धांतों के प्रति वफादार नहीं होते। ये अपने राज्य के अंदर अपने दायरे में, अपनी जागीर में, अपने सूबे में, लोकतंत्र को नहीं पनपने देते। कार्यकर्ता को आगे नहीं बढ़ने देते। इस तरह दलों में अंदरूनी लोकतंत्र है ही नहीं। इसी तरह नौकरशाही, प्रेस, पुलिस प्रशासन सबकी स्थिति है। आज कहाँ संघर्ष है? कहाँ आदर्श है? कहाँ बदलाव के प्रति समर्पित लोग हैं? बुद्धिजीवी तो और पस्त, निराश और चारण की भूमिका में हैं। इस देश में कहाँ सामाजिक परिवर्तन की राजनीति हो रही है? नया समाज गढ़ने का विचार कहाँ है?

इसलिए वोटर कम निकल रहे हैं, तो आश्चर्य नहीं। पर निरपेक्ष व उदासीन बने वोटर नहीं जान रहे हैं कि उनकी तटस्थता या उदासी से क्या होगा। लोकतंत्र से बढ़िया व्यवस्था आज भी नहीं है। सही है, इसमें कमियाँ हैं, यह तर्क भी अपनी जगह है कि

51 नासमझ 49 समझदारों पर राज करते हैं, पर इससे बेहतर है क्या? कैसे राजाओं का वंश का आतंक रहा है? यह इतिहास से पूछिए। एक-एक व्यक्ति को गरिमा और वाणी लोकतंत्र ने ही दी है। हाँ, उसमें कमियाँ हैं, तो लोक-सजगता से ही दूर होंगी। लोकतंत्र का विकल्प नहीं है। इस देश ने आपातकाल में तानाशाही की भी एक झलक भोगी है। अब भी समय है कि राजनीतिज्ञ सोचें कि लोकतंत्र को कैसे विश्वसनीय बनाया जाए और मतदाता कैसे घरों से निकलें? इसके लिए चरित्र विकसित करना होगा। विश्वसनीय बनना होगा। इसके लिए राजनेता तैयार हैं?

(27-11-2009)

□

विधानसभा में नियुक्तियाँ

इसे स्कैंडल ही कहा जा सकता है। हालाँकि विधानसभा की गरिमा के खिलाफ है यह सब, पर यह गरिमा विधानसभा ने नहीं गिराई। विधानसभा में कुछेक काम करनेवालों ने यह स्थिति पैदा की। जिस संस्था को राज्य की रहनुमाई करनी है, अपनी नैतिकता, नीति और स्वस्थ मापदंडों से आनेवाली पीढ़ियों, समाज और संस्थाओं के लिए मूल्य गढ़ने हैं, वहाँ ऐसी हरकतें? विधानसभा की नियुक्तियाँ एक अत्यंत गंभीर मामला है। सूचना है, वहाँ जितने लोग नियुक्त कर लिए गए हैं, उनके बैठने की जगह नहीं है। यह प्रसंग अलग है कि जिन विधानसभाओं में विधायकों की संख्या झारखंड से काफी अधिक है, जहाँ की आबादी झारखंड से अधिक है, वहाँ भी विधानसभा में कार्यरत कर्मचारियों की संख्या झारखंड के मुकाबले काफी कम है। यह मामला हाईकोर्ट में है। इस खेल का गणित निश्चित तौर पर न्यायिक प्रक्रिया के तहत साफ होगा।

यह सारा खेल हुआ। विधानसभा के अंदर इस पर कैसे लीपापोती हुई? विधानसभा के प्रतिबद्ध और ईमानदार विधायकों ने (जो लगभग हर पक्ष में थे) यह मामला विधानसभा में उठाया। विधानसभा की जाँच कमेटी बनी। उस कमेटी का क्या हुआ? यह जानना लोकतंत्र के गलत चेहरे से रू–ब–रू होना है। नई विधानसभा चाहे, तो इस पाप को धो सकती है। इस दिशा में सख्त कदम उठाकर, 'नो नॉनसेंस' का मैसेज दे सकती है। इस सफाई या ऐसे ठोस सकारात्मक कदम से नई विधानसभा की गरिमा बढ़ेगी। इस अराजक राज्य में साफ संदेश जाएगा कि नई विधानसभा राज्य को किस रास्ते पर ले जाना चाहती है।

पहले जान लीजिए कि पिछली विधानसभा ने इस मुद्दे पर किया क्या? इस विधानसभा जाँच समिति की चर्चा के आरंभ में जान लें, इसने अपना प्रतिवेदन दिया। विधानसभा अध्यक्ष को। इसकी अनुशंसाएँ क्रियान्वित होतीं, तो तत्कालीन विधानसभा अध्यक्ष की बुनियाद हिलती।

क्योंकि इन नियुक्तियों में साफ दोषी विधानसभा अध्यक्ष सचिवालय है। इस मामले की शिकायत राजभवन में की गई। इसकी एक सी.डी. भी तैयार की गई थी।

इससे काफी फजीहत हुई। फिर विधायक राधाकृष्ण किशोर के नेतृत्व में जाँच कमेटी बनी। कमेटी ने 20 अगस्त, 2008 को रिपोर्ट सौंप दी। इस रिपोर्ट पर अध्यक्ष को ही कारवाई करनी थी, पर अध्यक्ष महोदय किंकर्तव्यविमूढ़ हो गए। शायद समिति की रिपोर्ट पढ़कर स्तब्ध। क्योंकि समिति ने साफ-साफ लिखा था—

—माननीय सदस्य श्री सरयू राय से प्राप्त सी.डी. की जाँच हेतु गठित विशेष समिति झारखंड विधानसभा में नियुक्तियों में हुई अनियमितता की जाँच गहराई से करना चाहती थी। संपूर्ण जाँच के लिए समिति ने सभा-सचिवालय से कई बिंदुओं पर जानकारी प्राप्त करना चाही थी, जिसका उल्लेख बैठक की कार्यवाही एवं निष्कर्ष में किया गया है। किंतु सभा-सचिवालय के द्वारा समिति को यह लिखित जानकारी देते हुए सूचना उपलब्ध नहीं कराई गई कि जिन प्रश्नों की जानकारी एवं निर्देशों के अनुपालन की बात की गई है, वह माननीय अध्यक्ष महोदय के अधिकार का विषय है। सभा-सचिवालय के द्वारा समिति को यह भी बताया गया कि समिति को अधिसूचना में अंकित बिंदुओं पर ही जाँच करनी है।

—इसी तरह समिति कुछ वैसे लोगों, जिन्होंने भी सरयू राय के माध्यम से पत्र लिखकर अथवा सीधे तौर पर समिति को पत्र देकर यह बताया था कि नियुक्तियों में अनियमितता बरती गई है, को भी बुलाकर आरोप की गहराई तक पहुँचना चाहती थी। किंतु सभा सचिवालय ने उक्त मामले में समिति को लिखित रूप से जानकारी दी है कि समिति पूछताछ अथवा साक्ष्य के लिए वैसे ही लोगों को बैठक में बुला सकती है, जिनकी तसवीर सी.डी. में दिखाई पड़ रही है। परिणामस्वरूप समिति नियुक्तियों में हुई अनियमितता के आरोप की संपूर्ण जाँच नहीं कर सकी।

—चूँकि यह आरोप सर्वोच्च लोकतांत्रिक संस्था विधानसभा में नियुक्तियों में हुई अनियमितता से संबंधित है, अतः समिति अनुशंसा करती है कि माननीय सदस्य सरयू राय से प्राप्त सी.डी. से संबंधित जाँच किसी ऐसी सरकारी एजेंसी से कराई जाए, जो लगाए गए आरोपों की गहराई से संपूर्ण जाँच कर सच्चाई को उजागर कर सके।

रिपोर्ट अंश से साफ है कि अध्यक्ष आलमगीर आलम इसमें फँस रहे थे। वह खुद के खिलाफ कैसे कारवाई करते? उन्होंने भूल की। काफी सोच-विचार और गहन मंथन के बाद। उन्होंने इसी मामले की जाँच के लिए दूसरी कमेटी बना दी। इस विशेष समिति का गठन 18 नवंबर, 2008 को अन्नपूर्णा देवी के नेतृत्व में किया गया। पहली समिति ने साफ तौर पर कहा था कि इसकी जाँच किसी ऐसी सरकारी एजेंसी से कराई जाए, जो आरोपों को गहराई से संपूर्ण जाँच कर सच्चाई को उजागर कर सके। पर अध्यक्ष महोदय ने सरकारी जाँच नहीं कराई। कारण साफ है। जब भी गहन जाँच होगी, विधानसभा अध्यक्ष का सचिवालय दोषी होगा, पर अन्नपूर्णा देवी के नेतृत्व में गठित

समिति ने अपनी रिपोर्ट ही नहीं दी। यह याद करना प्रासंगिक होगा कि बाबूलाल मरांडी की सरकार प्रशिक्षित बेरोजगार शिक्षकों की नियुक्ति से संबंधित विशेष समिति की रिपोर्ट को नहीं मान रही थी, आनाकानी कर रही थी। तो 20 मार्च, 2001 को झारखंड विधानसभा में ही भारी हंगामा हुआ। तब विपक्ष के सदस्यों, जिनमें कांग्रेस विधायक थे (खुद आलमगीर आलम विधायक भी इसमें शामिल थे) ने मिलकर सदन के अंदर सरकार की ऐसी फजीहत की कि तत्कालीन शिक्षा मंत्री चंद्रमोहन प्रसाद कुपित होकर सदन से बाहर चले गए। उसी आलमगीर आलम को अध्यक्ष के रूप में, इस मामले में काररवाई करने का निर्णय लेना था, तो उन्होंने जो किया, वह संसदीय लोकतंत्र की फिसलन का बड़ा प्रमाण है। हाँ, उन्होंने एक काम जरूर किया। एक चतुर्थवर्गीय कर्मचारी कमलेश कुमार सिंह को नौकरी से निकाल दिया। विधानसभा में नौकरी घोटाले के स्टिंग ऑपरेशन की सी.डी. तैयार करने का आरोप इन पर था।

इसी से एक और समिति का मामला जुड़ा है, पर यह अनोखा है, इसलिए भी कि इस कमेटी की शत-प्रतिशत अनुशंसाएँ मानने से सभी स्पीकर कतराते रहे हैं।

संविधान के अनुच्छेद 187 (3) के अधीन राज्यपाल को यह अधिकार दिया गया है कि वे अध्यक्ष के परामर्श से सभा-सचिवालय में कर्मियों की नियुक्ति और नियुक्त व्यक्तियों की सेवा-शर्तों का विनियमन करेंगे। इस प्रावधान के आलोक में, जो नियम बने, उन्हें 10 मार्च, 2003 को अधिसूचित किया गया। नियमों में यह भी प्रावधान किया गया कि अध्यक्ष पदवर्ग समिति की अनुशंसा के आलोक में नए पदों का सृजन कर सकेंगे। सभा-सचिवालय में नियमों की इस छूट की आड़ में सभी श्रेणियों के पद बड़ी संख्या में इस उद्देश्य से सृजित कर दिए गए, ताकि इससे नीचे के रिक्त होनेवाले पदों पर आसानी से बहाली कर या तो नेताओं को उपकृत किया जा सके या फिर नाजायज हो सके। राज्यपाल द्वारा स्वीकृत पदों की संख्या और पदवर्ग समिति की अनुशंसा के आलोक में सृजित पदों की संख्या की यह बानगी चौंकानेवाली है।

(18-12-2009)

□

विधानसभा समितियों का चेहरा

झारखंड की दूसरी विधानसभा ने क्या आदर्श पेश किए? आरंभ में ही जान लें। दूसरी विधानसभा से आशय 2005 में चुनी गई विधानसभा से है। इससे पहले 2000 में चुनाव हुए। वह चुनाव बिहार विधानसभा के लिए हुए थे। बाद में बँटवारा हुआ। झारखंड अलग बना। इस तरह झारखंड अलग होने के बाद विधिवत पहली विधानसभा बनी 2005 में। राज्य अलग बनने के बाद बनी यह पहली झारखंडी विधानसभा। हालाँकि तकनीकी रूप से दूसरी।

यह विधानसभा आदर्श प्रस्तुत कर सकती थी। गरिमा, मर्यादा की नई लकीर खींच सकती थी, पर इसने क्या किया? इसके सिर्फ एक पक्ष का उल्लेख। विधानसभा में विधायकों की समितियाँ बनती हैं। महत्त्वपूर्ण मामलों की निगरानी या छानबीन या जाँच के लिए। लोकतंत्र में इन समितियों की भूमिका महत्त्वपूर्ण है। कार्यपालिका पर विधायिका का अंकुश लोकतंत्र में कैसे होता है? विधायिका का सत्र हमेशा नहीं चलता। मुख्य रूप से साल में इसके तीन सत्र होते हैं। इन तीनों सत्रों में विधायिका कुछेक दिनों के लिए बैठती है। इन बैठकों में भी कितनी बहस होती है या शोर-शराबा या अमर्यादित व्यवहार, यह जग-जाहिर है। शोर-शराबा, अमर्यादित आरोप-प्रत्यारोप, बिना तथ्य की बातें, यह सब चलता है। फिर भी झारखंड जैसे राज्य के लिए जहाँ सौ से कम विधायक हैं, तय है कि एक साल में कम-से-कम 50 दिनों के लिए विधानसभा बैठे, पर कितने दिन बैठी विधानसभा? 2001-02 के बीच कुल 34 दिनों के लिए। वर्ष 2004 में मात्र 19 दिनों के लिए बैठी। 2009 के आरंभ में ही यह निलंबित हो गई। शुरू के आठ वर्षों तक यह कार्यरत रही। इन आठ वर्षों में तय मानक के अनुसार कम-से-कम 400 बैठकें होनी चाहिए थीं, पर हुईं कुल 233 बैठकें। ऐसी स्थिति में झारखंड की विधायिका कार्यपालिका को कैसे नियंत्रित कर सकती है? यह अलग प्रश्न है। इसका उत्तर विधायक ही दे सकते हैं।

संसदीय प्रणाली में व्यवस्था है कि विधानसभा समितियाँ अपने काम-काज से कार्यपालिका पर अंकुश रखेंगी। उद्देश्य था, जब विधायिका के सत्र नहीं होंगे, तो

समितियाँ कार्यरत रहकर विधायिका की जिम्मेवारियों को पूरा करेंगी। शायद इसी कारण इसे मिनी हाउस भी कहा जाता है। विधानसभा में जब खास मुद्दे उठते हैं, जिनकी जाँच शीघ्र अपेक्षित होती है, तो उनके लिए विधानसभा की जाँच कमेटी बनती है। फिर यह कमेटी शीघ्र जाँच कर विधानसभा को रिपोर्ट प्रतिवेदित करती है। मुद्दे की गहराई और गंभीरता के अनुसार सामान्य समितियों की जगह विशेष समितियाँ भी गठित की जाती हैं।

झारखंड विधानसभा के दूसरे कार्यकाल में (2005 के बाद) कुल 15 विशेष समितियाँ गठित हुईं। इनमें से सात ने अपनी पब्लिक रिपोर्ट अध्यक्ष या विधानसभा को सौंपी, जबकि आठ का प्रतिवेदन ही नहीं आया। जो आठ प्रतिवेदन सौंपे गए, उनमें से दो प्रतिवेदन माननीय विधायकों को देय सुविधाओं में बढ़ोतरी से जुड़े थे।

इन दो समितियों की रिपोर्ट के बाद झारखंड विधानसभा के विधायक देश में सबसे अधिक वेतन पानेवाले विधायक बन गए। विधानसभा में जो अन्य रपटें आईं, उनका क्या हश्र हुआ? नहीं मालूम, पर आठ समितियों ने प्रतिवेदन नहीं दिए या रिपोर्ट नहीं दी। इस सवाल से एक गहरा नैतिक पहलू जुड़ा है। कमेटी के इन सदस्यों पर सरकारी कोष से काफी खर्च हुआ, पर रिजल्ट नहीं मिला। व्यापार की भाषा में कहें, तो निवेश हो गया, रिजल्ट शून्य। विधायिका ही आदर्श प्रस्तुत करती है। अगर काम नहीं हुआ, तो इन समितियों से जुड़े विधायकों ने इन समितियों के काम-काज के ऊपर सरकारी कोष से जो खर्च किया, क्या वे लौटाएँगे? नैतिक तकाजा तो यही है।

पर, झारखंड की राजनीति में नैतिकता की बात! दोनों दो पहलू हैं। विधायकों के अलग-अलग चेहरों को जानने का अवसर भी मिलता है, विधानसभा से जुड़ी चीजों के अध्ययन-मनन से।

याद कीजिए बिरसा कृषि विश्वविद्यालय में सामान की खरीद और विभिन्न पदों पर नियुक्ति में अनियमितता के सवाल पर विधानसभा में आरोप-प्रत्यारोप। तब इस सवाल पर किसने हंगामा किया? किसने इस प्रश्न को मुद्दा बनाया? एन.डी.ए. सरकार को झुकाया? रवींद्रनाथ महतो, सुधीर महतो और रामचंद्र चंद्रवंशी की ध्यानाकर्षण सूचना पर तत्कालीन सरकार ने बयान दिया। इस बयान से संतुष्ट सदस्यों ने विशेष समिति के गठन की माँग की। विपक्ष के इस जवाब से अर्जुन मुंडा सरकार झुकी। तीन जनवरी, 2006 को समिति का गठन हुआ। तत्कालीन विधानसभा अध्यक्ष इंदर सिंह नामधारी द्वारा। नामधारीजी के कार्यकाल में इस समिति ने अपना काम-काज तेज किया, पर निजाम बदल गया। एन.डी.ए. गया, यू.पी.ए. आया। नए अध्यक्ष बने आलमगीर आलम। समिति का काम सुस्त हो गया। उल्लेखनीय है, आलम साहब इस समिति के सदस्य थे। अन्य सदस्यों में सुधीर महतो, अपर्णा सेन गुप्ता और भानु प्रताप शाही थे।

इनमें से कुछेक लोग, कोड़ा और सोरेन सरकारों में मंत्री हुए। गौर कीजिए, आरोप लगानेवाले विधायक इस महत्त्वपूर्ण कमेटी के सदस्य बने। विपक्ष में रहते हुए इन्होंने ही माँग की थी कि जाँच कमेटी बने। फिर इन्हीं के हाथ में सत्ता आ गई। आलम साहब विधानसभा अध्यक्ष हो गए। समिति के कुछेक माननीय सदस्य प्रभावी मंत्री बने, पर सत्ता पाते ही इन लोगों को बिरसा कृषि विश्वविद्यालय की अनियमितता याद नहीं रहीं। या इसे जानबूझकर भुला दिया गयाऽ नहीं मालूम इसके पीछे क्या खेल हुए? पर समिति की रिपोर्ट नहीं आ सकी।

इसी तरह दूसरी समिति बनी भागीरथी योजना पर, 5 जून, 2005 को। इसका गठन तब किया गया, जब विधानसभा में एक प्रश्न के माध्यम से सदस्यों ने यह आरोप लगाया कि बाबूलाल मरांडी की सरकार के कार्यकाल के दौरान झारखंड में जल-स्रोतों के सर्वेक्षण के नाम पर कई परामर्शी एजेंसियों को बिना उनके काम किए करोड़ों रुपए का अनियमित भुगतान किया गया है। सरयू राय को इस समिति का संयोजक बनाया गया। राज्य योजना परिषद का उपाध्यक्ष नियुक्त होने के बाद, संयोजक पद से उन्होंने इस्तीफा दे दिया। विधानसभा के वर्तमान अध्यक्ष, आलमगीर आलमजी इसके सदस्य थे, जो अध्यक्ष निर्वाचित होने के बाद समिति से अलग हो गए। इस समिति ने दो चरणों में झारखंड के अधिकांश जिलों का दौरा भी किया। इस प्रकार समिति के माननीय सदस्यों के यात्रा और दैनिक भत्तों पर लाखों के लोकधन का क्षय हुआ, लेकिन समिति की रिपोर्ट के लिए झारखंड की जनता तरसती ही रह गई।

हाट गम्हरिया-बरायबुरू सड़क झारखंड की सियासत के केंद्र में रही। इसके चलते अर्जुन मुंडा की सरकार गिरी। मधु कोड़ा मुख्यमंत्री हुए। इस सड़क के प्राक्कलन में अप्रत्याशित वृद्धि को लेकर सरयू राय ने दिसंबर, 2007 के सत्र में सवाल उठाया। सरकार संतोषजनक जवाब सदन में देने में विफल रही कि कैसे 11 करोड़ रुपए का इस रोड का प्राक्कलन डेढ़ वर्षों में 145 करोड़ रुपए हो गया? इस बात को लेकर सदन में काफी हंगामा हुआ। अंतत: विधानसभा की विशेष समिति से मामले की जाँच कराने का निर्णय हुआ। 16 जनवरी, 2008 को समिति गठित कर दी गई। 30 दिनों के भीतर जाँच प्रतिवेदन देने का निर्देश दिया गया। उल्लेखनीय है कि झारखंड में राष्ट्रपति शासन 19 जनवरी, 2009 को लगा, लेकिन यह समिति साल भर से ज्यादा समय मिलने के बावजूद अपना प्रतिवेदन सभा-पटल पर नहीं रख सकी।

2008 के बजट सत्र में चंद्रेश उराँव ने प्रश्न, ध्यानाकर्षण सहित कार्य स्थगन सूचना के माध्यम से विधानसभा और सरकार का ध्यान इस ओर खींचा कि धर्मांतरित आदिवासियों को मूल आदिवासियों को देय नौकरियों में झारखंड तथा अन्य कल्याणकारी योजनाओं का लाभ मिलने से वे दोहरे लाभ अर्थात् अल्पसंख्यक होने के लाभ के साथ-

साथ आदिवासी होने का लाभ भी प्राप्त कर रहे हैं, जिस पर गौर किया जाना चाहिए। इस मामले को लेकर आदिवासी समुदाय सदन में दो भागों में विभक्त हो गया था। अंतत: इस मामले की जाँच के लिए भी एक विशेष समिति 17 अप्रैल, 2008 को गठित की गई। यह एक संवेदनशील मुद्दा था। इस समिति की भी रिपोर्ट नहीं आई।

कथित वर्गों की सॉफ्टवेयर कंपनी के लिए सिफारिश पत्र लिखने के एवज में झारखंड के तीन विधायकों द्वारा घूस लेने के समाचार प्रमुखता से मीडिया में छपे। यह ऐसी घटना थी, जिसके लिए विधायकों के खिलाफ कड़ी काररवाई होनी चाहिए थी। संसद् में इसी तरह का मामला (पैसे लेकर प्रश्न पूछने का) आया था, जिसके चलते कई सांसदों की सदस्यता समाप्त कर दी गई थी, इनमें से एक झारखंड के सांसद भी थे। मामले के उजागर होने पर जाँच और प्रतिवेदन के लिए एक समिति का गठन किया गया, जिसके संयोजक गिरिनाथ सिंह बनाए गए। निएल तिर्की, सत्यानंद भोक्ता, सालखन सोरेन तथा रवींद्रनाथ महतो इसके सदस्य थे। कमेटी का गठन 14 मार्च, 2007 को हुआ, किंतु इसने अपनी रिपोर्ट विधानसभा को नहीं दी। स्पष्ट है कि समिति के सदस्य आरोपित सदस्यों के साथ भाई का संबंध निभा रहे थे।

हजारीबाग जिले की एक सिंचाई योजना में ठेकेदार और अभियंताओं की मिलीभगत से की गई करोड़ों की हेराफेरी का मुद्दा चितरंजन यादव द्वारा एक प्रश्न के माध्यम से विधानसभा में 28 फरवरी, 2008 को उठाया गया। इसकी जाँच के लिए भी एक विशेष समिति 15 अप्रैल, 2008 को गठित हुई, जिसके संयोजक थे मनोज कुमार यादव। समिति को 45 दिनों के अंदर रिपोर्ट देने का जिम्मा सौंपा गया, किंतु समिति इसमें असफल रही। बताया जाता है कि कथित अभियंता एक दबंग मंत्री के काफी करीबी थे। मंत्री ने विधानसभा में भी कमेटी के गठन का पुरजोर विरोध किया था।

राजस्व अधिकारियों की मिलीभगत से जमशेदपुर में जमीन लीज देने के मामले में हुई अनियमितता की जाँच के लिए सरयू राय के 25 सितंबर, 2008 के प्रश्न पर 27 अक्तूबर, 2008 को गठित समिति, जिसके संयोजक प्रदीप कुमार बलमुचु थे, ने भी अपना प्रतिवेदन न देकर दागदार अधिकारियों को मुक्त कर दिया। उत्पाद अनुज्ञप्तियों को लाइसेंस देने में अनियमितता संबंधी 29 फरवरी, 2008 के सरयू राय के प्रश्न पर गठित विशेष समिति ने अपना प्रतिवेदन विधानसभा को नहीं सौंपा। इसके संयोजक सालखन सोरेन थे।

यह है झारखंड की विधानसभा की कुछेक समितियों के कामकाज का आईना। नई विधानसभा को इस पुरानी छवि से मुक्त होना पड़ेगा। कठोर कदम उठाकर गलतियों को ठीक करना होगा। क्या यह काम नई विधानसभा कर पाएगी?

(19–12–2009)

□

बहुमत या साझा या खिचड़ी!

झारखंड नई सरकार की प्रतीक्षा में है। पुनरुद्धार के लिए। यह राज्य, जो फेल्ड स्टेट या कोलैप्स्ड स्टेट (विफल-ध्वस्त राज्य) का विशेषण अर्जित कर चुका है, किसी चमत्कारी सरकार की प्रतीक्षा में है। चुनाव में काफी श्रम हुआ, पीड़ा भी। पाँच फेज में चुनाव संपन्न हुए। 23 अक्तूबर 2009 को चुनाव की घोषणा हुई। 23 दिसंबर, 2009 तक (रिजल्ट की घोषणा होने तक) प्रक्रिया पूरी होगी। इस तरह दो माह तक चुनाव प्रक्रिया चली। पाँचों चरणों में, कुल मिलाकर लगभग 2.30 लाख जवान सुरक्षा में चौकस रहे। इस तरह दो माह का यह दौर काफी श्रम साध्य रहा, पर क्या इस लेबर पेन (प्रसव पीड़ा) के बाद, एक असरदार सरकार जनमेगी?

अब कयास हो रहा है कि कैसी सरकार जनमेगी? कैसी होगी? किसकी होगी? किसी को स्पष्ट-साफ बहुमत मिलेगा? चुनाव-पूर्व दो बड़े दलों ने जो समझौते किए हैं, इस गठबंधन (कांग्रेस-बाबूलाल और एन.डी.ए.) में से किसी एक को बहुमत मिलेगा या फिर बहुदलीय-निर्दलीय लोगों को मिलाकर भानुमति का कुनबा बनेगा? झारखंड की अगली सरकार, बहुमत (किसी एक दल) की होगी या किसी एक साझा (चुनाव-पूर्व के दो घटकों-कांग्रेस एवं बाबूलाल या एन.डी.ए. में से किसी एक) की होगी या खिचड़ी (बहुदलीय+निर्दलीय+चुनाव पूर्व गठबंधन) की होगी।

बंद मतपेटी का सही कयास संभव नहीं है। हरेक दावा कर रहा है कि सरकार हमारी होगी। बहुमत हमें मिल रहा है। इन दलों के जीतने के दावों को सही मान लें, तो झारखंड विधानसभा में विधायकों की संख्या 200 से 250 के बीच होगी। पर राजनीतिक दल तो झूठ के भवसागर में ही तैरते हैं। झूठ, धोखा, वादाखिलाफी, फरेब ही इनका रोज का कारोबार-धंधा है। ये भी यह जानते हैं, पर जनता को धोखा देना और गफलत में रखना इनका परम धर्म है। इसलिए सही स्थिति नहीं बताएँगे। इसलिए इनके दावों के आधार पर कोई आकलन या कयास संभव नहीं, पर चुनाव परिणाम आँकने से पहले मतदान फीसदी पर नजर डालें, तो स्थितिं की झलक मिल सकती है। झारखंड में चुनाव पाँच चरणों में हुए। पहले चरण में मतदान हुआ 53.1 फीसदी। दूसरे चरण में 54.11

फीसदी। तीसरे चरण में 57.21 फीसदी। चौथे चरण में 64.23 फीसदी और पाँचवें चरण में 58.13 फीसदी। आमतौर पर पहले चरण में झारखंड के शहरी इलाकों में वोट पड़े, पर पहले फेज में मतदान कम हुआ। राँची में भी, बोकारो और जमशेदपुर वगैरह में भी। साफ है कि शहरी इलाकों में पढ़े-लिखे लोगों ने कम वोट दिए। ये भद्र लोग श्रेष्ठ व्यवस्था चाहते जरूर हैं, पर अपने अकर्म के बावजूद। उदासीन रहकर, अच्छी सरकार चाहते हैं। ड्राइंग रूम में ही बैठकर बदलाव और क्रांति के ख्वाब देखनेवाले ये शहरी वोटर कम निकले। ये शहरी मतदाता आमतौर पर किसके समर्थक हैं? भाजपा, कांग्रेस, बाबूलाल या आजसू पार्टी वगैरह को ये प्राथमिकता देते हैं, पर यह जमात ही वोट देने कम निकली। अब ग्रामीण मतदाताओं पर नजर डालें। पहले फेज के बाद मतदान बढ़ा। ग्रामीण और नक्सली प्रभावित इलाकों में तो खूब वोट पड़े। अब ये वोट किधर गए होंगे? यह आँकना संभव नहीं। हाँ, परंपरागत अनुमान लग सकता है। आमतौर से इन इलाकों में कांग्रेस-बी.जे.पी. को प्रबल समर्थन नहीं मिला होगा। वैचारिक आग्रह-मौजूदा हालात के अनुमान के तहत। हाँ, इन्हें मत जरूर मिले होंगे।

ऐसे इलाकों में भाजपा-कांग्रेस को सीटें भी मिलेंगी, पर ऐसे विधानसभा क्षेत्रों के कुल मतों का बहुमत शायद इन दलों के पास न हो। फिर इन इलाकों से थोक वोट किसे मिले होंगे? थोक तो किसी को नहीं, पर झामुमो को प्राथमिकता मिलने के संकेत हैं। फिर आजसू पार्टी, राजद को भी कहीं-कहीं ऐसे क्षेत्रों में निर्णायक वोट मिलेंगे। सीटें भी। कहीं-कहीं तो निर्दलीय भी बाजी मारेंगे। फुटकर भी दौड़ में कहीं निकल सकते हैं। मसलन, गीता कोड़ा को कामयाबी मिल सकती है। कुछेक पुराने निर्दलियों की पुनर्वापसी संभव है। इस तरह विधानसभा में किसी एक दल या चुनाव पूर्व बने दो घटकों में से किसी एक को बहुमत मिलेगा, यह लगता नहीं। ऐसे ग्रामीण क्षेत्र, जो नक्सल प्रभावित नहीं हैं, उनका रुझान किधर होगा? वहाँ जिसका जैसा प्रभाव, वैसा समर्थन। दुमका इलाके में झामुमो, कहीं भाजपा, कहीं आजसू पार्टी, कहीं कांग्रेस या निर्दलीय। किसी एक को थोक मत-थोक समर्थन मिलता नहीं लगता। दो और महत्त्वपूर्ण कारक हैं—पहला, विधानसभा चुनाव में निर्दलीय लोगों की उपस्थिति। पहले फेज में 211 निर्दलीय थे। दूसरे में 120, तीसरे में 114, चौथे में 78 और पाँचवें में 120 निर्दल। विधानसभा चुनाव में कम मतों से जीत-हार होती है। इन सभी निर्दलियों (कुल 643) ने कितने वोट काटे हैं और किसके काटे हैं? यह महत्त्वपूर्ण मामला है। अगर ये निर्दलीय प्रभावी 'वोटकटवा' साबित हुए, तो ये झारखंड विधानसभा की तसवीर बदल देंगे। दूसरा एक और प्रभावी मुद्दा है—महँगाई और एक रुपए में चावल उपलब्ध कराने का एन.डी.ए. का नारा। एन.डी.ए. को उम्मीद है कि यह नारा उसकी वैतरणी पार करा देगा, पर ऐसा होता नहीं दिखता।

लेकिन, मतपेटियों के गर्भ से जिन्न भी निकलते हैं। चमत्कार भी होते हैं। सारे कयास, अनुमान ध्वस्त भी होते हैं। क्या झारखंड विधानसभा चुनाव में यह चमत्कार या जिन्न निकलने की संभावना है?

लगभग शून्य। समाजशास्त्र का एक बुनियादी सिद्धांत है, अगर सोसाइटी फ्रैक्चर्ड (समाज बँटा) है, तो उसके बीच के परिणाम या जनमत भी फ्रैक्चर्ड ही निकलेंगे। झारखंड का समाज बहुरंगी है, बहुविध। आदिवासी-गैरआदिवासी, सदान-महतो। बिहारी, बंगाली, ओड़िया। बाहरी-भीतरी। न जाने कितने साँचों-खंडों में बँटा। इसलिए ऐसे बँटे-टूटे-बिखरे समाज में परिणाम भी ऐसे ही बँटे-टूटे-छिटके और बिखरे होंगे। किसी को साफ-स्पष्ट बहुमत नहीं देगा, ऐसा खंडित-विभाजित समाज या समूह। यह अवधारणा टूटती है, उसी तरह, जैसे हर नियम के अपवाद होते हैं। मसलन जब राजनीतिक विजन समृद्ध होता है या दूरदर्शी नेता बड़े सवाल-फलक पर समाज का आह्वान करते हैं, तब समाज खड़ा होता है, अपनी धुरी छोड़कर। जाति, धर्म, उपजाति, कुल, गोत्र, क्षेत्र, बाहरी-भीतरी, बाड़ों-बंधनों को तोड़कर। जब राजनीति बड़े सपने दिखाती है, तो समाज जगता है। धीरे-धीरे ही सही, पर जगता है। मसलन 77 का लोकसभा चुनाव भ्रष्टाचार के खिलाफ जनमत संग्रह था। पहली बार केंद्र में गैर-कांग्रेसी सरकार बनी। यह बैलेट बॉक्स क्रांति थी। फिर '89 में वी.पी. सिंह ने बोफोर्स का मुद्दा उठाया। शीर्ष पर बैठे लोगों के भ्रष्टाचार के खिलाफ देश का आवाहन किया। निजाम बदला। फिर मंडल-कमंडल पर ध्रुवीकरण हुआ। '95-96 में लालू प्रसाद को बिहार चुनाव में अपार समर्थन मिला। ऐसे अनेक उदाहरण हैं। झारखंड में भी यह संभव था। चूँकि झारखंड जैसे ध्वस्त या फेल्ड स्टेट में ही तो राजनीति बड़ा सपना दिखा सकती थी, बदलाव की, आमूलचूल परिवर्तन की। बेहतर झारखंड को बनाने का आह्वान कर, झारखंड पुनर्निर्माण का विजन दिखाकर। झारखंड के रिवाइवल का रोड मैप बनाकर, पर यह हुआ नहीं; क्योंकि होना भी नहीं था। इस स्तर की राजनीति करने के लिए देश में दिग्गज चाहिए। महारथी, दूरदर्शी, स्टेट्समैन। चरित्रवान और संकल्पवान नेता चाहिए। साथ में समर्पित कार्यकर्ता, पर ये दोनों हों भी, तब भी बात नहीं बननेवाली। जब तक विचारधारा या वैकल्पिक राजनीति की पूँजी न हो, विचार या सिद्धांत की थाती ही लोगों को अपने में घेरों-घरों से निकलने के लिए प्रेरित करती है, पर इस तरह की राजनीति तो देश में ही नहीं है। हालात ने बौनों को बड़ा नेता बना दिया है। इस मापदंड पर तो दिल्ली की राजनीति ही दरिद्र और कंगाल है। फिर झारखंड के नेताओं से क्यों अपेक्षा?

इस तरह झारखंड की राजनीति पुरानी ही धुरी पर लौटेगी। दलों में तोड़-फोड़, परदे के पीछे के समीकरण-खेल, आपसी जोड़-घटाव के गणित पर ही सरकार बननेवाली है, चाहे वह किसी घटक या कुनबे की हो। हरियाणा जैसे दृष्टांत भी दिखेंगे। मसलन,

विधायक जीतेंगे किसी और दल से, फिर दल में संवैधानिक तरीके से विभाजन कर कहीं और दिखेंगे।

कांग्रेस ने भविष्य की स्थिति का संकेत पा लिया है। सुबोधकांत सहाय का बयान इसका सबूत है। उन्होंने कहा है कि झामुमो और राजद हमारे नेचुरल एलाइज हैं। आजसू पार्टी कभी सांप्रदायिक फोल्डर में नहीं रही। चुनाव के दौरान ही लालू प्रसाद के बयान पढ़ लीजिए। सबसे अधिक उन्होंने कांग्रेस के खिलाफ ही आग उगली है। झामुमो के भी कांग्रेस विरोधी कटु बयान आए हैं। सुदेश महतो की आजसू पार्टी कहाँ रही, यह सार्वजनिक है। इसलिए सुबोधकांत सहाय का बयान सरकार बनाने के लिए जारी बयान है।

पर, चुनाव परिणाम के आँकड़ों के स्पष्ट होने से ही हालात साफ होंगे। एन.डी.ए. 42 की जादुई संख्या से जितनी दूर होगा, सरकार बनाने की उसकी संभावना उतनी कम होगी। अगर एन.डी.ए. अपने बूते 36–38 पहुँचे और आजसू पार्टी 3–4 हो, तो यह खेमा सशक्त दावेदार बन सकता है, पर यह होता नजर नहीं आता। यह तभी होता, जब ग्रामीण इलाकों में जहाँ वोट फीसदी बढ़े हैं, वहाँ एन.डी.ए.–आजसू पार्टी को थोक समर्थन मिलता, पर ऐसा आभास नहीं है। वैसे भी सुदेश महतो केंद्र में कांग्रेस का रुख देखकर अपनी दिशा तय करेंगे। दूसरी ओर कांग्रेस–जे.वी.एम. के साथ भी यही स्थिति है। ग्रामीण क्षेत्रों में इस गठबंधन को प्रबल समर्थन मिला होता, तो इनके पक्ष में जिन्न निकलता, पर यह भी नहीं लगता।

ऐसी त्रिशंकु स्थिति में यू.पी.ए. सरकार बनने के प्रबल आसार होंगे। कारण, केंद्र में कांग्रेस की सरकार है। मशीनरी व ताकत उसके हाथ में है। झारखंड के नेताओं–दलों की असलियत–कारोबार–अतीत जगजाहिर है। वे प्रभावी ताकत के सामने झुकेंगे। और यह ताकत कांग्रेस के पास है, पर इस बार कांग्रेस भी अधिक सतर्क और सावधान है। वह पहले की तरह कोड़ा या शिबू सोरेन की सरकार नहीं बनवाएगी। कांग्रेस बहुत सोच–समझकर कदम उठानेवाली है। अपनी शर्तों पर वह सरकार बनवाएगी। उसकी संख्या बढ़ी, तो मुख्यमंत्री कांग्रेस का होगा। लालू प्रसाद भी आसानी से समर्थन नहीं देंगे। झारखंड में उन्होंने काफी मेहनत–मशक्कत की है। झारखंड के लिए नहीं, बिहार में अपने अस्तित्व के लिए। वह चाहेंगे कि झारखंड में समर्थन की कीमत बिहार में वसूलें। कांग्रेस को बाध्य कर कि वह लालू और रामविलास के गठबंधन में बिहार में शरीक हो, पर कांग्रेस यह नहीं माननेवाली, क्योंकि उत्तर प्रदेश और बिहार में वह अपनी सत्ता वापसी देख रही है। कांग्रेस को इन राज्यों में अपना वनवास खत्म होता दिख रहा है। इसलिए इस बार कांग्रेस फूँक–फूँककर सरकार बनवाएगी। किसी को साथ लेकर सरकार बना देने के पहले वह दस बार सोचेगी।

एक महत्त्वपूर्ण संकेत है। चुनाव शुरू हुआ, तो इस पर कोई यकीन नहीं करता था। जैसे-जैसे चुनाव संपन्न होने लगे, यह संकेत पुख्ता होता गया। अगली सरकार का भविष्य तय करेगा झामुमो। राजनीतिक खेमों में यह अनुमान था कि इस चुनाव में झामुमो पस्त होगा, पर संकेत बताते हैं कि अगली सरकार की कुंजी झामुमो के पास ही होगी।

फिर भी, ये सभी कयास या अनुमान एक पल में ध्वस्त हो सकते हैं, अगर बैलेट बॉक्स से कोई चमत्कारी परिणाम निकल जाए तो।

(20-12-2009)

□

झारखंड चुनाव के संदेश

2009 के चुनाव परिणाम, 2005 के चुनाव परिणामों से भी अधिक खंडित, जटिल और विभाजित हैं । इसका संकेत है कि खंड-खंड बँटा झारखंडी समाज, लगातार बँट और विभाजित हो रहा है, समाज के स्तर पर । इस चुनाव के मुख्य गेनर हैं शिबू सोरेन, बाबूलाल मरांडी, सुदेश महतो और कांग्रेस । बाबूलाल और कांग्रेस दोनों एक-दूसरे के कंप्लिमेंट (पूरक) साबित हुए हैं । बाबूलालजी और कांग्रेस गठजोड़ ने भाजपा की लुटिया डुबो दी है । शिबू सोरेन को तमाड़ चुनाव में मिली पराजय के बाद लोग हाशिए पर डाल रहे थे, पर झामुमो की कामयाबी ने साबित कर दिया है कि शिबू सोरेन आज भी झारखंडी माटी के बड़े नेता हैं । नक्सली या अतिवामपंथी ताकतों ने भी तीन राजनीतिक समूहों के प्रति अपनी सहानुभूति दिखाई है, ऐसा चुनाव परिणामों से लगता है । वे हैं झामुमो, आजसू और राजद । नक्सल पृष्ठभूमि से रहे तीन लोगों को, झामुमो ने (तोरपा, खूँटी और विश्रामपुर विधानसभा क्षेत्रों से) प्रत्याशी बनाया था । राजद ने भी पाँकी विधानसभा से ऐसी ही पृष्ठभूमि के प्रत्याशी को उतारा था । सिमरिया विधानसभा से आजसू के प्रत्याशी भी इसी पृष्ठभूमि से थे । भले ही वे प्रत्याशी न जीत पाए हों (इनमें से सिर्फ एक झामुमो प्रत्याशी को तोरपा से कामयाबी मिली है), पर ऐसी ताकतों का स्वाभाविक रुझान इन दलों से हुआ । लालू प्रसाद ने झारखंड चुनाव में काफी मेहनत की, पर यह संख्या पाकर भी वह यू.पी.ए. सरकार बनवाने के लिए अपरिहार्य नहीं रह गए । अगर कांग्रेस गठबंधन और जे.एम.एम. मिलकर सरकार बनाते हैं, तो लालूजी को लोकसभा की तरह झारखंड में भी मजबूरन कांग्रेस गठबंधन सरकार को समर्थन देना पड़ेगा । इस तरह वे अपनी पुरानी सीटें बचा कर कामयाब तो हुए, पर कांग्रेस को बिहार में अपनी शर्तें मनवाने के लिए मजबूर नहीं कर पाएँगे ।

सुदेश महतो भविष्य के उभरते नेता हैं । वह अपना आधार लगातार मजबूत बना रहे हैं, पर इस चुनाव का गणित भले ही कांग्रेस गठबंधन और जे.एम.एम. को मिलकर सरकार बनाने का आसान संख्या आधार देता है, पर सरकार बनना या बनाना सबसे बड़ी चुनौती होगी । क्या बाबूलाल मरांडी शिबू सोरेन को अपना नेता स्वीकार करेंगे?

जब वह कहते हैं कि हम टेंटेड (दागी) के साथ नहीं होंगे, तो उनके संकेत साफ हैं। अर्थपूर्ण और लंबी दूरी तक मार करनेवाले। उनके इस बयान में उनकी भावी राजनीति के बीज छुपे हैं। वे बाध्य करना चाहेंगे कि बी.जे.पी. जे.एम.एम. के साथ जाए। इस तरह भाजपा का वोट-बैंक बिदक कर भविष्य में बाबूलालजी के साथ आ जाए। इस तरह बाबूलालजी भविष्य की राजनीति कर रहे हैं। वे भविष्य में खुद बड़ी ताकत बनने के लिए अपने वर्तमान की कुरबानी दे सकते हैं, पर झामुमो यह अवसर नहीं गँवाना चाहेगा। क्योंकि झामुमो के लिए 'मत चूको चौहान' वाली स्थिति है। गुरुजी को बार-बार सी.एम. बनने का ऐसा मौका नहीं मिलनेवाला। उनकी साध रही है कि एक बार भविष्य में वह अच्छी तरह बेरोकटोक मुख्यमंत्री के रूप में काम करें। उनका यह सपना आसानी से साकार हो सकता है, अगर कांग्रेस-जे.वी.एम. गठबंधन साथ आ जाए। मन-ही-मन वह यह चाहेंगे भी, क्योंकि इससे उन्हें केंद्र में यू.पी.ए. का संरक्षण मिलेगा। केंद्र से कांग्रेस का वरदहस्त मिलना गुरुजी को सुरक्षा प्रदान करेगा, पर मूल पेच है कि कांग्रेस तुरंत से राजी भी हो जाए, तो क्या जे.वी.एम. गुरुजी की ताजपोशी के लिए आसानी से सहमत होगा? सत्ता गलियारे में अनेक नए दाँव-पेच उभरेंगे। सत्ता मैनेजर कहेंगे कि बाबूलालजी को दिल्ली में एडजस्ट किया जाए। फिर भी वह समर्थन के लिए राजी नहीं होते, तो उन्हें बाहर से समर्थन के लिए कोशिश होगी। संभव है कि बाबूलालजी दिल्ली में महत्त्वपूर्ण पद स्वीकार लें और अपने दल की नीतियाँ सार्वजनिक कर कहें कि झारखंड की सेक्यूलर सरकार को हम इन नीतियों के तहत समर्थन दे रहे हैं। झारखंड की कोई सरकार नीतियों पर तो चलनेवाली है नहीं, इस तरह सही अवसर पर बाबूलालजी सरकार को गच्चा दे सकते हैं; और खुद झारखंडी राजनीति की केंद्रीय भूमिका में आ सकते हैं। कांग्रेस यह भी कोशिश करेगी कि बाबूलालजी कांग्रेस में शामिल हो जाएँ। तब बाबूलालजी को कांग्रेस मुख्यमंत्री के रूप में पेश कर देगी। फिर जे.एम.एम. को कांग्रेस प्रस्ताव दे सकती है कि गुरुजी दिल्ली में महत्त्वपूर्ण पद ले लें और हेमंत सोरेन झारखंड की सरकार में महत्त्वपूर्ण ओहदा सँभालें, पर इस फॉर्मूले पर भी शायद सर्वसम्मति न बन पाए। अंत में एक और संभावना बन सकती है। हालाँकि इसकी उम्मीद बहुत कम है। एन.डी.ए.+जे.एम.एम.+आजसू मिलकर सरकार बनाने की स्थिति में होते हैं, तो शायद यह पहल भी कुछ लोग शुरू कराएँ। हालाँकि यह समाधान स्थायी नहीं होगा और न इस पर आसानी से सहमति होगी। झामुमो को भी इसमें रिजर्वेशन होगा। भाजपा के लिए तो और कठिनाई है। क्योंकि उसके समर्थक वर्ग और झामुमो के समर्थक वर्ग में भिन्नता है। इसलिए भाजपा को भी इस रास्ते पर चलने में संकोच होगा। इन सबके बावजूद भाजपा और झामुमो सहमत भी हो जाएँ, तो आजसू पार्टी जल्द तैयार नहीं होगी। कारण, आजसू पार्टी भविष्य की राजनीति को ध्यान में

रखकर अपनी राह चुनेगी और भविष्य की राजनीति कांग्रेस और झामुमो गठबंधन में अधिक संभावनापूर्ण दिखाई देती है। इस तरह भाजपा, झामुमो और आजसू गठबंधन की संभावना जन्म के पहले ही लगभग खत्म है। इसलिए कांग्रेस अपनी शर्तों पर सबको प्रतीक्षा करा कर सरकार गठित कराएगी, क्योंकि हालात उसके पक्ष में हैं। केंद्र में उसकी सरकार है ही। फिलहाल झारखंड में राष्ट्रपति शासन है ही। फिर सरकार बनाने की हड़बड़ी क्या है? वैसे भी कोई मुख्य प्रतिद्वंद्वी या प्रतिस्पर्द्धी तो है नहीं। उधर भाजपा पस्त है। इसलिए हालात कांग्रेस के अनुकूल हैं। इसलिए झारखंड के इन चुनाव परिणामों से सरकार बनाने में गंभीर परेशानियाँ खड़ी हैं। सरकार बनाना आसान दिखता है, पर एक-दूसरे के अंतर्विरोध गहरे और आसानी से हल निकलने देने में बाधक हैं।

(24-12-2009)

□

फजीहत!

झारखंड 'सरकार विहीन' है या यहाँ कोई सरकार है? तकनीकी रूप से कह सकते हैं, शिबू सोरेन की सरकार है! जब तक इस्तीफा नहीं, तब तक सरकार कायम है, पर व्यावहारिक तौर पर हालात भिन्न हैं। सरकार विहीनता की स्थिति। झारखंड की इस स्थिति के लिए सरकार में शामिल दोनों बड़े घटक दल दोषी हैं— भाजपा और झामुमो। इन्होंने मिलकर झारखंड की फजीहत कराई है—और अपनी भी। जनता का जीवन तो दाँव पर लगा ही है।

जनता को पूछना चाहिए, जो पाँच वर्ष सरकार चलाने का दावा कर रहे थे, वे चार महीने में कैसे फुस्स हो रहे हैं? इस प्रकरण से यह सवाल उठता है कि इनमें सरकार चलाने की काबिलियत है? इनमें राज्य को दिशा देने और विकास मार्ग पर ले जाने की योग्यता है? ये दल और विधायक इस योग्य हैं कि इनके हाथ लोग अपना भविष्य और किस्मत सौंपें? अजीब स्थिति है! कागज पर सरकार है, पर भाजपा पार्लियामेंटरी बोर्ड के आरंभिक निर्णय (शिबू सरकार से समर्थन वापसी) के बाद धरातल पर क्या स्थिति है? जब तक पुख्ता राजनीतिक फैसला नहीं होता, अफसर मंत्रियों की बात नहीं मानेंगे, फाइलों पर दस्तखत कराने से बचेंगे। यह स्वाभाविक है। इसमें अफसरों का दोष नहीं, राजनीतिज्ञों का अपराध है। अगर शिबू सोरेन को समर्थन नहीं देना है, तो यह फैसला तुरंत होना चाहिए। अगर इसी सरकार को कायम रखना है तो भाजपा यह भी आधिकारिक बयान तुरंत दे, ताकि राज्य सरकार 'कोमा' से निकले या उसका इकबाल वापस लौटे। अगर शिबू सरकार को 30 जून तक समर्थन देने का भाजपा मन बनाती है तो यह सरकार '30 जून तक कोमा' में रहेगी।

क्योंकि व्यावहारिक धरातल पर दो महीने की सरकार को नौकरशाही तवज्जो देगी? जो सरकार अनिश्चितता के बादलों से घिरी होगी, उसकी फरियाद-फरमान, सरकार के कारिंदे सुनेंगे? बिजली, पानी, सड़क या किसी आपात्कालीन मुद्दे पर कोई बड़ा फैसला करना होगा, तो ऐसी सरकार को 'नैतिक हक' होगा? ऐसी स्थिति में भाजपा को स्पष्ट करना होगा कि 30 जून के बाद भी झामुमो का ही मुख्यमंत्री रहेगा,

तब शायद राजनीतिक अस्थिरता का माहौल थोड़ा घटे। आंशिक रूप से संशय खत्म हो। गवर्नेंस, नौकरशाही और सुचारु शासन के लिए यह बेहद जरूरी है।

किस गुट या दल को इस राजनीतिक गतिरोध से नफा-नुकसान होगा, यह अलग प्रसंग है, पर यह राजनीतिक गतिरोध पैदा करनेवाले जनता को धोखा दे रहे हैं। इस राजनीतिक गतिरोध से राज्य सरकार का होना-न-होना बराबर हो गया है। सरकारें आती-जाती हैं, पर कोमा में रहनेवाली सरकारें पूरी व्यवस्था को पंगु बना देती हैं। यह काम राष्ट्रीय पार्टी का दावा करनेवाली भाजपा कर रही है। भाजपा पार्लियामेंटरी बोर्ड का आरंभिक फैसला आया—शिबू सरकार से समर्थन वापस। फिर झामुमो द्वारा भूल स्वीकारने और माफी माँगने की खबर आई। फिर भाजपा को सी.एम. पद का चारा फेंका गया। भाजपा पार्लियामेंटरी बोर्ड पुनर्विचार के मूड में आया। यानी गद्दी-लोभ उभरा। फिर झामुमो पलटा, नई शर्तों व माँगों के साथ! भाजपा तब से साँसत में है। वह करे क्या? फिर भी भाजपाई कहेंगे, 'हम सत्ता लोभी नहीं हैं। हमारा मकसद तो सुशासन लाना, सिद्धांत पर चलना और भ्रष्टाचार मिटाना है।' भाजपाई कहेंगे, 'हम तुरंत फैसला करते हैं। साफ फैसला करते हैं।' सूचना के अनुसार हाल में कोई कैबिनेट की बैठक नहीं हुई है, पर भाजपा-झामुमो बताए कि इस अनिश्चितता में कैबिनेट फैसला करने की नैतिक स्थिति में होगी?

किसे झारखंड की चिंता है? इन दलों को जवाब देना चाहिए कि झारखंड में सरकार होते हुए भी सरकार विहीनता की स्थिति किसने पैदा की? झारखंड नामक राज्य और यहाँ की जनता को किस अपराध की सजा, सरकार में शामिल घटक दल दे रहे हैं? स्थिति स्पष्ट होनी चाहिए—सरकार चला सकते हैं, तो रहिए, वरना गद्दी छोड़िए। सौदेबाजी की प्रक्रिया में राज्य, संविधान और राजनीतिक मर्यादा बंधक न बनें, कम-से-कम यह सद्बुद्धि सरकार चलानेवालों को आए! यह उनके हित में भी है और झारखंड के हित में भी।

(03-05-2010)

सुकरात की भूमिका

संदर्भ : झारखंड की राजनीति

भाजपा के नए अध्यक्ष बनाए गए नितिन गडकरी। भाजपाइयों ने माना कि अब उनका उद्धार होगा। गडकरीजी की भूमिका से भाजपा ऊर्जावान होगी, पर झारखंड में नई सरकार के गठन में गडकरीजी की भूमिका से उनकी नेतृत्व क्षमता पर सवाल उठता है। लालू प्रसाद और मुलायम सिंह यादव के विरुद्ध उनका शब्द कमान उन्हें ही लहूलुहान कर रहा है, पर झारखंड में उनकी भूमिका उनकी योग्यता पर सवाल उठाती है। जिस दल के वह अध्यक्ष हैं, क्या उसके काबिल हैं? गडकरीजी महाराष्ट्र में राज्य स्तरीय नेता थे, अब अचानक वह राष्ट्रीय रंगमंच पर हैं। अपने परिश्रम, प्रतिभा, दृष्टि या राजनीतिक विजन के कारण नहीं, बल्कि आर.एस.एस. की पसंद के कारण। हाँ, मंत्री के रूप में महाराष्ट्र में उन्होंने उल्लेखनीय काम किया था। यही उनकी राजनीतिक थाती या पूँजी है।

फिर भी हमेशा यह स्कोप रहता है कि आदमी छोटी जगह से निकल कर संयोग से बड़ी जगह पा जाए। तब अपनी काबिलियत प्रमाणित कर दे। अपनी प्रतिभा और दृष्टि का लोहा मनवा ले। अपने काम, छवि और डायनिमिज्म से छाप छोड़े। गडकरीजी जब भाजपा के अध्यक्ष बने, तो यह विकल्प उनके पास था, पर उनके हाल के बयानों और झारखंड के बारे में अनिर्णय की स्थिति या साफ स्टैंड के अभाव ने उनकी कार्यशैली पर ही सवाल खड़ा कर दिया है। जो पार्टी एक राज्य के बारे में तुरंत फैसला नहीं कर सकती, वह देश चलाने का दावा करती है, पूरा झारखंड दो सप्ताह से साँस रोके खड़ा है कि उसे किधर जाना है और अध्यक्ष महोदय फैसला नहीं कर पा रहे हैं।

झारखंड में नई सरकार बनने में पेच कहाँ है? शिबू सोरेन को अस्थिर बनाने का कारण भी भाजपा है और नई सरकार का रास्ता न साफ होने देने का कारण भी भाजपा ही है। एक बड़ा पेच है कि भाजपा विधायक दल अर्जुन मुंडा के साथ है। झामुमो और आजसू रघुवर दास के साथ। अब भाजपा को तय करना है कि वह अपने

विधायकों की पसंद को तरजीह दे या अपने सहयोगी घटक दलों की शर्तों को तरजीह दे? दिल्ली के राजनीतिक गलियारों से मिली सूचना के अनुसार झारखंड के मौजूदा राजनीतिक संकट का गंभीर पेच यही है।

गडकरी के सामने दो विकल्प हैं। पहला कि वह अपने विधायकों की पसंद को तरजीह दें। इसके फल अलग होंगे। फिर झामुमो, आजसू को मनाना, पटाना। उनकी शर्तों को मानना। घुटने टेकना या टेकवाना, पार्टी में रघुवर दास को उनके कद के अनुसार जगह देना। ऐसी अनेक कठिन चुनौतियाँ हैं। दूसरा विकल्प है, घटक दलों की शर्त के आगे समर्पण। इसके भी नफा-नुकसान हैं। शायद इस रास्ते सरकार बनने में आसानी हो? तात्कालिक समाधान, क्योंकि भाजपा के विधायक या अर्जुन मुंडा पार्टी से बगावत नहीं कर सकते। ऐसी स्थिति में पार्टी अनुशासन माननेवालों को अनुशासनबद्ध रहने की कीमत चुकानी पड़ेगी, पर इसके दूरगामी खतरे हैं। भाजपा अपनी जड़ खोद लेगी। याद करें, बाबूलाल मरांडी को जगह नहीं मिली। देर-सबेर वह अपनी राह निकल गए। बाबूलाल मरांडी का अलग होना भाजपा के लिए बड़ा झटका था। अर्जुन मुंडा गुट भी धीरे-धीरे पार्टी से भावात्मक रूप से टूटेगा। भावात्मक टूट, असल टूट या फूट की नींव है। इस तरह दोनों विकल्पों के अलग-अलग नफा-नुकसान या लाभ-हानि हैं, पर मूल सवाल है कि जो भाजपा खुद को 'पार्टी विद डिफरेंस' (भिन्न पार्टी) मानती है, क्या उसके नेतृत्व के पास कोई तीसरा रास्ता नहीं है? गडकरी को चिंता होनी चाहिए कि झारखंड के भाजपाई क्यों कुरसी खेल के पीछे पागल हैं? क्यों सत्ता के सवाल पर भाजपा बँटी है? अगर पार्टी में किसी गुट को बहुमत है, तो अल्पमत उसे क्यों नहीं स्वीकारता? क्या पार्टी में लोकतंत्र है? क्यों पार्टी एक तीसरा रास्ता नहीं चुन सकती? विपक्ष की प्रखर भूमिका निभाने के लिए क्यों तैयार नहीं है झारखंड भाजपा? क्यों वह हर कीमत पर कुरसी चाहती है? दीनदयाल उपाध्याय का स्वर अलापनेवाले जानते हैं कि वह कभी संसद् नहीं गए। 1985 के आसपास लोकसभा में भाजपा के दो सांसद रह गए थे। इस तरह कोई पार्टी अपने विचार, प्रतिबद्धता या उसूलों के प्रति समर्पण से आगे बढ़ती है, आसान रास्ते या शॉर्टकट से नहीं। अब गडकरीजी को यह तय करना है कि उनकी पार्टी झारखंड में किस रास्ते चलेगी? अपने विधायकों की इच्छा या अपने सहयोगी दलों की शर्तों के अनुसार या किसी तीसरे रास्ते?

यह भी सही है कि झारखंड में तरह-तरह की ताकतें सरकार बनाने-बिगाड़ने के खेल में लग गई हैं। कांग्रेस के सूत्रों के अनुसार ही उनके एक प्रमुख नेता को मधु कोड़ा कार्यकाल के बड़े दलाल ऐंड कंपनी ने सरकार बनाने-बिगाड़ने के खेल में उतारा है। ऐसी अनेक ताकतें सक्रिय हैं। वे होंगी, क्योंकि सत्ता का रस उन्हें चाहिए।

पैसे और दलाली के बल सत्ता बनवाने और बिगाड़ने के खेल में ये ताकतें माहिर हैं। उनकी जड़ें गहरी हैं। इनके हाथ में पूँजी है। ये ताकतें देश में राज चलाने में निर्णायक हो गई हैं। झारखंड जैसे राज्य में सरकार बनवाना-बिगाड़ना इनके दाएँ-बाएँ का खेल है, पर झारखंडी जनता को जगना होगा। चुनावों में 'प्रभात खबर' ने मतदाताओं की जागरूकता का बड़ा अभियान चलाया था। उन दिनों मतदाता-जागरूकता अभियान में जारी एक परचे में 'प्रभात खबर' ने सुकरात का एक प्रसंग उद्धृत किया था। रवींद्र केलकर की पुस्तक 'पतझर में टूटी पत्तियाँ' से। झारखंडियों के लिए पुन: वह प्रसंग 'प्रभात खबर' दोहराना चाहेगा, ताकि हर नागरिक समझ सके कि झारखंड में राजनीतिक संकट के मूल में क्या है?

सुकरात लोगों से अकसर पूछता, तुम्हारा जूता टूट जाए, तो उसे जोड़ने के लिए तुम किसके पास जाओगे?

मोची के पास। लोग जवाब देते।

मोची के पास ही क्यों? बढ़ई के पास क्यों नहीं?

क्योंकि जूते बनाने-जोड़ने का काम मोची का है, बढ़ई का नहीं। लोग जवाब देते।

अच्छा, मान लो, तुम्हारी माँ बीमार है, तो दवाई के बारे में तुम किसकी सलाह लोगे?

डॉक्टर की। लोग जवाब देते।

डॉक्टर की ही क्यों? वकील की क्यों नहीं?

क्योंकि दवाई की जानकारी डॉक्टरों को ही होती है, वकीलों को नहीं।

सुकरात इस प्रकार, लोगों से एक के बाद एक प्रश्न पूछता था और उनसे जवाब पाने की कोशिश करता था। फिर हँसता हुआ कहता था, 'सज्जनो, जूता सिलवाना हो तो तुम मोची के पास जाते हो। मकान बनवाना हो तो मिस्त्री की मदद लेते हो। फर्नीचर बनवाना हो तो बढ़ई को काम सौंपते हो। बीमार पड़ने पर डॉक्टरों की सलाह लेते हो। किसी झमेले में फँस जाते हो, तब वकीलों के पास दौड़ते हो, क्यों? ये सब लोग अपने-अपने क्षेत्र के जानकार हैं, इसीलिए न? फिर बताओ, राजकाज तुम 'किसी के भी' हाथ में कैसे सौंप देते हो? क्या राजकाज चलाने के लिए जानकारों की जरूरत नहीं होती? ऐरे-गैरों से काम चल सकता है?'

स्वराज्य में हमने लोकसभा, राज्यसभा, विधानसभाओं में 'किसी को भी' भेज दिया, 'किसी को भी' मंत्री बना दिया। हमने उनका अनुभव वगैरह कुछ नहीं देखा। देखी सिर्फ उनकी जाति या उनका धर्म। नतीजा-मौजूदा सरकार से पहले की सरकार अच्छी थी, उससे अच्छी उससे पहले की थी, यह कहते-कहते अंत में सबसे अच्छी

अँगरेजों की थी, इस नतीजे पर आ पहुँचते हैं।

लोकतंत्र को बचाना हो तो किसी-न-किसी को समाज में सुकरात की भूमिका निभानी ही होगी। लोगों से प्रश्न पूछ-पूछकर उन्हें सजग करने का काम करना होगा। हो सकता है, लोगों को वह असहनीय मालूम हो और लोग उसे जहर पिलाने के लिए उद्यत हो जाएँ।

लेकिन, यह कीमत हमें स्वराज्य और लोकतंत्र को बचाने के लिए चुकानी ही होगी।

यह प्रसंग पढ़कर झारखंड की मौजूदा स्थिति में एक नागरिक की भूमिका क्या हो, यह स्वत: स्पष्ट है।

(16-05-2010)

□

लोकतंत्र का फरेब

लोकतंत्र फरेब है, कहा था नक्सलियों ने, पर इसे सिद्ध कर चुके हैं झारखंड के दल, विधायक और नेता। तीन सप्ताह से तमाशा चल रहा था, बयानों का, काउंटर बयानों का। सरकार थी या नहीं, कोई भी नहीं जानता। यह झगड़ा निजी था या सामाजिक उद्देश्य से प्रेरित, यह भी अस्पष्ट है। हाँ, एक चीज दिखाई दे रही थी। सारी लड़ाई व्यक्तिपरक है, कुरसी के लिए, सत्ता के लिए। सत्ता और कुरसी क्यों? पैसे के लिए और आधुनिक राजा बनने के लिए। कानून से ऊपर उठने के लिए।

कोई पूछे झामुमो और भाजपा के नेताओं से—आपकी लड़ाई में लोक मुद्दे कहाँ थे? शहरों में लगातार जाम बढ़ रहा है। पीने के पानी के लिए हाहाकार है। झारखंड के कई शहरों में जलाशय सूख गए हैं या सूखने के कगार पर हैं, पर नेता कुरसी और सत्ता के प्यासे हैं। जनता के कर से श्रेष्ठ सुविधाओं का उपभोग करते हुए। इन नेताओं की काबिलियत क्या है? अगर किसी प्रतिस्पर्द्धा में बैठा दिया जाए, तो सबकी योग्यता सार्वजनिक और साफ हो जाएगी। बिजली के लिए रोज लोग सड़कों पर उतर रहे हैं। अदालत रोज टिप्पणी कर रही है। कोई सुन नहीं रहा। बिजली, पानी, सड़क, कानून-व्यवस्था, हर मोरचे पर अराजकता की स्थिति है। इन्हीं चीजों को बेहतर करने के लिए लोकतंत्र में सरकारें बनती हैं। जनप्रतिनिधि चुने जाते हैं। विधानसभा गठित होती है, जनता के पैसे से हजारों हजार करोड़ इनके रखरखाव और तामझाम पर खर्च होते हैं। पर, जब ये संस्थाएँ ही लोगों की बुनियादी समस्याओं को 'अटेंड' न करें, हल न करें, तो लोकतंत्र को ध्वस्त करने का आरोप किस पर लगेगा? लोकतंत्र के नाम पर जो संस्थाएँ हैं, सरकार, राजनीतिक दल, विधानसभा, यही दोषी हैं न? अगर अपनी एकाउंटेबिलिटी और जिम्मेदारी ये संस्थाएँ नहीं समझेंगी, तो लोकतंत्र खत्म होगा; और यह काम नक्सली नहीं कर रहे। झारखंड में लोकतंत्र चलाने के लिए तय संस्थाएँ कर रही हैं।

दो प्रमुख शासक दलों, झामुमो और भाजपा में अंदरूनी लोकतंत्र की क्या स्थिति है? झामुमो में रोज नए स्वर उभरते रहे। एक गुट कुछ और कहता था, दूसरा कुछ और।

तीसरा स्वर भी सुनाई देता था। दल एक, आवाज अनेक। आप समझ नहीं सकते कि दल का किस मुद्दे पर क्या स्टैंड है?

भाजपा की हालत और बदतर साबित हुई। भाजपाई ही कह रहे थे कि सरकार बनने में मूल पेच भाजपा की अंदरूनी लड़ाई थी। राँची से दिल्ली तक भाजपा नेताओं को विरोधियों की जरूरत नहीं। एक-दूसरे को ही पछाड़ने और नीचा दिखाने में लगे हैं। भीतर-भीतर एक-दूसरे की काट। कहा जा रहा है कि पार्टी के दो तिहाई विधायक अर्जुन मुंडा के साथ हैं। झारखंड से चुने गए अधिसंख्य भाजपाई सांसद भी थे मुंडा के साथ। जिलाध्यक्ष साथ हैं, पर पार्टी का एक प्रभावी तबका दिल्ली से ही अर्जुन मुंडा के खेमे को विफल करने में लगा था। इस खेमे का मकसद था दिल्ली भाजपा के शीर्ष नेताओं में चल रहे अंदरूनी युद्ध में एक लॉबी को परास्त करना। हद तो तब हो गई, जब भाजपा ने 23 मई को समर्थन वापसी की घोषणा की। और 24 मई को झारखंड भाजपा कार्यालय से परस्पर विरोधी खबरें आ रही थीं। अध्यक्ष रघुवर दास का खेमा कुछ और कह रहा था। अर्जुन मुंडा का खेमा कुछ और। कहीं पार्टी ऐसे चलती है? पार्टी के प्रभारी नाराज होकर ओड़िशा चले गए हैं। जो दल जाति, अहंकार, झूठ-फरेब और अपनों के खिलाफ ही षड्यंत्र में पारंगत हो जाए, उसे दुश्मन की जरूरत नहीं। भाजपाई कालिदास की भूमिका में हैं। जिस डाल पर बैठे, उसे ही काटने में लगे हैं।

इस तरह भाजपा और झामुमो, दोनों अपनी अंदरूनी लड़ाई से लोकतंत्र को अविश्वसनीय बना चुके हैं। इनकी न कोई नीति थी, न सिद्धांत, न आदर्श। सिर्फ सत्ता भोग की भूख से प्रेरित थे।

इन अयोग्य और अहंकारी नेताओं को नहीं मालूम होगा कि लोकतंत्र के प्रति जन आस्था पैदा करने के लिए कितनी कुरबानियाँ दी गई हैं। 18वीं शताब्दी में फ्रांस, स्पेन, पर्सिया और ऑस्ट्रिया में राजतंत्र (राजा भगवान् का प्रतिनिधि माना जाता था) के खिलाफ जब आवाज उठी, तो उसकी क्या कीमत चुकाई लोगों ने? तब तीन चीजों ने दुनिया को बदला। द रेनेशां (पुनर्जागरण), द रिफॉर्मेशन (सुधार) और नाविकों द्वारा नए देशों, महाद्वीपों की खोज। पुनर्जागरण आंदोलन के गर्भ से ही निकला छपाईखाना (प्रेस)। इसी प्रेस की सबसे पहली और प्रखर संतान हुआ सुधारों का आंदोलन। जॉन लॉक जैसे दार्शनिक हुए। इन सबके प्रयास से पहली बार ब्रिटेन में बुनियादी कानून बने। सत्ता, राजा और संसद् की साझीदारी में चलने की शुरुआत हुई। राजसत्ता का जनता से एक सामाजिक करार है। जनता कर देती है, इसलिए कि उसे सुरक्षा और बेहतर शासन मिले। इसलिए नहीं कि उसके कर से शासक भोग और भ्रष्टाचार करें।

झारखंड का हर दल या नेता एक-दूसरे को धोखा दे रहा है। खुदगर्जी के लिए। क्यों भाजपा सत्ता के लिए बेचैन थी? या तो उसे शुरू में ही झामुमो से समर्थन वापस

लेने की घोषणा नहीं करनी चाहिए थी; अगर ले लिया, तो फिर यह नाटक क्यों? तीन सप्ताह से झारखंड सरकार होने या न होने की स्थिति में था। क्या भाजपाई सत्ता के बिना जिंदा नहीं रह सकते? अगर यह सच है, तो इन्हें दीनदयाल उपाध्याय, श्यामा प्रसाद मुखर्जी जैसों के नाम लेना बंद कर देना चाहिए।

झारखंड विधानसभा में विभिन्न दलों की जो संख्या है, उससे सरकार बनने के गणित साफ हैं। पहला समीकरण भाजपा+जे.एम.एम.+आजसू को मिलाकर है। 18+18+5 = 41। इस समीकरण से भाजपा अलग हो गई है। अत: सरकार का गिरना साफ है। दूसरा समीकरण है—झामुमो, कांग्रेस, जे.वी.एम. और आजसू मिलें। तब संख्या होगी 18+14+11+5 = 48। बहुत मजबूत संख्या है सरकार चलाने के लिए, पर जे.वी.एम. शायद ही इस समीकरण में शामिल हो? क्योंकि बाबूलाल मरांडी की कमाई धुल जाएगी। झारखंड की इस राजनीतिक अस्थिरता के लाभुक या गेनर बाबूलाल मरांडी हैं। एक तीसरा समीकरण भी है। झामुमो+कांग्रेस+आजसू+आर.जे.डी.। ये सभी मिलकर 18+14+5+5 = 42 होते हैं। अनेक निर्दलीय ताक में हैं, वे समर्थन दे देंगे। इसलिए यह समीकरण भी कारगर सिद्ध हो सकता है, पर व्यावहारिक धरातल पर यह कठिन है। क्योंकि बिहार चुनाव के कारण कांग्रेस, राजद झारखंड में आसानी से साथ नहीं होंगे। लालू प्रसाद समर्थन की कीमत केंद्र में माँगेंगे। क्या कांग्रेस तैयार होगी? मधु कोड़ा के अनुभव के कारण कांग्रेस छाछ भी फूँक-फूँककर पीएगी। जे.एम.एम. के मुख्यमंत्री को कांग्रेस या झाविमो शायद न मानें। झामुमो यह शर्त रखेगा कि गुरुजी इस्तीफा देंगे। पुन: नई सरकार उनके नेतृत्व में चले। इस तरह गुरुजी को पुन: छह महीने बिना विधायक बने शासन करने का मौका मिलेगा। हालाँकि यह संवैधानिक परंपरा के खिलाफ होगा, पर यहाँ नैतिकता, कानून या परंपरा से क्या सरोकार? पर, कांग्रेस यह अपयश उठाने के लिए तैयार नहीं होगी, क्योंकि यह संविधान और लोकतंत्र से सीधे मजाक होगा। हाँ, यह समीकरण, अगर हेमंत सोरेन को नेता माने, तो शायद एक भिन्न शुरुआत हो सकती है, पर हेमंत के नाम पर झामुमो में ही विवाद शुरू होगा। कांग्रेस भी सहमत नहीं होगी। जो निर्दल इस समीकरण को समर्थन देंगे, वे बदले में गद्दी चाहेंगे। तब कांग्रेस फिर निर्दल लोगों का साथ लेकर अपना हाथ नहीं जलाना चाहेगी। कांग्रेस के बारे में जितनी अटकलें लगा लें, पर राहुल राज की कांग्रेस पाक-साफ बनना चाहती है, तो वह कतई इस तरह के सत्ता खेल में नहीं कूदेगी। न अंदर से, न बाहर से।

सरकार बनवाने-बिगाड़ने के खेल में बड़े-बड़े दलाल सक्रिय हैं। कोड़ा राज के दलाल भी पूँजी की गठरी लेकर मैदान में हैं। जहाँ, इस तरह राजनीतिक हालात हों, वहाँ कोई दल खड़ा होकर क्यों नहीं घोषित करता कि यह सब पाखंड चल रहा है। हमें

नया चुनाव चाहिए। राममनोहर लोहिया कहा करते थे, रोटी को बार-बार तवे पर पलटिए, नहीं तो वह जल जाएगी। होने दीजिए बार-बार चुनाव। इस अराजकता, गतिरोध या सरकारहीनता की स्थिति से बेहतर है चुनाव। यह भी कहा जाता है कि राज्यपाल शासन से बेहतर है भ्रष्ट जनप्रतिनिधियों का शासन, पर आज किसी में साहस होना चाहिए यह कहने का कि यह झूठ है। हमारे अयोग्य दलों और लोभी प्रतिनिधियों ने ऐसे हालात बना दिए हैं कि लोग राजनीति से नफरत करने लगे हैं। यह स्थिति देश और झारखंड के लिए सबसे बदतर है।

(25-05-2010)

☐

कांग्रेस के सतर्क दाँव

झारखंड के नेता और दल लोक-लाज से परे हैं।

इन बयानों पर गौर करिए। 22 मई को मुख्यमंत्री शिबू सोरेन ने कहा, कांग्रेस और भाजपा दोनों से बात हो रही है। बोकारो में उन्होंने यह कहा। याद रखिए, उस दिन उनकी सरकार की साझीदार भाजपा थी। भाजपा से सत्ता हस्तांतरण पर झामुमो की सहमति हो चुकी थी। 21 मई को ही बोकारो से झामुमो के अन्य नेताओं ने कुछ ऐसा ही बयान दिया, सरकार गिराने की बाबत। 20 मई को शिबू सोरेन का बयान आया, मुख्यमंत्री हूँ, इस्तीफा नहीं दूँगा। 19 मई को शिबू सोरेन का बयान था, भाजपा नेताओं की उपस्थिति में, 28-28 महीने के सत्ता परिवर्तन पर चर्चा हुई। सहमति बन गई है। उसी दिन खबर आई कि 25 मई को सत्ता परिवर्तन होगा। झामुमो भाजपा को सत्ता सौंप देगा।

अब इन बयानों के बाद 24 मई को हेमंत सोरेन का बयान आया है कि मीडिया ने गलतफहमी पैदा की। शिबू सोरेन के बयान को तोड़-मरोड़कर छापा, इस कारण गलतफहमी हुई। 18 मई को शिबू सोरेन और अर्जुन मुंडा की तसवीर साथ-साथ मिलते हुए छपी थी। हँसते हुए, शिबू सोरेन द्वारा अर्जुन मुंडा को आशीर्वाद देते हुए तसवीर। तब भाजपा और झामुमो नेताओं की उपस्थिति में समझौता हुआ। प्रेस को बयान दिया गया। उसके बाद से रोज झामुमो का स्टैंड बदलता रहा। अब झामुमो नेता कह रहे हैं कि मीडिया के कारण यह स्थिति बनी है। अगर छह दिनों तक मीडिया में तोड़-मरोड़कर खबरें आती रहीं, तो झामुमो के नेता चुप क्यों थे? मीडिया को दोष देकर, अपनी करनी से पिंड छुड़ाना चाहता है झामुमो। हकीकत यह है कि झामुमो में न एक स्वर था, न आम सहमति थी। अंदर से विधायक खंड-खंड बँटे हुए हैं। शिबू सोरेन के पुराने साथी युवा हेमंत सोरेन को नेता नहीं मानते, पर इन विक्षुब्धों की ताकत, दल को निर्णायक कगार तक ले जाने की नहीं है, इसलिए यह दल खुद दिग्भ्रमित है। विफलता अपनी, पर दोष मीडिया पर। सरकार जाने, पर यह है झामुमो की प्रतिक्रिया।

भाजपा भी पीछे नहीं। रघुवर दास का बयान आया है कि यह सब कांग्रेस का खेल है। रघुवर दास शिबू सरकार के कर्णधारों में रहे हैं। वे झारखंड भाजपा के अध्यक्ष

भी हैं। खुद राजकाज सँभाल नहीं सके, अपनी पार्टी एकजुट नहीं रख सके, तो अपनी विफलता का दोष कांग्रेस को? 2008 के विधानसभा चुनावों में यही रघुवर दास भाजपा अध्यक्ष के रूप में हुंकारें भरते घूम रहे थे कि सत्ता में आते ही भ्रष्टाचारियों पर सी.बी.आई. जाँच का आदेश, सरकार का पहला कदम होगा, पर झामुमो के साथ, जिस सरकार के वह कर्णधार थे, उस सरकार ने हाईकोर्ट में बार-बार बयान देकर भ्रष्टाचारियों को बचाने का काम किया। इस सरकार की विफलताएँ या पाप छोड़ भी दें, तो झामुमो-भाजपा विवाद को न सलटा पाने का दोष कांग्रेस पर कैसे? खुद अपनी अकर्मण्यता, अपनी विफलता, अपना पाप दूसरों के सिर?

दरअसल, भाजपा के अंदर झारखंड को लेकर तीन विचार थे—पहला विचार उन लोगों का था, जो किसी कीमत पर झामुमो से समझौता नहीं चाहते थे, शुरू से। सरकार बनने के समय से। झारखंड में जब भाजपा-झामुमो के बीच ताजा विवाद शुरू हुआ, तो दूसरा वर्ग रघुवर दास को मुख्यमंत्री बनाना चाहता था। तीसरा खेमा अर्जुन मुंडा को। भाजपाइयों के अनुसार ही विधायकों का बहुमत श्री मुंडा के साथ था। 19 मई को झामुमो-भाजपा के बीच सत्ता बँटवारे की सहमति की खबर आई। इसके बाद से भाजपा की दो धाराओं में टकराव तेज हो गया। एक धारा रघुवर समर्थकों की थी। दूसरी अर्जुन मुंडा समर्थकों की। अब भाजपाई ही कह रहे हैं कि झामुमो ने अपने रोज बदलते बयानों से विचित्र स्थिति पैदा कर दी। भाजपा के लिए यह स्थिति न निगलते बने, न उगलते। इस बीच मौका मिल गया, रघुवर दास समर्थक धारा को। साथ ही जो शुरू से झामुमो के साथ मिलकर सरकार बनाने के विरोधी भाजपाई थे, वे भी भाजपा की रोज होती फजीहत देख दुःखी थे। इन दोनों का रुख देख मुंडा समर्थक धारा खामोश रहने को विवश थी। इस तरह यह सरकार बलि चढ़ी, पर झामुमो सरकार जाने का दोष दे रहा है मीडिया पर और रघुवर दास कांग्रेस पर। गाँवों में एक पुरानी कहावत है, 'नाचे न आवे, अँगनवे टेढ़'। वही हाल है।

अब झारखंड की राजनीति में क्या गुल खिलेगा? शातिर राजनीतिक खिलाड़ियों की नजर झामुमो पर है। झामुमो का बड़ा धड़ा जे.वी.एम., कांग्रेस, राजद के साथ मिले, इसकी पृष्ठभूमि रची जा रही है। फिर आजसू स्वत: साथ आ जाएगा। इस तरह सत्ता के दलाल भावी सरकार की रूपरेखा बना रहे हैं।

फिलहाल कांग्रेस इस खेल से निरपेक्ष है। झारखंड में कांग्रेस प्रभारी केशव राव ने साफ कर दिया है कि कांग्रेस ने झामुमो को कोई प्रस्ताव नहीं दिया है। कांग्रेस उत्साहित होती, तो झामुमो में नया प्राण संचार होता, पर कांग्रेस फिर बेतरतीब सरकार बनाकर हाथ नहीं जलाना चाहती। कांग्रेस का एक समझदार वर्ग इस अवसर को एक मौके के रूप में देख रहा है। वह चाहता है कि राष्ट्रपति शासन लगे। अच्छे सलाहकार आएँ।

झारखंड को जाननेवाले लोग सलाहकार बनें। मसलन टी. नंदकुमार जैसे साफ-सुथरी छविवाले। छह महीने झारखंड में बेहतर शासन हो। चीजों को पटरी पर लाया जाए। इससे अंतत: कांग्रेस को ही लाभ होगा। राष्ट्रपति शासन में राज्यपाल के. शंकरनारायणन के कार्यकाल में हुए बेहतर कामों का लाभ कांग्रेस को मिला। उसके विधायकों की संख्या 9 से 14 हो गई। राज्य में राष्ट्रपति शासन का पैरोकार कांग्रेसी खेमा मानता है कि राष्ट्रपति शासन के दौरान बेहतर कामकाज होगा, तो कांग्रेस को ही लाभ मिलेगा। इस खेमे का तर्क है कि कांग्रेस को कम लाभ मिले या अधिक, पर भाजपा को सबसे अधिक नुकसान होगा। फिर झामुमो का, क्योंकि शिबू सोरेन संरकार कुछ कर ही नहीं सकी। किसान बीज के लिए तड़प रहे हैं, पर बोआई के पहले बीज नहीं मिले। बच्चों के खाने में छिपकलियाँ मिलने की खबरें रोज आ रही हैं। जन वितरण प्रणाली लूट का पर्याय बन गई है। राज्यपाल के स्पष्ट आदेश के बावजूद यह अल्पमत सरकार रोजाना ट्रांसफरों में व्यस्त थी। कहीं कोई बेहतर काम इस सरकार के खाते में है ही नहीं। इसलिए यह सरकार अपना कार्यकाल भुना नहीं सकती है। इसलिए चुनाव होने पर इसे नुकसान होगा। यह मानना है कांग्रेस के उस प्रभावी वर्ग का, जो राज्य में राष्ट्रपति शासन चाहता है।

इस वर्ग का निष्कर्ष है कि झारखंड के लोग आज एक कारगर शासन चाहते हैं। प्रशासन की प्रभावी उपस्थिति। राष्ट्रपति शासन में यह संभव है। इसलिए कांग्रेस फूँक-फूँककर पाँव बढ़ा रही है, ताकि भाजपा-झामुमो के दिए इस अवसर से वह लाभ उठा सके।

(26-05-2010)

□

झारखंड में सरकार की तलाश

खबर है कि झामुमो के विक्षुब्ध विधायक साइमन मरांडी कांग्रेस को फोन कर सरकार बनाने की गुहार लगा रहे हैं, पर कांग्रेस लंबी राह दिखा रही है। झामुमो के अन्य विधायक छटपटा रहे हैं कि कहीं से भी सरकार बन जाए, ताकि चुनाव से बचें। यह भी सूचना है कि भाजपा के समर्थन में झामुमो विधायकों का हस्ताक्षर अभियान चल रहा है, पर कांग्रेस और भाजपा दोनों सावधान हैं। सरकार बनाने के लिए उतावले नहीं हैं। भाजपा बार-बार हाथ नहीं जलाना चाहती। कांग्रेस भी फूँक-फूँककर कदम बढ़ाना चाहती है। इससे सरकार का सुख भोगनेवाले विधायक या दल साँसत में हैं। झामुमो के जो लोग सत्ता के अभ्यस्त हो गए हैं, उन्हें अधिक परेशानी है। अगर राष्ट्रीय दल सत्ता के लिए न झुके, तो निर्दलीय और छोटे दलों के होश ठिकाने होंगे। छोटे दल या निर्दलीय जानते हैं कि बड़े दल भी सत्ता के दुरुपयोग में साझीदार हैं। पद और भोग के लोभी।

इस तरह छोटे दल बड़े दलों की कमजोरी का लाभ उठाते हैं। डिक्टेट करते हैं। झामुमो के कुछ विधायक गुड़गाँव तक हो आए। कुछेक ने कोलकाता तक की यात्रा की, पर न कांग्रेस ने डोरे डाले और न भाजपा ही बेचैन हुई। इस तरह सरकार बनाने के लिए सबसे बेचैन विधायक परेशान हैं, पर झामुमो न एक मत है, न एकजुट। झामुमो के कुछेक विधायक यू.पी.ए. खेमे में आशियाना तलाश रहे हैं। कुछेक अब भी भाजपा के साथ संभावना देख रहे हैं, पर फिलहाल दोनों बड़े दलों से कोई आगे नहीं आ रहा। इस तरह 31 तारीख तक झामुमो के समर्थन में न कांग्रेस खड़ी होगी और न भाजपा। शिबू सोरेन या झामुमो के पास एक ही विकल्प है कि सरकार पहले इस्तीफा दे। पूरी संभावना है कि विधानसभा फेस किए बिना शिबू सोरेन इस्तीफा दे दें। एक प्रयास हो रहा था, झामुमो के सभी विधायक एन.डी.ए. नेतृत्व को समर्थन पत्र सौंपें। फिर विधानसभा में सरकार बचाने की कोशिश होती। यह प्रयास शिबू सोरेन के कद की प्रतिष्ठा के नाम पर हो रहा था, पर सभी विधायक शायद एकमत नहीं हुए। अब सरकार गिरने के बाद सरकार बनाने का खेल शुरू होगा।

शिबू सरकार के गिरने के बाद, कांग्रेस न जल्दी में है, न 2006 की तरह किसी शिखंडी को सत्ता में बैठाने के लिए बेचैन। राज्य के कांग्रेसी सत्ता लोभी हैं, पर दिल्ली के बड़े कांग्रेसी, इस बार सतर्क और सजग हैं। वे जानते हैं कि छोटे-छोटे दल कैसे बड़े दलों के कंधों पर सवार होकर मनमानी करते हैं। मसलन, कोड़ा राज्य में हेलीकॉप्टर और चार्टर्ड प्लेनों के दुरुपयोग का गंभीर मामला हाईकोर्ट में है। फिर भी झामुमो नेताओं को ऐसे मामलों की परवाह नहीं। यह सरकार अल्पमत में है, फिर भी इन्होंने शादी में जाने के लिए चार्टर्ड विमान लिया। बहाना किया विकास योजनाओं के उद्घाटन का। ये दल और नेता राज्य सरकार को निजी प्राइवेट लिमिटेड कंपनी समझते और मानते हैं। तुरंत ही राज्यसभा चुनाव होने वाले हैं। झारखंड से राज्यसभा के लिए जैसे प्रत्याशी मैदान में उतरते हैं, उससे देशव्यापी खबर बनती है, विधायकों की खरीद-फरोख्त की। जब यह इलाका बिहार का हिस्सा था, तब भी इस इलाके के विधायक राज्यसभा चुनावों में प्रत्याशियों के चयन के दौरान चर्चित होते थे। झारखंड बनने के बाद तो खुला खेल हो गया है। धन-बलवाले प्रत्याशी भी कामयाब हो रहे हैं। बिना दल के या विधायक बल के। इस तरह झारखंड की राजनीति में यह अस्थिरता रहेगी। इसी बीच राज्यसभा चुनाव होंगे। सरकार बनाना आसान नहीं है। शिबू सरकार जाने के बाद राज्यपाल विभिन्न दलों को आमंत्रित जरूर करेंगे, पर आपसी पेच गहरा और जटिल है। कांग्रेस बाबूलाल मरांडीजी को छोड़कर शिबू सोरेन की नाव पर सवार नहीं होगी। वह अपना भविष्य कुरबान नहीं करेगी। इस तरह प्रस्तावित सरकार से कांग्रेस और बाबूलालजी बाहर हैं, तो सरकार किसके बूते बनेगी? भाजपा बार-बार जलील होना नहीं चाहेगी। अब दिल्ली के भाजपाई इसे प्रतिष्ठा का सवाल मान चुके हैं।

एक ही अड़चन है। किसी दल का कोई विधायक चुनाव नहीं चाहता। विधायकों की इस बेचैनी और किसी कीमत पर विधानसभा भंग न होने देने की इच्छा के गर्भ से भले ही कोई अपरिपक्व सरकार जनमे, तो बात दूसरी, पर वैसी सरकार भी मधु कोड़ा की सरकार की तरह ही एक हादसा होगी। फिलहाल झारखंड राष्ट्रपति शासन की राह पर है।

(30-05-2010)

❑

अर्जुन मुंडा का 'मास्टर स्ट्रोक'

झारखंड के आठवें मुख्यमंत्री होंगे अर्जुन मुंडा। 10 वर्ष पुराने (15 नवंबर, 2010 को 10 वर्ष पूरे होंगे) झारखंड में वह तीसरी बार इस पद की शपथ लेंगे। पहली बार वह बाबूलालजी के हटने पर मुख्यमंत्री बने। दूसरी बार 2004 में हुए विधानसभा चुनावों के बाद, पहले शिबू सोरेन मुख्यमंत्री बने, पर उनकी सरकार बहुमत सिद्ध नहीं कर सकी, फिर अर्जुन मुंडा की ताजपोशी हुई। झारखंड में अब तक तीन बार मुख्यमंत्री पद की शपथ लेनेवाले शिबू सोरेन ही हैं। पहली बार 2004 के चुनावों के बाद। फिर मधु कोड़ा को अपदस्थ कर शिबू सोरेन सी.एम. बने और उपचुनाव हार गए। 2009 के चुनावों के बाद भाजपा-झामुमो गठबंधन के वह नेता और मुख्यमंत्री हुए। फिर सरकार गिर गई। इस तरह तीन बार मुख्यमंत्री पद की शपथ लेनेवाले शिबू सोरेन हुए या आठवें मुख्यमंत्री पद की शपथ लेकर अर्जुन मुंडा उनके स्कोर के समकक्ष होंगे। तीसरी बार शपथ लेनेवाले मुख्यमंत्री की कतार में दूसरे।

मई-जून 2010 में अर्जुन मुंडा भाजपा विधायकों के पूर्ण बहुमत के बावजूद मुख्यमंत्री नहीं बन सके। कारण, सरकार गठन का काम मीडिया की नजर में हो रहा था। सार्वजनिक। खुलेआम। मीडिया में एक-दूसरे के खिलाफ बयानों से रोज नए समीकरण बनते-बिगड़ते थे; और यह काम मीडिया की सार्वजनिक नजर में संभव नहीं। इसलिए इस बार अर्जुन मुंडा ने चतुराई से काम किया। पिछले तीन-चार दिनों में राँची से लेकर दिल्ली में हुई भाजपा नेताओं की बैठकों या गुफ्तगू से इस सरकार के रास्ते साफ नहीं हुए। साफ दिखता है कि भाजपा, झामुमो, आजसू वगैरह के लोगों ने बहुत पहले मिल-बैठकर गुपचुप रणनीति तय की होगी। नहीं तो, इतनी आसानी से, इतने कम समय में सिलसिलेवार यह गठबंधन आगे नहीं बढ़ता। संकेत मिलता है कि इस बार सरकार बनाने के गणित और पेच पहले ही हल कर लिए गए हैं। नहीं, तो दोनों दलों के बयानवीर अब तक कई मोरचे खोल चुके होते।

अर्जुन मुंडा को झामुमो से अधिक भाजपा से ही परेशानी थी। रघुवर दास सार्वजनिक रूप से सरकार गठन के खिलाफ बयान दे चुके हैं। छह सितंबर, 2010 को सार्वजनिक

बयान देकर यशवंत सिन्हा ने सबको चौंकाया। भाजपा के कई शीर्ष नेता झामुमो के साथ फिर सरकार बनाने के खिलाफ थे, पर अर्जुन मुंडा के साथ भाजपा के विधायक थे। पार्टी अध्यक्ष का खुला वरदहस्त अर्जुन मुंडा के साथ न होता, तो रघुवर दास भाजपा विधायक दल के नेता पद से इस्तीफा नहीं देते। इस तरह बिना सार्वजनिक बयान दिए या बोले बगैर अर्जुन मुंडा ने सबसे पहले अपनी पार्टी के नेताओं का विश्वास पाया होगा। फिर भाजपा विधायकों के समर्थन के बल, झामुमो, आजसू विधायकों से मिलकर सरकार बनाने की पहल की होगी। इस तरह पार्टी के अंदर और बाहर स्थितियों को अनुकूल बनाकर अर्जुन मुंडा ने सात सितंबर को सरकार बनाने का दावा पेश किया होगा।

राजनीति संभावनाओं का खेल है। यह राजनीति के मँजे खिलाड़ी कहते-मानते हैं। आमतौर से धारणा है कि संभावनाओं के इस खेल के दाँव-पेच या अंत:पुर के समीकरण पर मुख्यधारा के राजनीतिक खिलाड़ियों का ही वर्चस्व होता है, उसे आदिवासी नेता नहीं तोड़ सकते, पर अर्जुन मुंडा ने विपरीत स्थितियों को अनुकूल बनाकर यह काम कर दिया है। वैसे भी झारखंड के दो नेता—अर्जुन मुंडा और बाबूलाल मरांडी, राजनीति के खेल में देश के किसी हिस्से के तेज-तर्रार नेता से कमजोर नहीं हैं। यह इन दोनों ने साबित कर दिया है। दोनों की अपनी-अपनी खूबियाँ और खामियाँ हैं।

अर्जुन मुंडा की यह पहल, समय पर चला गया दाँव है। मुख्यमंत्री तो बनेंगे अर्जुन मुंडा, पर खुश विरोधी दल के विधायक भी होंगे। कारण, झारखंड विधानसभा का कोई विधायक चुनाव नहीं चाहता था। बाबूलालजी, कितना भी कह लें या चुनाव की माँग कर लें, पर खुद उनके दल के विधायक भी चुनाव से सहमत नहीं थे। न कांग्रेस के, न अन्य दलों के। माले के विनोद सिंह जैसे अपवाद विधायकों को छोड़कर। इसलिए इस सरकार को अपदस्थ करनेवाली परिस्थितियाँ फिलहाल नहीं हैं। न विपक्ष की वह मंशा है।

राज्य के राज्यपाल ने अपने कामकाज से संकेत दे दिया है कि वह सिद्धांतों के तहत चलनेवाले इनसान हैं। पुराने कांग्रेसी, जिनके मूल्य और आदर्श अलग हैं। वह जिस स्वभाव और प्रकृति के लगते हैं (हालाँकि इस टिप्पणीकार की कोई उनसे निजी मुलाकात नहीं है), तत्काल सत्ता सौंपने की प्रक्रिया आरंभ करेंगे। कम समय में राज्यपाल और उनके सलाहकारों के किए गए काम झारखंड के खंडहर बनी नींव में, नई जान डालनेवाले हैं, पर यह चर्चा कभी और।

केंद्र सरकार या कांग्रेस से झारखंड में नई सरकार गठन की प्रक्रिया में कोई बाधा नहीं पहुँचनेवाली है। कारण, कांग्रेस मान चुकी है कि पटरी से उतरे झारखंड को ठीक करने के लिए अब ऐसा कोई भी प्रयोग या गठबंधन सफल नहीं होनेवाला। कांग्रेस की

नजर में यह कदम अपयश या अपकीर्ति से भरा होगा। कांग्रेस की दूरगामी रणनीति है। वैसे भी केंद्र की सरकार कई नई चुनौतियों से घिरी है। कॉमनवेल्थ गेम्स के भ्रष्टाचार प्रकरण, कश्मीर संकट, बिहार चुनाव वगैरह। ऐसी परिस्थितियों में केंद्र कोई नई मुसीबत नहीं लेगा। यह आशंका या डर बेवजह थी कि केंद्र सरकार झारखंड विधानसभा को आनन-फानन में भंग कर देगी। कोई भी निर्णय या फैसला, परिस्थितियों के अनुरूप होता है। शून्य में नहीं। आज चाह कर भी केंद्र यह नहीं कर सकता, क्योंकि हालात अलग हैं।

इसलिए अर्जुन मुंडा की ताजपोशी तय है। उनकी एक खूबी है कि वह डिसिसिव (निर्णायक) हैं, पर पहले मुख्यमंत्री रहते हुए उन्हें कई समझौते करने पड़े। वह आरोपों से भी घिरे, पर लोकसभा में वह झारखंड से जुड़े सवालों पर काफी 'होमवर्क' और तैयारी से बोलते या हस्तक्षेप करते थे। लगता है, अपने गुजरे अनुभवों से राजकाज चलाने में इस बार वह सावधानी बरतेंगे। क्योंकि वह काँटों का ताज पहनने जा रहे हैं। झारखंड की चुनौतियाँ अनेक हैं। गठबंधन के स्तर पर भी संभावनाएँ और खतरे हैं। झामुमो से निभ गया, तो झारखंड में सामाजिक स्तर पर एक नया प्रयोग होगा। नहीं निभा, तो कांग्रेस-जे.वी.एम. का रास्ता प्रशस्त होगा, पर इससे भी कठिन मोरचा फेस करना है, प्रशासन के मोरचे पर। बढ़ते भ्रष्टाचार को रोकने के संदर्भ में। नक्सली चुनौती से निबटने में। फेल या कमजोर होती संस्थाओं को पुनर्जीवित करने के मामले में। पंचायत चुनाव कराने के संदर्भ में।

(08-09-2010)

□

झारखंड की चुनौतियाँ

सूचना है कि पहले तीन लोग शपथ लेंगे। मुख्यमंत्री अर्जुन मुंडा, फिर झामुमो से हेमंत सोरेन, साथ में आजसू से सुदेश महतो। दोनों उपमुख्यमंत्री के रूप में। फिर बहुमत सिद्ध करने के बाद विस्तार होगा। तीनों युवा हैं।

पीछे की बातें भूल जाएँ, तो हर क्षण नई संभावनाओं का आरंभ बिंदु हो सकता है। बदलाव की शुरुआत का क्षण ही इतिहास में दर्ज होता है। मनुष्य को प्रकृति की यह अनुपम सौगात है। वह जब चाहे पुराने बंधनों-गलतियों से निकल कर नई शुरुआत कर सकता है। झारखंड के जीवन में फिर ऐसा क्षण आया है। पहले खेमे, जो शपथ ले सकते हैं, वे तीनों धरती पुत्र हैं। झारखंडी हैं। झारखंड के जन्म से यहाँ की राजनीति का ताना-बाना जानते हैं। इन तीनों के लिए भी एक नया अवसर है। तीनों चाहें, तो मिलकर एक नई पटरी पर यात्रा कर सकते हैं। बदलाव या नई शुरुआत के क्षण बार-बार नहीं आते।

आज झारखंड बदलाव के इसी क्षण की प्रतीक्षा में है, क्यों? क्योंकि झारखंड देश का सबसे पिछड़ा और गरीब राज्य है। 2003 में, इंडिकस एनालिटिक्स ने 'प्रभात खबर' के लिए झारखंड डेवलपमेंट रिपोर्ट तैयार की थी। रिपोर्ट का निष्कर्ष था कि प्रगति की रफ्तार यही रही, तो 2020 में झारखंड जिम्बाब्वे जैसा होगा। अगर झारखंड की प्रगति थोड़ी बढ़ा दी जाए, तो उसकी स्थिति श्रीलंका जैसी होगी। यानी 2020 में झारखंड, 2003 के जिम्बाब्वे या श्रीलंका की स्थिति में पहुँचेगा। उल्लेखनीय है कि जिम्बाब्वे दुनिया के अत्यंत गरीब देशों में से एक है। अब नई सरकार के सामने चुनौती है कि वह झारखंड को 2020 में जिम्बाब्वे या अजरबैजान की स्थिति में देखना चाहती है या स्थिति पलटने को तैयार है?

मोटा-मोटी झारखंड की आबादी तीन करोड़ है। प्रति लाख जनसंख्या पर सड़क घनत्व यहाँ क्या है? लगभग 76 किलोमीटर। देश का यह औसत आँकड़ा है लगभग 238 किलोमीटर। गुजरात, महाराष्ट्र जैसे विकसित राज्यों में प्रति लाख जनसंख्या पर 400 किलोमीटर सड़क है। इसमें गाँवों की सड़क, राज्य सरकार की सड़कें और

राष्ट्रीय राजमार्ग की सड़कें मिली हुई हैं। रेल कवरेज में भी झारखंड भारत के औसत आँकड़े में प्रति लाख जनसंख्या की दृष्टि से आधा है। यही हाल खाद्यान्न के बारे में है। झारखंड को सालाना लगभग 50 लाख मीट्रिक टन खाद्यान्न चाहिए, पर जब अच्छी बरसात और अनुकूल मौसम हो, श्रेष्ठ उत्पादन हो, तो यह संख्या सालाना 40 लाख मीट्रिक टन तक पहुँचती है। इस तरह अच्छा उत्पादन हो, तब भी झारखंड को सालाना 10 लाख मीट्रिक टन खाद्यान्न की कमी है। सूखा होने पर उत्पादन काफी घट जाता है। अगर झारखंड में खाद्य उत्पादन की स्थिति देश या पंजाब, हरियाणा के बराबर हो जाए, तो 20 से 25 लाख मीट्रिक टन उत्पादन बढ़ सकता है, पर झारखंड बनने के बाद से आज तक 10 वर्षों में एक लाख मीट्रिक टन खाद्यान्न उत्पादन नहीं बढ़ा। यह सवाल अपनी जगह है कि 10 वर्षों में सरकारों ने क्या किया? कृषि पर क्या खर्च हुआ और पैसे कहाँ गए? पर भावी युवा सरकार चाहे तो खेती के मोरचे पर बड़ा काम कर सकती है।

यह काम असंभव भी नहीं है। याद होगा, जब झारखंड अलग हुआ, तो बिहार के बारे में कहा गया कि वहाँ कोई संसाधन नहीं बचा। सिर्फ आलू, बालू और लालू बचे। वह बिहार आज कहाँ है? सिर्फ खेती का ही मसला ले लीजिए। चार साल पहले बिहार में लगभग 110 लाख मीट्रिक टन उत्पादन होता था। चार साल बाद ही यह बढ़कर लगभग 140 लाख मीट्रिक टन हो गया। चार वर्षों में अगर बिहार 25 या 30 लाख मीट्रिक टन खाद्यान्न उत्पादन बढ़ा सकता है, तो झारखंड एक से दो सालों में क्या पाँच या दस टन भी नहीं बढ़ा सकता? यह अलग सवाल है कि गुजरे 10 वर्षों में एक छटाँक की भी वृद्धि नहीं हुई, पर सिर्फ 10 लाख मीट्रिक टन खाद्यान्न उत्पादन बढ़े, तो झारखंड खाद्यान्न के मामले में आत्मनिर्भर हो जाएगा। खेती, किसान और मजदूर, शिबू सोरेन और झामुमो के प्रिय विषय रहे हैं। 'बीति ताहि बिसार दे, आगे की सुधि ले' की तर्ज पर अगर नई सरकार काम करे, तो हालात बदल सकते हैं। झारखंड में प्रति हेक्टेयर उत्पादन लगभग दो क्विंटल है। पंजाब में तीन से छह क्विंटल। हमारे यहाँ सिंचित जमीन 18 फीसदी से कम है। देश में 36 फीसदी से अधिक। झारखंड में 23 बृहत् सिंचाई योजनाएँ चल रही हैं। इनमें 5000 करोड़ से अधिक की राशि खर्च (निवेश) हो गई है, पर परिणाम सिफर। फर्ज करिए, यह 5000 करोड़ बैंकों में रखे होते, तो आज महज ब्याज से झारखंड ने कितना कमाया होता? अब इन सिंचाई योजनाओं को पूरा करने के लिए अलग से 8 से 10 हजार करोड़ रुपए चाहिए। स्वर्ण रेखा परियोजना का उदाहरण सामने है। 28 साल पहले यह परियोजना शुरू हुई। 270 करोड़ की लागत से यह पूरी होनी थी। अब तक तीन हजार करोड़ से अधिक खर्च हो चुके हैं। अनुमान है, 6000 करोड़ और खर्च होंगे। तब

यह सिंचाई योजना पूरी होगी। यानी नौ हजार करोड़ लगाने के बाद। विस्थापन का मामला अलग है। क्या गरीब राज्य इस तरह अनुत्पादक कामों में हजारों-हजार करोड़ रुपए खर्च करेगा और उसका कोई रिटर्न नहीं आएगा? फिर क्या स्थिति होगी?

राज्य की माली हालत क्या है? अपने संसाधनों से राज्य की निम्नलिखित आय है—

वाणिज्यिक कर	:	4500 करोड़
खनन	:	2100 करोड़
एक्साइज	:	525 करोड़
ट्रांसपोर्ट, यातायात	:	450 करोड़
रजिस्ट्रेशन	:	350 करोड़
अन्य	:	200 करोड़
कुल	:	8125 करोड़

इस तरह झारखंड अपने संसाधनों से 8125 करोड़ कमाता है। केंद्र को मिले करों में राज्य का हिस्सा क्या है?

आयकर	:	1860 करोड़
एक्साइज	:	1600 करोड़
सर्विस टैक्स	:	540 करोड़
कुल	:	4000 करोड़

इस तरह राज्य की कुल आमद है—

राजस्व	:	8125 करोड़
केंद्र से मिलनेवाली राशि	:	4000 करोड़
कुल	:	12125 करोड़

अब राज्य के खर्च क्या हैं—

वेतन में खर्च	:	5160 करोड़
पेंशन में खर्च	:	2040 करोड़
ब्याज (ऋण पर)	:	2000 करोड़
मूल ऋण की किस्त	:	1600 करोड़
कुल	:	9800 करोड़

इस तरह राज्य की आमद और खर्च की क्या स्थिति है? कुल आमद (12125 करोड़) कुल खर्च (9800 करोड़)। फिर बचे, 2325 करोड़। इस तरह झारखंड के विकास के लिए हर साल बची 2325 करोड़ की राशि ही झारखंड के हाथ में है। याद रखने योग्य तथ्य है कि जब झारखंड बना था, तो झारखंड का बजट सरप्लस

(बजट सरप्लस दिखाया गया था, जो कि ए.जी. ऑडिट रिपोर्ट में घाटे का साबित हुआ) बताया गया था।

आज 10 वर्षों में झारखंड पर 25 हजार करोड़ का कर्ज है। इसी कर्ज पर हर साल 2000 करोड़ सूद का भुगतान करना है और 1600 करोड़ मूल राशि में लौटाना है। यह अलग सवाल है कि 10 वर्षों में झारखंड 25 हजार करोड़ का कर्जदार कैसे बना? इस 25 हजार करोड़ से क्या निर्माण हुए? क्या परिसंपत्ति खड़ी हुई? झारखंड के बजट की स्थिति यह है कि आमद 100 रुपए और खर्च 120 रुपए, पर हमारे नेता और उनके अज्ञानी, अंधभक्त केंद्र को गाली देते नहीं थकते। केंद्र की राहत मिलनी बंद हो जाए, तो झारखंड कहाँ होगा?

झारखंड में एक और सवाल है। जब झारखंड अलग हुआ, तो बिहार में दो-तिहाई कर्मचारी रह गए। एक-तिहाई झारखंड आए। लगभग 1.60 लाख के आसपास। इन एक लाख 60 हजार लोगों पर सालाना खर्च है 5160 करोड़। शेष तीन करोड़ आबादी के विकास के लिए साल में महज 2325 करोड़ बचते हैं। जो पेंशन भोगी हैं, सिर्फ उन पर सालाना खर्च है 2040 करोड़। हर साल कर्ज पर ब्याज दे रहा है झारखंड 2000 करोड़, पर कुल तीन करोड़ लोगों के विकास पर 2325 करोड़ का बजट। फर्ज करिए, यही हाल रहा, तो 30 वर्ष बाद झारखंड की स्थिति क्या होगी? यह गति रही, तो 30 साल बाद भी आज हम जहाँ हैं, वहीं रहेंगे। विकास के लिए राज्य उधार लेता है। भारत सरकार पैसा देती है। सालाना सड़क बनाने में झारखंड खर्च करता है लगभग 750 करोड़। बिजली मद में 750 करोड़। सिंचाई पर 650 करोड़। पानी पर 450 करोड़। अन्य मद में लगभग 250 करोड़। इस तरह इनफ्रास्ट्रक्चर मद में 3000 करोड़ लग रहे हैं। इनफ्रास्ट्रक्चर में निवेश की यही स्थिति रही, तो 30 साल बाद भी हमारी स्थिति आज जैसी ही होगी। राज्य के कुल खर्च का लगभग 80 फीसदी हिस्सा अनुत्पादक खर्चे में जा रहा है। सरकारी कर्मचारियों, अफसरों, विधायिका या व्यवस्था पर खर्च, इसी में पेंशन मद में भी खर्च। ये सभी खर्चे अनुत्पादक हैं। जनता के लिए क्या बचा? यह सवाल बड़ा गहरा और व्यवस्था के लिए चुनौती भरा है। क्या जनता कमाएगी और उसका 80 फीसदी शासकों पर खर्च होगा?

अब रास्ते क्या हैं? आमद बढ़ाएँ। आमद बढ़ाने के रास्ते क्या हैं? वाणिज्यकर, खनन, यातायात, एक्साइज, यानी कारोबार बढ़ाए बिना आमद नहीं बढ़नेवाली।

मौजूदा हालात में क्या झारखंड में कारोबार बढ़ने की संभावना है? कैसे हालात बदलें? गवर्नेंस सुधरे, यह मूल चुनौती है। दूसरा रास्ता है खर्च घटा लें। फिजूलखर्ची पर सख्ती। यह आसान रास्ता है और कठिन भी। आसान इसलिए कि यह संभव है। कठिन इसलिए कि क्या कोई सादगी के लिए तैयार है? मितव्ययिता के लिए तैयार

है? क्या हमारे मंत्री या नई सरकार लोगों को सादगी के रास्ते ले जाने के लिए तैयार हैं? पहले शासकों को इस रास्ते पर चलना होगा।

अंत में झारखंड में भ्रष्टाचार रोके बगैर कुछ भी संभव नहीं। क्या यह सरकार भ्रष्टाचार के खिलाफ जो काररवाई राष्ट्रपति शासन में शुरू हुई, उसे आगे बढ़ाएगी? क्योंकि इसी सुरंग से निकलने के बाद ही नए झारखंड का जन्म होगा।

(09-09-2010)

□

इतिहास बनने या बनाने के क्षण!

झारखंड में सरकार बनाने के पीछे लगे लोगों का यह 'मास्टर स्ट्रोक' रहा। उन्होंने अंत-अंत तक किसी को भनक नहीं लगने दी कि झारखंड में सरकार गठन की कवायद हो रही है। इंटेलिजेंस या खबरची लोगों को भी इसकी गंध नहीं मिली। सधे हाथों से यह दाँव खेला गया। क्या यह दाँव झारखंड के नसीब को पलट सकता है?

उत्तर हाँ और ना दोनों में है। अर्जुन मुंडा इंटेलिजेंट (तेज-तर्रार) और डिसिसिव (निर्णायक) हैं। अपने 'मास्टर स्ट्रोक' से उन्होंने यह साबित भी कर दिया। अगर ये दोनों गुण, संकल्प से जुड़ जाएँ, तो नया इतिहास भी बन सकता है। अगर झारखंड की पुरानी राजनीतिक संस्कृति को ही बढ़ाने में ये दोनों गुण लगें, तो भाजपा और अर्जुन मुंडा दोनों साफ होंगे। अर्जुन मुंडा युवा हैं। लंबा राजनीतिक कॅरियर सामने है। अवसर और हालात उनके पक्ष में हैं। वह चाहें, तो अपना नाम सार्थक कर सकते हैं। लक्ष्य पर तीर चलाकर। अगर दलों का बंधन न हो, तो उन्हें शायद दो-चार विधायक छोड़कर सभी विधायक समर्थन देंगे। कारण, कोई चुनाव नहीं चाहता। साल भर भी विधायक पद पर रहे बिना जो वापस लौटते, वे अपना हिसाब-किताब देख रहे थे। क्या खोया, क्या पाया?

अब राजनीति शुद्ध व्यवसाय है। राजनीति की यही कमजोरी, भावी मुख्यमंत्री अर्जुन मुंडा के लिए ताकत बन सकती है। 2000 में झारखंड बना, तब यह अवसर था। फिर अब यह अवसर है। अर्जुन मुंडा फिलहाल कुछेक साहसी और निर्णायक फैसले करते हैं, तो कोई उनकी सरकार गिरा नहीं सकता। इस तरह वह झारखंड का इतिहास बना देंगे।

एक बड़ा परिवर्तन गौर करने लायक है। इस बार भाजपा, झामुमो, आजसू और निर्दलीय विधायक अधिक गंभीर हैं। व्यवहार में संयम हैं। न अखबारों में या मीडिया में शर्त रख रहे हैं, न बढ़-चढ़कर बयान दे रहे हैं। अलग-अलग स्वर नहीं अलाप रहे। भोज पर बैठकर मिल रहे हैं। अहंकार का प्रदर्शन नहीं कर रहे। कारण, पहले

विधायकी बचानी है। विधायकी तभी बचेगी, जब इस सूबे या राज्य में सरकार होगी। नहीं तो चुनाव होंगे। इसलिए विधायकों का मौजूदा आचरण संयम, मर्यादा, परिस्थितियों की देन है। यह कायम रहे। विधानसभा के अंदर और बाहर। यह अर्जुन मुंडा की सरकार सुनिश्चित करा सकती है। राजनीति में विधायक सत्ता के बिना रह नहीं सकते। विधायक लोकतांत्रिक व्यवस्था की सत्ता नदी में मछली की मानिंद हैं। सत्ता से बाहर हुए, तो मुरझाए या पस्त या श्रीहीन। इस बार झारखंडी विधायक बेचैन थे कि तुरंत सत्ता की नदी में किसी तरह घुस जाएँ। स्वाभाविक है, पाँच साल के लिए जो चुने गए थे, वे छह माह में फिर अग्निपरीक्षा क्यों देते? उदारीकरण के बाद राजनीति की पटरी बदल गई है। सिद्धांत, आदर्श, मूल्यों के लिए सती होनेवाले तो विधायक बनते नहीं। वैसे हर दल में कुछ अपवाद मिलेंगे, पर कम।

एक और बड़ा मुद्दा था। राष्ट्रपति शासन में राज्यपाल की टीम जिस तरह काम कर रही थी, उससे गुजरे वर्षों में हुए भ्रष्टाचार की जाँच की ताप, झारखंड के राजनेताओं तक पहुँचने लगी थी। इसमें हर दल से जुड़े लोग थे। इन संभावित जाँचों से झारखंड की राजनीति में सिहरन थी। कानून का राज और प्रताप लौट रहा था। ऐसे माहौल में कोई दल (अपवादों को छोड़कर) राष्ट्रपति शासन चलने देने के पक्ष में नहीं था। खुद राज्य के वरिष्ठ कांग्रेसी राज्यपाल, उनके सलाहकारों और अच्छे अफसरों को हटाने के अभियान में लगे थे। बयान दे रहे थे, क्योंकि वे जानते थे कि पुराने मुद्दे उठे कि उनमें से (कांग्रेस के भी कुछ नेता) भी कुछ फँसेंगे। अगर राज्यपाल और उनकी अपनी टीम का काम चलता रहता, तो समाजवाद के दर्शन की तरह, हर दल के गड़बड़ करनेवालों तक कानून की आँच पहुँचती। यह तथ्य झारखंड के सभी दल अच्छी तरह जान-समझ रहे हैं। इस माहौल में कोई विधायक, आमतौर से ऐसे काम के लिए नई सरकार पर दबाव नहीं देगा, जो भविष्य में उसके लिए संकट पैदा करे। इस तरह यह सरकार फिलहाल दबाव-ब्लैकमेल से एक सीमा तक मुक्त रहेगी। मंत्री शायद पहले की तरह मुख्यमंत्री को बंधक न बनाएँ। न कैबिनेट की बैठक में मुख्यमंत्री को, मंत्रियों के लिए तीन-चार घंटे इंतजार करना पड़े।

झारखंड के विधायकों का यही मानस, अर्जुन मुंडा को झारखंड के इतिहास के पुनर्लेखन का अवसर देता है। झारखंड के राजनेताओं, विधायकों और झारखंड सरकार की साख लौटाना इस सरकार की पहली कसौटी होनी चाहिए। व्यापक ढंग से कहें कि पूरी राजनीति को विश्वसनीय बनाना, इस सरकार की मूल कसौटी हो। झारखंडी नेताओं की प्रतिष्ठा, देश-दुनिया में बहाल करना, इस सरकार का पहला फर्ज होना चाहिए। लोकतंत्र में राजनीतिक दल, सरकार, विधायिका और व्यवस्था ही इसके प्राण हैं। गुजरे 10 वर्षों में इन संस्थाओं के साथ जो कुछ हुआ, उससे झारखंडी जनता

राजनीति से ही नफरत करने लगी है। चीरहरण के वे दृश्य याद करना या याद दिलाना
जरूरी नहीं, पर इसमें सब साझीदार रहे।

कुछ चुप रहकर। कुछ शरीक होकर। कुछ मौन रहकर। कुछ आँख चुराकर।
कुछ आग लगाकर। मानना चाहिए कि अब अपना वह पुराना खेल झारखंड के सभी
विधायक या दल समझ रहे हैं। इसे अब वे दोहराएँगे नहीं, क्योंकि पुन: वही चीजें
दोहराई गईं, तो लोकतंत्र से ही झारखंडी जनता विश्वास खो देगी। साफ कहें, तो
झारखंड की पुरानी सरकारों की पटरी पर यह सरकार लौटी, तो फिर कुछ नहीं बचेगा।
झारखंडी राजनीतिक दलों और विधायकों को एहसास होगा कि जनता कैसे राष्ट्रपति
शासन को समर्थन दे रही थी? चूँकि लोकतंत्र में दूसरा रास्ता नहीं है, इसलिए
विधायकों के बहुमतवाले गुट को सरकार बनने का न्योता मिलना ही था। अगर चुनाव
राष्ट्रपति शासन बनाम झारखंडी सरकार के बीच होता, तो नतीजे लोगों को स्तब्ध कर
देते।

इसलिए अर्जुन मुंडा सरकार की पहली अग्निपरीक्षा है कि वह झारखंडी राजनीति
की साख, विश्वसनीयता को लौटाए। यह नई सरकार अपने काम से ऐसा माहौल बनाए
कि जनमत, उसे राष्ट्रपति शासन से बेहतर माने। तभी वह लोकतांत्रिक व्यवस्था के
प्रति आस्था उत्पन्न करेगी। नई सरकार का ऐसा करना, लोकतांत्रिक व्यवस्था के प्रति
न्याय होगा। फर्ज अदायगी भी, क्योंकि इसी लोकतांत्रिक व्यवस्था की बदौलत विधायकों
को विधायिकी मिल रही है और सरकार बन रही है।

राज्यपाल एम.ओ.एच. फारूक ने एक नई लकीर खींच दी है। तीन महीने के
ही राष्ट्रपति शासन में वी.एस. दुबे और आर.आर. प्रसाद याद किए जाएँगे। खासतौर
से वी.एस. दुबे। वह राज्य के पहले मुख्य सचिव थे। तब अगर राजनेताओं ने उन्हें
महज तीन वर्ष की छूट दी होती (शुरुआती वर्षों में), तो झारखंड आज देश के अव्वल
राज्यों में होता। इस बार फिर दिन-रात काम कर उन्होंने जर्जर नींव को ठीक करने
की कोशिश की है। मुख्य सचिव के रूप में ए.के. सिंह के प्रयास और पहल से
झारखंड की व्यवस्था पुनर्जीवित हुई। गाँवों तक जानेवाले या नक्सली इलाकों में
घूमनेवाले शायद वह पहले मुख्य सचिव रहे। राज्यपाल के नेतृत्व में इस टीम ने
भ्रष्टाचार के खिलाफ जो कारगर कदम उठाए, उनसे झारखंड को नया ऑक्सीजन
मिला है। राजसत्ता-कानून-संविधान की साख लौटी। उपायुक्त शहरों के बाहर गाँवों
या नक्सली इलाकों में जाकर शिविर लगाने लगे। धनबाद के डी.सी. ने टुंडी में रात
गुजारी। जो टुंडी नक्सलियों का गढ़ है। बी.डी.ओ. लोगों ने ब्लॉक में रहना शुरू कर
दिया था। पहली बार भ्रष्टाचारियों के बीच हड़कंप मचा। नीचे से गवर्नेंस शुरू हुआ।
गवर्नेंस की इकाई जो गाँव तक फैली है, उसमें रक्त संचार हुआ। विजिलेंस डिपार्टमेंट

को मजबूत बनाने की कोशिश की गई। वहाँ रिटायर्ड सी.बी.आई. के लोग लाए जाने लगे। भ्रष्टाचारियों को लग गया कि अब झारखंड में खैर नहीं। तीन महीने में राज्यपाल शासन में यह माहौल बना। अब नई सरकार पर यह निर्भर है कि इस माहौल को वह आगे बढ़ाती है या नहीं?

क्योंकि इस संस्कृति को मजबूत किए बिना, झारखंड का विकास संभव ही नहीं है। इसी टीम ने बिजली बोर्ड की सफाई शुरू की थी। राजीव गांधी ग्रामीण विद्युतीकरण योजना के हजारों-हजार करोड़, कैसे लोगों ने उदरस्थ कर लिये? यह जाँच एजेंसियाँ बता चुकी हैं। ग्रामीण विद्युतीकरण के काम में लगी एक कंपनी ने आयकर अधिकारियों को बताया है कि उसे कैसे राजनेताओं को कमीशन और घूस देनी पड़ी है। कुछेक राजनेताओं के खिलाफ एफ.आई.आर. भी दर्ज हुई है।

जनता अँधेरे में रहे और रोशनी के पैसे कमीशन और भ्रष्टाचार में बह जाएँ, तो झारखंड का विकास कैसे संभव है? देश के नकारा और अक्षम (इनइफीशिएंट) लोग बिजली बोर्ड के अध्यक्ष बन रहे थे। अर्जुन मुंडा बिजली बोर्ड में अच्छे कामकाजी लोगों को बैठाकर अच्छी शुरुआत का संकेत दे सकते हैं।

ब्यूरोक्रेसी से अर्जुन मुंडा का तालमेल अच्छा रहा है। इसलिए मानना चाहिए कि वह अच्छी टीम बनाएँगे। वैसे भी झारखंड नौकरशाही की खदान में अच्छे ब्यूरोक्रेट कोयले की तरह पड़े हैं। हालाँकि हैं वे हीरा। उनकी पहचान या चमक देखकर दूसरे लोग उन्हें ले जाते हैं। आर.एस. शर्मा ने झारखंड को ई-गवर्नेंस में भारत में चोटी पर पहुँचा दिया, पर यहाँ की सरकार उनके हुनर को पहचान नहीं सकी। आज केंद्र या देश की सबसे महत्त्वाकांक्षी योजना यू.आई.डी. वह सँभाल रहे हैं। इस तरह अनेक नाम हैं। इस राज्य में खुद संतोष सतपथी, सुखदेव सिंह, राजबाला वर्मा, एन.एन. सिन्हा, सुधीर त्रिपाठी, जेवी तुबिद, एस.के. वर्णवाल, मृदुला सिन्हा वगैरह हैं। यह टीम देश के श्रेष्ठ अफसरों की टीम बन सकती है। मुख्य सचिव ए.के. सिंह और शिव बसंत जैसे उम्दा लोग हैं। इन्हें छूट और संरक्षण मिले, तो यह टीम झारखंड को बहुत आगे ले जा सकती है। इस तरह अर्जुन मुंडा सरकार की दूसरी कसौटी होगी कि वह श्रेष्ठ अफसरों को राज्य के हित में कैसे उपयोग करती है? ब्यूरोक्रेसी की नब्ज मुंडा पहचानते हैं। अगर वह श्रेष्ठ नौकरशाहों की पीठ के पीछे खड़े होते हैं, तो इस राज्य की कार्य-संस्कृति बदल सकती है। अधिक राजनीतिक समझौता किए बगैर, वह यह काम कर सकते हैं। गुजरे वर्षों में सरकार चलाने के लिए उन्हें बहुत समझौते करने पड़े, पर इस बार वह गणित पलट सकते हैं। विधायकों को सरकार चाहिए और विधायकी चाहिए। पाँच वर्षों के पहले कोई चुनाव में जाना नहीं चाहता, क्योंकि पिछले चुनाव में 81 में से 53 चेहरे बदल गए थे। यह डर सबको सता रहा

है। विधायकों और दलों का यह भय अर्जुन मुंडा के लिए प्राकृतिक वरदान है। सत्य यह है। इस वरदान का महत्त्व वह समझें और निर्णायक कदम उठाएँ। अब कोई निर्दलीय या दलीय सरकार गिराएगा, तो कांग्रेस या जे.वी.एम. सरकार बनाने को बेचैन नहीं है। कारण, कांग्रेस आलाकमान, फिर हाथ नहीं जलाना चाहता। इस तरह इस सरकार के शुरुआती दिन स्थायी भाव में गुजरेंगे। अब मुंडा सरकार की परख शुरुआती दिनों में इन संदर्भों में होगी—

1. राज्य झारखंड लोक सेवा आयोग का पुनर्गठन। इसके चेयरमैन के रूप में किसी अत्यंत ईमानदार, निष्पक्ष पारदर्शी व्यक्ति का चयन। किसी भी आयोग का सदस्य योग्य, ईमानदार और श्रेष्ठ लोगों को ही बनाया जाए। क्योंकि इन संस्थाओं से झारखंड की नींव बननी और बिगड़नी है। भविष्य इन्हीं संस्थाओं पर निर्भर है।

2. झारखंड प्रशासनिक सेवा को स्तरीय और श्रेष्ठ बनाना।

3. सड़कों का जाल बिछाना।

4. अकाल में किसानों को तत्काल राहत। इसमें घूसखोरी, कमीशन को रोकने के लिए विजिलेंस से सरप्राइज और औचक निरीक्षण कराना।

5. विजिलेंस विभाग को आधारभूत सुविधाएँ देकर मजबूत बना देना।

6. बिहार की तरह भ्रष्ट अफसरों की संपत्ति जब्त करने का कानून बनवाना।

7. बिहार की तरह ही आपराधिक मामलों को स्पीडी ट्रायल कोर्ट से निष्पादित कराना।

8. बमुश्किल एक माह पहले राज्यपाल एम.ओ.एच. फारूक ने एक साहसिक फैसला किया। सभी ब्यूरोक्रेट, सार्वजनिक सेवक, एडवोकेट जनरल, सरकारी वकील, अपनी संपत्ति का सार्वजनिक विवरण सरकार को दें। एक माह हो गया, अब तक यह लागू हुआ है या नहीं? मुंडा सरकार तुरंत कदम उठाकर एक व्यापक और बड़ा संदेश दे सकती है।

9. बिजली के मामले में पड़ोसी राज्य छत्तीसगढ़ पूरे देश का हब बन गया है। यहाँ बिजली की कई परियोजनाएँ वर्षों से चल रही हैं। कोई उनका पूछनहार नहीं है। इस पर काम हो सकता है।

10. पंचायत चुनावों को समयबद्ध कराना। उल्लेखनीय है कि राष्ट्रपति शासन में यह चुनाव 20 दिसंबर, 2010 तक हो जाना था।

11. स्टाफ सर्विस कमीशन बोर्ड को गतिशील करना।

12. जहाँ जरूरी पद खाली हों, वहाँ नियुक्तियाँ आरंभ कराना।

इस तरह अन्य काम भी हैं, जिनको मजबूती से आरंभ कर मुंडा सरकार अपने

होने का संदेश दे सकती है। बिना बोले, बताए या घोषणा किए।

'पूत के पाँव पालने पर' चर्चित कहावत है। इसलिए शुरू के दिनों से ही यह सरकार अपना रुख साफ और स्पष्ट रखती है, तो इसे काम करने में सुविधा होगी। लोकतंत्र में जिन राजनीतिक लोगों ने इस व्यवस्था को बिगाड़ा है, वे राजनीतिज्ञ ही इसे सुधार सकते हैं। 'तुम्हीं ने दर्द दिया, तुम्हीं दवा दोगे' मान कर चलना चाहिए कि अतीत के अनुभव से सबक लेकर झारखंड के राजनेता झारखंड को बेहतर बनाने के लिए इस बार कुछ करेंगे।

आज झारखंड फिर उस कगार पर खड़ा है, जहाँ वह पुन: इतिहास बना सकता है या फिर इतिहास बन जाएगा।

(10-09-2010)

□

नई राह खोजें

संदर्भ : झारखंड के हालात

अर्जुन मुंडा, सुदेश महतो और हेमंत सोरेन के लिए सुनहरा मौका है, झारखंड की खोई गरिमा और साख लौटाने का। देश-दुनिया में बदनाम और अपमान की दृष्टि से देखे जानेवाले झारखंड को एक आदर्श राज्य बनाने का अवसर। दस वर्षों का पाप धो लेने का मौका। एक दशक पहले झारखंड बना, बिहार से अलग होकर। तब क्यों झारखंड बना था? बिहार पतन के रास्ते पर अग्रसर था। इसलिए झारखंडियों ने माँग की कि हम बिहार से बेहतर बनें। अविकास और पतन के साझीदार न रहें। कुशासन से मुक्त हों। आज सम्मान, विकास एवं साख की दृष्टि से कहाँ खड़ा है बिहार और कहाँ पहुँच गया है झारखंड? आज बिहार की प्रतिष्ठा की गूँज देश-दुनिया में है। नीतीश कुमार ने अपनी कार्यशैली, शिष्टता, मर्यादा और नई कार्य-संस्कृति से बिहार का खोया सम्मान लौटाया है। लगभग 30-40 वर्षों का पाप पाँच वर्षों में धोया। उनके ठीक पहले पंद्रह वर्षों तक किस मॉडल से बिहार चला? दबंगई, गाली-गलौज, अफसरों के साथ मारपीट, अपहरण, राजनेताओं की हेकड़ी से। इस रास्ते क्या पाया बिहार ने? दुनिया में जगहँसाई का केंद्र बना। देश का सबसे पिछड़ा राज्य बना। काम की तलाश में बिहारी (तब झारखंडी भी) देश भर में भटकने लगे। अपमानित होने लगे। पढ़ने और रोजगार के लिए ठौर-ठिकाना ढूँढ़ने लगे। वर्ष 2000 में अलग होने के बाद झारखंड में सपना जगा। हम होंगे सर्वश्रेष्ठ। और गुजरे दस वर्षों में रसातल में पहुँच गए।

इस रसातल से उबरने का अवसर परिस्थितियों ने दिया है। अर्जुन मुंडा, सुदेश महतो और हेमंत सोरेन को। वे या तो इतिहास बनाएँगे या फिर इतिहास बन जाएँगे। अयोध्या मुद्दे ने पूरे देश को साफ संदेश दे दिया है कि इस देश के गरीब, बेरोजगार नौजवान अब प्रतीक्षा नहीं करनेवाले। उन्हें धर्म, राजनीति, बाहरी-भीतरी में बाँटने का पुराना हथियार अब नाकामयाब हो गया है। लोग बँटेंगे नहीं, अब वे नेताओं से हिसाब लेंगे। उनके काम का, आचरण का। सामान्य परिस्थितियों में लोकतंत्र में राष्ट्रपति शासन का प्रावधान नहीं है, नहीं तो झारखंडी जनता की पहली पसंद शायद राष्ट्रपति शासन

रहता। स्थायी तौर पर। इस तरह झारखंड की सरकार और राजनेताओं पर दोहरा बोझ है। लोकतंत्र की छीजती विश्वसनीयता लौटाना और प्रभावी (इफेक्टिव) सरकार चलाना।

सत्ता में आते ही मुंडा सरकार ने चार अच्छे संदेश दिए। बोल कर नहीं। काम करके। पहला, चालीस बदनाम एवं बटमार अभियंताओं को बरखास्त (11 सितंबर) कर। दूसरा, पंद्रह अफसरों पर भ्रष्टाचार के आरोप में कारवाई (19 सितंबर) कर। फिर भ्रष्टाचार के आरोप में चार अभियंताओं के खिलाफ कारवाई की अनुमति (20 सितंबर) देकर। अपराधियों के खिलाफ सी.सी.ए. लगाने का फैसला (23 सितंबर) कर।

पर, राजनेता झारखंड को इस कदर अशासित-कुशासित कर चुके हैं कि ये फैसले झारखंडी अव्यवस्था के लाल तवे पर गिरने के पहले ही भाप बन गए। इस तरह इस सरकार को नए और साहसिक कदम उठाने होंगे। बिना पूर्व घोषणा व प्रवचन के। सरकार का काम बोले, तब बात बनेगी। झारखंड को इस सुरंग से निकालने के लिए जनता को भी जगना होगा। कैसे?

हिंदी कविता में ठहराव का दौर था। बदलाव के लिए बेचैन ताकतों ने कहा, तोड़ छंद के बंद। मतलब पुरानी पारंपरिक धारा को तोड़कर समय, काल और परिस्थितियों के संदर्भ में नई रचना। इसी तरह आज देश की राजनीति को चाहिए नए विचार, नए मुहावरे, नए आइडिया, लोकतांत्रिक विरोध के नए स्वर और अहिंसक हथियार। युवाओं में घटते सामाजिक सरोकारों को लेकर पहल की जरूरत है। खासतौर से झारखंडी राजनीति में नई ऊर्जा चाहिए। अपनी चुनौतियों से निबटने के लिए। मसलन आज झारखंड के सामने कुछ बड़े सवाल खड़े हैं।

हड़ताल : चालीस दिनों से पारा शिक्षक हड़ताल पर हैं (84,000 के आस-पास)। इससे दो लाख से अधिक छात्र प्रभावित हैं। इन शिक्षकों की हड़ताल के कारण बच्चों को भोजन नहीं मिल रहा। झारखंड में इन शिक्षकों को अन्य राज्यों से अधिक मानदेय मिलता है। मध्य प्रदेश में 2500 से 3000 रुपए के बीच। ओड़िशा में 2000-5200। उत्तर प्रदेश में 3500। छत्तीसगढ़ में 3800-5300। और झारखंड में 4000 से 5000 रुपए। पारा शिक्षकों की माँग, अगर सरकार मान ले, तो उस पर सालाना अतिरिक्त 1600 से 1200 करोड़ रुपए खर्च होंगे। फिलहाल इन पर हर साल 450 करोड़ रुपए का खर्च है। राज्य सरकार का जो बजट है, उसके अनुसार विकास के लिए महज 2350 करोड़ रुपए उपलब्ध हैं। अब ये पढ़े-लिखे शिक्षक बताएँ कि क्या वे चाहते हैं कि झारखंड की तीन करोड़ की आबादी पर विकास के लिए कोई खर्च न हो? पारा शिक्षकों की कुल संख्या है 84000। झारखंड की आबादी तीन करोड़ मान लें, तो पारा शिक्षकों की संख्या हुई कुल आबादी की 0.28 फीसदी। झारखंड में सरकारी कर्मचारियों की संख्या है तीन से चार लाख के बीच। उनके वेतन पर खर्च है 5160 करोड़ रुपए

सालाना। जो पेंशनभोगी हैं, उन पर खर्च है 2040 करोड़ सालाना। इस तरह वेतन और पेंशन पर झारखंड सरकार का सालाना खर्च है कुल 7200 करोड़ रुपए। उदार होकर भी मान लें कि कुल सरकारी कर्मचारियों और रिटायर लोग, पारा शिक्षकों समेत 5 से 6 लाख के बीच हैं। झारखंड की आबादी तीन करोड़। इस कुल आबादी से पाँच लाख कर्मचारियों की संख्या घटा दें, तो पाएँगे कि 2.95 करोड़ आबादी के विकास कार्यों, स्वास्थ्य, कल्याण आदि पर 2200 करोड़ रुपए भी खर्च न हों और पाँच लाख लोगों पर 7200 करोड़ रुपए खर्च होते हैं, सालाना। अगर पारा शिक्षकों की माँग मान ली जाए, तो 2.94 या 2.95 करोड़ झारखंडी जनता के विकास, कल्याण, स्वास्थ्य वगैरह पर वार्षिक खर्च होगा हजार करोड़ के आसपास। इस सवाल पर किसकी नजर है? यह बारूद जैसा सवाल है। जिस दिन 2.95 करोड़ लोग, पाँच लाख लोगों के खिलाफ उठ खड़े होंगे, उस दिन स्थिति साफ हो जाएगी। क्या यह सामान्य बात भी पारा शिक्षक नहीं समझ पा रहे हैं? ऐसी हड़तालें, सीधे बेजुबान जनता पर अत्याचार है। सरकार को कठोर कदम उठाना चाहिए और जनता को ऐसे सख्त कदमों के पक्ष में सड़क पर उतरना चाहिए। 2002 में इन पारा शिक्षकों की नियुक्ति 1000 रुपए के मानदेय पर हुई थी। 2009 में यह बढ़कर 5000 रुपए हो गई है। उस पर इनका अहं देखिए। ये पारा शिक्षक परीक्षा देना नहीं चाहते। अपनी योग्यता की जाँच या टेस्ट कराए बिना ये स्थायी व नियमित नौकरी चाहते हैं। सूचना यह भी है कि फरजी डिग्रीधारी भी पारा शिक्षक बने हैं। बस कंडक्टर भी बने हैं। लिख-लोढ़ा पढ़-पत्थर भी पारा शिक्षक हैं। साथ में पढ़े-लिखे और अच्छे भी हैं। नाकाबिल भी हैं। क्या इन अयोग्य लोगों के हाथों में कोई अभिभावक अपने बच्चे का भविष्य सौंपना चाहेगा?

आज चीन एवं अमेरिका की दुनिया में तूती बोल रही है। इसके मूल में है कि उन्होंने अपने यहाँ बुनियादी शिक्षा को ठीक किया है। वहाँ एक भी फरजी अध्यापक नहीं बन सकता। क्योंकि समाज निर्माण में सबसे बड़ी और निर्णायक भूमिका अध्यापकों ने अदा की है। वे बच्चों का संस्कार ही नहीं गढ़ते, भविष्य भी बनाते हैं। देश और समाज का भाग्य तय करते हैं। यह भाग्य तय करने का काम और समाज के भविष्य निर्माण का काम, क्या नाकाबिल और अयोग्य लोगों के हाथों में सौंपा जा सकता है? क्या किसी अयोग्य और नाकाबिल डॉक्टर से गंभीर व्यक्ति इलाज कराना चाहेगा? खुद बिहार में पारा शिक्षकों की हड़ताल और अनुचित माँग के आगे सरकार नहीं झुकी। इनका टेस्ट जरूरी है। इनका प्रशिक्षण जरूरी है। सरकारें राजनीतिक दबाव में झुकती हैं। वोट बैंक के लिए सौदेबाजी करती हैं। अगर झारखंड में ऐसा ही रहा, तो यह देश का लेबर सप्लायर और पिछड़ा राज्य ही रहेगा। इसलिए झारखंड की जनता को जगना जरूरी है। सभी राजनीतिक दल इस सवाल पर गोलबंद हों। अपना स्टैंड साफ करें,

क्योंकि आज कोई सरकार है, कल विपक्ष की सरकार होगी। इस तरह की अनुचित माँग सबको फेस करनी होगी। यह राज्यहित का प्रसंग है। इस तरह झारखंड को चाहिए चुस्त गवर्नेंस। नो नॉनसेंस। पारा शिक्षकों और झारखंड की जनता के लिए एक सलाह है। आपने पढ़ा कि सरकारी कर्मचारी और रिटायर्ड लोगों पर सालाना 7200 करोड़ रुपए खर्च है। इनकी संख्या कुल पाँच लाख मान लीजिए। तो शेष 2.95 करोड़ झारखंड की आबादी के विकास, कल्याण, स्वास्थ्य वगैरह के मद में कुल 2200 करोड़ रुपए खर्च। यह विषमता सुलगती आग है। नई राजनीति को चाहिए कि वह इसे मुद्दा बनाए। जो राजनीतिक दल, युवा अपने देश और समाज को बदलना चाहते हैं, उनके लिए जरूरी सवाल है। वे गाँव-गाँव, घर-घर तक इस सवाल को ले जाएँ। वे माँग करें कि नेताओं का तामझाम कम हो। वेतन कहीं न बढ़े। जनता के विकास पर खर्च बढ़े। इन व्यापक सवालों को लेकर आंदोलन किए जाएँ। इसमें पारा शिक्षक भी शामिल हों। समाज के अन्य तबके भी। अपने-अपने हित या वर्गीय स्वार्थ के लिए समाज के अलग-अलग गुटों की अलग-अलग माँग न हो। पूरी जनता पर विकास का खर्च बढ़ेगा, तो सबका भला होगा।

सफाई : पंद्रह दिनों से कमोबेश राज्य में सफाई कर्मचारी हड़ताल पर हैं। कुछेक जिलों को छोड़कर। अब शहर कूड़े के ढेर बन रहे हैं। डेंगू फैल रहा है। यह सवाल उठना चाहिए कि क्या पुराने ढंग से शहरों की सफाई व्यवस्था चलेगी? ये सरकारी कर्मचारी क्या करते हैं? इन पर कुल कितना खर्च होता है? कितनी बार ये हड़ताल करते हैं? क्यों नहीं इन्हें व्यवस्थित किया जाए? देश के कई हिस्सों में सरकारी काम पब्लिक-प्राइवेट पार्टनरशिप (पी.पी.पी.) पर चल रहा है। वहाँ सफाई हो रही है। वहाँ न हड़ताल का लफड़ा, न ब्लैकमेलिंग और न डेंगू का खतरा। श्रेष्ठ सफाई के मामले में सूरत का उदाहरण सामने है। 1994 में जो हैजा से ग्रस्त शहर था, वह देश का सबसे साफ-सुथरा शहर हो गया है। यह सब सरकारी कर्मचारियों के भरोसे नहीं हुआ। यह सब लोगों की दृढ़ इच्छाशक्ति से संभव हुआ। झारखंड को आज इसकी जरूरत है। कचरे (सिवरेज) की सफाई आज बड़ा उद्योग है। देश के कई हिस्सों में इसके प्लांट लगाकर युवा अच्छी आमद कर रहे हैं। क्यों झारखंड में उसी पुरानी पद्धति पर चीजें चलें? क्यों नहीं यहाँ भी प्रशासन के क्षेत्र में छंद के बंद तोड़े जाएँ और नए प्रयोग हों। यह कैसी व्यवस्था है कि इंटरनेट के इस युग में एक इंजीनियर खूँटी से करोड़ों रुपए लेकर चंपत हो जाता है। पंद्रह करोड़ रुपए लेकर भागने की एफ.आई.आर. हुई है। अभी तक पता नहीं है कि किस विभाग से और कितनी रकम लेकर वह चंपत है? ऐसे एडवांस झारखंड में कितने लोग कितना लेकर गायब हैं, कोई नहीं जानता। क्या ऐसे अफसरों पर त्वरित और कठोर कारवाई के लिए नए कानून नहीं बन सकते?

बिजली : इसी तरह बिजली बोर्ड पुराने स्वरूप और जर्जर ढाँचे में नहीं चल सकता। इसका 10 वर्षों में घाटा 1000 करोड़ तक पहुँच गया। हर साल सरकार इसे रिसोर्स गैप भरने के नाम पर 300 करोड़ रुपए की सब्सिडी देती है। 2003 में बिजली बोर्ड का बँटवारा होना था। यह अब तक आठ बार टल चुका है। जिन राज्यों ने यह बँटवारा किया है, वे बेहतर तरीके से मैनेज कर रहे हैं। झारखंड के साथ ही छत्तीसगढ़ अलग हुआ। आज बिजली उत्पादन में वह सरप्लस स्टेट है। बिजली बेचकर कमा रहा है, जबकि झारखंड का बिजली बोर्ड गँवा रहा है। यह स्थिति क्यों है? क्योंकि बिजली बोर्ड एक संस्था के तौर पर सड़ी लाश है। इससे बदबू ही फैल रही है। इस बदबू को थोड़े-मोड़े सुधार या स्प्रे से आप दबा-ढँक नहीं सकते। बिजली बोर्ड मौजूदा स्वरूप में सुरंग की तरह है। बेशुमार घाटे का। यूनियनों की ब्लैकमेलिंग का। स्थापित क्षमता से बहुत कम प्रोडक्शन का। पतरातू जैसे सफेद हाथी का। इन भ्रष्ट संस्थाओं को जनता प्रत्यक्ष और अप्रत्यक्ष कर देकर कब तक ढोएगी? जो गरीब नून, लकड़ी, माचिस खरीदते हैं, वे क्यों ढोयें ऐसी संस्थाओं को? उन्हें भी इन चीजों पर कर देना पड़ता है। इस तरह झारखंड में पार्टियों को इन नए सवालों के इर्दगिर्द नई राजनीति गढ़नी चाहिए। नहीं तो झारखंड का विकास नहीं होनेवाला।

धमकी : झारखंड के राजनेता अफसरों से जो व्यवहार कर रहे हैं (अगर यह सही है) तो झारखंड में कोई अफसर नहीं टिकेगा। अच्छे अधिकारी लगातार झारखंड से बाहर निकलते जा रहे हैं। जो बचे ईमानदार और कर्तव्यनिष्ठ अधिकारी हैं, वे भी भाग जाएँगे। फिर राज्य का क्या होगा? इस तरह के आचरण के दो तरह के खतरे हैं—पहला प्रशासनिक और दूसरा कानूनी।

प्रशासनिक अधिकारी अगर हर जगह से लिखकर देने लगें कि हम काम नहीं करेंगे, तो क्या हालात होंगे? किसके सौजन्य से सरकारी कामकाज होगा? अगर अच्छे अफसर बिदक गए, तो क्या निष्क्रिय पड़े रहनेवाले अफसरों से राज्य का विकास होगा? देश में जो विकसित राज्य हैं, क्या वे अफसरों को प्रताड़ित करके आगे बढ़े हैं या अच्छे अफसरों की सक्रिय साझेदारी से आगे गए हैं?

कानूनी पहलू : क्या सरकार में ऊपर बैठे किसी मंत्री को भारतीय प्रशासनिक सेवा के किसी अधिकारी या सरकारी कर्मचारी से कुछ भी अनाप-शनाप कहने का हक है? अगर अफसर अड़ जाए एवं मुद्दा बना दे, तो राजनेता को इसकी कीमत समझ में आ जाएगी। सही है, झारखंड ऑफिसर एसोसिएशन निष्पंद है। उत्तर प्रदेश आई.ए.एस. ऑफिसर एसोसिएशन ने ऐसे सवालों पर पहल की थी। अपने बीच के भ्रष्ट और धब्बों को भी पहचाना था। शिष्टता और मर्यादा बुनियादी चीजें हैं। सत्ता निरंकुश नहीं होती; और न यह हमें अमर्यादित अधिकार देती है। आप कानून से ऊपर नहीं। प्रधानमंत्री भी

नहीं। यह भी सही है कि आज आत्मस्वाभिमानवाले सरकारी अफसरों की कमी है। जीवन में आत्मसम्मान से बड़ा कुछ भी नहीं होता। अगर आदमी सही है, तो उस पर वह समझौता नहीं करता। आमतौर से, झारखंड के अफसरों को भी यह समझना चाहिए कि कानून है। सरकार में बैठे लोग कानून के सबसे बड़े रखवाले हैं। अगर कानूनन कोई चीज होनी है, तो उसे रोक सकने की क्षमता-हैसियत किसी में नहीं है। अगर अफसर काम नहीं कर रहे हैं, तो सरकार में बैठे राजनीतिक लोग सक्षम हैं कि लिखकर आदेश दें और उसे लागू करवाएँ। संविधान के तहत राज्य सत्ता का प्रतिनिधित्व करता है अफसर। वह स्टेट पावर का हिस्सा है। संविधान या कानून की रक्षा की जिम्मेवारी उस पर है। अगर वह गलत है, तो उसकी कीमत उसे चुकानी पड़ेगी। यह सरकार में बैठे लोगों को मालूम होना चाहिए। आज जे.पी.एस.सी. मेंबरों से गलत करानेवाले राजनेता कीमत चुका रहे हैं या कमीशन में पदाधिकारी रहे लोग भागे-भागे फिर रहे हैं।

कुछ ही दिन पहले की घटना है। बड़कागाँव के विधायक योगेंद्र साव ने एन.टी.पी.सी. के जी.एम. से मारपीट की। कारण, कोई स्थानीय समारोह एन.टी.पी.सी. ने आयोजित किया था, जिसमें विधायक महोदय आमंत्रित नहीं किए गए थे। इससे खफा होकर उन्होंने मारपीट की। क्या विधायक महोदय को मालूम है कि उन्हें हर सरकारी संस्था के समारोह में जाना और काम में हस्तक्षेप करना, उनका संवैधानिक अधिकार नहीं है? ऋण वितरण समारोह में अगर डी.सी. किसी राजनीतिज्ञ को नहीं बुलाता है, तो क्या इसके लिए भी उसे सजा दी जाएगी? क्या यह कानूनी प्रावधान है? क्या ऐसा संवैधानिक अधिकार है या कानूनी प्रावधान है? शायद नहीं। बहुत आसान रास्ता है। सभी विधायक या सांसद मिलकर यह कानून बना दें कि किसी लोक उपक्रम या स्थानीय प्रशासन द्वारा आयोजित समारोह में विधायक-सांसद को बुलाना कानूनी रूप से आवश्यक है, तो यह व्यवस्था स्वतः हो जाएगी।

और नेताओं को ध्यान रखना चाहिए कि वे नया सिस्टम नहीं बना सकते, तो पुराना ध्वस्त न करें। सिस्टम में वे ही सुधार कर सकते हैं, लेकिन जो बचा-खुचा सिस्टम है, उसे धवस्त और तबाह न करें। सरदार पटेल ने नौकरशाही को स्टील फ्रेम कहा था। आजादी के बाद भारत को एकसूत्र में बाँधे रखने में नौकरशाही की बड़ी भूमिका रही है। राजनीति की ही तरह नौकरशाही में भी भारी पतन हुआ है। उसे ठीक करने की जरूरत है। उसे ठीक करने का दायित्व राजनीतिज्ञों और राजनेताओं पर ही है। डॉ. लोहिया अकसर कहा करते थे कि नौकरशाह दो नंबर के राजा हैं और स्थायी हैं। इन्हें भी जवाबदेह बनाने की जरूरत है। अगर ये खराब प्रदर्शन करते हैं, तो इन्हें सरकारी सेवा से बाहर करने का प्रावधान हो। भ्रष्टाचार करने के बाद पुनः सेवा में न लेने का प्रावधान हो। क्यों नहीं सरकार या विपक्ष और राजनीतिक दल, इन बुनियादी

सवालों पर चर्चा करते हैं?

क्या हाल है झारखंड का? एक उदाहरण काफी है। पलामू में सुखाड़ से निपटने की सरकारी योजना बनी। उस योजना के तहत अच्छे बीज खरीद कर किसानों को देने थे। 75 फीसदी सब्सिडी पर, यानी 100 रुपए का माल 25 रुपए में। सबसे पहले तो खरीद में घपला हुआ। जो बीज 1.37 करोड़ में खरीदा जाता, वह खरीदा गया 7.52 करोड़ में। बाजार में बीज का आलू छह रुपए किलो था, तो खरीदा गया 25 से 28 रुपए किलो। अब सूचना है कि 65 प्रतिशत आलू सड़ गए। ईश्वर जाने यह खरीदा भी गया था या नहीं? जैसे पहले बिहार के गाँवों में सड़क बनती थी या नहर खोदी जाती थी और बाढ़ में यह गायब हो जाती थी। जानकारों का कहना है कि सड़क या बाँध बनाने जैसे काम होते ही नहीं थे, पर पैसे निकाल लिए जाते थे। उसी तरह इन सड़े हुए आलुओं का माजरा ईश्वर ही जाने, पर जब सब तरह से झारखंड में दीमक लगा हो और हर जगह लूट मची हो, तो इस सरकार के लिए मौका है कुछ कर दिखाने का। एक नया झारखंड बनाने का। बदहाल और बिखरते झारखंड को और तबाह नहीं करने का। तुरंत इस सरकार को फैसला करना चाहिए। पंचायत चुनाव हो। समय से हो। तब ग्राम सभा के माध्यम से विकास पर खर्च होंगे। यह ऐतिहासिक अवसर है, जब सरकार पहल कर झारखंड की सूरत बदल सकती है।

इन हालात पर, न कोई बेचैन है, न कोई पढ़ता है, न चिंतित है, फिर भी...

(07-10-2010)

□

विधायिका ही राह दिखा सकती है

झारखंड बने दस वर्ष हुए, पर यह राज्य अपनी बेहतर पहचान के लिए आज भी भटक रहा है। दस वर्ष पूर्व (वर्ष 2000 में) तीन राज्य, देश में एक साथ बने थे। झारखंड, छत्तीसगढ़ और उत्तराखंड। विशेषज्ञों का आकलन है कि उनमें सबसे बदतर हाल में झारखंड है। विस्तार में गए बगैर, झारखंड की इस स्थिति को सब स्वीकार करते हैं। इसके कारण अनंत हो सकते हैं, पर प्रमुख कारण माना जाता है राजनीतिक अस्थिरता। सरकारों का आना-जाना, पर इससे भी महत्त्वपूर्ण कारण है विधानसभा की भूमिका।

लोकतंत्र में आस्था का मंदिर है यह लोक अदालत, यानी विधायिका। विधायिका ही लोकतंत्र की घटती साख को बचा सकती है। प्रशासन से लेकर राज्य के हालात पर गहरी चिंता, बहस और सक्रिय भूमिका से, सरकार और व्यवस्था पर प्रभावी नियंत्रण रख सकती है, पर इस कसौटी पर झारखंड विधानसभा की 'क्या भूमिका रही?' क्या वह आदर्श विधानसभा बन पाई? जरूरत है कि आज हर विधायक, दल के स्तर से ऊपर उठकर यह सवाल (10 वर्ष होने के अवसर पर) अपनी अंतरात्मा से करे। दस वर्ष पूरे होने के अवसर पर विशेष सत्र बुलाकर यह विशेष बहस हो कि झारखंड पीछे क्यों छूटा? यह बहस स्वार्थों और दलगत भावना से ऊपर उठकर हो। इस बहस के लिए या आत्म-मूल्यांकन के लिए यही संस्था सबसे प्रामाणिक, वैधानिक और उपयुक्त है।

बहस की शुरुआत खुद अपनी भूमिका की तलाश से हो? साल में कितने दिन, विधानसभा बैठती है? संवैधानिक अपेक्षाओं के अनुसार विधानसभा की कितनी बैठकें होनी चाहिए? अगर बैठकें कम हो रही हैं, तो समाधान ढूँढ़े जाएँ? फिर इन बैठकों में विधायकों के आचरण, भूमिका और स्तर पर विचार-विमर्श हो? बहस का स्तर क्या रहा है? यह कैसे बेहतर और आदर्श बन सकता है? इस पर अमल हो। यह भी सवाल उठे कि विधानसभा में कितनी नियुक्तियाँ होनी चाहिए थीं, कितनी हुईं? क्या योग्य पात्र चुने गए? क्यों और कैसे नियुक्तियों के मामले में विधानसभा विवाद में है? यह चीर हरण जैसा प्रसंग है। लोकतंत्र के मंदिर, विधानसभा की नैतिक आभा में जितनी चमक,

साख और शुद्धता होगी, राज्य पर उसका नियंत्रण उतना ही मजबूत होगा। दस वर्षों की झारखंड विधानसभा में बार-बार वेतन और सुविधाएँ बढ़ीं। विधानसभा को बहस करनी चाहिए कि देश में किन राज्यों के विधायक, सबसे अधिक वेतन-सुविधाएँ पाते हैं? उन राज्यों की प्रतिव्यक्ति आमद क्या है? झारखंड सबसे समृद्ध राज्य बने, तो यहाँ के विधायक सबसे समृद्ध बनें? इसमें कोई मतभेद नहीं हो सकता, पर क्यों सबसे गरीब राज्य के विधायक, सबसे अमीर बनें, यह आत्ममंथन होना चाहिए। यही नहीं, पूर्व मुख्यमंत्रियों को आजीवन सुविधाओं का प्रावधान क्यों? क्यों पहल हुई थी कि स्पीकर को भी आजीवन सुविधाएँ मिलें? राज्य में झारखंड लोक सेवा आयोग से लेकर अनेक महत्त्वपूर्ण संवैधानिक संस्थाओं में जो असंवैधानिक चीजें हो रही थीं, तब विधानसभा क्यों मूकदर्शक रही?

आज सबसे बड़ी जरूरत है झारखंड विधानसभा की साख लौटाना। उसे एक जीवंत, प्रामाणिक और पारदर्शी संस्था बनाना। क्योंकि लोकतंत्र में विधानसभा या विधायिका ही गंगोत्री है। वह नैतिक, आदर्श और कानूनप्रिय होगी, तो सरकार समेत राज्य का हर विभाग, संस्थाएँ और समाज, लक्ष्मण-रेखा के अंदर होंगे। महाभारत की मान्यता है, 'महाजनो येन गत: स पंथा:।' बड़े लोग, जिस रास्ते जाते हैं, सामान्य लोग उन्हीं था अनुसरण करते हैं। विधायक ही समाज के अगुआ और बड़े लोग हैं। उनके गढ़े मूल्य, मर्यादा, आचरण और चरित्र से ही समाज सीखेगा। सार्वजनिक जीवन का स्तर या गुणवत्ता बेहतर होगी। गंगोत्री, यानी गंगा अपने उद्गम में ही स्वच्छ, साफ और श्रेष्ठ नहीं रहेगी तो उसकी कितनी सफाई होगी? कहाँ-कहाँ होगी? इस तरह राज्य में श्रेष्ठ मूल्यों की गंगोत्री है विधायिका (विधानसभा)। इसे साफ-स्वच्छ और आदर्श विधायक ही बना सकते हैं।

विधायिका के पास असीमित ताकत है। वह जहाँ बदलाव या परिवर्तन चाहती है, कानून बनाकर पहल कर सकती है। बिहार में दो प्रभावी कानून बने हैं, जो लोकतंत्र के लिए उपयोगी और ऊर्जावान हैं। पहला कानून भ्रष्टाचार पर नियंत्रण से संबंधित, दूसरा अपराध पर नियंत्रण के लिए विशेष अदालतों के गठन का। झारखंड विधानसभा भी ऐसे या अपनी परिस्थितियों के अनुकूल और आवश्यकतानुसार कानून बनाकर हालात बदल सकती है। चुनावतंत्र लगातार महँगा होता जा रहा है। प्रजातंत्र में धनतंत्र के बढ़ते असर को रोकने या नियंत्रित करने की पहल तो विधानसभा ही कर सकती है।

मीडिया समेत अन्य संस्थाएँ महज आलोचना कर सकती हैं। कई बार यह कहा जाता है कि समाज की सभी संस्थाओं में पतन हो गया है। यह सही भी है। मीडिया समेत कोई संस्था बची नहीं, जो पाक-साफ हो, पर इस हालात को बदलने की ताकत सिर्फ और सिर्फ विधायिका के पास है। इसलिए लोकतंत्र में विधायिका से सबसे

अधिक अपेक्षा है। अंतत: राजनीति ही चीजों को बदल सकती है। नई दिशा दे सकती है। दशा बदल सकती है। उस राजनीतिक बदलाव की भूमिका चाहें, तो विधायक ही तैयार कर सकते हैं।

आजादी के 50 वर्ष पूरे हुए, तो संसद् का एक सप्ताह का अधिवेशन बुलाया गया। यह परखने के लिए कि हम कहाँ पहुँचे? उसी तरह 10 वर्ष पूरे होने पर झारखंड विधानसभा क्यों नहीं बैठ सकती और झारखंड के हालात पर नए सिरे से विचार कर सकती है? अगर विधानसभा या विधायिका फेल हुई, तो लोकतंत्र फेल होगा। लोकतंत्र फेल होगा, तो अराजकता और नक्सली ही दिखाई देते हैं। गांधीजी ने पार्लियामेंट के बारे में एक शब्द कहा। एक महिला ने उस पर आपत्ति की। गांधीजी ने उसे वापस ले लिया। उसके बाद गांधीजी ने पार्लियामेंट को बाँझ कहा।

आजादी के 50 वर्ष पूरे होने पर संसद् का एक सप्ताहव्यापी अधिवेशन बुलाया गया। तब समाजवादी चिंतक किशन पटनायक ने एक लेख लिखा, संसद् भवन को जला दो (देखें पुस्तक, भारतीय राजनीति पर एक दृष्टि''गतिरोध, संभावना और चुनौतियाँ; लेखक : किशन पटनायक)। इस लेख में उन्होंने गांधीजी के उस प्रसंग के बारे में लिखा है, ''गांधी ने पार्लियामेंट को बाँझ कहा। यह भी आपत्तिजनक होना चाहिए था, क्योंकि नारी के लिए निंदात्मक शब्द के रूप में इसका इस्तेमाल होता रहा है। गांधी ने कभी किसी नारी को बाँझ नहीं कहा। उलटे, गांधी ने कभी-कभी नारियों को बाँझ होने का उपदेश दिया है। फिर भी उन्होंने पार्लियामेंट को बाँझ कहा, क्योंकि उन्हें पूरे आक्रोश के साथ इस गौरवान्वित संस्था (ब्रिटिश पार्लियामेंट) का उपहास करना था।''

नक्सलियों ने संसदीय संस्थाओं के बारे में कैसे शब्दों का इस्तेमाल किया है? अंतत: जो सबसे प्रतिष्ठित और लोकतंत्र की प्राणसंस्था है, अगर वह जीवंत और निर्णायक नहीं हुई, उसने देश, काल और परिस्थितियों के अनुरूप अपनी भूमिका का निर्वाह नहीं किया, तो समाज को दिशा देनेवाली कोई संस्था नहीं बचेगी? झारखंड विधानसभा अपनी इस ऐतिहासिक भूमिका को समझे और निर्णायक कदम उठाए, तो निश्चय ही झारखंड देश के श्रेष्ठ राज्यों में से एक हो सकता है।

(08-11-2010)

□

मिलना एक मास्टर से!

संदर्भ : बदल रहा है झारखंड—1

सिमरिया विधानसभा क्षेत्र का महत्त्वपूर्ण इलाका है पत्थलगड्डा। यहाँ चौक पर संसद् जैसा दृश्य था। उपचुनाव के दिन थे। हर दल के लोग अपना आशियाना लगाए बैठे थे। माइक से प्रचार करते। शायद ही कोई किसी की बात सुन रहा हो। हेगेल के थीसिस—एंटी थीसिस का जीवंत दृश्य। पत्थलगड्डा चौक पर नेताजी सुभाष बाबू की मूर्ति है। साफ, सुथरी और मालाओं से आच्छादित। याद आया 23 जनवरी को नेताजी को याद किया गया है। देश के सुदूर इलाकों-जंगलों-पहाड़ों में भी गांधी, सुभाष बाबू, भगत सिंह, अंबेडकर वगैरह की मूर्तियाँ देखकर अकसर एहसास होता है, ये आधुनिक भारत के चेहरे, एकता के सूत्रधार और नए भारत की स्प्रिट (आत्मा) के प्रतिबिंब हैं। भला पत्थलगड्डा जैसे जंगल/पहाड़ में सुभाष बाबू की भव्य प्रतिमा और उनकी जयंती का आयोजन और क्या संकेत देते हैं? इस देश में सत्ताधीशों ने परंपरा विकसित की है कि राज्याश्रय से कुछ खास परिवारों को-उनके पुरखों को अमर बना दें, पर गांधी, सुभाष बोस, अंबेडकर या भगत सिंह वगैरह के परिवारवालों को न पता है, न सामर्थ्य-साधन है कि वे इनकी मूर्तियाँ जंगल-पहाड़ों में बनवाएँ? पर ये मूर्तियाँ देश के कोने-कोने में हैं।

चौक के ठीक बगल में एक स्कूल है। साफ-सुथरा और सुव्यवस्थित। साथी जितेंद्र पहल से जिज्ञासा करता हूँ। वह स्कूल के पास ले जाते हैं। यह राजकीयकृत मध्य विद्यालय, पत्थलगड्डा है। राधाकृष्णन की प्रतिमा है। विवेकानंद का आदमकद चित्र और उनके झंकृत करनेवाले वचन/संदेश। विद्यालय कैंपस में ही एक बिल्डिंग है, जिस पर बड़े-बड़े हरफों में लिखा है—कंप्यूटर-टेलीविजन-इंटरनेट सेक्शन। अचंभित होता हूँ। साफ-सुथरा कैंपस। राधाकृष्णन की मूर्ति। विवेकानंद के संदेश और इंटरनेट का सेक्शन। दरअसल भारत के ऐसे अमर और प्रेरक नायकों की मूर्तियाँ, विचार और जीवंतता तो हर स्कूल में होने चाहिए। बच्चे कच्चे घड़े होते हैं। ऐसे महापुरुषों की स्मृति की चर्चा से बच्चों का जीवन उत्कृष्ट होगा। इस तरह इन नायकों की स्मृति और

साथ–साथ इंटरनेट सेक्शन, देखकर कायल हूँ। अतीत और अधुनातन के श्रेष्ठ पक्षों का संगम। वह भी जंगल में। इतिहास पुष्ट करता है कि जो टेक्नोलॉजी में पिछड़ गए, वे गुलाम होने के लिए अभिशप्त हैं। इसलिए इंटरनेट या अधुनातन तकनीक से गाँव–गाँव जुड़कर भारत दुनिया में चमत्कार कर सकता है। ऐसा करनेवाले के लिए मन में सम्मान उमड़ता है। स्कूल के बारे में जानने की कोशिश करता हूँ।

यह तो बचपन में ही सुना था कि राजा की पूजा घर में होती है। विद्वान, त्यागी दुनिया में या सर्वत्र पूजे जाते हैं।

तभी तो इस जंगल, पिछड़े और उग्रवाद की दृष्टि से 'सुपर सेंसिटिव' इलाके में राधाकृष्णन, विवेकानंद, सुभाष की जीवंत स्मृतियाँ हैं। स्कूल में छुट्टी हो गई है। स्कूल के प्रभारी प्राचार्य से मिलने की उत्सुकता है। साथी ढूँढ़ लाते हैं। पहली नजर में प्रभारी प्राचार्य सामान्य और ठेठ भारतीय लगते हैं। सहज और आत्मीय, पर उनकी बातें, उपलब्धियाँ जानकर महसूस होता है, सामान्य आकृति में असाधारण व्यक्ति का वास। आधुनिक भारत–झारखंड के असली कुम्हार। अचर्चित सर्जक। साधनारत। कहीं भी अपनी उपलब्धियों और गौरवपूर्ण काम का बोझ या प्रदर्शन नहीं। नाम है धनुषधारी राम दांगी। प्रभारी प्रधानाध्यापक। 2007 में राष्ट्रपति पुरस्कार से सम्मानित। झारखंड में कुल पाँच लोगों को यह सम्मान मिला है। लेंबोइया गाँव के रहनेवाले हैं। इस गाँव में दो अध्यापक राष्ट्रपति पुरस्कार से पुरस्कृत हैं। जुलाई, 1958 में इसी स्कूल से पढ़े। फिर आगे की पढ़ाई प्राइवेट से की। राजनीति शास्त्र में एम.ए. किया। फिर पत्थलगड्डा के मेराल गाँव में (प्राथमिक विद्यालय) अध्यापक होकर गए। 21 साल वहीं रहे। उस गाँव में आदिवासी (मुंडा) और हरिजन (भोक्ता, तुरी) हैं। 99.9 फीसदी अति पिछड़े। एक यादव परिवार। 21 साल पहले पढ़ने का फैशन नहीं था। पढ़ाई, मास्टर को लोग शक की नजर से देखते थे। मास्टर धनुषधारी राम दांगी ने अपने कंधों पर लकड़ी ढोना शुरू किया। मिट्टी का स्कूल खड़ा किया। फिर धीरे–धीरे बच्चे साथ देने लगे। मास्टर और बच्चों ने स्कूल बनाया स्वउद्यम से। धुनी मास्टर ने फिर बच्चों को गढ़ना शुरू किया। जंगल/पहाड़ से इस कुम्हार शिक्षक ने अनेक छात्रों को गढ़ा। देखकर लोग आने लगे। यह अर्थशास्त्र का डिमांसट्रेटिव इंपैक्ट था। अँगरेजी में कहावत है, सीइंग इज विलिविंग (देखकर यकीन)। शिक्षा का चमत्कार व असर देख लोग आने लगे। यह अति पिछड़ों का गाँव लकड़ी से जीता था। जंगल की लकड़ी काटना/बेचना। मास्टर दांगी ने इस गाँव के लोगों को खेती की बात समझाई। पढ़ाई का महत्त्व बताया। जो बच्चे मुंडारी समझते थे, उन्हें आधुनिक शिक्षा से जोड़ने में बुनियादी दिक्कतें आईं, पर मास्टर दांगी ने विशेषज्ञों से मदद नहीं माँगी। जो मुंडा बच्चे हिंदी समझते थे, उनके माध्यम से शिशु मुंडाओं को शिक्षा दी। यह सब सुनते हुए मुझे दिल्ली/राँची के शिक्षा विशेषज्ञ याद आते

हैं। ऐसी समस्याएँ सुलझाने के लिए दो बड़े विशेषज्ञों को बुलाते हैं। सरकार का बड़ा बजट खर्च करते हैं। बरसों-दशकों भाषा विवाद-अनुवाद पर मंथन होता है, पर रिजल्ट सिफर। इस तरह मेराल स्कूल और दांगीजी की शिक्षा यात्रा शुरू हुई। जंगल के 7-8 बच्चों से। आज वहाँ 150 बच्चे हैं। सभी हरिजन और आदिवासी।

8-9 साल पहले दांगीजी मेराल से बदलकर पत्थलगड्डा के इस स्कूल में आ गए। आज यहाँ 206 बच्चे हैं। 60 फीसदी बच्चियाँ। स्कूल ड्रेस में गाँवों-देहातों में छात्राओं की लंबी कतारें देखकर लगता है, समाज करवट ले रहा है। जिस चौक पर यह नया देश/ नया राज्य/समाज गढ़ा जा रहा है, उसके सूत्रधार/कुम्हार दांगी जैसे अध्यापक हैं। इस स्कूल से डॉक्टर/ टीचर/ फादर/ रेलवे ड्राइवर अच्छी संख्या में निकल रहे हैं। दांगीजी बताते हैं कि यह सब देखकर शिक्षा के प्रति काफी जागरूकता बढ़ी है। चतरा के विभिन्न स्कूलों में पढ़ा रहे अधिसंख्य शिक्षक इसी स्कूल से निकले हैं। दांगीजी अपना अनुभव बाँटते हैं। लड़कियों की शिक्षा बढ़ी है। गरीब-से-गरीब आदमी लड़कियों को पढ़ाना चाहता है। यह नया मानस है। 8-10 किमी दूर से साइकिल से लड़कियाँ पढ़ने आती हैं।

इस स्कूल के कंप्यूटर-इंटरनेट कक्ष में सभी कंप्यूटर फंक्शनल हैं। रख-रखाव अच्छा है। इंटरनेट काम करता है। बच्चे तेजी से सीख रहे हैं। दुनिया से जुड़ रहे हैं। चतरा के किसी अन्य विद्यालय में इंटरनेट-कंप्यूटर सेक्शन की यह स्थिति नहीं है। इस स्कूल में हर शनिवार को शिक्षा-दरबार का आयोजन होता है। अपने ढंग का अनूठा प्रयोग-पहल। पिछले एक साल से। बच्चे और शिक्षक साथ-साथ बैठते हैं। समस्याओं को सलटाते हैं।

दांगी बताते हैं, उनकी शिक्षा यात्रा में सहयोग करनेवाले अच्छे लोग मिले। वह नाम बताते हैं, डी.पी.सी. (डिस्ट्रिक्ट प्रोग्राम को-ऑर्डिनेटर) बैकुंठ पांडेय का। 1999 में अरविंद विजय विलुंग ने स्कूल देखकर हर प्रोत्साहन दिया। यहाँ लड़कियों की संख्या अधिक थी। टीचरों ने आपस में चंदा कर सुलभ शौचालय बनवाया। विलुंगजी ने सुझाव दिया, बच्चों के लिए ड्रेस निर्धारण करें। खेलकूद का आयोजन कराएँ। शैक्षणिक भ्रमण कराएँ। यह सब शुरू हुआ। सन् 2000 में बोध गया शैक्षणिक भ्रमण पर यहाँ के छात्र गए। तब से हर साल यहाँ के छात्र शैक्षणिक भ्रमण पर जा रहे हैं। बचपन से ही दुनिया से साबका। यही कारण है कि आज के बच्चों का आत्मविश्वास, ज्ञान और लक्ष्य, हमारी पीढ़ी से ज्यादा स्पष्ट है।

अपना बचपन याद आता है। किशोर होने पर ताँगे की सवारी, छोटी लाइन की रेलगाड़ी या आगे निकले इंजनवाली बसों को पहली बार देखकर लगा, दुनिया में विकास के यही प्रतीक हैं। पाँच दशकों में कितनी बदल गई है दुनिया। काल और

बदलाव ही शाश्वत हैं। परिवर्तन ही जीवन है। ठहराव अगति, मौत।

पत्थलगड्डा से यह सब सोचते हम साथी आगे निकलते हैं, पर दांगीजी याद रह जाते हैं मस्तिष्क में। सवाल उपजते हैं, आधुनिक और नए भारत के निर्माता असली साधक कौन हैं? जो सत्तामद में चूर हैं, जिन्हें शासन चलाने का लूर नहीं, जो संवेदनशील-सक्षम इनसान भी नहीं हैं, जो महज आत्मस्वार्थ और लूट संस्कृति के वाहक हैं, जो सार्वजनिक कोष से वैध तरीके से शहंशाह की जिंदगी तो जी रहे हैं, साथ ही अवैध काम भी करते हैं। पुलिस, सुरक्षा के साथ नागरिकों को आतंकित करते हुए घूमते हैं, सड़क, बिजली, न्याय, शासन, विकास के काम जिनके जिम्मे हैं, पर इन सभी क्षेत्रों में परफॉरमेंस शून्य हैं। क्या समाज, राज्य और देश को आगे ले जाने की ड्राइविंग सीट पर बैठी ऐसी ताकतें पूज्य हैं या नफरत के पात्र? समाज के असली निर्माता, सर्जक और साधक तो जंगलों, पहाड़ों, गाँवों में साधक बनकर गीता के कर्मसाधक की तरह अपने काम में लगे दांगी जैसे लोग हैं!

आजादी के 60 साल बाद और झारखंड बनने के लगभग दस वर्ष बाद कम-से-कम हम झारखंडी यह तो तय कर ही लें।

(23-11-2010)

□

बदल रहे हैं गाँव, देहात और जंगल

संदर्भ : बदल रहा है झारखंड—2

स ड़क, नई तकनीक, टेलीफोन, मोबाइल, टी.वी. बाजार, शिक्षा, निजी उद्यम हैं, नए बयार के वाहक।

पहले धर्म, विचार, सरकार, पार्टियाँ, राजनीतिक-सामाजिक सुधार आंदोलन होते थे बदलाव के इंजन।

कभी डालटेनगंज-चतरा के इन इलाकों में खूब घूमना हुआ। समाजवादी चिंतक, अब बौद्ध अध्येता व दार्शनिक कृष्णनाथजी से सुना था—कैसे लोग पत्तों को खाकर जीवन गुजारते थे! रंका में वह खुद छह माह रहे। भूख के खिलाफ लड़ाई में शिरकत की, जेल गए। कृष्णनाथजी से बनारस पढ़ने के दौरान मिलना हुआ। उनके व्यक्तित्व, लेखन ने असर डाला। उनका स्नेह मिला। वह कितनी ऊँचाई पर गए? आज कितने लोगों को वह याद हैं? उन पर फिर कभी। फिर राँची 'प्रभात खबर' आना हुआ। और साबका हुआ 1991-92 के अकाल से। 'प्रभात खबर' राँची के कुछ साथी, डालटेनगंज के साथी, सब मिलकर सक्रिय हुए। त्रिदिव घोष, फैसल अनुराग, डॉ. सिद्धार्थ मुखर्जी, कर्नल बख्शी, गोकुल बसंत वगैरह के अनथक परिश्रम, प्रतिबद्धता और हर इलाके में भ्रमण से, अकाल मुद्दा बना। राहत पहुँचाई गई। तब पहली बार उस इलाके में जाना हुआ। फिर झारखंड बनने के बाद पड़े अकाल के दौरान, 2002-2003 के बीच। कुसमाटाँड़ (डालटेनगंज) में जीन ड्रेज के साथ जन सुनवाई क्रम में पांकी ब्लॉक भ्रमण। तत्कालीन झारखंड सरकार की आवाज दबाने की हर मुमकिन कोशिश!

इस चतरा यात्रा (फरवरी, 08) के दौरान ये सभी पुराने अनुभव याद आए। बगरा मोड़ पहुँचते-पहुँचते तीन बज गए। वहाँ से 'प्रभात खबर' से जुड़े साथियों के साथ लावालौंग के अंदरूनी गाँवों में जाना हुआ। पुलिस की शब्दावली में 'सुपर सेंसिटिव' एरिया। सड़क सुनसान थी। पक्की सड़क से उतर, कच्ची सड़क पर यात्रा शुरू हुई। सूचना मिली कि इन जगहों पर बरसों से लैंड माइन बिछी हैं। पुलिस-प्रशासन दूर ही रहना चाहते हैं। पहले एम.सी.सी. गुट का अघोषित राज था। अब अंदरूनी अंतर्विरोध

से टी.पी.सी. जन्मा है, ताकतवर और चुनौती देनेवाला। कहते हैं, इन इलाकों में अब
एम.सी.सी. का भय घटा है। टी.पी.सी. का दबदबा बढ़ा है। सिमरिया उपचुनाव में
टी.पी.सी. समर्थित प्रत्याशी चुनाव में उतरी थीं। चूड़ी चुनाव चिह्न था। सबसे अधिक
वोट इस इलाके से मिले टी.पी.सी. समर्थित प्रत्याशी को।

लावालौंग से सटे गाँव कच्ची, टूटी-फूटी सड़कों से जुड़े हैं। आज तक बिजली
नहीं पहुँची है। उप स्वास्थ्य केंद्र कभी-कभार खुलता है। 1995 में प्रखंड बना। बी.डी.ओ.
नहीं बैठते। कार्यालय भवन बन रहा है। पड़ोसी प्रखंड कुंदा है। कहते हैं, एम.सी.सी.
का जन्मस्थल ये दोनों प्रखंड हैं। यहीं का घी, बाँस, खैर लकड़ी और बेशकीमती जंगली
लकड़ियाँ मशहूर थीं। लावालौंग चौक से तकरीबन 10 किलो मीटर दूर एक गाँव में
जलील खाँ मिले। कहा, 15 साल से दौड़ रहा हूँ। गाँव में चापानल या कुएँ के लिए! पर
आवेदन मैं देता हूँ, काम आवंटन कहीं और होता है। पीने के पानी के लिए नदी जाना
पड़ता है। इसी गाँव के राज गंझू इंटर पढ़े हैं। नौकरी की तलाश में हैं। संजीत केशरी
आई.एस-सी. करके बैठे हैं। विकास भारती के अशोक भगतजी की सुनाई एक नागपुरी
कहावत याद आती है।

> ढेर पढ़ले घर छोड़ले
> कम पढ़ले हर छोड़ले।

बुंदेली कहावत भी है,

> कम पढ़े थे, हर से गए,
> अधिक पढ़े घर से गए।

भाषा-बोली कोई भी हो, यह भाव-चिंता हर जगह है। शिक्षा व्यवस्था कुछ ऐसी
है कि युवकों को न घर का रहने देती है, न घाट का। पढ़े-लिखे युवक बेकार बैठे हैं।
यह बोझ कोई समाज ढो सकता है? पर गाँवों की कथा-व्यथा यही है। बगल के हुटरू
गाँव में गाय-गोरू के लिए भी पानी नहीं। कपड़ा धोने के लिए इधर-उधर दौड़ते हैं, पर
गाँव की बच्चियाँ स्कूल जा रही हैं। कुछेक साइकिल की प्रतीक्षा में भी हैं। सरकार से
साइकिल मिलने की योजना चर्चित रही है। यहाँ एक लड़की ने साइकिल माँगी। उसका
साहस देख प्रभावित हूँ। आगे बढ़ने की ललक है। हक माँगने का आत्मविश्वास। पीने
के पानी का संकट है। सड़क नहीं है। बिजली नहीं है। गाँव में कुआँ कोई और खुदवाता
है, कमीशन लेता है। पढ़कर दो लड़के बैठे हैं। इनमें से एक अंधा बच्चा भी है। उसकी
माँ कह रही थी।

लोकतंत्र ने बेजुबानों को बोलने की आवाज दी है। इन इलाकों को देखते हुए

लगता है। सरकारी योजनाओं ने लोगों को पराश्रयी बना दिया है। उनकी निजी पहल, हुनर-उद्यम खत्म हो गए। चीन ने मछली देकर भूख शांत नहीं की, मछली मारना सिखा कर हुनर दिया। भूख मिटाने का। भारत ने परनिर्भर बनाया। हर चीज के लिए सरकार की ओर आँख। आत्मस्वाभिमान खत्म। याद आते हैं, बचपन के दिन। पी.एल. 480 (अमेरिकी सहायता) के तहत विदेशी गेहूँ गाँवों में बँटता था, राहत के लिए। जल्द कोई लेना नहीं चाहता था। गरीब लोग भी कहते, पहले मुसमात (विधवा), लाचार, बूढ़ों और अनाथ लोगों को दें। 1991-92 के आसपास पलामू अकाल के दिनों में भी ऐसा अनुभव हुआ। बुंडू-खूँटी के कुछेक गाँवों में लोगों ने राहत लेने से मना कर दिया। कहा, मुफ्त चीज नहीं लेंगे। भारतीय समाज में श्रम-स्वाभिमान की यह धारा थी। अब हालात बदल गए हैं। समाज को भी मुफ्तखोरी की आदत पड़ गई है। लोभ-लालच का दौर है। बिना श्रम, अर्जन की भूख। सरकारी विकास, संस्कृति और भ्रष्टाचार ने हमें कहाँ पहुँचा दिया है?

इसी प्रखंड में मुलाकात हुई लुखरी बिरहोरिन से। कहती हैं, एको लूर ढंग का घर नहीं है। लूर शब्द सुनते ही मित्र मनोज प्रसाद याद आते हैं। वह बार-बार कहते हैं, हमारे शासकों में लूर का अभाव है। यहाँ बिरहोरों के लिए सरकारी घर बने हैं। टूटे-फूटे, अधूरे और कमरों में अंधकार। प्रकृति के बीच खुले जीनेवालों को यह रास नहीं आ रहा। रघु बिरहोर की शिकायत है कि अब खरहा सिरा (खत्म) गया। चटाई कम बिकता है। घर चूते हैं। छत गिरती है। कहते हैं, पहले पत्तों के घर में रहते थे। वह ठीक था। जीतन बिरहोर की दोनों आँखें खराब हैं। देख नहीं पाते, 10-15 वर्षों से। कहते हैं, यहाँ सरकारी इंदिरा आवास में ठंड है। पत्तों के घर में ठंड नहीं थी। दो बेटे हैं। कमाने बाहर गए। आज तक नहीं लौटे। पुराने दिन याद करते हैं। जंगल सिरा गया। पहले खरहा, तितिर, मुरगा-मुरगी खाते थे। 80 के ऊपर के हैं, पर उम्र पूछने पर कहते हैं, का पता 40-45 वर्ष होई। आज तक किसी को वोट नहीं दिया है।

दरअसल बिरहोरों के लिए बड़ा बदलाव है। हजारों वर्षों से जिस जंगल में रैन बसेरा था, घुमंतू जीवन था, शिकार व्यसन था, अब वह दुनिया खत्म हो चुकी है, पर उनका मन वहीं अटका है। 'सरकार-शासन' ऐसे घुमंतू लोगों के इस संक्रमण दौर में 'मिडवाइफ' की भूमिका में होते, तो यह शहरी बदलाव उन्हें पीड़ा नहीं देता। सहज, सपाट और आसान होता जीवन बदलाव, पर यह परिवर्तन रोका भी नहीं जा सकता, क्योंकि मानव समाज के मूल में टेक्नोलॉजी और बाजार की भूमिका निर्णायक है। बदलाव पीड़ादायक होता है, पर इसी पीड़ा और दुःख से तप कर ही मानव समाज पत्थर युग से यहाँ पहुँचा है, और ये इलाके भी बदल रहे हैं। मोबाइल फोन ने इन जंगल के गाँवों को भी एक सूत्र में बाँधा है। शायद यही कारण है कि आधुनिकता के इन

प्रतीकों को नक्सली ढाह रहे हैं। हाल में नक्सली समूहों ने पाँच-छह टेलीफोन टावर उड़ा दिए हैं। मोबाइल की तरह सड़कों ने भी सूरत बदली है। आवागमन और संपर्क ने सीमित दुनिया का ताना-बाना तोड़ा है। लोगों का बाहर आना-जाना महज यात्रा नहीं होती। विचारों, बदलावों के बयार भी इन यात्रियों के साथ गाँव लौटते हैं। टी.वी. ने दुनिया को घरों-गाँवों में समेट दिया है। भोग और बेहतर जीवन की भूख की आँधी गाँवों में भी बह रही है। यह उपभोक्तावाद की हवा है। बाजार भी इस बदलाव का कड़ा कारक है। इस जंगल में बसे इन गाँवों-हाटों में चाउमीन, पापकॉर्न वगैरह धड़ल्ले से मिलते हैं। सरकारी स्कूलों में पढ़ाई हो या न हो, छात्र-छात्राएँ पंक्तिबद्ध होकर जाते हैं। बैंकों से ऋण लेकर निजी रोजगार-कारोबार के भी दरवाजे खुल रहे हैं।

पिछले समाज में बदलाव के माध्यम थे—विचार, राजनीतिक दल, धर्म, सामाजिक सुधार आंदोलन वगैरह, पर अब एन.जी.ओ. संगठन और ठेकेदार बन गए राजनीतिक कार्यकर्ता भी अपने-अपने ढंग से अपनी छाप छोड़ रहे हैं। गाँवों से जो मजदूर शहर गए, वे भी बदलकर लौटते हैं।

इस तरह 90 के दशक में उदारीकरण के गर्भ से अनेक तत्त्व निकले हैं, जो गाँवों का मानस बदल रहे हैं। यह बदलाव सिंगापुर के ली क्यान यू का कथन याद दिलाता है। भारत के गाँवों के शहरीकरण के बिना नया भारत नहीं बनेगा। वह कलाम के पूरा मॉडल से सहमत नहीं हैं। उनका मानना है कि चीन हर वर्ष एक करोड़ चीनी लोगों को गाँव से शहर में बसा रहा है। ब्राजील में भी तेज नगरीकरण हो रहा है। ली याद दिलाते हैं कि पुराने ग्रीक को याद करें। क्या सुकरात और वर्जिल गाँवों में रहते थे? नहीं, वे तब के शहरों में थे, जो सुविधासंपन्न थे।

(24-11-2010)

□

झारखंड, समय से पहले तो नहीं बना?

सोवियत रूस की विफलता पर गंभीर अध्ययन-शोध हुए हैं। ऐसी ही एक पुस्तक (द राइज ऐंड फाल ऑफ द सोवियत इंपायर) पढ़ रहा था, तो लेनिन का एक प्रसंग आया। मृत्यु के कुछेक महीने पहले सोवियत कामरेडों के कामकाज-आचरण को देखकर खिन्न लेनिन ने कहा, ''जर्मन लोगों से सीखो! आप अधम रूसी कम्युनिस्टो, आलसी हो। हमें यहाँ जर्मन लोगों को प्रशिक्षण देने-सीखने के लिए बुलाना चाहिए, अन्यथा यह सब महज शब्द जंजाल है।''

लेनिन ने अपने कामरेडों के लिए 'लाउजी' और 'स्लगड्र्स' शब्दों का इस्तेमाल किया था। झारखंड की राजनीति, राजनेताओं के आचरण-बयानबाजी देखकर लेनिन का यह प्रसंग स्मरण आया, तो साथ ही चर्चिल भी याद आए। भारत की आजादी के प्रस्ताव पर बोलते हुए, ब्रिटिश पार्लियामेंट में चर्चिल ने भारत के नेताओं के संबंध में अत्यंत अपमानजनक बातें कहीं। कहा, आजादी के लिए लड़नेवालों की इस पीढ़ी को गुजर जाने दीजिए, इसके बाद (अत्यंत अपमानजक कई विशेषण लगाए) देखिएगा, कैसे लोग सत्ता में आते हैं! झारखंड आंदोलन के लिए लंबी लड़ाई लड़नेवाले अनेक ईमानदार लोग आज यह सब देखकर कहते हैं कि इससे अच्छा तो बिहार था। 'झारखंड' मिल तो गया, पर हमारे नेता इसके काबिल नहीं थे। जो गाँव सभा नहीं चला सकते, वे झारखंड में रहनुमा बने हुए हैं।

कैबिनेट के अंदर जो बातचीत-व्यवहार होता है या नेताओं के जो बयान एक-दूसरे के खिलाफ (आजकल 'सड़क' उद्घाटन प्रसंग चल रहा है) प्राय: आते रहते हैं, उनसे लगता है कि एक सभ्य समाज के लिए बोझ हैं हमारे नेता। मामूली शिष्टाचार, मर्यादा, आत्मनियंत्रण और सलीका भी इनमें नहीं है। और ये पौने तीन करोड़ लोगों की रहनुमाई करते हैं। आज बदलती दुनिया में झारखंड के भविष्य निर्माता हैं ये राजनीतिज्ञ। झारखंड में रोज हर नेता आदिवासियों की चर्चा करता है, पर आदिवासी संस्कृति की खूबी मालूम है? गरीब-से-गरीब आदिवासी गाँव में चले जाइए, साक्षर नहीं होंगे, संपन्न नहीं होंगे, पर उनकी शिष्टता-मर्यादा, शालीनता, व्यवहार कुशलता से आप

हतप्रभ रह जाएँगे। अत्यंत शालीन होकर भी वे कठोर-से-कठोर तथ्य, बगैर संकोच कह देंगे। आपके सामने, आपकी कठोरतम आलोचना, पर मर्यादित रूप में। झारखंड के अनपढ़ लोगों का यह संस्कार है, और पढ़े-लिखे शासकों, मंत्रियों-विधायकों का हाल? भारत का पढ़ा-लिखा, कथित आधुनिक, सुसभ्य और सुसंस्कृत नागर समाज, इस आदिवासी समाज से 'कल्चरलाइजेशन' का पाठ पढ़ सकता है।

कैबिनेट के अंदर अशोभनीय दृश्य या मंत्रियों-विधायकों के सार्वजनिक वाक्युद्ध के पीछे कारण क्या हैं? निजी अहं का टकराव! कोई मसला ऐसा नहीं है, जो 'डायलॉग-डिबेट या डिस्कशन' (संवाद-बहस-बातचीत) से नहीं सुलझ सकता। इससे भी नहीं सुलझता, तो एक्सपट्र्स एडवाइजर हैं, लीगल एडवाइजर हैं, कोर्ट है, विधानसभा है, परंपराएँ हैं, मान्यताएँ हैं। कहीं-न-कहीं समाधान जरूर होगा। भारत-पाकिस्तान और चीन-ताइवान भी बातचीत से समाधान ढूँढ़ते हैं, तो क्या एक सरकार या एक ही सरकारी गिरोह के मंत्री-विधायक किसी उलझन को सुलझा नहीं सकते?

दरअसल यह दंभ-अहं की लड़ाई है, कौन बड़ा है? लोक किसे प्रभुत्वशाली माने? किसे बड़ा कहे? ये 'शासक' या स्वघोषित ताकतवर लोग यह भूल जाते हैं कि इतिहास के कूड़ेदानों में दिग्विजयी लोगों के नाम भी मिट जाते हैं, तो इनका वजूद क्या है?

विधानसभा हो या कैबिनेट या विधायकों-मंत्रियों (हर दल में विवाद की जड़ में निजी अहं-दंभ है) की बयानबाजी का मंच मीडिया हो, एक सामान्य बात गौर करने लायक है। राज्य में बढ़ते भ्रष्टाचार पर कभी ये लोग आपस में नहीं लड़ते, एक-दूसरे की फजीहत नहीं करते। यह कैबिनेट झूठे आश्वासन देती है, तो उस पर कोई नहीं लड़ता कि कैबिनेट की साख घट रही है। अकाल और पानी संकट से लड़ने के लिए एक लाख तालाब बनवाने की घोषणा इसी झारखंड सरकार ने की थी, पर उसका क्या हुआ? ऐसे अनंत मुद्दे हैं, जिनसे सरकार या मंत्रियों की कार्यक्षमता, एकाउंटबिलिटी, योग्यता पर सवाल उठते हैं, पर इस पर कोई नहीं लड़ता। जो सरकार पाँच वर्ष बाद भी राँची की ट्रैफिक व्यवस्था (जिस पर अकसर हाईकोर्ट निर्देश देता है) ठीक नहीं कर सकती, उसका क्या इकबाल है? झारखंड के सांसद-विधायक किसलिए लड़ते हैं? 17 अप्रैल को एक खबर आई कि पाटलिपुत्र एक्सप्रेस में कैसे झारखंड के एक सांसद और विधायक समर्थकों समेत घुसे और समर्थकों के लिए जबरन आरक्षण माँगने लगे। कोई जगह नहीं थी। टी.टी. को ट्रेन से बाहर फेंकने की धमकी दी। ट्रेन में उत्पात मचाया। ये आपराधिक प्रवृत्ति के लोग पूरे समाज को वही ट्रेन की बोगी समझ रहे हैं, जहाँ मूक यात्री यह उत्पात सहने को विवश थे।

राज्य में बिजली संकट है, जल संकट है, पलायन है, पर घोषणावीर राजनेता, इन सवालों पर टकरा रहे हैं? पाँच वर्षों में 1000 करोड़ की बिजली खरीद हुई है। 800

करोड़ प्रतिवर्ष बिजली बोर्ड को नुकसान हो रहा है। पाँच वर्षों में 1000 करोड़ की बिजली चोरी हुई है। इन सवालों को लेकर कौन चिंतित है या झगड़ रहा है? बिजली बोर्ड जैसी ही कार्य-संस्कृति अन्य सरकारी महकमों में है। प्रतिवर्ष कई सौ करोड़ रुपए सरेंडर हो रहे हैं, क्या अपनी इस कार्यक्षमता को बढ़ाने के लिए कभी इनमें लड़ाई होती है? नक्सली प्रभाव लगातार बढ़ रहा है, पर राजनीतिक दल, सरकार या विधायक (पक्ष-विपक्ष) इस सवाल पर मौन रहते हैं। विश्व की मशहूर पत्रिका द इकोनॉमिस्ट (अप्रैल 15-21) में रिपोर्ट छपी है 'द इस्ट इज रेड' कि कैसे झारखंड में नक्सलवादियों ने खनिज इलाकों में अपना प्रभुत्व बढ़ाया है। पर यहाँ के शासक-नेता-राजनीतिक दल बेफिक्र हैं, पर जब स्वार्थ हो, तो देखिए! सिद्धांत, मतभेद, विचार भूलकर सब एक हो जाते हैं। मसलन विधायक वेतन-सुविधाएँ बढ़ाने का मामला हो, तब सारे दल (भाकपा माले के एक विधायक अपवाद हैं) एक हो जाएँगे! तब इस सवाल का कोई उत्तर नहीं देगा कि झारखंड में प्रति व्यक्ति आमद में इजाफे का अनुपात, विधायकों-मंत्रियों की सुख-सुविधा-वेतन बढ़ोतरी से कम क्यों है? किस उल्लेखनीय उपलब्धि के बदले, यह बार-बार बढ़ोत्तरी?

झारखंड में सुशासन (गुड गवर्नेंस) की क्या स्थिति है? झारखंड में हुए एम.ओ.यू. में से एक भी बड़ा प्रोजेक्ट साकार हुआ? अगर नहीं हुआ, तो क्या अड़चनें हैं, क्या इस पर कभी विवाद हुआ?

क्या कभी झारखंडी नेता सोचते हैं कि जिस 'बिहार सिंड्रोम' के कारण झारखंड अलग राज्य बना, उस बिहार की आज क्या स्थिति है? 'बिहार संभावनाओं के द्वार' पर देखा जा रहा है। जिस बिहार को विकास, सुशासन वगैरह के पैमाने पर लोग 'राइट ऑफ' कर चुके थे, वहाँ एक नई शुरुआत की चर्चा हो रही है, पर जिस झारखंड में प्रकृति ने अपार खनिज संपदा-अवसर दिए हैं, वह राज्य संभावनाओं के द्वार से खिसक कर, अँधेरे में छलाँग लगाता दिखाई दे रहा है! और नेताओं का आचरण महज सत्ता, पैसा, प्रभुत्व और निजी अहं के इर्दगिर्द घूमता। झारखंड का नेतृत्व वर्ग राज्य को कहाँ ले जा रहा है?

(2004 उत्तरार्द्ध)

□

मकसद

झारखंड : आर्थिक-सामाजिक प्रोफाइल/अध्ययन

लगभग माह भर पहले विभिन्न राज्यों की प्रगति का तुलनात्मक शोध अध्ययन इंडिया टुडे में छपा और पूरे देश में क्षेत्रीय विषमता के सवालों पर पुन: चर्चा हुई। इस रिपोर्ट में विभिन्न राज्यों की रैंकिंग (आर्थिक विकास की दृष्टि से) की गई थी, इससे राज्यों के अंदर भी नए मुद्दे उठे। यह अध्ययन किया था दिल्ली स्थित इंडिकस एनालिटिक्स ने। विश्व स्तर पर अपने शोध-विश्लेषण और अध्ययन के लिए प्रख्यात संस्था, विश्व बैंक, बड़े कॉरपोरेट घरानों समेत दुनिया की मशहूर संस्थाओं के लिए अध्ययन करनेवाली संस्था है इंडिकस एनालिटिक्स।

'प्रभात खबर' ने उसी इंडिकस एनालिटिक्स से (15 नवंबर, 2004 के अवसर) झारखंड आर्थिक-सामाजिक प्रोफाइल तैयार करने के लिए आग्रह किया। साथ ही इस काम के लिए अनुरोध किया, देश-विदेश की जानी-मानी संस्था 'इंस्टीट्यूट फॉर ह्यूमन डेवलपमेंट' से। इस संस्था से जानेमाने अर्थशास्त्री प्रो अलख नारायण शर्मा जुड़े हैं। योजना आयोग के आग्रह पर इसी संस्थान ने बिहार की चर्चित रिपोर्ट तैयार की थी। प्रो. शर्मा ऐसे अध्ययन के लिए खुद अत्यंत जागरूक अर्थशास्त्री हैं।

यह काम सरकार का है या बड़ी व संपन्न शोध अध्ययन संस्थाओं का या स्वयंसेवी संस्थाओं का (एन.जी.ओज) या उद्योग-व्यवसाय से जुड़े संगठनों का। सबसे पहले आंध्रप्रदेश सरकार ने 'विजन 2020' रिपोर्ट तैयार कराई, लगभग 10 वर्ष पहले। इसके बाद अन्य राज्यों ने। हाल में बंगाल ने 'विजन 2020' रिपोर्ट बँगला में भी जारी की है। मध्य प्रदेश ने मानव विकास रिपोर्ट तैयार कराई और अमर्त्य सेन से लोकार्पण कराया। इसी तरह भारत सरकार के विभिन्न मंत्रालयों ने भी 'विजन 2020' रिपोर्ट तैयार कराई है। शायद बिहार, उत्तर प्रदेश और झारखंड को छोड़कर ऐसे दस्तावेज अन्य राज्यों ने बनवा लिए हैं।

इन दस्तावेजों के लिए एक नया अँगरेजी शब्द अब हिंदी में भी धड़ल्ले से इस्तेमाल हो रहा है, 'रोड मैप'। आशय है आपकी यात्रा की मार्गदर्शिका या गाइड बुक।

आपको कहाँ जाना है, मंजिल-गंतव्य क्या है, कैसे पहुँचना है, इसकी जानकारी इस विजन रिपोर्ट में रहती है। विजन रिपोर्ट या ऐसे शोध दस्तावेज की यह साधारण परिभाषा है। एक सामान्य इनसान के लिए।

सीमित संसाधनों वाले अखबार 'प्रभात खबर' ने यह अध्ययन क्यों कराया? यह अखबार अपना यह सीमित संसाधन पाठकों को लॉटरी-पुरस्कार देने में लगाकर भीड़ जमा करा सकता था। पुरस्कार बाँटकर पाठकों को बटोर सकता था, पर हमने दूसरा रास्ता चुना। रॉबर्ट फ्रास्ट के शब्दों में कहें, तो 'द रोड लेस-ट्रेवेल्ड' (वह राह, जिस पर लोग यात्रा नहीं करते)। हमने संसाधन खर्च किया ऐसे दस्तावेज बनवाने में, जहाँ से झारखंड और यहाँ के बाशिंदों के लिए नया भविष्य गढ़ा जा सकता है। इस बदलती दुनिया में अपना भविष्य गढ़ने के लिए झारखंड के लोग तैयार हों, यह मानस तैयार कराने के लिए जाने-माने अर्थशास्त्रियों-विशेषज्ञों से यह अध्ययन कराया गया है।

इससे भी महत्त्वपूर्ण बात! 'प्रभात खबर' पाठकों को सूचनासंपन्न बनाना चाहता है। दुनिया में यह शताब्दी 'नॉलेज एरा' (ज्ञान युग), इनफॉरमेशन रिवोल्यूशन (सूचना-क्रांति), डिजिटल डिवाइड (कंप्यूटर विभाजन), डेथ ऑफ डिस्टेंस एरा (दूरी खत्म होने का दौर), ग्लोबल विलेज की शताब्दी मानी जा रही है। अब अगला दौर वैज्ञानिक 'बायोरिवोल्यूशन' का कह रहे हैं। इस युग में सूचनाविहीन नागरिक और राज्य पिछड़ने के लिए अभिशप्त हैं। गुलाम बनना उनकी नियति है। 19-20वीं शताब्दी में भी जिन देशों में औद्योगिक-क्रांति हुई, जो टेक्नोलॉजी में आगे रहे, जहाँ के लोग सूचना संपन्न रहे, उन्होंने दुनिया को पीछे छोड़ दिया। ब्रिटेन जैसा छोटा मुल्क पूरी दुनिया पर इसी टेक्नोलॉजी के कारण राज करता रहा। भारत के कुछ राज्य सूचना विस्फोट के इस दौर में प्रगति दौड़ में शरीक हो गए हैं। विशेषज्ञों के अनुसार आगे बढ़ रहे ऐसे भारतीय राज्य 2020 में विकसित देशों के बराबर पहुँच जाएँगे। जो पीछे रह जाएँगे, वे 2020 में भी बांग्लादेश-श्रीलंका की आज की स्थिति के समान होंगे। राज्य और नागरिक अपना भविष्य खुद गढ़ते हैं। भविष्य हमारी मुट्ठी में है। अगर हम 2020 में यहीं रहना चाहते हैं, तब ऐसे अध्ययनों का असर नहीं होगा, पर यकीनन कोई झारखंडवासी 2020 में यह स्थिति नहीं चाहता। इस तरह इस अध्ययन के माध्यम से 'प्रभात खबर' अपने नागरिकों को सूचना संपन्न बनाकर बेहतर भविष्य गढ़ने के लिए तैयार करना चाहता है। अखबार का मकसद है कि इन सूचनाओं से वह मानस झारखंड में बने कि हमारी बंद मुट्ठी खुले और हम नया भविष्य गढ़ें। 'प्रभात खबर' ने जो संसाधन ऐसे विश्लेषणों-शोधों में खर्च किया, उससे शायद कुछेक पाठकों को लॉटरी लगाकर चीनी खिलौने-सामान गिफ्ट दे सकता था। वह जो अन्य अखबार कर रहे हैं। उसी तर्ज पर 100 में से 10 या 20 लोगों को ऐसे चीनी पुरस्कार मिलते। लंबी लाइन, लॉटरी और संशय के बाद वह

सामान या 'गिफ्ट' या तो मिलते ही बेकार हो जाता या दो-चार दिनों में कबाड़ा बन जाता। बेंजामिन फ्रेंकलिन ने कहा था, ''जिस देश की युवा पीढ़ी बिना श्रम किए कुछ पाने की अभ्यस्त हो जाती है, उसका भविष्य नहीं होता।'' आजादी के बाद पंडित नेहरू ने कहा था कि सट्टा बाजारों में दाँव लगाकर, बिना श्रम किए सबकुछ पा जाने का मानस हम नहीं बनाएँगे। हमारा देश भिन्न मानस का होगा। श्रम से उत्पादकता बढ़े और उत्पादकता से अर्जन हो, तो समाज बनेगा। आज अखबार जब ऐसा लॉटरी मानस बना रहे हैं, तब इसके विकल्प में 'प्रभात खबर' ने अपने पाठकों को सूचना संपन्न बनाने, उनके विवेक को समृद्ध करने का रास्ता चुना है। पाठक इन सूचनाओं को जानकर अपना, अपने परिवार का, राज्य का भविष्य गढ़ने के लिए तैयार होंगे, यह मानस बनाने के लिए यह शोध अध्ययन कराया गया है।

एक और महत्त्वपूर्ण कारण है। 'प्रभात खबर' के लिए झारखंड भावनात्मक सवाल है। जब अलग राज्य नहीं था, राज्य बनने की संभावना नहीं थी, तिजारत और कमाई के लिए अन्य अखबार नहीं आए थे, जब झारखंड आंदोलन शिथिल था, तब घाटा उठाकर 'प्रभात खबर' लगातार अलग राज्य और विकास मानस बनाने में लगा रहा। राज्य बनने के बाद 'विकास' हमारा एकमात्र एजेंडा है। राज्य गठन के बाद सरकार बनी। संस्थाएँ बनीं। लूट शुरू हुई, पद-पैसों का बँटवारा हुआ। इस दौर में 'प्रभात खबर' ने अपनी नई भूमिका चुनी है, लोगों को सूचना संपन्न बनाने की। राज्य में विकास माहौल बनाने की।

साम्यवाद-मार्क्सवाद को हम जितना नकार दें, पर मार्क्स और साम्यवाद ने जीवन का सबसे बड़ा सच सहज तरीके से बताया है। आर्थिक सवालों-मुद्दों से इतिहास की धारा तय होती है। देश-दुनिया में आर्थिक सवाल ही निर्णायक स्थिति में हैं, आज की हिंदी पत्रकारिता इस सवाल-मुद्दे पर सही ढंग से काम नहीं कर रही। आर्थिक सवालों-मुद्दों को सहज और सरल तरीके से सामान्य लोगों तक पहुँचाएँ, तो एक नई चेतना पैदा होगी। यही हमारा मकसद है।

इस अध्ययन से पता चलता है कि झारखंड कहाँ खड़ा है? यह सही है कि चार वर्षों में चमत्कार संभव नहीं, पर दिशा-दशा और सही माहौल बनाने के लिए चार वर्ष पर्याप्त हैं। चार वर्ष पूर्व जो राज्य बने (छत्तीसगढ़, उत्तराखंड और झारखंड) वे कहाँ पहुँचे हैं, इस अध्ययन में इस पर भी चर्चा है। देश के तीन अग्रणी राज्यों पंजाब, महाराष्ट्र और तमिलनाडु के मुकाबले इन राज्यों की स्थिति का भी इसमें अध्ययन है। चूँकि झारखंड, बिहार से अलग हुआ, इसलिए बिहार की स्थिति भी इसमें शरीक है। पड़ोसी राज्यों बंगाल और ओड़िशा के बरक्स झारखंड का मूल्यांकन भी इस अध्ययन में है। हर क्षेत्र में राष्ट्रीय औसत की स्थिति के मुकाबले भी इन राज्यों का मूल्यांकन है। इस अध्ययन का मकसद है कि आर्थिक सवालों पर जागरूकता बने।

क्यों आर्थिक मुद्दे नहीं उठ रहे? राजनीतिज्ञ, अफसर, नेता (अपवाद छोड़कर), दलाल नहीं चाहते कि बुनियादी आर्थिक सवाल उठें। यह सवाल उठेगा तो शासक वर्ग को जवाब देना होगा कि विधायक-सांसद होते ही लोग कैसे (अपवाद को छोड़कर) कुछेक वर्षों में खाकपति से अरबपति बनते हैं? अलीबाबा का कौन-सा खजाना खुलता है? अफसर बनते ही लक्ष्मी कैसे रातोरात छप्पर फाड़कर अमीर बनाती हैं? गरीब पूछेंगे कि हमारे कल्याण के लिए आया पैसा कहाँ गुम हो जाता है? दिल्ली से चला एक रुपया गाँव आते-आते कैसे छह पैसे रह जाता है? 94 पैसे कौन खा जाते हैं? क्यों झारखंडी गाँवों के गरीब रोजगार की तलाश में बाहर जाते हैं और अपमानित होते हैं, भगाए जाते हैं। दिल्ली-बंबई जैसे महानगरों में आदिवासी लड़कियों के शोषण के जिम्मेवार लोगों पर सवाल उठेंगे। सरकार से जनता पूछेगी कि क्यों चार वर्ष में अन्य राज्य प्रगति की सीढ़ी पर हमसे आगे निकल गए? फिर शासकों की जिम्मेवारी-एकाउंटबिलिटी के सवाल उठने लगेंगे। इसलिए पक्ष-विपक्ष और शासक वर्ग जाति, धर्म जैसे उन्मादी सवालों में जनता को उलझाए रखते हैं। इस अध्ययन का मकसद है कि जनता बुनियादी आर्थिक सवालों को समझे और इन्हें सामाजिक-राजनीतिक विमर्श का मुख्य एजेंडा बनाए। भविष्य सँवारे। यह नया भविष्य बनाने-गढ़ने का अभियान है।

(16.11.2004)

□

सपने और यथार्थ

सपने साकार नहीं होते। निजी जीवन में होते भी हों, तो कम-से-कम सामूहिक स्तर पर, समाज, राज या देश के स्तर पर यह चमत्कार नहीं होता। आजादी के बाद यही हुआ। सपने यथार्थ में नहीं बदले। 1977 में देश ने पुन: सपना देखा, पर वे भी भंग हो गए। 1989 में विश्वनाथ प्रताप सिंह ने पुन: सपने दिखाए, पर हश्र वही हुआ। अब तो जनता ने सपने देखना भी बंद कर दिया है। तीन नए राज्य वर्ष 2000 में बने, पर इन राज्यों से जुड़े सपनों के साथ भी ऐसा ही हुआ। वे सपने अंशत: भी यथार्थ में नहीं बदले। उत्तराखंड या छत्तीसगढ़ में हालात बदल गए हों, तो नहीं मालूम, पर झारखंड के संदर्भ में तो कोई उल्लेखनीय बदलाव दिखाई नहीं देता।

हाँ, गौर करने की बात है कि राजनेताओं (चाहे वे जिस भी दल के हों) के ठाट-बाट बदल गए हैं। झारखंड बनने के बाद से आज तक कम-से-कम तीन बार सभी विधायकों ने (सभी दलों के विधायक, सिर्फ सी.पी.आई. (एम.एल.) को छोड़कर) एकमत होकर अपने वेतन-भत्ते को बढ़ाया। सार्वजनिक विरोध के बावजूद। जनता के बीच से आवाज उठी कि राज्य में प्रति व्यक्ति आमद नहीं बढ़ रही, कानून-व्यवस्था नहीं सुधर रही, नक्सलियों का राज 24 में से 18 जिलों में फैल गया है।··· फिर भी किस उल्लेखनीय काम के बदले विधायक तीन-तीन बार वेतन-भत्ते संशोधित कर रहे हैं? महँगी-महँगी गाड़ियों पर चढ़ रहे हैं। क्यों राजनेताओं, भ्रष्ट अफसरों, बिचौलियों और भ्रष्ट उद्यमियों के ही जीवन में झारखंड बनने के बाद बदलाव दिखाई दे रहे हैं? इस वर्ग की समृद्धि स्वत: बोल रही है। दलालों का एक नया वर्ग उभर आया है। राज्य की राजधानी राँची से ब्लॉक तक। विकास पूँजी के साथ-साथ भ्रष्टाचारियों और दलालों की संख्या ऊपर से नीचे तक पसर गई है। भ्रष्टाचार और कुशासन का जरूर विकेंद्रीकरण हुआ है। हालाँकि सरकार उपलब्धि की बात करती है, तो विपक्ष सिर्फ आलोचना में यकीन करता है। चूँकि झारखंड की सरकार कम बहुमतवाली सरकार है, इसलिए विपक्ष की कोशिश रहती है कि वह 'येन-केन-प्रकारेण' सत्ता में पहुँच जाए। सत्ता-संचालन के लिए या सुशासन के लिए कोई 'ब्लूप्रिंट' न तो सत्तारूढ़ एन.डी.ए. के पास

है और न विपक्ष यू.पी.ए. के पास। राज्य में गंभीर चुनौतियों की लंबी सूची है, पर विधानसभा में इन सवालों पर कभी सार्थक बहस नहीं होती। नक्सलवाद, सूखा, पलायन, विस्थापन, कृषि संकट, भ्रष्टाचार, जल संकट, पर्यावरण, सुशासन···लंबी सूची है, जिन विषयों पर प्राथमिकता से चर्चा होती और स्पष्ट नीति बनती, तो झारखंड की तसवीर जरूर बदलती। क्योंकि प्राकृतिक संसाधन यहाँ हैं, जनसंख्या कम है, बिहार के अनुपात में प्रति व्यक्ति जमीन अधिक है। लेकिन बदलाव का काम तो राजनीति ही कर सकती है और राजनीति, स्वर्गीय रामनंदन मिश्र (आजादी की लड़ाई के उल्लेखनीय योद्धा, 1942 में जे.पी. के साथ हजारीबाग जेल से निकल भागे थे) के शब्दों में, 'बाँझ और अनुर्वर' हो गई है। नया राज्य बना तो लगा कि बिहार की लीगेसी से मुक्त होकर यहाँ नई शुरुआत होगी, पर संयोग देखिए, आज 'बिहार' में बदलाव की बात हो रही है। वहाँ सपनों और संभावनाओं पर चर्चा हो रही है और खनिज संपदा से भरपूर झारखंड में सिर्फ 'एम.ओ.यू.' पर बात होती है। झारखंड सरकार ने लगभग दो लाख करोड़ के एम.ओ.यू. (मेमोरंडम ऑफ अंडरस्टैंडिंग) पर हस्ताक्षर किए हैं, देश-दुनिया के बड़े उद्यमी घरानों से, पर यथार्थ में एक भी एम.ओ.यू. धरातल पर दिखाई नहीं देता। बिजली संकट, कुशासन, जमीन अधिग्रहण की मुसीबतें और नक्सलवाद की बढ़ती चुनौतियों से पाँच वर्ष पहले सकारात्मक आसार दिखाई दे रहे थे, अब निराशा फैल रही है।

विकास या समाज के स्तर पर भले ही कोई बड़ा परिवर्तन नहीं हुआ हो, पर पत्रकारिता में बदलाव आया है।

राष्ट्रीय स्तर पर 'लॉबिंग' के काम में बड़े-बड़े पत्रकारों की भूमिका की चर्चा होती रही है। अब झारखंड में भी टेंडर दिलाने, ट्रांसफर-पोस्टिंग कराने, ठेका देने-दिलाने, कमजोर सरकार को ब्लैकमेल करने के काम में कुछेक पत्रकार लग गए हैं। संयोग से ऐसे पत्रकार बड़े पदों पर हैं। मुख्यमंत्री कोई भी हो, ऐसे चारण पत्रकार सत्ता के इर्दगिर्द ही रहते हैं। काम न करनेवाले ईमानदार अफसरों के खिलाफ मुहिम भी चलती है। भ्रष्ट मंत्री स्वत: कमजोर होते हैं, इसलिए वे आसानी से 'ब्लैकमेल' हो रहे हैं। नए राज का यह नया दृश्य है।

(2004 उत्तरार्द्ध)